国家、市场、社会：
当代中国的法律与发展

国家、市场、社会：
当代中国的法律与发展

梁治平　编

中国政法大学出版社

编者前言

国家、市场、社会、法律和发展，这些是中国近代以来缘不同面目反复出现的主题。不同时期的现代化方案内容有别、侧重不同，这些主题的含义以及它们之间的关系也随之而变化。不过，正像国家的性质和功能是西方古典政治哲学的核心问题一样，国家概念在近代以来中国的政治思想和社会变迁过程中也占据着中心位置。与西方国家不同的是，在中国特定的历史语境中，个人的观念，以及与个人观念相联系的其他概念如市场、社区、社会、私人领域等，始终没有成为与国家概念同等重要因而能够与之相平衡的理论和实践范畴。这里，"国家"从一开始就是某种引力中心，其他范畴如个人、家庭、市场、社会等，其位置都要根据这个中心才可以被察知和确定。在一个不断变化的图景当中，个人、市场、社会的命运与国家的沉浮息息相关。这或者可以解释，为什么当代中国社会科学的各种论说，无论距离政治多么遥远，都或多或少透露出国家的消息。这也可以解释，何以在像本书这样一部以法律与发展为主题、而且多数作者、评论者和讨论者也不是政治学者的论文集中，多数论证和讨论都是围绕国家问题而展开的。

秦晖教授的文章从一段历史考证开始，但考证本身显然不是这篇文章的目的。对作者来说，"最好的政府是管事最少的政府"这句流传广远的名言究竟出于何人其实并不重要，重要的是这类说法出现在什么样的制度背景之下。进一步说，所谓"大政府"与"小政府"之争也不重要，重要的是政府的权力和责任是不是正相对应。理论上说，权力至小而责任至大的政府可能是最优的，但这种最优政府在现实中似无可能。相反，最坏的政府，即权力至大而责任至小的政府倒是在理论上和实践上皆有可能。作者希望在理论上澄清有关政府大小孰优孰劣的争论中的一些似是而非的论点，认为更重要的是要看政府的权力和责任是否对应一致。而要保证政府权力和责任的对应一致，防止最坏政府的出现，在他看来，就必须实行宪政。

实行宪政属于那种说来容易做起来却十分困难的事情。宪政的目标是要"驯服"权力，这与建立统一的民族国家的目标有着内在的紧张。在像中国这种具有半殖民历史的后发展国家，这种紧张尤为显著。在这里，当国家开始成长壮大的时候，个人和社会如果没有沦为其牺牲品，也很容易被其阴影所遮蔽。着眼于这一点，了解和研究有关市民社会的各种理论对于构想一种健康的政治与社会理论就显得十分必要了。

最近十数年里，市民社会的理论经历了一次富有戏剧性的发展。因为这个缘故，市民社会的概念变得十分流行，并从欧洲和北美迅速传播到中国。我们应当如何评价西方的市民社会理论及其在中国语境中的应用？作为一种思想资源，市民社会理论对于中国未来政治思想具有什么样的积极意义？陈弘毅教授的文章就围绕这些问题展开。应该说，对这些问题的讨论与前一篇文章的主题具有内在关联，这不仅是因为"社会"始终是"国家"的对应物，而且因为市民社会概念是宪政理论中的一个有机成分。

市民社会理论的重要性似乎是显而易见的，但也像我们遇到的其他许多理论一样，如何把西方社会科学的概念、范畴和理论恰当地和创造性地运用于中国社会，使之适合其分析对象，从而帮助我们理解并且建设性地改造现实，从来都是一项极其艰难的工作。实际上，迄今为止我们在这方面的尝试成功的例子并不多。[1] 而中国 1980 年代以来的改革之所以取得了相对成功，也恰恰因为它是所谓渐进式的，而非基于某种革命性的理论。

当然，经验性的渐进主义并非在任何条件下都是最优的选择。实际上，中国在经历了二十多年的改革之后，其经济、社会与政治发展之间的不平衡已经变得十分突出，并且成为社会继续发展的主要障碍。在此情形之下，"摸着石头过河"的信条已经不再是有效的指南，对理论的需求变得日益迫切。季卫东教授正是针对这一情况，希望提出一种超越"渐进主义"和"休克疗法"的制度变迁模式。

在"结构的组合最优化"这篇文章里，季卫东敏锐地指出，与过去二十五年市场化改革相伴随的，是个人不断地从"组织"当中分离出来的过程。然而市场竞争和私人之间的讨价还价并不足以把个人和小集团重新联合起来，从而实

---

[1] 这方面的事例，大至主义、思潮，小至概念、术语，可以说比比皆是。市民社会理论也不例外。与以往不太一样的是，由于对学术研究中西方中心主义倾向的自觉意识增强，现在无论何种理论，一经提出便可能面对各种批评和质疑。最早把市民社会理论和概念用于中国的尝试就是在这样的批评性论辩中发展起来的。参见黄宗智（主编）：《中国研究的范式问题讨论》（北京：社会科学文献出版社，2003）。尽管如此，在关于中国的市民社会问题研究中，仍然很少有人注意到中国的本土经验，也很少有人对凝聚了这种经验并且至今仍然被广泛使用的诸如"民间"这样的概念进行深入的研究。相关的批评和尝试，参见梁治平："'民间'、'民间社会'和 Civil Society——Civil Society 概念的再检讨"，载梁治平：《在边缘处思考》页 157 - 189。（北京：法律出版社，2003）

现社会和国家的转型。要做到这一点，必须有一套公共选择的程序、规则、组织和制度。换言之，这个市场化的时代也应该是一个为市场重新安排非市场性的前提条件以建立一套新的公共规范体系的时代。这里，作者的目标指向宪政和法治，而其讨论的重点，则是通过对作为中国社会结构和政治模式特征的关系网络以及"人称化"和"泛人称化"的分析，探讨如何在这些条件制约之下逐步实现基于自由合意的和"去人称化"的制度安排。

面对经济转轨和社会转型所带来的巨大压力，民主、法治、宪政在不同程度上成为颇富吸引力的符号和目标。但是除了在为数不多的具有批判意识的知识者那里，这些概念的含义及其实践意义很少得到深入的省思。比如，法律与发展的关系究竟是什么？发展的目的何在？在今天的社会条件下，法治是否可能？以及，就人的发展而言，法治的理想是否完满？於兴中博士在讨论这些问题时引入了一个重要概念，那就是"解放"。於博士认为，解放与发展是欧洲近代史上的两个主题，二者都要求法律为其提供保障，并在法律的框架内展开，由此而形成了解放、发展、法律三位一体的现代社会格局。然而，这种三位一体的现代社会格局本身又包含着难以解决的矛盾，尤其是在发展中国家，以人权为主要内容的解放和发展这两个主题常常不能一致，而作为一种文明秩序的法治，对于人的解放而言也不能说是一个完满的条件。作者认为，要推动解放与发展的事业，应当法律、道德和宗教并重，这同时也意味着，解放与发展的事业不能只依靠国家，而须要加强个人、社区、非政府组织和公民社会的作用。

强调个人、社区和公民社会的作用，通常被看成是加强民主的重要途径。而在现代社会中，公民民主权利在政治上的表现，首先体现在选举权上。"论我国选举法中的四分之一条款"一文讨论了1950年代以来一直存在于中国选举法上的一个特别规定，即全国和地方各级人民代表名额的分配，农村每一代表所代表的人口数目应当数倍于城市每一代表所代表的人口数。为什么会有这样的规定？其理由何在？这一条款意味着什么？它是否合理？赵晓力博士对这些问题做了清晰有力的分析，他的结论并不令人意外：四分之一条款在直接选举中造成了公民选举权的不平等，在间接选举中造成了代表名额分配的不合理，结果是代表的多数同人口的多数不能一致，这不仅令立法机构的合法性产生问题，而且破坏了宪法所确立的代议制民主原则。不用说，当初提出采用这一规定的社会条件也早已改变。因此，四分之一条款应当尽早废除。

中国是一个人口大国，且其人口的大多数是农村人口。那么，四分之一条款的实施意味着什么呢？农村、农业、农民问题（人称"三农"问题）的不断恶化，城乡差距的存在甚至扩大，这些现象是否同农民在选举权和代表名额方面受到的"合法歧视"有关呢?

在接下来一篇讨论乡村法律制度建设和纠纷解决机制的文章里,作者傅华伶教授从微观角度入手为我们展现出了变化中的乡村社会法律生活景观。作者以1978 年以来中国农村经济发展为背景,从规则、机构、中介和当事人四个方面去观察乡村社会的纠纷类型及其演变、纠纷解决的方法,以及国家法律在其中的作用。这一法律社会学性质的研究给了我们不少关于当代中国农村法律问题的具体知识,其中给人印象最深的,可能是农村社会组织的涣散、乡村经济的凋敝、国家财政的疲弱以及合格的法律服务的缺乏。实际上,正如评论人在讨论中指出的那样,当代中国农村问题的产生,有着极其深厚的历史和制度原因。农村社会的法律问题也只有放在更大的历史和制度背景之下才可以被更好地了解。

对于社会科学诸领域的学者来说,法律与经济之间的联系是不言而喻的。然而,法律与经济发展之间关系的性质,却是学者们一直争论不休的问题。1960年代曾经兴盛一时的"法律与发展"运动终于以失败告终,这对相信法律发展必将促成经济、政治和社会全面发展的人来说是一个不幸的消息。尽管如此,在许多第三世界国家,法律实践仍然在很大程度上是以法律为经济发展所必需的假定为指导而展开的。〔2〕尤其是进入 1990 年代,在诸如世界银行、国际货币基金组织等重要国际组织持续不懈地推动之下,新一轮法律与发展"运动"逐渐成形,〔3〕成为发展中国家经济发展中的主题。了解中国改革开放以来法律发展过程的人对这个主题应当不会感到陌生。因为,无论法律与经济的关系实际上怎样,改革开放以来的大规模立法以及相应的司法改革和法学教育的发展等,都可以被看成是这个主题的展开。

然而问题并没有解决。即使人们承认法律与发展之间存在某种因果联系,具体是什么样的法律、在哪些方面、哪些领域、通过何种方式、在多大程度上可能促进发展,这些都是需要深入探讨的问题。

杨小凯的文章介绍了一项新制度主义经济学的经济史研究,这项研究想要回答的问题是:"为什么工业革命在英国而不在西班牙发生?"。研究者的结论是:制度在经济成长过程中扮演着重要作用。具体说,虽然同样是因为大西洋贸易而

---

〔2〕 关于"法律与发展运动"兴衰背景及得失的分析,见布莱恩 Z 塔马纳哈:"法律与发展研究的教训",载夏勇(编):《公法》,页 121 - 148。(北京:法律出版社,2000)

〔3〕 关于 1990 年代以来的法律与发展运动,可以参见汤姆·金斯伯格:"法律对经济发展有作用吗? 东亚实践之意义",载《洪范评论》(第一辑),2004;Randall Peerenboom, China's Long March toward Rule of Law, pp. 148 - 153. (Cambridge University Press).

获得大量财富和发展机会，英国却由于有制约王权的议会制度和更好的保护私人产权以及私人从事商业活动的权利的法律制度，而促成了经济成长的良性循环，并引发了工业革命。作者认为，中国今天所面临的情况可以类比于五百年前的英国和西班牙。换言之，中国的前途取决于制度选择和制度创新。显然，作者相信法律——从宪政体制到具体的经济和民事法律规范——能够促进或者阻碍经济发展。[4] 这似乎很自然，因为作者所介绍的新制度主义经济学，其本身就是新的法律与发展运动的一个重要的理论渊源。

论及中国这个个案，法律与发展的关系变得似乎更加复杂。一个显而易见的事实是，中国过去所经历的高速经济增长，并不是建立在同样程度的法律发展的基础之上，尤其是同一些其法律发达程度被认为高于中国的国家（比如印度）相比较，这一点显得更加突出。[5] 当然，承认这一事实并不意味着相反的命题可以成立。毋宁说，它要求人们在考虑这些问题时采取一种更加审慎的立场。在最近关于法律与证券市场关系的研究中，有人提出，虽然法律与经济发展之间存在显著的正相关关系，但在历史顺序上，并不是法律发展在前，资本市场的发展在后，而是相反，比较完善的保护证券投资者的法律制度是较晚才发展起来的，而促成这种发展的一个重要机制，便是资本市场上存在一个有动机推动法律变革的群体。换言之，要引发法律变革，必须先形成有动机去推动这种变革的利益群体。循着这样的思路，陈志武和王勇华讨论了中国的证券法和资本市场发展的关系。

根据这两位作者的研究，中国 1990 年代以来资本市场发展的历史，证明了上述"先发展，后规范"的发展模式。文章从 1990 年上海证券交易所设立开始，追溯了中国资本市场以及相关政策、法律和诉讼的发展，使读者对中国证券制度的背景、中小投资者所面临的问题、法院在解决这些问题时所扮演的角色等，有了一个相当清楚的了解。作者还比较了证券民事诉讼和产品责任民事诉讼，试图通过对这两种诉讼形成机制上不同特点的说明，解释为什么人数明显更少的资本市场投资者，比人数多得多的普通消费者能够更有力地推动与其利益相

---

[4] 我们曾经邀请杨小凯教授来参加同一主题的研讨会，当时他已经重病在身，未能前来，只是托人转来两篇短文。几个月之后，他便与世长辞了。与杨小凯教授在经济学上的贡献相比，这篇他去世前不久完成的短文实在太小太微不足道了，但我相信，这样一篇只有数千字的小文表达了他内心某种强烈的关注。因此，发表这篇短文便可能是我们对他最好的纪念。

[5] 一般认为，印度有较高程度的民主化。其法治的发达程度也许略低，但肯定高于中国。现在，中国与印度之间经济发展方面的比较正在引起越来越多人的兴趣。最近的一组文章刊载于《比较》杂志第 14 期（2004）。

关的法律的发展。

中国的证券市场首先是为了解决国有企业的资金短缺问题而建立的，这一点已经国内外许多分析家指出。中国资本市场上中小投资者利益得不到保护的问题无疑与此有关。问题是，在证券市场的制度背景没有明显改变的情况下，私人诉讼的意义究竟有多大？比较上一篇文章作者的结论，郭丹青教授的看法可能没有那么乐观。在"政府持股与中国公司治理"这篇文章里，郭教授分析了存在于公司治理的论述、法律、机构和制度中的一些令人困惑的特性，指出造成这些法律和制度内在困境的原因，主要是国家不愿放弃在经济领域保有对企业的完全或者控制性所有权的政策。由于国家控制企业的目的并不只是为了财富的最大化，这样便产生了若干问题，其中包括对其目标进行衡量、平衡和监督执行的困难，也包括国家作为控股股东与其他股东之间不可避免的利益冲突。实际上，几乎是公认的公司治理法律方面的许多问题都源于这一政策和制度背景。

在分析公司治理方面的法律和制度问题时，郭教授还指出，实现公司治理只有合理的法律规定是不够的。任何公司治理体系都依赖于多种互相配合的机构和制度，除了法院和证券监管机构，中介机构如律师事务所、会计师事务所、投资银行、经纪人和股票交易所等也很重要。甚至，基于公法权利的言论自由和媒体多元化对于完善公司治理制度可能也是不可或缺的。值得注意的是，即使是中介性机构和制度的发达程度，也可能程度不同地受到政治发展的制约。这表明，法律与发展的主题必须在一个更大的制度框架里才能够被恰当地理解。

在"国家、市场、社会：以台湾的公寓大厦规范为例"一文中，简资修教授讨论了涉及公寓大厦公共部分（主要是顶层和停车场）的管理规范及其演变，重点分析了基于国家强制的法律规范同基于私人自治的市场规范和基于社区习惯的社会规约之间互相制约和影响的关系，指出在管理公寓大厦问题上，国家、市场和社会三者之间的任一规范都不足恃，相反，只有三者互相配合才可能产生最好的解决办法。就此而言，国家、市场和社会的关系不一定是相互冲突的，而可能是共生共荣的。

实际上，从一个更宏观的角度看，无论国家、市场和社会各自的性质如何，也无论它们之间可能怎样配合，这三者之间必须保有某种适度的平衡，否则就可能造成社会发展的失衡甚至灾难性后果。任何一个经历了从传统社会向现代社会转型的国家和民族，都会对这一点有深刻经验，因为在这些地方，国家、市场和社会这些制度本身都必须经历成长与再造，其过程往往漫长而痛苦。中国的现代国家建构早在一百年前就已经开始，而至今仍未完成。着眼于这一点，则法律与发展的主题也具有了新的含义。这在李强教授的文章中可以清楚地见出。

李强教授从法律的统一性入手，而进入到对现代国家功能和结构的探讨。他认为，现代国家的结构特征包括功能分殊、自主和中央集权等，其中，分殊与自主尤为重要。传统中国社会因为缺乏统一的财政和没有功能分殊，国家对社会的控制实际上很有限。20世纪中叶以后建立的全能主义政治结构虽然能够深入到社会基层，但因为其结构和功能的分殊程度仍然很低，自主意义上的现代国家并未建立起来，以至统一的法律秩序缺乏制度的基础。

王亚新教授的研究为我们进一步观察中国的法律不统一现象提供了更多经验性的材料。在对当下正在进行的民事诉讼程序改革所做的实证考察中，王亚新发现，与改革开放前实行的所谓"马锡五审判方式"相比，如今强调规范化、制度化、正规化的审判方式改革在各基层法院甚至显现出更多的差异。这种法律不统一现象显然与上面提到的没有统一的公共财政和功能分殊的组织的情形密切相关。根据同样的理由，我们也可以说，表面上似乎较少差异的所谓"马锡五审判方式"甚至距现代国家的统一法律制度更远。而人们之所以发现改革开放以来法律发展中存在许多差异，部分原因是这个时代正处在迅速变动的过程之中，尽管这个过程大体是朝着构建现代国家制度的方向进行的。

从某种意义上说，1970年代末"文化大革命"的结束是中国现代国家发展过程中的一个转折点。在那以前，国家的成长伴随着社会的衰落，直至全能主义的国家吞噬一切。而在那以后，社会变迁似乎是向着一个相反的方向运动，以至有所谓"国退民进"之说。不过，这种现象不应当遮蔽一个更重要的事实，那就是，国家向着不同方向的发展其实是受着同一种逻辑的支配。如果说20世纪中国全能政治的建构是在建立现代国家的方面迈出的一步（尽管这一步代价高昂）的话，那么，消除泛政治化，限制国家权力，强调政府职能转变，甚至在一些领域实行"国退民进"的政策，所有这些都是为了造就一个更具现代性的国家，一个权力有限但是功能分殊和自主性程度更高的国家，因此也是一个更强有力的国家。这样的国家自然有别于社会，也将承认和尊重社会的边界。所谓国家、市场、社会的关系，应当在这样的基础上加以考虑。

基于这样的理解，我们所谈论的就不简单是国家的进退，而是国家的改造。所谓政府职能的转变，是要在重新界定和调整国家、市场、社会关系的基础上完成现代国家的构建。在具体制度的层面，这涉及到诸如"党政分开"、"政企分开"等组织和功能的调整，也涉及到比如建立监管体系这样的举措。本书最后一组文章都与监管概念有关。藉着这一组文章，我们最后把焦点放在政府与市场的关系上面。

高世楫和秦海的文章在综合大量文献的基础上对所谓"监管型国家"的兴

起做了一个相当全面的描述。他们把监管定义为"政府以公正、透明、专业化、可问责的方式对日益复杂的社会经济事务进行管理的过程和行为"。这一意义上的监管是在极其复杂的现代社会条件下并且主要是针对市场失灵的情况发展起来的。在全能政治和计划经济的体制下，现代监管制度既无必要也无可能。正是改革开放所带来的经济转轨和社会转型，才使得监管体系的建立不仅必要而且可能。然而，不同国家的要素禀赋、历史经验以及因此造成的制度安排各不相同，要建立中国的现代监管制度既要学习发达国家的经验，也不能够脱离本国的社会条件和制度环境。基于这一点，两位作者建议从垄断行业开始，在垄断行业的改革过程中建立依法监管的现代监管体系。

在中国语境中讨论监管问题首先遇到的可能就是"监管"一词所带来的与传统国家职能联系在一起的想象。对许多政府官员来说，"监管"就是监督管理，就是行政权力基于所谓国家利益和行政便利对受管理者自上而下的干预和控制。[6] 实际上，近年来已经成立的各种监管机构的工作表现也往往给人这样的印象。造成这一点的原因无疑有很多，其中也包括认识上的原因。比如，人们很容易笼统地谈论政府的经济管理职能，而对其中涉及目标、对象、手段、组织、机制和措施等方面的差异不加区分。针对这种情况，余晖博士提出要对政府的经济职能重新加以划分，将之分为"宏观调控"、"微观监管"和"微观管理"三大类。在作者看来，政府这三种经济职能除了具有明显的共性和差异特征之外，还存在相互补充、替代和转换的关系。因此，对这三种经济职能的性质以及它们之间的关系是否有充分认识并且运用得法，将决定政策的效果和市场配置资源的效率。在文章的后半部分，作者着重讨论了政府经济治理结构中的行政监管问题，指出了现行监管制度中存在的主要问题，并提出了改革的目标。

最近几年，随着国务院机构改革，一些新的监管机构也开始出现在经济和社会领域。人们可以把这种变化看成是政府职能转变的新动向，也可以由此测知经济转轨和社会转型过程中政府与市场关系发生变化的程度。周汉华教授以电力行业监管制度的发展为例，向我们揭示出现有监管制度在机构设置、管理方式、程序安排、救济措施等方面存在的问题和应当遵循的原则。这些文章让我们意识到，现代监管制度的建立并不是设立一些冠以"监管"之名的机构就能够完成的事情。它涉及到国家的性质和治理方式以及国家、市场、社会之间的关系这样一些具有根本性的大问题。因此，尽管建立现代监管制度只是政府与市场关系的

---

〔6〕 "监管"一词是英文 regulation 的中文译法之一，通行的译法还有"管制"和"规制"。显然，这些词（尤其是"管制"）都很容易让人联想到中国传统的治理方式。

一个方面，但它也是建构现代国家和现代社会过程中的一个重要环节。其困难和重要性同样显著。

对于从事社会科学研究的学者们来说，中国是一个极具吸引力和挑战性的观察对象。这不仅是因为今天这里正在发生的社会变革，其规模之巨大、速度之迅捷和意义之深远在人类历史上并不多见，也不只是因为这种变革集合了不同时代的内容和要求因此而变得格外错综复杂，同时也是因为，尽管人们可以约略辨识出变革的方向，但是故事的结局并无一定。换言之，中国的现代化不仅是一项尚未完成的事业，也是一项不确定的事业；中国的现代化方案还需要在理论上和实践上不断地探索和调整。

然而长期以来，由于学科划分和专业化的缘故，本书涉及的主题通常是由不同学科的学者们分别地予以讨论。大抵"国家"在政治学，"市场"在经济学，"社会"在社会学，"法律"则不出法学，"发展"被归在经济范畴，"宪政"研究则被局限在规范宪法学的界域之内。不同学科之间绝少往来，更少思想的激荡、视域的融合，由此造成的思想贫弱和理论匮乏，使我们在面对一系列累积而成的极具挑战性的问题时无法提供理论上健全而有力的回应。要逐渐改变这种局面，为不同学科的学者提供各种形式的对话空间是非常必要的。本书就是这方面尝试的一个结果。

这本论文集是在 2003 年末一个同样主题的研讨会的基础上形成的。这些论文的作者、评议者和讨论者来自不同的学科和领域。他们不仅在学术背景、研究领域、治学方法等方面保有差异，其生活经验甚至思想倾向也不尽相同。这种差异为从不同角度进入大家共同关心的问题提供了可能，也为富有启发性和建设性的对话奠定了基础。在编选本书的过程中，我发现，所有论文报告之后的评论和讨论都是极富启发性的。它们不但使所讨论的问题更具现实意义，而且令相关主题变得更加丰富和开放。显然，这些讨论是相关论文主题的延伸、深入和扩大，也是本书主题不可缺少的有机组成部分。因为这个缘故，我保留了所有的讨论，并把它们分别附在相关的论文之后。

需要加以说明的是，原始的讨论稿还有论文报告人的论文报告部分，这部分的内容与论文基本相同，因此，尽管其中可能包含报告人临场加入的少量说明等内容，为避免重复和节约篇幅，这个部分没有收入，这样，读者在读完论文之后可以直接进入评论和讨论的部分。

"如何建设一个公正的社会"系研讨会期间一次单独组织的讨论纪要。这次讨论并未针对收入本书的任何一篇论文，但其重要性和相关性肯定不输于任何其他的论文或讨论。故收为本书"附录"。

　　本书编辑工作得到洪范东方咨询服务中心王燕云和顾珏女士的帮助，在此一并致谢。

梁治平

2004 年 12 月 27 日

于北京奥园寓所

目　录

国家、市场、社会：历史与理论反思

法律与发展的再思考 I

法律与发展的再思考 II

权力、责任与宪政：关于政府"大小"问题的理论与历史考查*

秦 晖

绪论：关于"最好政府"的考证与杰弗逊-梅逊共识

"最好的政府是管事最少的政府"，这句名言历来被认为是古典自由主义"小政府大社会"、"守夜人国家"等主张的经典表述。但如此有名的话最早出自何人？这却是思想史上长期没有解决的问题。

人们明确知道的是 19 世纪美国思想家亨利·戴维·梭罗有过更为极端的表述。他于 1849 年出版的名著《论公民的不服从》宣称：人们都说最好的政府是管事最少的政府，但其实还应彻底一点，"最好的政府是根本不管事的政府"。可见在梭罗时代前一句名言已经广泛流传。而美国历届总统中，明确宣布这句话作为执政理念而且有据可查的，我所知最早的是第 23 届总统、共和党人本杰明·哈里森（1889－1893 年在任）。[1] 当然，无论梭罗还是哈里森都不是这种说法的创始者。

至今为止，英语世界最普遍的说法是：此话出自美国开国元勋杰弗逊。从学术专著到一般读物，这种说法十分流行。[2] 而中文著作中称引这句"杰弗逊名言"的更是比比皆是。但是现存的各种杰弗逊文集与书信中都找不到这段话。

---

* 本文编入本书时有删节——编者

〔1〕 原话为："To govern best is to govern least"。见 http：//www．jeannepasero．com/bh23．html

〔2〕 笔者于 2002 年底曾经在网上用 google 搜索引擎检索 least government 及 jefferson 的与门，共有 184 个英文网页，绝大多数都提到杰弗逊讲过上述"最小政府"的话。但是没有一篇注明出处。

专门以搜集杰弗逊文字为务的美国杰弗逊遗产协会以及弗吉尼亚大学阿德尔曼图书馆杰弗逊电子资源库中也检索不到这段话。

1999 年，杰弗逊遗产协会主席科茨（Eyler Robert Coates）鉴于查询此话的人之多，特在网上发表答贴，指出"几乎可以肯定"杰弗逊没有讲过这句话乃至类似的话。除了现存杰弗逊文献中查不到此言之外，科茨认为此话也不符合杰弗逊关于政治与政府问题的一贯思想。他特地引出杰弗逊 1788 年致萨缪尔·史密斯的信，杰弗逊在信中说："我们现在正摇摆于太大的与太小的政府之间。但是钟摆最终将会停止在中间位置上。"科茨说：如果杰弗逊认为最好的政府就是最小的政府，他怎么会认为政府还有"太小"之说？科茨认为，从其一贯思想看，如果杰弗逊要以一句话来定义"最好的政府"，那只能是"最好的政府就是最遵从民意的政府"。[3] 不久，科茨又写了两篇论文《伪造的杰弗逊引文》和《最好的政府是……》，收入他主编的《杰弗逊主张：以杰弗逊作品为基础解说当今的社会与政治问题》一书。在此二文中，科茨引述了杰弗逊强调政府责任的许多言论，并总结说："最小的政府最好"的说法过分集中地关注那作为一种体制化权力的政府，但杰弗逊的政府思想则是关注作为顺从人民意愿的服务者职能，武断地让政府"管得最少"未必有助于它更好地履行自己的职责。

科茨指出杰弗逊没有讲过那句话，这看来是对的——毕竟无人能举出杰弗逊说此话的出处。科茨还考证出"最好的政府是管事最少的政府"最早是 19 世纪前期著名的政论家、杰弗逊的崇拜者、《美国杂志》与《民主评论》的撰稿人约翰·欧苏利文（John O'Sullivan）于 1837 年讲的，也正是这个欧苏利文最先把这句话归之于杰弗逊。这个考证也没有遇到质疑。但问题在于：即便这句话是欧苏利文而非杰弗逊最先讲的，毕竟欧苏利文是个当时公认的"杰弗逊主义者"，他那句话即便不是杰弗逊的原话，至少也是他归纳出来并自以为属于杰弗逊的思想。那么杰弗逊是否确有类似的思想？科茨对此的否认就大有争议了。

因为众所周知，美国建国之初以汉密尔顿为首的联邦党人与以杰弗逊为首的民主派进行的那场旷日持久、影响深远的论战，正是以要不要一个强大的联邦政府为争论焦点的。双方态度鲜明：汉密尔顿要，而杰弗逊不要。论战中杰弗逊关于政府（尤其是中央——联邦政府）权力太大会威胁公民权利与人民自由的言论可谓比比皆是。并不是科茨征引的"钟摆论"可以抵消的。"小政府"论毕竟不是无政府主义，尽量限制政府权力也不是完全不要政府。而既有政府，必然会有一定规模的机构。从机构角度讲政府不能"太小"，与政治哲学意义上讲"小

---

〔3〕 http://www.geocities.com/Athens/7842/archives/quote017.htm

政府"即限制政府权力也未必是矛盾的。而正是在后一意义上，杰弗逊的确讲过一些极而言之的话，著名的如"宁可无政府而有报纸（指自由舆论），不可有政府而无报纸"等。与杰弗逊同属民主派的一些人对政府权力的消极评价更是著名。如托马斯·潘恩在《常识》中说："政府在最好的情况下也只是必要的恶，而在最坏的情况下它完全不可忍受"。

于是针对科茨的说法，美国的古典自由主义（美国式的"保守主义"）思想界提出了反驳。著名保守主义思想库——加图研究所研究员詹姆斯·A·多恩（James A. Dorn）写了《政府地位的上升与道德的堕落》一文，在引证了杰弗逊有关"好政府的哲学"之后他指出，杰弗逊民主的思想在 19 世纪正是被欧苏利文、梭罗等人所吸收和弘扬。"最好的政府管得最少"虽然由欧苏利文首言，但的确反映杰弗逊的思想：政府正当的管理职能应当被严格局限于保护公民那些基本的自然平等权利和维护社会秩序，其他公益领域应当让民间本着"志愿者原则"与"自由原则"实行自治。[4] 在我国，著名杰弗逊研究专家和杰弗逊文献中译者刘祚昌教授也认为，杰弗逊虽然未必讲过那句原话，但显然有类似的思想。这不仅基于他在国内与联邦党人对立的反中央集权态度，而且出于他长期旅欧使欧，对当时欧洲无论传统封建政府还是"革命的"法国政府滥用权力的恶果都深有体会，因此决心不让美国重蹈覆辙。[5]

与古典自由派的辩驳相反，科茨的观点立即引起美国与"保守主义"对峙的"新政自由主义"（在欧洲常被认为类似社会民主主义）思想界的共鸣。事实上长期以来，"新政自由主义"一直有一种"杰弗逊困惑"。因为在传统上杰弗逊与汉密尔顿通常被认为分别倾向于下层民众和上层精英，分别体现了美国二元政治中的"左"与"右"、民主（或自由民主）与保守（或自由保守）两支传统。但是 20 世纪美国出现以罗斯福新政为路标的"自由主义转向"后，自认为继承杰弗逊平民倾向的新政自由主义所主张的福利国家政策却与杰弗逊反联邦党人时表现的"小政府"主张产生严重的紧张。

推行新政的罗斯福总统本人就陷于此种困惑之中。罗斯福早年就是一个杰弗逊崇拜者和汉密尔顿批评者。1925 年 11 月，他曾就 Claude Bowers 写的《杰弗逊与汉密尔顿》一书在纽约《世界》杂志发表评论说：汉密尔顿拥有高度组织化

---

〔4〕 James A. Dorn, The Rise of Government and the Decline of Morality. http：//www. cato. org/pubs/catos-letters/cl－12. pdf.

〔5〕 刘祚昌致杨玉圣函。笔者感谢杨玉圣先生代向刘祚昌先生请教以及刘祚昌先生同意笔者参考他的宝贵意见。

的财富、显赫出身、商界与传媒势力支持，而杰弗逊"只能指望那分散的、无经验的、难以接触更难以组织的劳动群众"。然而"如果汉密尔顿赢了，公众能有什么可高兴的？"而今天"我所担心的是，在一又四分之一个世纪过去后，（与杰弗逊）相同主张的力量没有再次动员起来"，"我们今天有许多汉密尔顿，但是视野所及，能有一个杰弗逊吗？"[6]

然而，正是这位以杰弗逊传人自诩的罗斯福，执政后他那"为穷人谋利益"的新政恰恰是以杰弗逊当年极不喜欢的"强国家"方式推行的。在新政中他曾发表著名的"麦迪逊广场演说"，严厉抨击自由放任政策："全国因政府充耳不闻、视若无睹、无所事事而吃了 12 年苦头。人民看着政府，然而政府掉过脸去。……今天，某些强大势力企图恢复那样的政府以及它关于最好的政府就是什么都不管，一切不操心的政府的理论。"[7] 这里罗斯福把当时普遍认为是杰弗逊主张的"最好政府论"几乎骂了个狗血淋头，这对于他一个杰弗逊崇拜者而言应当说是十分尴尬的事。

因此不难理解，当科茨证明杰弗逊并未主张过"最好的政府最不管事"并恰恰强调政府对人民的责任时，罗斯福的支持者们是多么满意。事实上，科茨本人就是个杰弗逊—罗斯福主义者。他的这一考证并非只出于学术兴趣，这从其书名的副标题"以杰弗逊作品为基础解说当今的社会与政治问题"就可以看出。

不过，假如杰弗逊确实认为政府的权力应当受到最严格的限制——简单化地说可以表述为：最好的政府是权力最小的政府。那么这是否意味着他必然主张政府对其委托者人民什么责任都不必负？或者说：杰弗逊认为"最好的政府就是最不负责任的政府"吗？当然不。早在当年新政时代罗斯福支持者陷于"杰弗逊困惑"的时候，著名新政自由主义者、专栏作家与政论家沃尔特·李普曼就指出：**"最好的政府是管制最少的政府，这完全正确；但同样正确的是：最好的政府也是提供服务最多的政府。"**[8] 其实，如果撇开那句原话而就杰弗逊的思想论，可以说如今双方的解释都是有根据的：杰弗逊既如古典自由主义者所说的那样坚决主张限制、缩小政府权力以维护人民的自由，也如新政自由主义者所说的那样坚决主张重视、强调政府有不可推卸的重大责任为人民提供"公仆"服务。

---

〔6〕　Arthur M. Schlesinger, The Age of Roosevelt. Vol. 1. The Crisis of the Old Order, 1919 – 1933. Boston：Houghton Mifflin, 1957. p. 104.

〔7〕　http：//www. fdrlibrary. marist. edu/od2ndst. html（罗斯福总统图书馆网站）。

〔8〕　Charles Forcey, The Crossroads of Liberalism；Croly, Weyl, Lippmann, and the Progressive Era, 1900 – 1925. Oxford University Press, 1972. p. 139.

换言之，所谓政府或国家的"大小"可以从两个意义来谈，这两个意义是不能混淆的：杰弗逊主张权力意义上的"小政府"，但同时主张责任意义上的"大政府"。多恩与科茨各自从一个意义上对此都作了成功的证明。但他们以今天的问题意识去套18世纪的前人，于是陷入了一场"鸡同鸭讲"的争论。

其实当年不仅杰弗逊主张好政府应当有"小权力、大责任"，与联邦党人对立的他们那个"民主派"[9]中人大都如此。即使人们普遍把"小政府"理论归之于杰弗逊，但从没有人把杰弗逊的同乡兼同事、另一位美国开国思想家和弗吉尼亚人乔治·梅逊关于"最好政府"的说法看成是对杰弗逊的反驳：梅逊撰写、弗吉尼亚议会于1776年6月12日通过的《弗吉尼亚权利法案》称："在所有各种形式的政府当中，最好的政府是能够提供最大幸福和安全的政府。"

在杰弗逊因为使欧未能参加制宪会议时，梅逊是在这一会议上反对联邦党人的主要"民主派"代表。他与杰弗逊的立场是一致的。显然，梅逊讲的"大政府"是对国民的"幸福和安全"承担"最大"责任的政府，而不是拥有无限"最大权力"的政府，正如杰弗逊讲的"小政府"是权力最有限的政府而不是最不负责的政府一样。在限制政府权力、重视公民权利方面，梅逊与杰弗逊并无分歧，因此他的《权利法案》紧接上面那段话就说："当发现任何政府不适合或违反这些宗旨时，社会的大多数人享有不容置疑、不可剥夺和不能取消的权利，得以公认为最有助于大众利益的方式，改革、变换或废黜政府。"

可见杰弗逊与梅逊的共识实质上可以表述为："最好的政府"是权力最小、而责任最大的政府。亦即从限制公民自由方面来说是"小政府"而从提供公共服务来说是"大政府"。

"次好政府"与"最坏政府"：宪政与前宪政下的不同"问题"

那么，上述这种"杰弗逊—梅逊共识"所追求的好政府可能存在吗？常识告诉我们：一个完全没有权力的政府事实上是无法对任何公共服务承担责任的。在《独立宣言》与《权利法案》的时代，杰弗逊与梅逊等美国先哲们的"问题意识"在于摆脱英国殖民统治当局的强权而争取自由，**他们既指责英国人滥用强权损害北美人民的自由，也指责英国人不负责任未保障北美人民的福利，因此他们可以同时提出政府权力最小化与政府责任最大化的诉求**。而这样的诉求与其说是倾向"大政府"或"小政府"，勿宁说首先是倾向宪政政府；与其说是追求

---

[9] 人们常常把杰弗逊时代的民主共和党人与联邦党人相区别并称之为民主派，这里加引号只是因为其实联邦党人也不能说是反民主的专制者。

"自由放任"或"福利国家"，勿宁说首先是追求民主国家。

从制度安排的"经济人预设"[10] 出发，可以认为无论在任何"文化"中，如果没有制约条件，统治者都可能趋向于权力尽可能大，直至予取予求；而责任[11]尽可能小，乃至不闻不问。而被统治者则相反，他们都希望兼享最大自由与最大福利保障，因此要求统治者权力尽可能小而责任尽可能大。一方面，统治者希望没有什么事情是他不能做的，同时没有什么事情是他必须做的。另一方面对老百姓来说，理想的统治者必须按他们的意愿做尽量多的事，同时不能违背他们的意愿做任何事。统治者希望做有权无责的"人主"，而被统治者但愿要有责无权的"公仆"。这样，统治者与被统治者双方就权力与责任、或曰权利与义务达成协议或契约就成为必要。这个契约要规定政府必须做什么（即规定政府的责任），为此被统治者授予其相应的权力。同时更要规定政府不能做什么，被统治者有哪些统治者不能剥夺的权利。这样一种契约安排，就是所谓的宪政。**宪政的目的就是要使政府的权力与责任相对应，这种权力必须为被统治者所授予。而授予的惟一目的就是要政府能够向被统治者负责。在宪政原则下无条件的权力**（无论是王权还是"多数人权力"）没有合法性。而"无代表不纳税"、对民而言无权利不应有义务，对国而言无服务不应有权力，则成为共识。

另一方面，"被统治者"包括各种各样的利益群体，他们所希望的政府服务通常很不相同。例如富人也许更希望政府能够保护财产，而穷人可能希望政府提供更多福利，等等。因此政府究竟要对社会提供什么服务、承担那些责任，要有一种机制来决定。一般地说，由于每个人都是、并且只是他自身利益的最佳评价者，社会最大利益的评价就只能以自由表达—多数决定的方式进行。或者更确切地说，自由表达—多数决定对社会最大利益的偏离最小。这就是所谓的民主。

因此宪政与民主可以说是两回事：前者追求权责对应，后者追求多数决定。

---

[10]　作为逻辑预设的"经济人"并非事实判断更非价值判断，因此既不能以统治者大善大德的"事实"、也不能以"经济人"是否可欲的价值批判来质疑，它与某种"文化"是否相信"性恶论"也无关。参见秦晖："'经济人'与道德的底线"，载《南方周末》2002 年 3 月 29 日。

[11]　这里所谓责任是指统治者必须对被统治者负责，必须提供后者所要求的服务而言，也就是所谓的"公仆"义务。我国近代宪政实践中所谓的"责任内阁"、"责任政府"即指此而言。如谭嗣同曰："君也者，为民办事者也；臣也者，助办民事者也。赋税之取于民，所以为办民事之资也。如此而事犹不办，事不办而易其人，亦天下之通义也。"（《仁学》之三十一）显然这与统治者主观自许、自行解释的"伟大理想"、"历史使命"之类不是一回事。曾有人说当年饿死几千万人是在"履行工业化的历史责任"。这正如说中世纪宗教法庭把人烧死是要拯救死者的灵魂为死者负责一样。按这种逻辑权力与责任将无法区分，天下也将没有不负责任一说。笔者所谓政府责任显然与此种逻辑无关。

前者讲的是权力运用的规则，而后者讲的是权力的来源。历史上曾经有过无宪政的"民主"，也曾经有过无民主的"宪政"，于是今天也就有了宪政与民主哪个更重要的争论。但是历史又表明这两者实际上是互为依存的：无民主则宪政原则不能贯彻到底，无宪政则民主机制更会走向反面。没有民主的"宪政"，例如中世纪作为宪政雏形的"大宪章"或贵族宪政，只能使统治权力对一部分（通常是少部分）被统治者负责；而没有宪政的"民主"例如雅各宾式的"大民主"则常常导致"多数人权力"的不负责任滥用，到头来也损害多数人自身。人类社会经过长时期的"试错"，民主与宪政都逐渐成熟而融会为现代的宪政民主或曰民主宪政。

但是今天人们对任何宪政民主国家——从瑞典到美国——仍有许多批评，这是理所当然的。宪政民主即便成熟到今天的程度，它的"理想性"仍然有限：宪政政府不是也不可能是权力极小责任极大的"最好政府"。同时宪政政府也仍然是各种各样的：在宪政民主之下公民们打算授予他们的"公仆"哪些权力以便要求后者承担哪些责任？是授予政府更多的权力以便要求它承担更大的责任、为社会提供尽量多的福利与保障，还是授予政府很小的权力因而也就无法要求政府承担什么福利责任，便成为一个引起争议的问题。——这实际上是一个关于**什么是"次好政府"的问题：是权大责亦大的政府好呢，还是权小责亦小的政府好？** 在不同的国家，乃至同一国家的不同时期，人们对这一问题给予了不同的答案。经过20世纪初的"进步主义"、30年代的"新政"和60年代的民权立法，美国实际上趋向于梅逊式的"最多服务的政府"。到了80年代出现"里根政策"，又强调坚持杰弗逊式的"最少用权的政府"。两者形成"自由主义"与"保守主义"的对峙。

而在欧洲，类似的对峙则被称作"社会主义"（即瑞典式的社会民主主义，不是共产主义）与"自由主义"的分歧。这种分歧集中体现为"福利国家"还是"自由放任"的选择——前者似乎是"大政府"，国家被授予较大权力来履行提供公共福利的责任；后者则是"小政府"，国家权力小责任也小。冷战结束之初曾有人认为后者已经成为最后的选择，是为"历史的终结"。但是这样的说法后来不断被显示出是过于武断了。如今"福利国家"的危机虽然严重，"自由放任"的问题也还不少。而那种"既非自由放任又非福利国家"的"第三条道路"究竟如何走，也还远未见分晓。

事实上，由于人对于自由的追求（对束缚的排拒）与对安全的追求（对风险的排拒）同样出于天性，而且尽管今天自由主义者与社会民主主义者存在着包括明确划分"群己权界"、群域民主己域自由、以及多数基本领域的群己界分已有定论这"三大共识"，但是人类生活中的一些领域到底属于群域还是属于己域，是"边界游移，情景决定"的，不可能有固定的划法。[12] 因此人类永远会有"左右派"。人类的"终极选择"是什么，乃至可不可能出现"终极选择"，实可怀疑。在"政府"问题上，**权力极小责任极大**的"最好政府"从未实现，而在权责对应基础上，什么是"次好政府"——是**权责都较大**的政府（例如社会民主政府），还是**权责都较小**的政府（例如古典自由政府）也未必能够有公认的结论。

不过历史虽然并未"终结"，但历史毕竟在"进步"。人类宪政的历史，乃至启蒙时代以来三百年人们关于"国家"问题上的理论探讨与实践努力如果说有什么公认的成就，那不在于它实现了"最好政府"，也不在于它分辨出了"次好政府"，而只在于它揭示了什么是"最坏的政府"：那就是**权力最大而责任最小的政府**。我们可以把这几类政府的逻辑异同图示如下：

图1　各种政府的权责关系

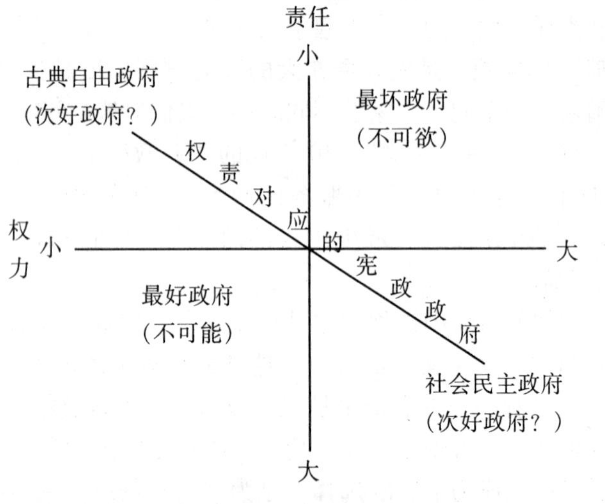

显然，"最坏政府"的特点就在于权既不受限，责亦不可问。这样的政府过去曾经在东方与西方都十分流行，今天它则已经日薄西山——在一些地方它已被

---

[12] 参见秦晖、杨支柱：《"群己权界"三原则与特定情境下的公域/私域之分——关于公民权、共同底线与"低调社会民主"的讨论》，见"学而思"网站 http://www.wtyzy.net。

历史淘汰，在另一些地方它的合法性资源也日渐衰微了。

但过去的时代并非如此。

我们知道 18 世纪时自由主义是在新旧大陆同时兴起的，而且应当说美洲自由主义的源头还是欧洲自由主义。但"最好的政府最不管事"的想法却只出自美国的杰弗逊、欧苏利文、梭罗、哈里逊等人，18 世纪的欧洲自由主义思想家强调权力制衡、治权民授、限权分权的言论很多，但没有人像美国人那样谈论"小政府"。为什么？

我看主要的一个原因是：在已经实现治权民授、权责对应的美国，没有人会设想很少承担公共服务责任的政府还能拥有很大权力来剥削和禁锢人民。可是在 18 世纪绝大多数国家仍是专制制度而非民主制度、"家天下"而非"公天下"的欧洲，国家机器在很大程度上还是为统治者私人或小集团服务的，在公共服务领域"最不管事"的政府同时却拥有强权来汲取民脂民膏、侵犯国民自由，并不是什么奇怪的事情。在这种"既非福利国家又无自由放任"的状态下，单纯强调"不管事"并不一定意味着自由主义者心目中的"最好政府"——正如那时"管事最多"的政府也未必是社会主义者心目中的"最好政府"一样（请想想马克思对"重商主义"、对俾斯麦体制的憎恶）。专制政府是权力不受制约的政府，同时也往往是对人民不负责任的政府，因此在专制条件下，政府推卸责任并不必然意味着放弃权力或接受对其权力的约束，政府很少提供公共服务也不意味着它不会最大程度地弄权自肥。换言之，在这种情况下责任意义上的"小政府"与权力意义上的"大政府"是完全可以同一的。

而在这种情况下，不分权责的"大小政府之争"就不会有什么意义。相反，**限制国家权力的自由主义要求与强化国家责任的社会民主要求在这个时代是可以一致的。这正是今天多恩那样的古典自由派与科茨那样的新政民主派都可以祖述于杰弗逊的根据。**道理很明显：既然有责无权的政府可欲而不可能，有权无责的政府可能而不可欲，则人们可以争论的就是政府权大责亦大好呢，还是权小责亦小好。但是这两者都以权责对应为前提，而能够权责对应的政府就是宪政民主政府。因此在宪政民主之前的专制时代这种争论就无法成为"真问题"。**在统治者权既不受限、责亦不可问的情况下，只有先以宪政消除了权大责小的"最差政府"之弊，什么是"次好政府"的争论才有了现实意义。**这就如安徒生童话中的那个国王只有确实穿上了新衣，这衣服好不好看才能成为真问题一样。

今天"右"如美国，"左"如瑞典，都在民主宪政的基础上实现了权责对应——虽然相对而言前者权小责亦小，后者权大责亦大。于是人们不分权责地争论"大政府"还是"小政府"，或褒瑞贬美，或褒美贬瑞，也就有了某种合理性。

可是如前所言，这种争论如果放到杰弗逊的时代，就容易造成混乱。当时的"两党政治"中杰弗逊是"左派"，但他却主张权力意义上的"小政府"，这使罗斯福时代的"左派"感到尴尬。其实这算什么？当年比杰弗逊更"左"的人不也更主张"小政府"乃至宁可更偏向"自由放任"吗？马克思主张社会主义，可从来不主张国家主义。他高度评价主张"自由放任"的重农主义而蔑视主张"国家干预"的重商主义，高度评价魁奈、亚当·斯密而鄙视柯尔贝、李斯特。列宁鼓吹"美国式道路"而反对"普鲁士道路"。不都是这样吗？杰弗逊时代的"自由左派"反对"大政府"，而罗斯福时代的"自由左派"主张加强"国家干预"，这不是因为罗斯福比杰弗逊更聪明或者更高尚，而就是因为**罗斯福时代的宪政民主已经比杰弗逊时代成熟多了，因而不再可能出现权大责小的聚敛政府**。脱离这一点而仅仅因为罗斯福比杰弗逊更时髦更新潮更前沿，就在宪政民主程度还不如杰弗逊甚至不如俾斯麦的时代"强化国家干预"，那就不是什么"自由左派"，而是比汉密尔顿、比托利党甚至比柯尔贝都更"右"，与其说像罗斯福，不如说像俾斯麦、像重商主义者甚或更等而下之了。

反过来说，在专制条件下把国家不负责任说成是"自由主义小政府"，就像把同样条件下政府拥有无限权力说成是"福利国家"一样荒唐。而把专制条件下统治者既有无限权力又不负什么责任，或者说是**拥有"社会主义式的权力"却只负"自由主义式的责任"**这样一种病态，说成是"超越了社会主义与自由主义两者"的"第三条道路"，那就更加荒唐。

如果真有什么"超越"这两者的更高的"主义"，那恐怕应该是只有"自由主义的权力"却要负起"社会主义的责任"才对。这也就是作为"杰弗逊—梅逊共识"的"最好的政府权力最小而责任最大"。如前所述，当年杰弗逊与梅逊们的这一理想并未实现，现在多数发达国家倒是的确自由与福利都更发展了。即以美国而论，许多论者都提到罗斯福传统到60年代"民权政治"而极。此后美国似乎又"回归保守主义"，"政府制造的问题比它解决的问题更多"之说大为流行。但是据政治上倾向民主党的哈佛大学 D. 波克教授指出，事实上就在这种说法日益得势的同时，从1960年代到世纪末这三十多年中国家政策的实际趋势却相反：无论在环境保护、公共卫生、扶贫济老还是在增加妇女及少数族裔机会等各个方面政府作用都在明显加大。[13] 因此所谓这三十多年的"保守主义化"实际上恐怕只是反映人们对个人自由提出了更高的要求。但同时他们对政府福利责任的要求也在提高。

---

[13] Derek Bok, The State of the Nation. Harvard University Press，1996. pp. 405－6.

当然，即使这样，美国也还远远谈不上实现了杰弗逊—梅逊共识。也许这个共识根本就是乌托邦。不过大概要算一种"有益无害的乌托邦"，对它"取法乎上，仅得乎中"也是社会之福，起码它不会造成社会之祸。它比那种一说"社会主义"就只要不受制约的权力、一讲"自由主义"就只推卸政府责任的做法都可取得多。

转轨时期的限权问责与宪政问题

要之，在迄今为止的人类探求所及范围内，最好政府是不可能有的，次好政府（宪政前提下权责均大的社会民主政府还是权责均小的古典自由政府）是难以确定的。我们可以确定的是：什么是最坏的政府？那就是权力极大而责任极小的政府。无论自由主义者还是社会主义者，在他们能够进行有意义的争论之前，首先要做、也首先能做的是消除、改变这样的政府。

当然，不是说这时自由主义与社会民主就没有区别。也许最重要的区别是：自由派在这个阶段最关心的是限统治者之权，而社会民主派最关心的是问统治者之责。但是，以推卸政府责任来偷换对政府限权这样一种"伪自由主义"与真自由主义之别、和以强化政府权力来偷换向政府问责这样一种"伪社会民主"与真社会民主之别，恐怕更为重要。

这里要强调的是此所谓"真伪"并非价值判断而是事实判断。笔者不怀疑那些"伪主义"者不仅可能具有良好动机，甚至可能充满学理上的自信——因为完全有文本上的根据说明：**宪政体制下**的古典自由主义者是主张为政府卸责的，正如**宪政体制下**的社会民主主义者主张政府扩权一样。（在这种体制下，只有反对或至少轻视宪政原则的少数极左派[14]既要求政府放弃权力又要求其承担更大责任。如9. 11之后的乔姆斯基等人既抨击政府的安全对策而要继续扩大美国传统的个人自由，又反对现行的社会体制而要政府在福利上大包大揽。反之，也只有少数极右派既要政府扩权又替政府卸责。如现今美国某些在以安全、反恐为由实行强硬管制和减少福利责任两方面都很极端的"双重鹰派"。）但是从本质上讲，自由主义的要旨在于限政府之权以保障人民自由，只是宪政下权责必然对应，因而限权不能不意味着相应卸责。反之，社会民主主义的要旨在于问政府之责以推进福利与平等，只是权责既然对应，则问责不能不相应扩权。如图2所示：

---

[14] 当然，当代西方许多激进左派只是言论上激进，行为并不激进。乔姆斯基本人就是一个典型。

图 2　宪政下的政治谱系

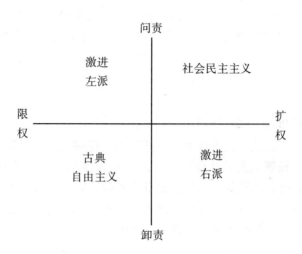

但是在权责不对应的非宪政体制、专制体制下，图 2 所示的逻辑关系就大有不同。由于权责不对应，卸责未必导致限权，扩权也未必导致问责。而作为经济人的统治者当然乐得既扩权又卸责。事实上在专制之下，鼓吹扩权总比要求限专制者之权讨好而无险，鼓吹卸责也比问专制者之责讨好而无险。所以我们虽然不能因此对具体的论者作诛心之论，但在这种体制下某些"左派"劝上扩权而回避问责之制，某些"自由派"为上卸责而回避限权之要，的确很容易得到社会学上的解释。

而真正的自由派以对上限权为宗旨，在卸责未必导致限权时自然不言卸责。所以在宪政发达之前杰弗逊只讲权力意义上的小政府，而不谈责任意义上的小政府。同样，真正的社会民主派以问上之责为能事，在扩权不能保证问责时自然不讲扩权。所以普列汉诺夫说在一个"警察国家"社会民主党人当然要反对土地国有制。这时自由派与左派各自的真伪之别如图 3 所示：

图3　宪政以前、专制下的政治谱系

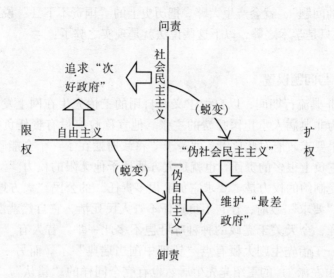

图3说明：在非宪政体制下自由主义者如果只为上卸责就会异化为"伪自由主义"，而社会民主主义者如果只劝上扩权也会异化为"伪社会民主主义"。这样两种"伪主义"在宪政条件下是不存在的。今天西方许多论者根本不会面对这种问题，他们的古典自由主义似乎只有"福利国家"（或社会民主主义）这一个敌人。只要国家不负责福利，他们就认为是"自由化"了。反过来在他们的对立面即所谓左派中，也有不少人眼中只有自由主义这一个钉子，只要有贫富分化，他们就认为是"自由竞争"所造成：一旦国家弄权限制自由，他们就认为这是基于公共责任。这种逻辑下无论左右的许多人已经把契约国家当成既成的事实自明的前提，往往直接以责任之大来证明权力之大，或者反过来以责任之小证明权力之小。这样的逻辑在当今西方宪政制度的背景下可以理解，但用到别处就要出大问题。

中国传统政治哲学中缺少权力—责任（权利—义务）关系和契约国家的清晰论述（当然至少在儒家中，某些因素还是有的）。西学中本来倒不乏这些内容，但西方国家既已通过宪政民主解决了权责对应问题，不分权责地论"大、小"对于他们中的许多人来讲，就成了逻辑上虽不严谨、但实践中并无大害的语言习惯。[15] 可是本来权责关系就稀里糊涂的国人如果接过他们的这种语言去讨论"他们的问题"，就会产生大弊。把历史上的"国责不下县"说成是"国权不下县"，还只是学术之弊，以下这些说法就是现实之弊了：

"二王逻辑"与问题误置

2003 年非典流行期间，以自由主义者自诩的王怡先生在网上发表文章，批评要求国家为非典病人承担医疗费的主张。他宣称政府没有责任负担这种医药费，而且如果要求政府对此负责，就等于"将政府摆在了一个全能政府的地位。你严厉要求它负上很多的责任，也就是大方地授予他无限的权力。"看来他认为当今那种不受制约的权力是"要求它负上很多责任"的公民"大方地授予"的，只要人民不"要求"政府，让它不负责任不管人民死活，它自然就没有权力了！如果真是这样，今天关于宪政的种种呼吁岂不多此一举。昔人有"直把杭州作汴州"之句，王怡先生则大概有点"错把中国当瑞典"了。而另一方面，自诩左派（"自由左派"）的王绍光先生居然也有完全同样的"错认"。虽然他的立场好像与王怡相反：王怡讨厌瑞典，而王绍光似乎喜欢瑞典（或者喜欢罗斯福等），所以他大力鼓吹要强化国家权势，增强政府对全国财源的"汲取能力"。似乎他认为统治者对人民不负责任就是因为它"汲取"民脂民膏的权力太小，只要它权大无边，放手"汲取"，人民自然就有了"福利国家"。但是两位先生都没有看看历史：在并无宪政基础的时代，扩大朝廷的"汲取"权力只是产生了秦始皇而不是产生了罗斯福。反之，不负责任不问民间疾苦百姓死活的皇上不是更像里根、撒切尔夫人，而是更像那个当百姓纷纷饿死时质问他们"何不食肉糜"的晋惠帝。

一左一右的两位王先生不仅都谈论政府，而且不约而同地都尤其关心"中央政府"的钱袋。王绍光先生热心于为"中央财政"开源，而王怡先生热心于为"中央财政"节流。如果政府同时采纳了两位王先生的财政主张（其他方面的主张另当别论），既大肆"汲取"民财又吝于为民花钱，两位先生以为如何？两位先生以为这是不可能的吗？在瑞典或者美国也许不可能，在其他地方呢？

王绍光先生在主张政府扩权时的确常以政府承担的责任作为理由，但他从不谈有什么机制可以保证权责对应。过去他不谈宪政，但曾主张要一个"强大的

---

〔15〕 例如：在那里不管你同意还是反对"最小政府"论，你至少不会把杰弗逊、梭罗的上述主张理解成：最好的政府就是根本不管事却又什么都想要的政府。因为宪政制度已经排除了这种政府存在的可能。同样，反对罗斯福的人会论证政府责任过大是不合适的，但不会指责罗斯福想弄权自肥。

民主国家"，然而后来他在《南风窗》撰文说，由于"民主"往往使人想到西方那一套，他现在已不想讲什么"民主国家"了。而现今政府的"汲取能力"尽管仍未达到王先生设计的标准，比当年他提出"能力报告"时无疑是强大得多。而正如王先生自己近来多次指证的那样，中国的贫富差距在这些年间不是下降而是上升。他以此作为"汲取能力"还应进一步提高的理由。但是他没有解释迄今"汲取能力"与社会不公何以同步上升，此后这种同步又何以不会继续？

如果说王绍光先生明确表示过反对"西方式的（也包括瑞典式的?）"民主（应当就是指宪政民主——但是，王先生从未明说他赞成什么"式的"民主："民主朝鲜"式的?"民主德国"式的? 抑或文革式的?），王怡先生倒是明确主张宪政民主的，他的网站以"宪政论衡"得名并且的确为呼吁宪政起过可贵的作用。然而在宪政之前先为统治者卸责真的有利于推进宪政吗？波兰团结工会当年的斗争就以反对政府削减物价补贴为号召，尽管民主化之后恰恰是团结工会政府完成了价格改革。如果按王怡先生的逻辑，团结工会应当为转轨前政府卸责并斥骂反对派企图搞垮财政。果真如此，波兰怕是到今天也不可能有宪政吧！

尽管如此，笔者对王绍光先生追求"福利国家"的目标不持异议，如同对王怡先生追求"自由放任"的目标也不持异议一样。但是如果两位王先生不是对美国或瑞典，而是对中国谈问题的话，那么王绍光先生多谈问责而少谈扩权，王怡先生多谈限权而少谈卸责，才有利于实现两位各自的目标吧？

与这种颠倒权责的论点方向相反而逻辑相同的，是那种国家主义的主张。例如：本来意义上的"义务教育"原是指国家承担提供免费教育的义务、公民享受免费教育的权利。但国内现在有人却把它理解为：政府有权强制公民出钱接受指定的教育，却并无义务提供足够的教育经费，公民有义务接受政府指定的教育，却没有享受免费教育的权利。以致一些传媒常出现权力机关援引《义务教育法》迫使某公民出钱送子上学之类的"官逼民智"报道。[16] 实际上，如果我们公共财政真的负担不起，政府的免费义务少些也就罢了，权利义务倒过来的那种官有权民有责的"官逼民智"不论有什么实行的理由，说它是"义务教育"都是不通的。

另一个例子是所谓"土地福利化"的提法。有人提出土地福利化意味着必须按"反私有化"的方向调整土地关系，因为"社会保障在任何国家都是不能

---

[16] 如2001年11月1日《南方周末》头版新闻：《街头公审辍学孩子家长》讲述的贵州安龙县平乐乡故事，该乡多个农民因贫困交不起学费等原因而子女辍学，结果司法部门择赶集日"在大街上开庭"对他们进行"示众性的'公审'"。

私有化"的。因而农民的土地处置权应当弱化，政府有权限制农民转让土地、取消"三十年不变"的承包权而改为更频繁的定期重分等等。这种看法也是权责颠倒的。无论我们在经济上是否赞成"土地私有化"，它与"社会保障制度"不应当有什么关系。这里姑且不论传统的福利国家理念受到的质疑和当代不少国家的"社会保障市场化"改革的是非，仅从传统的社会保障概念而论，所谓"社会保障不能私有化"的说法若能成立，其含意显然是指**提供保障的义务**不能"私有化"，而决不是指**享受保障的权利**不能私有化。道理很简单：所谓社会保障，是指社会（以政府、社区、企业或其他社会组织形式为代表）承担义务，向公民提供养老、医疗、失业等保障。对于被保障者而言，享受保障则是**他本人的（亦即"私有"而非公家的）权利**。尽管在许多情况下，被保障者可能也有部分义务（如在政府、企业、个人三方统筹的保障制度下必须交纳的强制保险金），但这只能是提供保障的社会组织承担义务的补充。如果提供保障的全部义务都只由被保障者自己承担，社会组织不承担义务而只对被保障者行使强制权力"逼其自保"，这样一种状态就根本不能叫做社会保障。举例而言，公费医疗是社会保障，而官府强制百姓自己掏钱看病（哪怕是出于好意）就不是社会保障。"土地福利化"正是这样一种情况：它假定政府、社区、企业等等并不向农民提供什么，而是由农民耕作自己的土地来给自己提供"保障"，"社会"要做的只是行使权力禁止农民自由处置土地以强制农民承担"保障"自己的义务。应当说，这种把"保障"不是看作政府的义务、公民的权利，而是看作政府的权力、公民的义务的做法即使有理由存在，它也不能称之为任何意义上的"社会保障"。正如"官逼民智"也许有某种理由，但它与"义务教育"无关一样。"官逼民自保"也决不是"社会保障"。"社会保障不能私有化"就是说政府或"社会"不能把自己的义务推卸给农民（农户），而"土地福利化"等于是政府让农户自己保障自己，这就已经把保障义务"私有化"（而且是强制私有化）了，这还谈得上什么"不能私有化"呢？

我国如今仍然是不发达国家，社会保障网尚不能惠及多数农民，实事求是承认这一点并不丢人。如果自欺欺人地把事情说成是：我们没有"国家福利"，但有"土地福利"，却可能使人误以为我们的农民已经具有了"另类的"社会保障，从而取消了建立农村社会保障体系的任务。这无疑是有害的。

在西方，传统上左派喜欢强调义务教育、社会保障等等，而右派可能不以为然，但在权利义务（或权力责任）颠倒的情况下把单向的强制当成保障，则是左右都不会犯的"底线"性质的误解。当人家的左、右派在争论政府的义务有多大时，我们干脆将权利与义务颠倒过来。人家左派主张政府必须多出钱供百姓受教育，右派认为不必出那么多钱。而我们有些人则认为政府可以把百姓抓起来逼其出钱受指定的教育。人家左派主张公家出钱为百姓办医疗、养老等等，右派认为公家包不了这许多，而我们有些人则认为公家可以把农民的土地控制起来令其耕田终老，以使农民进城贡献青春后不许留在城里给公家添乱。这类主张不管有无"现实的"道理，与人家的"左右之争"究竟有何关系？

"尺蠖效应"与"天平效应"：两种截然不同的"左右互动"

其实，在"自由放任"与"福利国家"之下，有一个共同的机制。一个治权民授、权责对应的机制，即宪政民主机制。没有这样一种机制，权力太大责任太小的国家就不可避免。这样的国家可能一直"左"着，或者一直"右"着。前者如我国文革时，后者如苏哈托、皮诺切特时代的印尼与智利，两者都会造成积弊。

而第三种情况是：在不受制约的权力之下一会儿"左"，一会儿"右"：同样依托专制强权，先以"左"的名义抢劫，再以"右"的名义分赃。以"社会主义"为名化平民之私为"公"，以"市场经济"为名化"公"为权贵之私。

这样的"左右之争"有什么意思呢？我既不认同这样的"左派"，也不认同这样的"右派"。我甚至也不愿意自诩为介于它们两者之间两头讨巧的"中间派"。

但是，在另一种情况下，我是既可以接受"左派"，也可以接受"右派"的：在宪政民主条件下，"左"有左的道理，"右"有右的好处。而一会儿左，一会儿右，更是正常现象，并且是有益的现象。"左"的时候福利、平等和社会保障受到重视，国民可以真正享受到"社会主义优越性"。但是左过了头，竞争不足效率不高，选民又会推"右"派上台，自由竞争，鼓励投资，提升效率，社会得以真正获得"自由主义的生命力"。待到竞争过了头，贫富分化大，选民又回过头选左派。反正不管谁上台都是民意使然，左派再怎么"国家干预"也只是尽福利之责，不至于任意没收百姓财产。而右派再怎么"自由放任"也只是让老百姓各显其能，不会"放任"贪官污吏横行霸道。这样的"左右循环"我也好有一比，谓之"天平"效应：那天平的两端晃晃悠悠，但都是在一个公平的支点附近左右摆动。天平因此在许多文化中成为公正的象征。

因此真正的问题不在于"左"还是"右"，而在于是"尺蠖效应"中的左右呢，还是"天平效应"中的左右？而这两种效应之区别，就在于专制威权，还是宪政民主。今天的中国，左派抱怨公共资产被盗窃，右派批评私有财产受侵犯。其实在一个"权力捉弄财产"的社会里，无论公产私产都是权力刀俎下的鱼肉。人们常说宪政民主国家私有财产是不可侵犯的，其实在这些国家，公共财产受到的保护也比我们这里严密得多。福利国家瑞典的公共财力堪称雄厚，自由市场美国的私人财富也很惊人，但无论瑞典还是美国，公私财富的比例也许不同，但公产私产同样是不可侵犯的。[17]

　　而在专制时代，就像北宋后期那样，王安石主张国家统制，而司马光主张自由放任，两"党"也是你上我下，轮流得宠了好几个回合。可是双方都不是受权于民，而且弄权无制约，尽管理论上好像双方都很高尚：王安石说是要"摧制兼并，均济贫乏"，似乎颇有"社会主义"的味道。而司马光主张"国家不与民争利"，似乎很有"自由主义"色彩。不幸的是实行下来，王党的"国家统制"严厉地束缚了"阡陌闾巷之贱人"的经济发展，而马党的"自由放任"则使"官品形势之家"得以放手聚敛。王得势则朝廷禁网遍地，民无所措其手足，马得势则贪官污吏横行，民无所逃其削刻。国家的"自由放任"只能放出无数土皇帝与土围子，却放不出一个中产阶级，而国家的经济统制也只会"与民争利"，却统不出个社会保障。王安石搞不成"福利国家"，正如司马光搞不成"自由市场"，而这两种政策轮番上场到后来都加剧了王朝的治理危机，北宋也就在"尺蠖"的一放一缩中走向危机，最终在危机中灭亡。

　　另一类"左右"又怎么样呢？一位朋友在周游美国与北欧一圈回来后发表见解说：美国的"自由主义"只讲个人自由、公民权利，忽视了社会平等，不利于保护弱者。而瑞典的"社会主义"只讲社会平等、福利保障，忽视了个人自由，不利于发挥效率。我们都不能学。听完高论后我对他说：是的，我也同意无论瑞典的福利还是美国的自由我们今天恐怕都还搞不了。不过您说美国的个人自由太过分，那么美国的社会保障如何？不会也"过分"吧？您说瑞典的社会福利太过分，那么瑞典的个人自由如何？不会也"过分"吧？当代美国的社会保障体系已经相当发达。那里有联邦财政负担的、覆盖全国统一标准的养老保险，有联邦与州两级财政共同负担的失业保险、老年援助与儿童援助，还有体现"矫正正义"、具有道德补偿性质的对黑人、印第安人等历史上曾经遭受不公正对待族群和其他弱势群体的特别帮助。20世纪80年代以来美国的社会保障开支通常占到GDP的13%左右，虽然达不到瑞典式的"从摇篮到坟墓"，但其最低生活保障功能是十分健全的，更不用说他们还有发达的NGO志愿公益部门来参

---

〔17〕　所谓公产不可侵犯，是说公产不能违背公意地被某些人私占私吞；经由公共选择程序的"民主私有
　　　化"当然不能说是"侵犯公产"。这正如任何保护私产的法治国家都只是禁止把私产强行充公，而
　　　不会禁止若干公民自愿集资形成公共财产一样。

与社会保障了。

同样，除了高额累进税对个人资本积累形成的限制外，瑞典的企业在市场上的自由空间还是受到法治保障的。那里的老板可能不敢惹工会，但用不着害怕当官的，更不会担心八九十个"公章"与"大盖帽"都来吃你的"唐僧肉"。而宪政制度下当今瑞典的公民政治自由更是可圈可点，起码不在其他发达国家之下。

据说美国的社会保障与瑞典的公民自由水平都"太低"，经常出国的您老兄可能已经不稀罕这么"低调"的社会保障与公民自由了，但是如果您不是只盯着"国际前沿"而是能够多关注我们自己的问题，您可能会发现这些"低调"的东西对一般老百姓还是非常有用的。而根本的问题在于：如果这样"低调"的自由与社会保障对于我们尚且是奢望，又何谈美国式的高调自由或者瑞典式的高调平等，甚或介于美瑞之间的"中庸"程度的自由平等，乃至"超越"美瑞之上的更高自由与更高平等？

现代政府何以异于传统朝廷

现代政府何以异于传统朝廷？有人说现代政府应当是"小政府"，让社会与公民充分行使权利实行自治。有人说现代政府应当是"大政府"，必须满足多方面的公共服务需求。两说各有道理，但重要的是这里的"大小"决不是个程度的概念而首先必须具有质的规定性。现代政府的"大小"在性质上不同于传统朝廷的"大小"。否则我们就会把传统政治的不负责任误认为是"自由放任小政府的社会自治"，而把传统政治的弄权无制误认为是"民族国家建构与福利扩张"。现代西方人在宪政下生活惯了，他们整天听见的是现代的"左右"两派在争国家的"大小"，而对性质问题已经很不敏感。所以他们看我们的历史就容易出现"无福利即自由"、"无自由即福利"的错误。不是说现在我们要摆脱西方"话语霸权"吗？恐怕首先应当摆脱的就是这种"直把杭州作汴州"的问题错位吧。

当年杰弗逊那一代人探索现代政府制度时，追求的是权力极小而责任极大的"最好的政府"，然而两百多年过去，这样的政府在现实中仍不存在。经历风风雨雨之后人们建立的"只是"那种治权民授、权责对应的宪政民主政府。有了这种权责对应的机制，也就产生了是权大责亦大的政府好呢，还是权小责亦小的政府好这样一种争论。笔者称它为关于什么是"次好政府"的争论。

但是在没有这样一种机制的时代，人们面对的往往是与上述所谓"最好政府"相反的情况，即权力极大而责任极小的政府，剥夺国民自由同时不管国民死活的政府，束缚职能高度发达而保障职能十分稀缺的政府，不承担公共服务义务却可以（为统治者的利己目的）严酷地管制公众的政府。

最好政府是不可能有的，次好政府（宪政前提下权责均大的社会民主政府还是权责均小的古典自由政府）是难以确定的。我们可以确定的是：什么是最坏的政府？那就是权力极大而责任极小的政府。无论自由主义者还是社会主义者，在他们能够进行有意义的争论之前，首先要做、也首先能做的是改变这样的政府。这就是政府现代化这一进程的实质所在。

【讨论一】

评论

汪晖：秦晖教授是一个历史学家，不过他的分析方法是从政府大小、国家的权力与责任这样一个理论的命题出发。他从杰弗逊——梅逊共识出发，将历史的材料运用到自己的问题中来，达到他论述的一个结论。他从这个理念——政府权小责大是最好的，当然这是虚拟的，这样来提问题，在抽象意义上一般不会有太多分歧。我想分歧在于建立这个论述过程中产生的一些问题。举例来说，他的文章是从这个理论设定出发，把问题放在中西的对比里面：西方历史的福利国家制度、民主制度、宪政制度；中国历史里面的专制等等，在这个对比里面，来建立结论的。所以背后的政治性和社会性的含义与他在当代语境中论辨的意义都是非常清楚的。从这样一个立场出发，怎样选择例证来与自己论点建立一种恰当的对应关系就变得相当重要。

我从这篇文章中学到非常多的知识，因为它介绍了很多西方福利国家的制度。不过，我还是要提出一点疑问。刚才秦晖先生发言当中也提到了，比如马克思对俾斯麦的批评，列宁对美国式道路的赞成和对普鲁士道路的批评。我觉得你对这个问题的解释上有点简单。在论文中你提到列宁鼓吹美国道路批评普鲁士道路，以及前面所讲的杰弗逊、马克思等等，都是说他们其实更接近自由市场经济，所以比较的不强调国家的（干涉）。可是在列宁的《社会民主党1905—1907年俄国第一次革命中的土地纲领》中讲到，普鲁士道路是指"把农奴主和地主经济转变为容克资本主义经济，是国家与地主阶级联手用暴力掠夺农民来完成地主资本主义的发展，让有钱人任意地洗劫中世纪的农村。为了走这样的道路就必须对当时的农民群众、无产阶级连续不断的毫无顾及的系统的使用暴力"。列宁在这个意义上反对普鲁士道路。同样，他对美国道路的理解也不同与我们今天的理解。他之所以赞同美国道路，是因为可能有利于农民群众，而不是一小撮的地主。"这个农业资本主义道路是要在俄国建立真正的农场主经济，必须废除全部土地的地界，摧毁一切中世纪的土地占有制，为自由的业主建立自由的土地而铲除一切阻力、特权。而要做到这一点，就是土地国有化，废除土地私有制，将全部土地转化为国家所有，就是要摆脱农村中的农奴制度等等。"假定我们认为他持的是这个看法，就会很自然的联想到在 1912 年他在评价孙中山的土地革命纲领时，也就是在他的一篇很著名的论文《中国的民粹主义和民主主义》里面，为什么他说孙文的带有社会主义色彩的纲领是一个反动的纲领，因为它是社会主义的，说它是反动的，是说它想要超越资本主义。中国要发展资本主义，孙文却要走社会主义道路。列宁的辨证法是说，在中国发展资本主义恰恰是需要这样一个社会主义，先要有这样一个过程。在这个意义上，不是简单的要自由还是要一个国家的问题。真正的问题在于现在的资本主义经济或者说市场经济的发展对于一个政治结构的依赖。现代社会最困难的问题就在于此。我想很多人都不喜欢国家专制，可是所有困难也都集中在这里，尤其是所有边缘国家。在当时殖民主义世界里面，在这样的一个社会里面，所谓的民族自决运动所扮演的角色，在发展资本主义经济方面，就是要依赖国家。但最后我们都知道，后来产生一系列悲剧性的后果，在一定程度上，是由这个进程产生出来的。我想这是问题的一个方面。

从这个角度，可以引申到你的论文中有关韦伯的一段论述。这个引述也有问题，您认为韦伯讲的是理性化，就是现代化。当然你后面批评中国学者在这个问题上的引申发挥，这些批评我都是认同的，也是有同感的，但是您在解释时存在一些问题。韦伯并未说理性化就是现代化，在这个终极比较里面也没有一个绝对优劣的比较问题。他讲的是为什么资本主义只是在欧洲这样一个情景中发生出来的。所以他讲了中国早期的政治理性主义，但未产生经济理性主义。他是在这样一个意义上讨论问题，反归到欧洲的资本主义经济理性化。在这样的逻辑里面，韦伯其实是一个很悲观的态度。他意识到这样一个所谓的资本主义市场经济，倒过来会有一个对官僚主义的依赖。这是现代性理念的一个内在矛盾。

秦晖先生在论文中有许多精彩的评论，但我想可能在这些部分上会把问题引到一个更深的困境里面。我们正身处这样一个困境，否则就不会出现国家大小这样一个问题了。另外，您讲的有关中国历史的看法我也有一些批评。比如说您讲到中国乡村自主契约关系问题，您认为其实并非那样，而是过分美化了。绅权和皇权的关系，如果不是把它看成是一个静态的结构，而是看作是一个流动的结构，我们可以看到有时候绅权的确是抗拒皇权的一个力量。否则顾炎武、黄宗羲也不会提出这个问题。但是在有时候它又是和皇权配合的一个国家机制。这是我对秦晖先生论文所提的几点意见。

崔之元： 从读者角度出发，我有三点感觉。

第一，秦晖的文章读起来你会觉得他的分析框架以及对中国和世界问题的看法都是比较简单明了的。比如说群域己域，什么是群体，什么是个人，这在西方基本已经界定清楚了。当代的争论包括西方也是自由主义和社会民主主义的争论，概括得简单明了。

第二，秦晖的文章是从考证美国独立宣言起草人杰弗逊的一句名言"最小的政府就是最好的政府"，他是不是说过这句话开始。下面的许多讨论都是从一个理念出发。

第三，从他这篇文章中可以导致出对当前时代精神怎么看的结论。现在人大要搞出一个民法典。至少有一派很想要学习德国的民法典。当时拿破仑曾占领了德国很多地方，后来拿破仑战败后很多地方比如慕尼黑、巴伐利亚王国还都很推崇法国。当时许多学者也都认为法国民法典有很多很好的东西，但是德国历史学派的主要代表萨维尼却说德国的民法典不能照搬法国的。他认为德国的民法典必须反映德国的民族精神。中国的民族精神、时代精神到底是什么？

稍微展开一点。秦晖的文章说政府不能用大小来看。举一个例子，前一段时间在《南方周末》上报道过的。一个人在江西把中央有关不许向农民乱摊派的文件汇编起来，结果被地方干部抓起来了，不许他把中央文件汇编后发给农民看。这就涉及到到底是谁的政府这样一个问题。这在美国宪政历史上也是很突出的，比如美国的权利法案，也就是宪法前十条修正案，当时美国南部很多州是实行奴隶制的。南北战争之前，权利法案是只适用联邦政府不适用于州政府的。换句话来说，只有联邦政府要尊重宪法规定的基本权利，州政府有奴隶制的可以不尊重。美国宪法有一个大问题就是 incorporation （并入）的问题。美国第 14 修正案出来后，有一种主流看法是州政府也必须保障整个美国公民的权利，并入问题只是从另一个角度反映出政府的类似问题。

王焱： 由于昨天才看到论文，比较仓促，提不出系统性的评论意见。我觉得论文一般有两种，一种是写的相对比较严谨但对读者来说可能并不是很有启迪意义的；一种是在思索过程中的，比较能给人智力上的挑战，更有启发性，但可能说得不是那么严谨。我觉得秦晖的文章可能属于后者，是读者更喜欢阅读的。

秦晖的文章是从杰弗逊一句名言的来龙去脉开始，区分美国和欧陆的语境不同所以有大政府和小政府之争。这个问题的提出很有意思。在当代中国学术争论的语境里面，或者包括政治话语中有一个很大的困境，就是说经过"五四"以来的反传统，诉诸传统找出合法性依据似乎已经不像古典时代，说"子曰如何"

这样具有权威性。究竟什么东西是对我们具有合法性依据的？大量的西方话语引进来作为合法性依据，这里遇到一个问题。语言意义取决于具体语境和上下文，如果不加辨析移植到中国语境，往往产生无谓的争论。就像秦晖举的例子。我记得以前经济学界的争论，比如经济学家引用凯恩斯主义证明国家干预的合理性，实际上凯恩斯也认为国家干预有一个边界就是个人自由权利不能侵犯。在中国是另一种情况，基本的宪政民主制度并未确立，所谓的国家干预往往是没有法律制约的，人治的残余还保留着。大政府小政府的争论可能就有语境问题。秦晖刚才具体分析了。就是说，西方语境里面，无论是我们说的左派或者自由主义，他们都有一个共同的制度平台在那里。在中国这个制度平台仍在构建过程中，所以往往产生无谓的争论。在中国目前语境下，有很多这样的说法，比如"实行民主呢，中国人的素质比较低文化水平比较差；实行法治呢，妨碍了政治家的决断"。最低限度，我想是秦晖讲的权力和责任的对应性问题。不能出现无限大的权力，却只承担最微小的政治责任。政治家的职业伦理用韦伯的话来说是追求一种负责任的权力。对比西方国家可以发现，该承担责任时不承担责任，经常推诿责任，变成了政治家的一种谋略或者说是聪明的表现。所以权责对应的问题是目前中国政府最低限度的一个要求。

另外，他讲到世界历史上古罗马社会福利问题和中国古代帝国对比问题。这部分的问题比较多一点。罗马时代承担了公共福利，但罗马最后灭亡了，是由于福利太多了，"面包和马戏"都包括了，最后不堪重负。按秦晖讲的在中国古代缺乏权力责任对应性。我觉得这是两个问题。一个是近代民主国家确立起来的责任政治，还有就是古代帝国时代的情况。像中国古代帝国又是另外一种情况，详细考证起来非常复杂。关于韦伯，刚才汪晖也讲了，秦晖的引用不是特别精确。韦伯实际上是对世界文明比较研究中，强调古代中国这样的帝国要将统治穿透到最低层，在政治技术上就达不到。比如秦始皇时代，秦始皇号称勤政，一天看好几百斤竹简。但这几百斤竹简传达的信息是很有限的。所以古代的统治是不可能像现在的集权国家那样一直穿透到基层的，技术上不可能。所以韦伯分析中国古代靠什么维持统治，中国有一种大的框架性设置，将这种框架性的设置压向一个局部甚至是个人。对于局部和个人来说也许是不公平的，但为了维护帝国的统一确实是必要的。所以像秦晖这样看中国古代可能是非常不理性的，早该灭亡了，不承担任何责任只有无限大的权力。这一点有讨论的余地。特别是这部分秦晖用了一些杂文笔法，我觉得比较富有争议性，不太适合作学术讨论。应当还是用论事的方式加以讨论，像"国权不下县"、"无吏自治之"这些问题学术界本来就是有争议的。我觉得应当具体展开自己的论述框架，用一些讽刺性的说法无助于解决学术问题。

讨论

李强： 看了秦晖的文章后有很大收获。他从历史角度、从理论角度涉及到我们今天关注的很重要的一个问题。我的一个基本感觉就是论文从其本身来讲，有其内在逻辑，是站得住脚的。但是秦晖希望引申到一个结论，就是不存在什么小政府大政府的区别，关键是权责统一。在讨论政治问题时，有几个问题比较重要。一个就是国家权力机构在社会中应当有多大的权力，也就是国家和社会的关系，不能说权责统一就是好政府。政府到底要管到什么程度，这是近百年来西方民主国家各种学说争论的主要问题。

　　秦晖讲的主要是责任政府、民主政府的问题，这是一个重要的问题。但责任政府、民主政府仍然不能掩盖住还有一个政府权力应当有多大的问题。假如能够掩盖的话，西方就不会有各种各样的意识形态的争论了。而这个问题对于我们国家来讲，还是一个非常重要的问题，更不是说只要政府权责统一就可以了。这两个问题要分开，一个本质上讲是一个民主共和的问题，是一个责任政府的问题；另一个是不论是民主还是共和类型的政府，政府在社会中应当有多大的权力。我不太赞同将所有的问题混到一起。

顾肃： 秦晖教授提到政府职能问题，是小政府还是大政府问题。我觉得其实今天的中国中央政府有些事情应该多做，有些事情应该少做。少做的是直接干预经济。到今天国有企业怎么办？名义上是分了，搞了一个管理委员会，实际上还是政府行为。政府管得太多，大政府怎么产生的，就是这样产生的。政府对经济有大量的决定权，比如批个条子，就可以办房地产的贷款。这是法治社会坚决要制止的。政府应当作什么？福利。福利是必须要管起来的。大量的弱势群体问题，公立教育的问题，非典、艾滋病等等这些东西，应当是中央政府来做的。地方政府可能懒得做或者说做的不是很好。就像美国的社会保险最后还是联邦政府来做了。政府应当从大量日常的经济事务中脱身出来。为什么要强迫改制？大量的国有企业本身效益不好，面临破产的危险。怎么办？卖了。现在连公立学校也要卖掉。什么都要卖掉，中央政府还要做什么？维护民权。通过宪政和法治维护公民的各项权利，当然维权不能只靠政府，还需要其他一些非政府机构，但在当前中国的情况下，政府应当在维护公民权利上做更多的工作。当然，政府本身要有权力的制约，以防止腐败和滥用权力。比如程维高这样的事情，他在河北就曾经可以无法无天，因为地方政府自身缺少制约。对他的制约主要来自中央，中央调查了几年，到最后才作出处分决定，实际上他已经退休，不是在任上由同级的人大等进行监督制约，及时罢免其职务。可见缺少的是地方横向的制约，假如省市级都有横向制约，那才可保障有效的地方分权。同这个问题相关的是中央政府自己的横向制约。比如最高法院应当是独立的，它应当去监督其他部门，大量的违宪事件应当由最高法院来全权处理。横向制约也是分权的一个重要内容。

张维迎：秦晖的文章，刚才提到责任与权力的统一，这是没有问题的。对它是最好的行为对社会也是最好的行为。核心问题是责任能力。权力的行使可以是无限的，但是承担责任的能力总是有限的。我举个例子。比如说有个人要带着鞭炮等危险品上火车，如果他讲：你不要管我，出了事我负责任。我们能否让他带上去呢？不能。为什么？因为真出事后他没有这个能力去承担责任。这是一个问题。所以才有法律规定禁止携带易燃易爆物品上车上飞机。政府同样也存在这样的问题。有很多时候政府是没有能力去兑现自己的承诺的。好比政府说把钱交给我，你们的孩子上学、医疗费、保险费、养老金全部由我负责，实际上政府没有这个能力。甚至现在小学的义务教育政府都没有能力来做。政府说养老金都交给我，你们老的时候由我负责，结果到时肯定没有这个能力。所以在考虑政府权力要有多大时，一定要考虑政府的责任能力能有多大，政府承诺的可信度有多大。

胡汝银：在讨论国家结构时经常讨论如何使权力和责任达到最优配置的问题。现代宪政的核心问题，按照布坎南的观点就是政府总是倾向于滥用国家权力。在现代社会中如何防止滥用国家权力，如何保证掌握国家权力的人按照全体公民的最佳利益来行使权力。这有个能力问题，还有个效率问题。哈耶克讲为什么要搞市场经济，因为信息是大量的、分散的，假如由政府掌握信息，一定是低效率的。我们有许多资源由国家配置，但国家即使具备这样的能力，效率也是非常低下的。政府是提供公共服务的，但提供公共服务的人员规模配置是否最优？我们国家是官民比例最高的国家，这是否有利于社会的发展，是否利于社会的高效率运作？很明显，假如社会上有十个人，其中八个在公共部门提供公共服务，只有两个人来劳动创造财富，这个社会不可能是高效率的。这里有一个如何保证公共部门资源最佳配置和公共权力最佳运用的问题。这是最核心的问题，牵扯到制度安排、怎样实现宪政民主等其他一系列问题。什么是公民的最佳利益？有不同的理论。一个是人性理论。西方的宪政理论，基于人性本恶的判断，先小人后君子，要搞权力约束。中国的传统是性本善理论。还有就是领袖理论，领袖是无所不知无所不能的，是按照社会最佳利益来行事的。这是列宁和斯大林所提的理论。还有就是巴黎公社模式的群众原则，由群众自己判断什么是好的什么是坏的。领袖理论把人分为领袖、群众阶级，领袖是全知全能的，社会的最佳利益都由领袖说了算。最后就出现了两种不同的国家治理结构，两种不同的社会权力分配。

高西庆： 刚才好多学者都有许多假设，让大家觉得权责对应是必然的。但是我觉得这是现代人的看法。讲问题不能抛开历史。今天我们讲权责对应，是非常直观意义上的，在数学上可以量化的权责对应。但事实上，从政府政治体制角度来看，从几千年来的历史进程来看，我觉得很多政治体制，包括中国受到了很多批评的政治体制，大概意义上还是权责对应的。

像刚才秦晖老师提到的，在某个阶段政府有很大的权力而没有责任，这是所有政府的期望。但是由于各种因素的制约，是不可能达到的。任何政治体制只要能够延续，都是有一定的权责对应的。中国的中央集权的政治体制延续了两千多年的时间，到今天虽然有一定的制约，但是并非西方的现代管理模式。说今天有某种制约，以前就没有制约，这是不同的表达方式。汪晖刚才也提到了语境的问题。权力制约也罢，权责对等也罢，等价交换也罢，都是我们今天看这个问题时讲到的，带有一定的约束假设来看问题。今天所讲的东西很直观。中国最近一两百年落后了，西方的东西看起来先进一些，管理的好一些，经济上发达一些。但这只是历史发展的一个阶段，是历史长河里的一部分。张维迎刚才提到政府提供福利的问题，过两年可能就提供不了了等等。但其实无论是今天还是历史上的政府，都不得不提供公共福利。这就是为什么要建立我们今天的政府的预算，是一个 reserve，是一个后备。为什么？用不着呀。31 个省都有原来自己的现收现付制，加上 1997 年以后建立的制度。那么中央政府为什么那么害怕呀？只要出事中央不得不拿钱。因为中央政府有这么大的权力：在经济上四六分权，在政治上任命地方的第一把手、第二把手等等。虽然说好像有一点制约，在地方人大选举时有不被通过的。但这与历史相比，各级官员的任命，现在集中的更为强烈。所以应当把这个问题放在一个历史的过程中来看。我认为权责基本上总是对应的。这是我的看法。谢谢。

回应

秦晖： 刚才大家提了不少意见，对我都是很有启示的，我也都会加以考虑。由于时间所限，我主要对不太同意的意见加以回应。

好几位都说我是从理念出发的。这可能是把我的方法理解为区别于唯理论的经验论了。其实不仅我的文章里，中国传统学术界也没有西方意义上的唯理论和经验论的区别。中国传统学术中有所谓的汉宋对立。汉学长于考证章句名物，宋学长于探究微言大义。但是我们不能把汉宋对立说成是经验论和唯理论的界分。我曾经强调：当今学界，有人力戒空疏之弊而大倡微观分析，有人深恶恒饤之学而力主宏观概括。其实两千年来的传统学术一直是"义理之学"与"训诂之学"轮流称大，其流弊不在于它太微观还是太宏观，而在于它缺乏形式化的科学思维，因而难以在宏观—微观—宏观或抽象—具体—抽象的认识循环中建立实证（或证伪）机制以推动学科的发展。而空疏之学与恒饤之学我所皆不愿为者，还因为它们都缺乏一种本真的价值关怀，因而难以在问题—主义—问题的认识循环中培育人文精神以推动社会与学术的良性互动。我认为，回避"问题"的"主义"说教，是为空疏之学，而缺乏"主义"的"问题"研究，可称恒饤之学。我们做学问就是要跳出恒饤之学和空疏之学的循环。要做到这一点，一是"问题"要讲事实，二是"主义"要讲逻辑。至于价值判断倒是人各有志不能勉强的。

我自认为，假如说我这篇文章从"最好政府"的考证出发引申出什么的话，重要的并不是引申出什么价值理念。不是说杰弗逊就是对的，或是以多恩为代表的古典自由主义的解说就是对的，或是以柯茨为代表的罗斯福式的解释就是对的。重要的并不是判定那种学说正确，然后以道德的名义加以赞同。重要的是理清他们所说的是两回事。当代的柯茨和多恩的争论是宪政以后的争论，而杰弗逊当时所面临的是完全不同的问题。这里关键是问题背景的区别。最近我到美国和一些西方学者讨论也存在这样的问题。如果说我们和他们之间有多少文化的差异——文化的差异经常被理解为价值观的差异，至少我不大觉得。但问题背景的差异则很突出。以至于我们所谈的一些问题为西方学者完全不能理解。这一点至关重要，不弄清这一点，单靠列举事实解决不了问题。我在文中举的几个例子，并不是实证太少的缘故。

比如讲到"国权不下县"的问题，提到的事实是众所周知的。比如传统国家不承担什么福利，调解靠民间等等，都没有问题。如果不是限于篇幅，举出一千条这方面的事实有何难哉！苏力说毛泽东想搞宪政、分权，但别人不允许他搞，这个"事实判断"够惊人的（这里不涉及毛泽东的"宪政思想"好不好这种价值判断问题），他当然必须以史实来证明——正如刚才不少人指出的，实际上他的证明还不够。而我的文章认定的事实其实属于常识，并无惊人之处，说古代朝廷没有搞福利国家，难道有谁能说"不，搞过的"？这难道还需要再举多少例子来证明吗？

问题在于从"古代中国并非福利国家"这类事实能推出什么观点来呢？一些人讲：可见国家的权力很小。我觉得从逻辑来讲，这些事实只能说明国家的责任很小，并非是国家的权力很小。唐诗有句话："任是深山更深处，也应无计避征徭。"可见官府权力无远弗届，但这并不意味国家在"深山更深处"建立了福利制度，对百姓承担什么责任。还有一句话："贫居闹市无人问，富在深山有远亲"，可见即便在县以上的"闹市"，国家对百姓也没有多少责任，但谁能否认官家在那里可以征税，从而体现出国家权力？官家征税予取予求，公共服务不闻不问，"不下县"的是国权还是国责，其实是一个简单的形式逻辑问题。

刚才对于"权责对应"几位给予了指教，有的说权责对应还不够，还要解决权大小的问题。有的说凡政府都是权责对应，不只宪政是如此。前一说当然不错，我从来没有说只要权责对应就够了，我只是说权责不对应是不行的。无论大政府小政府都要以此为前提，这个前提非宪政国家是不具备的。而这就意味着我不能同意后一说。当然如果时段无限放大，那么水能载舟亦能覆舟，完全不负责任的政府在理论上最终都会垮台，但这就要发生大灾难了。而"舟"要随时对"水"负责，没有宪政怎么可能？当然这里说的是对被统治者负责，如果是对统治者自己的什么愿望负责，哪怕那是个很好的愿望，比如赶英超美、称雄世界之类，与我这里讲的负责也不是一回事。

另外有几个实际的问题，主要是刚才汪晖提出来的。首先感谢汪晖对列宁提出的普鲁士道路和美国式道路作了很详细的阅读。我就列宁在 1905 年前后的思想变化写过不少文章，例如在《传统十论》中就有一篇，在这里就不详细讲了。基本的一点，1917 年以前列宁对美国的好感几乎是一以贯之的。他对他否定的道路有过英国式道路、意大利式道路和普鲁士道路等前后几种提法，但对于肯定的道路，他只讲了"美国式的"。为什么有好感？首先因为美国自由，农业上就是在你提到的那本《社会民主党 1905—1907 年俄国第一次革命中的土地纲领》中讲的六大自由："自由的业主，自由的土地，自由交换，自由迁居，自由扩大地块，自由的协作社"。怎么样？列宁这个左派当时够"自由放任"的吧？

其次更重要的是因为美国民主，当然历史上的美国民主并没有表现在私有化问题上，正如普鲁士的专制也没有表现在这个问题上一样。美国与普鲁士都是历来私有制的，不像俄国有个通过瓦解农村公社来实现资本主义私有制的问题。列宁实际上是作一种比喻，他讲的美国式道路和普鲁士道路的区别，简单点说就是对俄国当时的传统公社是实行民主私有化还是权贵私有化的区别。普鲁士道路就是在专制强权之下，为特权者"老爷"的利益来瓦解公社，赶走农民。列宁当时认为农村公社是肯定要瓦解，要私有化的。上面提到的六大自由就是这个意思。至于以后他又讲了什么，另当别论。他那时实际上是借"美国道路"这个比喻来表示他主张对农村公社实行民主私有化。因为当时的民粹派虽然也反对斯托雷平改革，却主张重振农村公社并借此走向"社会主义"。列宁那时还要与民粹派划清界限，他说复兴农村公社等于开倒车，没有前途，瓦解公社是对的，但斯托雷平式的瓦解办法不行。他讲的美国道路，就是指以美国式的民主体制来对公社实行比较公正的私有化，同时也把地主的大地产（在俄国，这类地产的主体是所谓"割地"，即 1861 年改革后权贵们从公社土地中化公为私割占为己有的部分）夺过来一并平分。用列宁的话来说，这是商品经济条件下，最有利于工人阶级和劳动人民的一种方式。他认为普鲁士的做法不行，虽然普鲁士并没有农村公社私有化问题，这只是俄国的问题。列宁的意思是要是用专制的方法来搞公社私有化，肯定是会搞糟的。

当然，后来列宁又有变化，不是主张以民主方式搞私有化，而是力图以专制方式搞"公有化"了，这时他也就不再讲什么"美国式道路"，你提到的列宁论孙中山的话正是出现在这又一次转向当中，它与列宁 1907 年的说法已经有所不同，但也没到 1917 年的状态。其中原委我就不细说了。

另外一个是汪晖讲的我对韦伯引语的一个误解，王焱也提到了这个问题。我觉得可能只是程度的区别。韦伯的书主要讲的不是"现代化"而是"资本主义"，他是把后者理解为理性（指狭义理性或曰工具理性）化的。而至少在"十月革命"前，现代化与资本主义化实际上也是一回事。所以我说韦伯讲的现代化就是理性化，自信并不有违韦伯原意。其实真要计较也好办，改成资本主义化就是理性化好了。我也注意到韦伯对中国政治理性化的相对的承认。但是要对中国政治理性化无保留地承认，就是说中国早就是现代化（至少是"政治现代化"）的，韦伯显然不会同意，他肯定要作出修正。所以一方面，他肯定中国有官僚制，并认为中国的官僚制也很理性。但另一方面他有很大保留，就是所谓的"有限"官僚制，官僚只到县，县以下是卡里斯马。否则与他讲的新教伦理导致理性化之说的确会有很大的逻辑冲突的。后来人们从韦伯的论述中引申出了很多东西，但是后来的人都加进了自己的理解。

我觉得意见分歧最大的恐怕是在第三个，即乡绅自主问题。我在多篇文章中都提过，这有个参照系的问题。和 1949 年以后一元化体制下的农村干部相比，当然可以说乡绅是自主的，传统农村是自治的。但是要做文化对比，要把中国传统的治理方式和其他传统文明下的治理方式相对比，而且尤其是把乡绅制度和前乡绅制度，即科举制以前的乡举里选察举征辟等制度下产生的政治精英相比，那么我觉得后来建立在科举制度上的乡绅治理模式，自治色彩当然要大大的降低。黄宗羲和顾炎武恰恰是看到了这一点，所以对乡绅—科举制度有非常激烈的批评。黄宗羲干脆认为科举不行，要恢复乡举里选。顾炎武专门写过一篇《生员论》，把江浙一带的缙绅骂了个头破血流。而且顾炎武还讲过科举之祸甚于焚书坑儒，我在一篇文章中引过顾炎武的这些话。因此，他们恰恰是对由科举产生出来的人控制乡村表示不满的。我并不认为他们的说法就是对的，但是要说他们如何宣扬乡绅自治，在事实判断上是有问题的。

至于王焱提到罗马的高福利制度有诸多弊病。包括罗马亡于"高福利危机"的说法，我在文章中都已指出。其实不要说罗马，即使今天我也并未主张高福利是一种好制度。我前面已经说过，本文的目的并非推崇福利国家而反对自由放任，或者反过来肯定美国而反对瑞典。我只是指出无论福利国家还是自由放任都以权责对应的宪政为基础。有这种基础和没这种基础，人们会面临完全不同的问题。罗马的福利制度好不好是一回事，罗马帝国的专制不同于秦汉专制又是一回事。今天批评罗马福利制度的人可能很怀念共和时代罗马公民的积极进取，但是不会有人假设：那时如果有个一味专制滥权却不负责任不管臣民死活的"暴秦"式专制，罗马的命运会好些?!

小结

陈弘毅：非常高兴有机会参加这个会议。会议的第一单元讨论的主题是："国家、市场、社会：历史与理论反思"。主题发言人的文章涉及到了一个非常基本的问题，可以引发我们对政治学、历史学、社会理论和先进理论以至中国当前的政治发展的道路问题的深刻反思。例如什么是国家，国家存在的目的是什么？这个问题又可以一分为二。第一，在人类历史之中，包括中国历史，国家的存在和实质作用是什么？这是一个实证的、描述性的和解释性的课题。第二，国家应该为什么目的而存在？国家应该享有什么样的权力。国家应该承担什么样的责任？这是一个规范性的问题，涉及到我们的价值判断。

刚才说的第一个问题，是一个实证的历史性的研究，可能也离不开价值判断。秦晖教授关于在历史上国家有权无责的讨论也涉及到价值判断问题。韦伯所推崇的客观科学，即不涉及价值判断的人文科学研究，是很难绝对实现的。我们的研究在一定程度上会受到我们所委身于的价值和理想的影响，从而影响我们关心什么问题，选择什么样的研究道路。从秦晖的论文中可以看到，他非常关怀中国基层社会的人们，尤其是农民，讨论到国家的存在和承受的负担，以及国家的福利。

　　秦晖的文章引导我们思考的是在人类历史中的国家是不是掠夺性的？或者说倾向只行使权力而不负责任，或者如孔子所说"苛政猛于虎也"。关于国家存在的两种解释都是有一定的启发性的。第一种是功能主义的解释，就是认为国家的存在是为了向社会提供大家都需要的一些服务，对内维持治安，对外抵抗侵略。功能主义者认为国家对社会的整体扮演着一个有用的主体，是肯定国家的功能的。第二种解释是批评性的，我认为马克思主义持这种观点。这种观点认为国家是剥削性的，压迫性。无论是奴隶制、封建制还是资本主义，都是为了保护少数人的利益而奴役大多数人。我认为在历史中，国家既有公益性、服务性的一面，又有其掠夺性、剥削性的一面。秦晖先生所说的国家责任，我觉得是国家公益性、服务性的一面，而国家的权力大多指的是国家的掠夺性、剥削性。国家的掠夺性也有两个方面，一是对内的，对国内的人民掠夺；二是对外的，对外扩张领土，对其他国家的人进行掠夺。中央集权可以用权力的逻辑来解释，国家的领土扩张也可以用权力的逻辑来解释。从中国历史也可以看到这一点。唐王朝建立后倾向于将国土之外的所谓的蛮夷之地纳入王朝的势力范围，唐王朝倾向于发展成帝国，如罗马帝国、19世纪的英国、20世纪后半段现在的美国。西方现代的政治思想家，如霍布斯和洛克，一个主张专制主义，一个主张自由主义。我觉得是他们关注点不同，一个关注的是国家的服务性、公益性；一个关注的是国家的掠夺性、剥削性。霍布斯经历过英国内战的混乱，认为只有中央集权的国家才能维持国家的安定。正如现代的中国要建立现代民主国家，才能摆脱帝国主义的奴役，这是主权高于人权的思考逻辑。如果没有强大的主权国家，将遭受帝国主义的欺侮，不能享有人权，这只是问题的一方面。洛克看到了问题的另一方面。他注意到专制集权的国家会侵犯人权，这是国家掠夺性的一面，也是自由主义的关注，也是秦晖先生的关注。所以从这个角度来看，宪政可以理解成为消除国家掠夺性的一面。

　　最后谈一下宪政的问题。秦晖的论文也是对宪政的剖析。关键在于怎样建立宪政和建立怎样的宪政。我同意刚才朱景文教授讲的，就是不能说所有对现在政治的研究都等于宪政。宪政是某一种组织政治权力的方法。

　　我认为对于思考宪政的问题，可以分为四个思路。第一是分权制衡的理论。宪政离不开分权制衡，分权制衡离不开法治、司法独立以至司法审查的制度和技术。西方在制度上很明显要比其他的地方发达。法官是否有权审查地方的立法和中央的立法是否冲突的问题？这是有争议的。在西方，中央和地方的分权是由宪法和法律来规范的，法律是由法院独立的解释和执行的。在西方，中央的立法侵犯了地方的自治权就可以告到法院去。中国是否应当采用这种以法治和司法独立为基础的中央和地方的分权制度，这是一个严肃的、与宪政有关的问题。我来自香港，对这类问题感受非常深。香港实行高度的自治，这是由香港特区基本法保证的而不是靠官吏任命来保证的。这些年香港有关宪法的争议，反映了由法治和司法审查来保证自治所必然导致的一些问题。

第二个与中国走向宪政有关的思路是人权理论。秦晖先生提到国家应当享有什么样的权力，承担什么样的义务、责任，这是现在的理论应当回答的问题。当代人权包括政治权利如选举、言论自由等权利和经济社会权利如受教育权等。关键是为了提供第二种经济社会权利，国家是否需要对第一种权利做出一些限制，限制到什么程度？一种就是首先考虑的是生存权、温饱权，之后才是选举权等政治权利。另一种就是印度学者班尼特·本认为的第一种权利是第二种权利的前提。

第三个思路是市民社会的理论。什么是市民社会？应该建立什么样的市民社会？从而研究应该有什么样的国家，国家和社会的关系。这又涉及到国家、社会、市场三者的关系。西方宪政的建立是和市场经济、市民社会相辅相成的。中国应该建立什么样的宪政国家和中国应该发展什么样的市民社会是同一个问题。

最后一点是思考传统中国和现代国家观念的区别，从而思考中国怎样建立一个真正现代的国家，怎样做到政治的现代化。我们应该注意到"国家"是从西方翻译过来的。中国传统的文化中讲的是天朝而不是国家，是以天子为中心的天朝，天子的权力来源是天命。现代国家的权力来源是人民，基础是民主而不是儒家的"以民为本"、"民贵君轻"，这是一个重要的不同。另外，中国也有天地皆为师的思想，有父母官的思想，有以孝治天下的思想，有儒家思想的整合。我认为中国的传统是政教合一的，当然没有伊斯兰国家那么严重。今天会议上讨论的文章谈到中国国家和社会基层的关系，是思考中国未来政治体制的非常有用的探讨。

（张新霞根据录音整理）

市民社会理论的启示

陈弘毅[*]

一、前言

"社会"和"国家"既是由活生生的具体的个人组成的群体或架构，又是我们在思想概念世界中想像出来的东西。在我们的想像中，什么是社会，什么是国家，社会和国家又有何关系，便会影响我们关于如何建构一个更完善的社会和更完善的国家的理论，理论又进而指导我们的实践。

在西方近现代政治和社会思想史上，"市民社会"概念的兴起、蓬勃、衰落和复兴，反映了西方现代国家建构的历程以至当代世界中民主化和全球化的大趋势，对中国未来的发展路向也有参考意义。本文在介绍西方当代市民社会思潮中较有代表性的三种理论的基础上，进而介绍当代学者把市民社会概念用来研究中国历史和中国当前的社会变迁的尝试。最后，本文将对西方市民社会理论作出总评，并探讨市民社会的理论作为一种思想资源对中国未来的政治思想的积极意义。

---

* 本文乃在拙作"市民社会的理念与中国的未来"（收于拙作《法理学的世界》，中国政法大学出版社 2003 年版，页 229－286）的基础上修改及增补而成。

本文收入本书时有删节——编者

二、西方当代的市民社会理论

(一) 历史社会学的市民社会理论

Gellner 是横跨社会学、人类学和哲学的大师，他去世前一年出版的《自由的条件：市民社会及其对手》（Gellner，1996）是关于市民社会概念的当代经典之作。在书中，Gellner 从宏观的比较史的角度，对市民社会进行反思，说明了它的特征、它在西方诞生的历史背景，以及市民社会和其他组织社会的模式的差别。他认为对于市民社会的思考，既能解释现代西方社会是怎样运作的，又能展示这种社会与人类其他社会组织形态的异同。

Gellner 首先指出，如果把市民社会定义为足以抗衡国家的非政府机构或社会组织，这便忽略了人类历史中的一个重要事实，就是对人的宰制和对人性的窒息，不一定来自中央集权的专制国家，也常常来自以血缘、宗族为基础的地区性社群对其成员的监控。市民社会的精髓，是个人有自由去决定自己的身份，去创造自己的人生，毋须在对专横的权力的恐惧中生活。市民社会是在架构上和思想上多元的社会，没有人或团体能垄断真理，社会秩序并非是神圣不可侵犯的，而是工具性的，社会中的团体是人们可自由加入或退出的，政府是向人民负责的，其领导人是定期改选的。

Gellner 指出，在历史上，人类长期由国王和教士（祭司）联合统治，生活在专制和迷信之中。人类脱离苦海，亦即市民社会的出现，完全是历史的偶然，也是历史的奇迹。Gellner 认为决定性的历史时刻，是欧洲宗教改革运动引致的严重宗教和政治冲突，对立的各方没有任何一方能取得压倒性的胜利，于是大家被迫妥协，互相接受和宽容，这便是市民社会的由来。

Gellner 认为在西方近代史中，市民社会两度击败了国家，首次是 17 世纪的英国内战，然后是 18 世纪的美国独立战争。至于启蒙时代对真理、共识和理性的社会秩序的追求，却迎来了法国大革命后的恐怖统治和拿破仑的独裁。Gellner 提到马克思把现代国家贬称为资产阶级的管理委员会，Gellner 却认为这正是人类历史上最伟大的成就，因为在以往的社会里，政治便是一切，政权掌握在操纵暴力工具的人手中，而在现代西方社会（市民社会），经济和政治互相独立、互不隶属于对方，政治权力被驯服，它不再是主人，反而成了社会的工具。Gellner（1996：206）指出："马克思主义教导人们根据一个错误的对立来思考—个人主义与群体主义的对立。真正重要的对立是强制者（coercers）的统治和生产者（producers）的统治之间的对比。"

Gellner 认为马克思主义在实践中的失败印证了市民社会的优势。马克思主义是世俗化的宗教，在马克思主义社会中，真理和权力双双被垄断，社会中剩下原子化（atomised）的个人，民间自我组织的能力被窒息。这正是市民社会的反面。

（二）以公共领域为核心的市民社会理论

哈贝马斯是当代跨科际的思想家，他的早期著作《公共领域的结构变迁》（Habermas，1989）（德文原著发表于 1961 年，英文译本发表于 1989 年）对当代市民社会思想有很大的影响。他后来建立的沟通行为理论和商谈伦理被 Jean Cohen 和 Andrew Arato 采用为他们的市民社会理论的基础，Cohen 和 Arato（1992）的七百多页巨著《市民社会与政治理论》（1992 年出版）是当代市民社会理论的经典之作。哈贝马斯本人在 1992 年出版的政治和法律哲学巨著《在事实与规范之间》（Habermas，1996）对公共领域和市民社会又有进一步的论述。本节将简介这些著作的一些要点，并介绍当代印度学者 Chandhoke（1995）对于市民社会和公共领域的整合性论述。

哈贝马斯提出"公共领域"（public sphere，或译作"公共论域"（曾庆豹，1998：50））的原意，是用以分析西欧 17 世纪至 20 世纪的一种政治、社会、思想和文化层面的变迁。《公共领域的结构变迁》一书论述的主要是"资产阶级公共领域"的兴衰史。公共领域在 17、18 世纪的英、法等国兴起，它是理性地、批判性地辩论公共和政治事务的舆论空间，有相对于国家（政权）的独立性，由诸如咖啡馆、沙龙、报章、杂志等场所和媒介所构成。新兴的公共领域的基础是新兴的市场经济和私人的自由，"资产阶级公共领域可被理解为这样的一个领域，就是私人走在一起成为公众（a public）"，它的特征是"人们公共地使用其理性"（Habermas，1989：27）。公共领域有别于私人领域，私人是在私人领域中形成的，然后才进入公共领域。在本书中，哈贝马斯把市民社会理解为私人自主的领域，与国家相对；私人领域是从公共权力中解放而形成的，它的基础是市场经济。

至于哈贝马斯所谈到的公共领域的结构变迁，其实就是指它的衰落。随着大众传播媒体的兴起，文化逐渐变成一种消费品，人民只知被动地吸收资讯，公众舆论被少数人操纵，人们成了被游说接受既定立场的对象，积极的思考和理性的辩论一去不复返。

哈贝马斯在其后的大量著作中，发展了一套完备的沟通行为理论。这套理论说明了人类行为的不同类型，人类历史进化的总体趋向，现代化的性质，现代社会的结构以至社会进步的道路。一言以蔽之，哈贝马斯高举沟通理性的旗帜，希望人们可以通过在平等、自由和开放环境下的（符合"商谈伦理"的）理性对话和辩论，形成共识，从而解决问题和指导社会的发展。

哈贝马斯把现代社会划分为社会系统和生活世界。社会系统包括政治（官僚）系统和资本主义经济（市场）系统；系统的运作有其自主的逻辑和规律，并有赖于其操控媒介。政治系统的操控媒介是权力，经济系统的操控媒介是金钱。哈氏认为，现代世界的危机，是系统过分膨胀，对生活世界进行"殖民化"，导致生活世界的萎缩、人的异化和人性被压迫。

那么什么是生活世界？哈贝马斯把它理解为人类日常生活经验的领域，人与人之间交往、沟通、互动的领域，尤其是人与人之间互相承认和理解的领域，生活世界是人生意义和价值的源泉。和系统不同，生活世界的运作媒介是语言（符号）沟通行为，生活世界中的事情和行为是透过语言沟通和互相理解来协调和整合的。生活世界中有自主于系统的私人领域和公共领域。公共领域的特点是，人们可以在不受权力宰制的情况下实现没有扭曲的沟通，理性地讨论公共事务，从而民主地形成公共意见和公共意志。

Cohen 和 Arato（1992）在哈贝马斯哲学的基础上建立了他们的三分模式（three-part model），即把"市民社会"与"国家"和"经济"区分。但市民社会并非国家和经济以外的社会生活的全部，还有从市民社会分化出来的"政治社会"（包括政党、议会等）和"经济社会"（包括商行、公司等），它们在市民社会与国家之间和市民社会与经济之间发挥中介作用。Cohen 和 Arato 认为，公共领域是市民社会的核心架构；他们又追随哈贝马斯的学说，把公共领域和私人领域区分，并指出此两者均属生活世界的范畴。他们把家庭放在市民社会之内和公共领域之外，而市民社会则可被理解为"现代生活世界通过基本权利被稳定下来后形成的制度架构，这些权利的范围包括公共领域和私人领域"（Cohen and Arato，1992：440）。（参见图一）

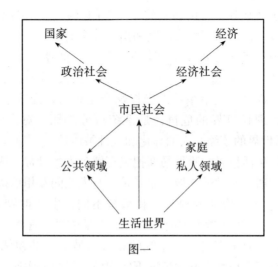

图一

Arato 和 Cohen（1992：ix）把市民社会定义为"在经济与国家之间的一个进行社会交往的领域，包括亲密关系的领域(the intimate sphere)（尤其是家庭）、社团的领域［尤其是志愿性社团（voluntary associations)]、社会运动和各种公共沟通形式"。他们特别指出，市民社会是"通过法律—尤其是主观性权利（subjective rights）—而制度化和普遍化的"（Cohen and Arato，1992：ix）。

Arato 和 Cohen 认为，构成市民社会的规范性原则有以下四个。第一是多元性原则（plurality），即市民社会中有多样化的生活方式、多元和自主的团体。第二是公共性原则（publicity），这体现在市民社会的文化和传播机构。第三是私隐原则（privacy），这适用于个人自我成长和道德选择的领域。第四是法治原则（legality），这是说市民社会的多元性、公共性和私隐是受到法律和基本权利所保障的。

根据 Cohen 和 Arato 的构思，市民社会的话语所肯定的价值是自由、基本权利、平等、民主、团结（solidarity），这都是现代所追求的社会理想。他们对市民社会中的政治［如社会运动、甚至公民抗命（civil disobedience)]寄予厚望，认为它能补充传统民主国家建制（如政党、议会、选举、司法）的不足之处；虽然市民社会里的政治的目的，不是夺取国家权力或破除政治以至经济系统的自主的运作逻辑，但市民社会能对这些系统发挥良性的影响。他们指出市民社会的政治既有防御性的功能，也有进取性（offensive）的功能。防御性功能在于促进市民社会的民主化，抗拒政治系统和经济系统对市民社会的"殖民化"（见上文）；进取性功能是影响政治社会的运作，从而争取更多权利和促进政治以至经济系统本身的民主化、合理化。

哈贝马斯在 90 年代新作《在事实与规范之间》（Habermas，1996）吸收了 Cohen 和 Arato 的一些观点，并对市民社会、公共领域和生活世界的关系和作用有进一步的论述。哈贝马斯指出，"公共领域是一个沟通的架构，它通过市民社会的社团网络而植根于生活世界"（Habermas，1996：359）。他明确表示，今天的市民社会概念与其在马克思主义传统中的意义不同，是不包括由私法所建构和由市场所导引的经济体系；市民社会的"核心架构包括那些非政府的和非经济的联系和志愿团体，它们把公共领域的沟通架构建立在生活世界的社会环节"（Habermas，1996：367）。市民社会和私人领域也是关系密切的［哈贝马斯再次强调公共领域有其私人性的基础（private basis）］，所以市民社会的其中一个功能，便是把人们在私人领域中遇到的实际问题"过滤和转介"至公共领域，成为公众的议题。哈贝马斯又强调，无论公共领域还是私人领域的存在，都有赖于其相关权利（如言论自由、集会自由、结社自由、隐权私、宗教自由）的法律保障。

Chandhoke（1995）的市民社会理论深受"公共领域"和沟通辩论的概念所影响，又考虑到发展中国家（尤其是印度）的经验，可视为哈贝马斯、Cohen 和 Arato 等人的市民社会观的进一步发展。在 Chandhoke 看来，市民社会就是公共领域，所以他表明在他的书中这两个词语是互相替换地使用的。市民社会不是社会的全部，它不包括私人性的社会行为，也不属国家或经济的领域。

Chandhoke 认为应该同时吸收自由主义传统和马克思主义传统中关于市民社会的睿见。自由主义强调市民社会自主于国家，国家的权力应受限制，市民社会中的自由和人权要受到保障，这是正确的，而市民社会在西方史中出现，也应承认为有进步的意义。但是，马克思主义所指出的市民社会里的剥削和压迫现象也是真实的，在历史现实中，市民社会并非平等参与的领域，某些人是没有声音的，某些人却享有很大的支配权。

Chandhoke 仍然相信，市民社会有促进人类解放事业的潜能。被边缘化的和弱势的群体可以在市民社会中争取他们的权利，市民社会中的批判性、理性的讨论能促进政府（国家）的问责性，并构成民意压力而影响政府的施政。市民社会又可把一些原被认为是私人生活中的问题（如女权主义所关心的问题）带进公共领域，引起公众的关注以至政府的相应行动。

Chandhoke 指出国家和市民社会可以互相影响对方。国家和统治阶级可能透过市民社会加强其统治、制造民意和使市民社会变得驯服；反过来说，市民社会中的进步力量又可抗衡国家和统治阶级的力量，并对国家政策发挥影响（虽然他们无意夺取国家的权力）。Chandhoke 提议以自由和平等原则作为联合市民社会中的力量的原则。Chandhoke 反对极端的国家民族主义和分化国家的宗教、族裔等反普遍性（particularistic）的极端主义，认为市民社会和公共领域的道路是好的中庸之道。

（三）保守主义色彩的市民社会理论

把人类解放和社会进步的希望寄托于国家和市场以外的市民社会和公共领域的思想，可以理解为当代市民社会理论的左翼，这与较右翼的、具保守主义色彩的市民社会理论相映成趣，后者的代表人物包括西班牙社会学家 Pérez – Díaz（1995；1998）和美国思想家 Shils（1997）。

Pérez – Díaz 把当代的市民社会概念归纳为三种：第一是广义地理解市民社会，指出市民社会是从 18 世纪到现在于西欧和北美具体存在的社会形态，其特征包括有限权力、具问责性和受法治约束的政府、私有产权和市场经济、自主和多元的社团、自由讨论的公共领域；这种看法以他本人和 Gellner（见上文）为代表。第二是较狭义地理解市民社会，认为它是与国家相对的社会自主领域，包括市场、社团、公共领域等，这种看法以 Keane（1988a，b，c，1998）为代表。第三是更狭义地理解市民社会，认为它只包括市场经济，又或只包括国家和经济以外的社团、社会运动、公共领域等事物，后者以哈贝马斯、Cohen 和 Arato（见上文）为代表。

Pérez – Díaz 特别强调市民社会的出现的历史偶然性，即它是人们在若干特定的历史环境中的行为的非有意的结果（unintended consequence），但当它形成和被实践后，人们逐渐体会到它的好处，而市民社会的概念便被提出来去理解这种历史经验。他引用苏格兰启蒙运动的思想（见上文），指出市民社会建基于一种独特的道德传统，在这传统里，自利倾向和利他倾向、对个人财富的追求和对社会公益的承担取得了恰当的平衡。他又引用思想家 Michael Oakeshott 创设的"公民结社"（civil association）和"企业组织"（association as enterprise）的概念来阐释市民社会的特征，指出市民社会是此两者的良性结合。Oakeshott 所谓的公民结社，是指人们组织起来的基础不是对于一个大家所同意的实质目标的共同追求，他们结合的基础在于他们对一些由法律或行为规则构成的实践的确认和接受。至于 Oakeshott 所说的企业组织则刚刚相反，其成立是为了经营某些实体目标。公民结社是非目的性的，企业组织则具有目的性和工具性。[1]

Pérez – Díaz 指出他的广义的市民社会概念的好处，是能够突出市民社会各构成元素（如政治元素、经济元素、社会和文化元素）的相互关系，使人们了解到它们之间存在着制度性的联系，相辅相成地形成一个整体。例如，法治制度和尊重民意的政府（市民社会的政治部份）的存在，与市场经济、多元社会和公共领域有不可分割的关系。

Pérez – Díaz 对哈贝马斯等人把市民社会（以至生活世界）从政治和经济中区分出来提出批评。他不同意把政治和经济制度视为"异化的"（"reified"）、根据某些非人所能控制的逻辑运作的机器，他认为这样便低估了人在政治和经济运作中的作用。Pérez – Díaz 指出，市场有其开放性和不确定性，经济决定是由大量的生产者和消费者作出的；同样地，官僚系统的运作也有其不可预测性。他指出，在政治和经济制度中，行动者的行为是植根于社会和文化的土壤的，他们所作出的选择也有其道德传统的背景。把政治和经济制度从市民社会概念中排除出去，便等于是减低了改变市场经济和国家的规则的期望。Pérez – Díaz（1995：105）提醒人们，"在任何地方都有可能找到'生活世界'的空间，包括在政治系统和经济系统的中心地带"。

保守主义色彩的市民社会理论与左翼市民社会理论的主要差异，是前者倾向于肯定和维护市场和传统，后者则对此两者持较批判性的态度。在这方面，Shils（1997）的市民社会思想是有启发性的。Shils 认为在西方历史传统中演化出来的市场和市民性［civility，或译作"市民认同"（希尔斯，1998）、"礼度"。市民性是市民社会的特征，见下文］，是人类文明史上最伟大的两个发明。他又强调，市民社会存在于西方已有数个世纪。

Shils 对市民社会本身的定义并无过人之处，他认为市民社会是独立于国家的社会领域，由非血缘或地缘性的经济、宗教、文化和政治等性质的自主团体所组成。他强调市民社会的基础包括法制上对自由的保障、民主的政体、私有产权、契约自由和市场经济。市民社会里有多元的自主领域（如经济、宗教、文化、政治等不同领域），每个自主领域中又有多元的自主社团。

由于市民社会的多元性，其中的利益、价值和理想很多时候是互相冲突的；Shils 的睿见在于他指出，市民社会的首要特征是它的成员中存在着一种市民性（civility），而正因为市民性的存在，他们能处理、克服、甚至超越各种矛盾和纷争，社会秩序能得以维持。

---

［1］ 关于 Oakeshott 在这方面的理论，可参见蔡英文，1995。

　　Shils 所谓的市民性是一种心态、取向、品格和行为模式，其灵感来自孟德斯鸠的一个洞见，就是每一种政治制度都有其相应的人类道德品质和信仰，例如共和体制所对应的是公民美德、公德和市民性。Shils 认为市民社会的市民性的核心是一种市民集体自我意识（civil collective self－consciousness），就是他们认同自己是同一个社群的一份子，这个社群的其他成员是生活在同一政治权威、法律制度和领土内的人。具有市民性的人承认他与这些其他人之间有特别的纽带，他会尊重他们和对他们有礼，他会对这个社群及其制度有所珍惜和归依（attachment），他会重视这个社群的共同利益或整体利益。"市民性指这样的人的行为，他的个人自我意识一定程度上受到他的集体自我意识所掩盖，他的集体自我意识的座标是社会整体和市民社会的制度。"（Shils，1997：335）

　　市民性使文明的政治（civil politics）成为可能。在这种政治中，虽然人们有不同的意见、价值信念和互相冲突的利益和要求，但他们不会进行你死我活的斗争，因为即使是政敌之间，也共享上述的集体自我意识；虽然每个人或团体有其特殊的利益（市民性并不要求人们放弃其私利或个人的主张），但他们也会顾及社会的整体利益，所以他们会愿意达成妥协。

　　Shils 又提到市民性与公民身份（citizenship）、国籍（nationality）和民族主义的关系。他认为，"市民性是比国家（state）中的公民身份更广泛的现象。"（Shils，1997：73）公民身份只是相对于国家而言的："公民身份是国家的现象；它是服从、批评及积极指导政府等行为的组合。"（Shils，1997：73）但国家并不涵盖市民社会。至于国籍、民族主义和爱国主义，Shils 认为它们有助于市民性和市民社会的建立，例如民族集体自我意识可支持市民集体自我意识，"成为一个民族社会（national society）是迈向市民社会的一步—尽管这并不是必然的。"（Shils，1997：354）

三、关于中国的市民社会理论

　　市民社会的概念和理论是西方近现代思想史的现象，也是西方思想家在回顾西方的历史经验和展望西方的未来的反思过程中的产物。但正如在哲学、政治学、社会学等人文社会科学领域的其他重要概念和理论一样，市民社会的概念和理论也为中国知识界所继受，用以研究中国历史中的现象和探讨中国的未来。当然，进行这方面的思考的不限于中国的知识分子，也包括西方的研究中国的学者。在本文的这个部份，我尝试提纲挈领地谈谈这方面的研究。

（一）市民社会与中国历史传统

对中国思想史素有研究的墨子刻（Thomas A. Metzger）的"中国历史语境中的西方市民社会概念"一文（Metzger, 1998）可以用来作为我们的讨论的起点。他的基本论点是，西方的市民社会概念与中国的思想传统是格格不入的，这种情况在 20 世纪也没有改变，他认为即使是那些追求"民主"的现代中国思想家也没有吸收西方市民社会思想的精髓。

墨子刻认为，西方市民社会概念的核心是一种"市民性"（civility），市民性是多元素的复合体，包括社会成员之间（即是陌生人之间）有一定程度的互信；要求政府向人民负责；接受三种市场——政治的市场（即多元政治）、知识的市场（如多元价值观）和经济市场；大家愿意在遵守同一套游戏规则的前提下各自追求自己的目标。他尤其指出，西方市民社会概念基于一个"从下而上"的观点，即并非完美的、可能犯错（fallible）的市民自我组织起来去监察一个常会犯错（incorrigible）的国家。他又以为市民社会的思想蕴涵一种对人性的悲观的认识，即人是易犯错的，没有人能结合知识、道德与政治权力于一身，所以社会秩序应保障上述三种市场的自由，使其不受自以为是的统治者的侵犯。

墨子刻指出，中国思想传统的观点与西方上述的"从下而上"的观点和对人性的悲观论背道而驰，中国的观点是"从上而下"的和对人性和社会乐观的。中国人相信的是"圣君贤相"、"内圣外王"，不是市井之徒自己组织起来去监察常会犯错的政府，而是应由知识和道德的精英（士大夫、读书人或代表社会的良心的现代知识分子）去领导一个可臻完美（corrigible）的国家。中国传统思想认为公众的利益（public good）是可客观地掌握的，这些精英便能明白它，并教育和领导人门迈向理想的社会（"大同"的理想），因此，毋须限制国家的权力。

对于中国传统的这种政治理念，香港政治哲学家石元康（1998：173 – 174）形容为"伦理化的政治"："政治的最主目的为对于人民的道德教化，使得人民能够在德性上不断地提升。"他认为现代世界的特征包括"非伦理化的政治"、"非政治化的经济"（在古代，经济领域是附属于政治领域的）和"非宗教化的伦理"［这是指韦伯所谓的世界的"解咒"（disenchantment）］，而市民社会的出现，便体现了现代的特征（尤其是"非政治化的经济"）。他指出，中国传统社会是小农方式经营的自然经济，商业活动被视为对于社会的固定关系和皇权的威胁，所以中国历代都实行"重本抑末"（重农轻商）的政策，反对营利思想，提倡人民进德修业。此外，他又引用黑格尔的观点，指出中国人以组织家庭的办法来组织国家，没有个人的自由和权利的概念。因此，石元康认为，中国传统中没有市民社会。

中国传统的家长式统治，一般被认为是与现代市民社会互不相容的。中国大陆历史学者萧功秦（2000）在"市民社会与中国现代化的三重障碍"一文中引用严复的话："中国帝王，下至守宰，皆以其身兼天地君亲师之众责。"萧功秦（2000：44）指出，"从历史上看，社会独立于国家并获得不受国家干预的自主权利这种观念，是中国传统文化中所没有的。"他又引用香港社会学家金耀基的观点："帝制中国的政治系统，拥有一个不受限制的政治中心。这个政治中心具有不断地对社会经济生活实施干预的潜在可能与倾向性。"

但是，很多时候这种潜在的可能性不会被实现。在这方面，大陆学者李凡（1998）的意见是比较中肯的。他指出，由于传统社会中国家对社会的控制能力有限，所以"在国家之外实际上存在一个相对自治的民间社会"（李凡，1998：12）。他以地方政府的情况为例子，指出历代政府的官员最多只派到县一级，县以下的管理是由政府与地方缙绅合作解决的，村则由宗族自治管理。

中国传统社会中官民互动和合作的经验和制度，驱使旅美华人学者黄宗智（1997）提出"第三领域"的概念，作为研究和分析传统中国以至近现代和当代中国的社会现象的范式。他认为"国家和社会之间的二元对立……是从西方近代初期和近代的历史经验中抽象出来的理念，以此理解中国的现实并不适合。……应超越'国家/社会'的二元模式，而采用'国家/第三领域/社会'的三元模式。"（黄宗智，1997：155）第三领域是平民和国家共同参与和控制的领域，是国家和市民社会之间的中间地带，有其自身的特征、制度形式和运作逻辑。

（二）市民社会与近现代中国

19世纪中叶以来，中国出现了翻天覆地的变化，中国社会的结构、形态和思想面貌经历了迅速的重组过程。在这过程中，类似西方市民社会的景象曾出现和蓬勃于神州大地，这种具体的历史经验，为中国本土化的市民社会理论提供了丰富的素材。

萧功秦（2000：46）指出，"中国近代的市民社会是在19世纪中期以后，在近代的工商业和租界文化的发展和近代社会变革的推动下，从传统社会结构中逐渐蜕变出来的。"经济和社会的变迁孕育出新的社会阶级或阶层，如经营近代工商企业的商人、从事自由职业的知识份子以至新兴的工人阶级。他们组织起来，成立了各式各样的社团，如商会、同乡会、银行公会、学社、出版社、报社、杂志社，以至工会、律师协会、慈善机构和政治组织（如有意推翻清朝的秘密组织及民国初期的政党），这些团体与较传统性的团体（如行会、会馆、书院、宗教组织、宗族组织以至黑社会的帮会组织）并存。

清末和民初的民间团体和组织在政治上发挥了影响力。例如在清末，商会是支持立宪运动和地方政制改革的重要动力；在"五四"运动中，学生组织、工人团体和商人团体的作用更是关键性的。民间力量在抗日和共产主义运动中又扮演了举足轻重的角色。大致来说，在20世纪初至1927年南京国民政府成立这段期间，中国市民社会的发展达到了历史性的高峰（White，1996：17；He，1996：183）。

1927年以后，国民党政权开始加强对市民社会的管制；正如Gordon White等学者（1996：18－21）指出，在1927年以后，中国的国家与社会的平衡由前一阶段的社会占优势转变为国家占优势的局面。国民党政府对市民社会的做法是压制和取缔部份社团，并拉拢和吸纳其他社团，对它们成立注册和监管的制度。即使在这个时期，不同领域和种类的民间团体仍能发挥不同程度的影响力和享有一定范围的自治权，虽然它们从来未能获得市民社会在西方享有的自由和权利的法制性保障。

(三) 市民社会与1949年后的中国大陆

在1949年以后，直至1978年开始实行"改革开放"政策以前，中国大陆的情况类似于以前苏联和东欧的情况。"

1978年以后，情况开始迅速地改变，在一定意义上，20世纪上半期曾在中国活跃过的市民社会开始复苏。在过去二十多年，中国大陆在经济上的成就是有目共睹的，至于市民社会的出现，则是李凡所谓的"一场静悄悄的革命"。他并指出，虽然中国市民社会的发展仍属刚起步的阶段，市民社会的内部结构并不成熟（如有对政府的依赖性），又缺乏法制的保障（如言论、出版和新闻的自由、结社和集会的自由），但"从动态的发展的角度来看，中国社会的当前的巨大变化确实是有向现代意义上的市民社会发展的趋向的"（李凡，1998：26）。

正如White等学者（1996：7－10）所指出，市民社会发展的动力学有两方面，一是政治性的（political dynamic），二是市场性的（market dynamic）。政治性的动力包括国家政策的改变（如容许市民社会更大的空间和自主性）、政治上的反对党的出现等。至于市场的动力，一个基本的论点是市场经济的发展会带来社会形态的改变，包括社会的分殊化（differentiation）和利益的多元化，并导致在国家和市民社会的平衡中市民社会取得更大的力量，市民社会的自主空间增加。

海外华人学者何包钢（He，1996：176）把中国市民社会分为三个领域，即经济市民社会、政治市民社会（如政治性的组织和运动）和文化市民社会（如话语（discourse）和公共领域）。何包钢认为中国当代市民社会（包括经济市民社会）的特点是，它是与国家一定程度上重迭和纠缠在一起（entangled）的，由于它有这种混合性的特质，以及它相对于国家的自主性只是局部的，何包钢把它称为"半市民社会"（semi–civil society）或"准市民社会"（quasi–civil society）。在这方面，他与黄宗智关于"第三领域"的思路不谋而合（例如黄宗智认为乡镇企业和改革后的农村行政管理体制都属此第三领域）。

White 等学者（1996：29–37）把新兴的中国市民社会中的社团分为四大类。第一是"人民群众团体"，如中华全国总工会、中华全国妇女联合会、中国共产主义青年团等。它们在改革开放的年代之前已长期存在，并与政府关系密切。第二是"被吸纳的领域"（the incorporated sector）的新兴的"社会团体"，它们是正式注册、得到官方认可的，其中包括全国性和地区性的商贸、专业、学术、体育文娱康乐等方面的团体。它们之中，少数是官办的，也有少数是类似其他国家的非政府组织（NGOs），但大多数则是"半官半民"或半官方的，通常是在某些政府机关的支持下由民间成立，或倚赖跨越官方和民间的人际关系网络而生存。虽然这个领域的社团是被国家纳入其管制范围并作为国家与社会的桥梁的，但 White 等人认为中国政府并没有完整的、系统的和严密的"社团主义"（corporatism）的做法（"社团主义"指由国家透过其认可和在不同领域赋予垄断权的社团和社会中各利益阶层建立有组织的关系）。

至于第三和第四类的民间组织，都是在法律制度以外的。第三类社团存在于"夹缝的、模糊的地带"（the interstitial，"limbo" world of civil society），它们并没有取得上述第二类社团的正式地位，但也不同于下述第四类社会。它们的例子包括一些妇女团体、一些知识份子、专业人士的网络和经常聚会，以至农村地区的传统式的宗族和宗教组织。它们有些得到当地政府的支持和合作，有些则被怀疑和不被信任。

第四类是所谓地下的民间组织（underground civil society）。

研究当代中国市民社会的学者一般都关心到市民社会和国家的关系和它对民主化的影响。李凡（1998：31）指出，中国市民社会与国家的关系"既有利益的互相冲突一面，也有利益的互相合作一面"，但"有大量的关系证明国家与社会之间采取了合作主义的方式"。至于中国市民社会的发展是否能促进中国大陆的民主化，何包钢和 White 等人都认为这是很难说的。何包钢（He，1996：188）和 White 等人（1996：216）指出，由于中国市民社会的多样性、割裂性（fragmented）和有可能造成社会不稳定（如上述第三、四类民间组织），所以市民社会既是民主化的动力、也是民主化的障碍。

（四）关于中国市民社会的理论思考

上一节所叙述的主要是关于中国当代市民社会的实证研究，除此以外，在1990年代，一些中国大陆学者也开始致力于建构中国本土化的市民社会理论。本节将介绍其中最具启发性的一些观点。

邓正来和景跃进（1997）在1992年发表的"建构中国的市民社会"可算是当代中国市民社会理论的经典之作。他们指出，现有的关于中国政治前途的思考，无论是"新权威主义"和作为其对立面的"民主先导论"，都有同样的不足之处，就是把聚焦点放在政治权威及其转型上；他们认为更关键的问题"在于国家与社会二者之间没有形成适宜于现代化发展的良性结构，确切地说，在于社会一直没有形成独立的、自治的结构性领域"（1997：3）。因此，他们主张"用'国家与社会的二元观'替代'权威本位（转型）观'"，他们的市民社会理论的"根本目标在于：从自下而上的角度，致力于营建健康的中国市民社会"（1997：3）。

邓正来和景跃进心目中的中国现代市民社会是"以市场经济为基础，以契约性关系为中轴，以尊重和保护社会成员的基本权利为前提"的（1997：6），在这些方面，他们认为这种市民社会有异于中国传统中的"依赖亲情血缘、侠胆义气关系来维持"（1997：9）的民间社会组织。他们又指出这个市民社会的中坚力量是企业家阶层和知识分子，也包括农民身份的乡镇企业家和乡镇企业工人，但不包括国家公职人员和"自给自足、完全依附于土地的纯粹农民"（1997：6）。

邓正来和景跃进提出了建构中国市民社会的"两个阶段发展论"，建构的力量包括国家的由上而下的作用（如经济政策、法制建设、教育政策等）和社会的由下而上的作用（如个体和私营经济、民间社团）。第一阶段是市民社会的"形成阶段"，国家逐渐撤出其不应干涉的经济和社会领域，社会成员运用其自由空间建设市民社会。第二阶段是市民社会的"成熟阶段"，这是"中国市民社会从私域向公域的扩张"（1997：18），它开始影响和参与国家的决策。

邓正来和景跃进认为中国市民社会应避免"超前过热地参与政治"（1997：17），也不应采取中国传统民间社会的"民反官"的单一路向。他们提倡国家和市民社会的"良性互动"，即国家承认和保障市民社会的合法活动空间，在必要时可进行干预和调节；市民社会则构成制衡国家的力量，市民社会维护其独立自主性和多元利益，并为作为中国现代化的终极目标之一的政治民主化创设社会条件。

邓正来（1997；1998；2000）在其后的数篇文章中对中国市民社会的理论作出进一步的贡献，较重要的可在这里综合为以下四点。首先，他认为应区分市民社会概念在中国的两种不同应用。第一是用来认识、分析和解释中国现代化的历史进程，第二是"作为中国现代化发展过程中的一种实体社会的资源"（2000：43），"将市民社会作为中国现代化的具体道路和某种目的性状况加以建构"（2000：62），这是一种"规范性的思考和批判"（2000：55），基于一种"强烈的现实关怀"（2000：62）。

邓正来（1997）又对中国大陆和台湾地区的市民社会话语（在台湾地区更常用的是"民间社会"）进行比较，"发现大陆与台湾论者因其具体取向的侧重点的不同而在理解'市民社会与国家'模式以及因此而形成的理论品格方面的差异"（1998：15）。他认为大陆的市民社会论者大多理解市民社会与国家的关系为一种"良性互动关系"，而台湾论者则以市民社会（民间社会）理论作为对国民党政府威权统治的抗争的理论和战略资源。他指出台湾的市民社会论的背景是"对台湾历史上传统自由主义的不动员症性格的批判以及对传统左派的阶级化约论的质疑"（1997：54），它是一种新的强调由下而上的民间力量的"造反哲学"（1997：72），有"强烈的动员性格和实践品格"（1997：54），但缺点是未能客观地承认国家在台湾的资本主义经济发展和民主化过程中的正面功用，又未能严肃地思考政治制度的发展和政治稳定的问题。

此外，邓正来提出了中国市民社会研究的一些方法论方面的问题。他指出，在借用西方的市民社会概念去研究中国的问题时，应慎防跌进"西方中心主义"的陷阱，即以为西方市民社会所展示的现代化道路是惟一的、四海皆准的；这样会导致研究者在尝试在中国历史中寻找市民社会的踪影时，过分地重视某些和西方市民社会对应的因素，"根据西方的定义在中国发展的复杂经验中选择与之相符的那些方面进行意义放大的研究，从而忽略了某些对于中国发展具有实质意义的方面"（2000：33），又或导致研究者"以西方市民社会模式为判准，对中国不符西方市民社会的现象进行批判"（1998：18）。邓正来建议把西方市民社会模式本身视作"论辩对象"，并在研究时以"中国的历史经验或现实为出发点"，"在此一基础上建构出相应的并能有效适用于中国的理论概念，进而形成中国本土的分析理论模式"。（1998：19－20）

最后，邓正来讨论到在建构中国市民社会理论时，应如何看待传统。他不同意把传统和现代绝对地对立起来，他认为这是"现代化框架"的思维的弊端，因为它"根本否定了现代中隐含有传统、而传统中又往往存在着现代这一极为复杂的现象"（2000：30）。他反对"视传统为整体的落后"，反对整体性的批判、否定和抛弃传统，因为"这无疑忽视了传统中所隐含的向现代转型的深厚的正面性资源"（2000：30）。

关于怎样把中国传统思想文化利用为建构现代市民社会的正面性资源，蒋庆（1993）提出了独到的见解。在"儒家文化：建构中国式市民社会的深厚资源"一文中，他认为"在中国建成西式的市民社会是不可能的"，他主张"在中国历史文化传统的基础上"建构"中国式的市民社会"，在这方面，儒家文化"是一支最主要的促进力量"（1993：170）。

蒋庆从五方面论证儒家文化的正面作用。第一，市民社会是多元社会，但蒋庆认为多元社会中的价值相对化和世俗化使人的"生命得不到安立"，"儒家大一统的政治智慧"可提供解决办法（1993：171）。第二，市民社会以市场经济为基础，有重利轻义的倾向，儒家正义谋利的思想可予以对治，意思是"以义指导利"、"用道德来规范利的方向"（1993：172）。第三，市民社会重视契约关系，但契约关系中的理性计算和利害考虑容易使人变得冷漠无情，在这方面，儒家忠信仁爱的价值能为契约关系提供精神和道德的基础。第四，市民社会中人们只顾致富的倾向会对人心和社会有腐蚀的作用，儒家富而教之的思想可发挥正面影响，用道德力量去指导社会财富的运用。最后，蒋庆指出，虽然市民社会提倡自由平等，但人是有需要从自己的身份和职业中找到其归宿和依托、从而实现其生命价值和尊严的。蒋庆认为，中国式的市民社会应是"有限的自由平等与合理的等级身份并存的社会"（1993：175）。儒家的礼乐文化"是对人在社会中的等级身份进行规范、涵濡与意义化的文化"，使"每个人在符合自己身分的礼中都可以找到自己生命的安顿与存在的价值"，因此，儒家礼乐文化有助于建设中国的市民社会—"此市民社会应该是新型的礼乐社会"（1993：175）。

四、总评与反思

中国现代化的道路是艰难和曲折的，到了今天，中国大陆在经济水平上和政治、法律等制度的发达程度上仍远远落后于西方。根据上述 Gellner、Pérez–Díaz 和 Shils 等人的观察，市民社会作为自由主义式的政治、经济、社会和文化的复合体在西方已存在和发展了多个世纪（尽管它在西方而非在世界的其他角落的诞生有其历史的偶然性），在中国大陆，这样的市民社会的建立仍遥遥无期。当然，正如邓正来、蒋庆等人指出，西方所走的道路不必被视为普世的标准或现代化的必由之路；如果市民社会是社会之善（good）的话，中国式的市民社会也毋须完全模仿西方的市民社会。但是，这仍未能回答这个问题：中国将往何处去？中国应往何处去？

在思考中国政治和社会的前途时，西方市民社会的理论和实践无疑是一套宝贵和丰富的资源，正如中国的传统思想文化也应被视为可供发掘的资源一样。本文尝试论述的便是从近现代到当代西方市民社会思想的精华，那么，我们可以从中得到什么启示？它对我们思考中国的未来，又有何帮助？

首先，我们须区分市民社会概念的两个涵义和两种用途。市民社会可广义被理解为西方 18、19 世纪以来的以市场、宪政、法治、公民权利与自由、哈贝马斯所谓的公共领域以至 Shils 所谓的"市民性"为特征的有机的社会整体制度（如 Pérez – Díaz 的理解），市民社会也可较狭义地被理解为国家以外的社会自主领域（如 Gellner、邓正来等人的用法），或更狭义地理解为国家及市场以外的社会领域（如哈贝马斯、Cohen、Arato、Chandhoke 等人所主张）。

市民社会概念的两种用途，一是描述性的，二是规范性的。描述性的市民社会概念主要是历史学和社会学上的用法，即以市民社会概念为一个理念类型（ideal – type）、范式（paradigm）或思考框架，来描述、分析和解释历史中某些方面的演变（如 Gellner 的用法）或社会中某些现象，这是一种实证主义取向的研究。规范性的市民社会概念主要是政治哲学上的用法（如 Habermas 等），目的是提出一些关于政治和社会应该如何组织和发展的主张，勾画出理想的社会形态。这种思考具有实用性，也有理想主义的色彩。

由于市民社会概念有其西方史和西方思想史的烙印，它在中国情况下的应用，无论是广义的或较狭义的、描述性或规范性的，都会遇到一定程度的困难和争议，和需要作出一定程度的修改或适应化（如黄宗智提出的"第三领域"的概念、何包钢提出的"半市民社会"的概念）。市民社会概念在中国情况下的应用在学术上有其积极的意义，这是毋庸置疑的。

举例来说，我们可以采用最广义的市民社会概念去理解西方现代社会形态的形成的历史条件和历史轨迹，并从宏观社会学的角度，与中国历史的发展互相比较。我们又可采用较狭义的市民社会概念（即市民社会与国家或甚至与市场的区分），去研究当代中国演变中的社会阶层和新兴的民间团体和组织（如李凡和 White 等人的研究）。国家和市民社会的二分法又可用于规范性的研究，去指导中国市民社会所应该走的发展方向（如邓正来和景跃进的二阶段论和国家与市民社会的良性互动论）。

无论是哪种性质和层次的关于市民社会与中国的研究，最终必须面对一个最根本的问题：市民社会概念的积极意义何在？为什么值得使用它作为我们的理论和思考框架？要回答这个问题，我们便需要对西方政治思想史上的市民社会理论作出总体的评价。这套理论的精髓何在？它与西方文明的独特的历史轨迹的关系如何？它是否有普世的价值和意义？它对像中国这种非西方文明的未来有何启示？

虽然西方从近现代到当代的各式各样市民社会思想，好像是众说纷纭，莫衷一是，但是我们仍可以寻找到各流派的一些共同的价值理念，从而掌握到从近代至今延绵不断的西方市民社会概念的核心内容。首先，从洛克开始，西方人便渐渐接受人生而自由和平等、享有若干基本人权，而享有政治权力的国家并非社会的全部或其至高无上的中心，国家之外还有社会，社会成员的权利甚至先于和优于国家的权力，国家是为社会服务而存在的。这些是西方自由主义的基本命题，也是市民社会构想的理论基础。

西方市民社会思想从来都是反对专制主义、威权主义和极权主义的，因为这些形态的国家侵犯人权和腐蚀了社会的自主性。市民社会思想肯定社会自我组织的能力，亦即是说，政治权力的行使并非社会整合和运作的惟一途径，社会的整合和运作有可能在很大程度上独立于政治国家。

那么，除了政治权力的逻辑以外，有什么东西能导引社会的整合和运作？市民社会理论在市场的逻辑中找到答案。正如黑格尔以来各现代和当代市民社会论者所指出，资本主义市场经济的发展使现代市民社会成为可能。与受政治和宗教权力操控的传统社会不同，现代西方社会出现了政治权力和经济力的分离、政治权力逻辑和市场逻辑的分化，正如 Gellner 所指出，人类历史中首次出现了生产者（producers）的地位凌驾于强制者（coercers）的情况。

在现代西方的政治、经济和社会理论以至实践中，市民社会、资本主义市场经济和宪政国家是三位一体、相辅相成的。正如哈贝马斯所指出，市场经济和私有产权制度所产生的私人领域是市民社会的基础，而市民社会中的公共讨论则形成了公共领域，参与宪政国家的决策过程。宪政国家和市民社会也是互相依靠、互为因果的。宪政国家保障私有产权和言论、结社、集会等自由，使市民社会得以发挥其活力；市民社会的论政和参政活动，又增强宪政国家的合法性或认受性。

在西方市民社会理论中，人权和自由的宪制和法制保障是市民社会的存在和发展的必要条件之一。这些保障一方面使市民社会的自主性成为可能，使它不致受到国家的操纵；另一方面，这些保障使市民社会可以积极参与政治，影响国家的决策，争取更合理的权利分配，消除社会中的不公正现象。

市民社会理论强调健康和蓬勃的市民社会是民主的必要条件之一。正如托克维尔以来各市民社会论者所指出，市民社会不单包括经济组织，更包括各式各样的社团，当代市民社会论者更重视那些为关心社会公益而成立的志愿性和非牟利性的非政府组织所组成的"第三领域"。

市民社会一方面是自由、开放、多元和宽容的社会，另一方面，存在于其成员之间的某种共同意识或身份认同乃是健康的市民社会所必须的，这就是 Shils 所提及的"市民性"（civility）、或林毓生（2003：16，18）所主张的"公共性格"、"公共精神"或"公民文化与公民道德"。只有具备这些质素的公民才能使市民社会的政治参与变得积极、理性和具建设性，并使民主政治更臻完美。

以上便是笔者对西方市民社会理论作为一种具规范意义的政治和社会思想所追求的理想的综述。在这里要进一步指出的是，这绝不是一个虚无缥缈的、乌托邦的理想，这个理想其实已很大程度上或一定程度上实现于今日西方乃至某些非西方世界的民主宪政国家。其实如果我们回顾西方近代史，便不难发觉其市民社会思潮与其政治、经济和社会发展的轨迹或形态是互相影响、互相渗透的。若干独特的历史、文化以至经济现象（如中世纪的权力多元格局、宗教改革运动、地理大发现、资本主义市场经济和民族国家的兴起、启蒙运动、资产阶级革命、工业革命等）促进了关于市民社会的思考，而这些思考又反过来影响人们的行为和参与历史的缔造。

在中国的历史传统中，却不曾出现过西方式的市民社会和市民社会思想。虽然基层乡土社会有其不受国家操控的一些生活领域和一定程度的自我组织和管理的经验（梁治平，2000：46），士绅阶层和宗族构成国家和乡民的中介（王铭铭，1998：232－3），但乡土社会绝不是自主于国家的社会。而在城市里，商人也没有发展为像西方的市民阶级，享有其独自的文化和自治制度（方朝晖，1999；夏维中，2000）。政治和社会权力集中在皇帝及其官僚手中，商人阶层乃至士绅阶层的特征是其依附性而非自主性。

西方中世纪以来的多元格局与中国传统的一元化的宇宙、政治、道德与文化秩序形成鲜明的对比。中国传统秩序不但是"家国同构"的，更是"政教合一"和"天人合一"（人间秩序是宇宙秩序的一部分）的，而天子、天命和天朝的概念便构成了整个秩序的中心，道德礼教则是秩序的关键部分（Lin，1979）。在这个构想中，国家和社会，政权、绅权和族权是彼此渗透、互相契合、融为一体的，被想象为形成一个和谐的秩序（梁治平，1998：84－5；王铭铭，1998：241）。在这个秩序里，"公"和"私"并没有明确的分界，虽然"公"永远是优先于"私"的（杨念群，1998：207－9）；"民间社会可以说在秩序原理上与国家具有同心圆式的连环关系，而且也具有与超越国家的天下普遍性相连环的关系。"（沟口雄三，1994）

虽然如此，但这并不表示中国传统文化中完全没有社会优先于国家的思想。例如老子认为社会秩序是自然而然的，毋须国家的干预，国家应实行清静无为之治，所谓"我无为而民自化，我好静而民自正，我无事而民自富，我无欲而民自朴。"（《老子》第五十七章）孟子主张"民为贵，社稷次之，君为轻"，更是耳熟能详。到了明清之际，黄宗羲指出"天下为主，君为客"，并进一步为传统儒家主流思想所否定的"私利"正名："有生之初，人各自私也，人各自利也。……向使无君，人各得自私也，人各得自利也。"（《明夷待访录·原君》）正如有论者指出，"'人各得自私'，'人各得自利'，实质上是一种市民阶层的人生观、世界观。"……明代已经出现了市民阶层，他们是很不甘心自己的毫无权利的。他们有不满，有反抗。'人各自利'，'人各自利'是当时市民要求改变这种不合理社会地位的心声。"（季学原等，1992：30－31）

不幸的是，虽然在清末民初，中国的市民社会有所萌芽，但其后来的发展并不顺利。1980年代"改革开放"以来，市民社会再现生机，并随着市场经济的发展和全能主义国家向威权主义（或"新权威主义"）的过渡而逐渐成长。这种市民社会既包括"死灰复燃"的传统式民间社会形态，如宗族、村庄和宗教组织（梁治平，2000：48），也包括新兴的企业家阶层、中产阶级乃至"民办非企业单位"等（俞可平，2001）。此外，"在受控的公共传媒夹缝和边缘之中"（许纪霖，1998：6），也开始出现某种意义的"公共空间"或"公共领域"。

和西方成熟的市民社会相比较，当代中国发展中的"市民社会"有以下几个特点。[2] 首先是它的依赖性、非自主性和脆弱性（梁治平，2001）。大陆学者常强调大陆市民社会和国家的合作、协调、沟通等良性互动关系，实际的情况是它别无选择。其次是这种市民社会仍是"私性"多于"公共性"，总体来说仍缺乏关心社会、参与政治的公民民主意识。在这种情况下，当代中国市民社会似乎不但没有能力、也没有兴趣参与政治，未能发挥西方市民社会那种监督政府、制衡国家和促进民主的作用。

1990年代后期以来，大陆思想界出现了"新左派"和自由主义派的对峙，两派对西方市民社会理论的引进有截然不同的看法。[3] 新左派对市民社会概念并无好感，对与市民社会相关的市场、私有产权和中产阶级持批判态度。新左派批评全球性资本主义在中国大陆的扩张和以市场化名义推行的经济改革所造成的

---

〔2〕 关于这方面的讨论，可参见俞可平（2001）；陈晏清（1998：第三章）；王春光（1998）。

〔3〕 关于此两派的介绍和分析，可参见许纪霖（1998）；朱学勤（1999：419－421）；甘阳（2001）；王思睿（2001；2002）；萧功秦（2002）；李蔚欣（2002）。

社会不公和贫富悬殊，同时反对在贪污腐化和缺乏民主监督条件下的国有资产的私有化（汪晖，2000）。新左派所主张的民主包括经济民主（经济领域中的民主）和以底层群众（而非中产阶级或政治精英）为主导的直接民主和社会运动，他们不反对"公共领域"、言论自由等概念，但认为它们无需植根于中产阶级市民社会和私有产权制度。

自由主义者则指出（徐友渔，2000；2002），当代中国的首要课题不是如何对付全球性或本土的资本主义，而是如何促进民主和宪政。在这方面，私有产权的承认、市场经济的发展和市民社会的建立能产生一定的积极作用。在反对社会不公、贫富悬殊、贪污腐化等方面，大陆自由主义者和新左派的立场基本上是一致的，但是他们对于有关"病因"和"药方"却意见迥异。两派都赞成民主，但就如何实施民主进程则针锋相对。新左派主张加强底层社会民众的政治参与，包括体制外或非制度化的社会行动，"绕开所谓新生的中产阶级，绕开具有垄断性的精英，来谋求一个具有开放性和包容性政治表达空间"（刘擎，见于许纪霖，1999：296），同时加强国家对社会干预的能力，以"'上下结盟'来制约'中间层'。这里'中层'实际上是指垄断精英与地方权力官僚"（薛毅，见于许纪霖，1999：298）。

自由主义者提倡渐进式的民主化，通过市场经济的发展和市民社会的建立，再加上法制改革，逐步为民主宪政创造有利条件。与新左派某些人物提倡的"上下结盟"相反，自自主义阵营中的秦晖（1999）则主张"公民"（如城市中具公民意识者）与"小共同体"（如村庄以至"庄主现象"、宗族、乡镇企业等）的联盟以促进专制国家改造为公民的民主国家，然后才进一步把小共同体和传统民间社会改造为公民社会。他指出这是与西方不同的道路，在西方首先是市民与王权的联盟以对付小共同体（封建领主和村社），缔造了公民社会，然后由公民社会挑战王权（即国家或大共同体），最后完成向民主宪政的公民国家的过渡。

如果民主宪政国家是当代中国政治思想应予确认的目标，那么市民社会理论不失为关于如何阶段性地迈向此目标的策略研究和分析工具的中程（middle-level）理论。市民社会理论对当代中国的启示是，建立和完善民主宪政的过程将是艰巨的。市民社会理论还进一步指出，私有产权和市场经济是市民社会的存在和发展的必要条件。此外，市民社会理论还给我们一个重要的启示，就是无论自由的空间有多大，无论自由和权利的法制保障有多稳固，这都是不足恃的，还有一个决定性的因素，便是市民社会成员的素质、品格和意识。如果他们是关心国事和天下事的，如果他们是先天下之忧而忧的，如果他们是意识到国家兴亡，匹夫有责的，那么，市民社会和民主宪政的跨文化的、普世性的理想便有望在神州大地付诸实践。

参考资料

王思睿

　　2001　"试析今日中国的左派光谱"，《当代中国研究》，73：23 －38。

　　2002　"新权威主义与新左派的历史根源"，《当代中国研究》，78：106 － 131。

王春光

　　1998　"中国社会的走向"，收录于韩明谟等著：《社会学家的视野：中国社会与现代化》：283 － 306。北京：中国社会出版社。

王铭铭

　　1998　"宗族、社会与国家"，收录于张静，1998：222 － 258。

甘阳

　　2001　"中国自由左派的由来"，收录于陈祖为、梁文韬，2001：218 － 232。

方朝晖

　　1999　"对 90 年代市民社会研究的一个反思"，《天津社会科学》，5：19 － 24。

石元康

　　1998　《从中国文化到现代性：典范转移?》。台北：东大图书。

朱学勤

　　1999　《书斋里的革命：朱学勤文选》。长春：长春出版社。

李凡

　　1998　《静悄悄的革命：中国当代市民社会》。香港：明镜出版社。

李蔚欣

　　2002　"九十年代自由主义思想在中国的复兴"，《当代中国研究》，77：128 － 139。

汪晖

　　2000　《死火重温》。北京：人民文学出版社。

希尔斯

　　1998　"市民社会的美德"，李强译，收录于邓正来、亚历山大编：《国家与市民社会》：32 － 50。北京：中央编译出版社。

季学原、桂兴沅

　　1992　《明夷待访录导读》。成都：巴蜀书社。

林毓生

　　2003　《从公民社会谈起》。台北：联经出版事业（即将出版）。

俞可平

| | 2001 | "中国公民社会的兴起与其对治理的意义"，收录于陈祖为、梁文韬，2001：312－341。 |

陈弘毅

| | 1998 | 《法治、启蒙与现代法的精神》。北京：中国政法大学出版社。 |

陈祖为、梁文韬（编）

| | 2001 | 《政治理论在中国》。香港：牛津大学出版社。 |

陈晏清（主编）

| | 1998 | 《当代中国社会转型论》。太原：山西教育出版社。 |

夏维中

| | 2000 | "市民社会：中国近期难圆的梦"，收录于罗岗、倪文尖编：《90 年代思想文选（第二卷）》：23－40。（原刊于《中国社会科学季刊》（香港），1993 年 11 月总第 5 期。） |

徐友渔

| | 2000 | "自由主义与当代中国"，收录于李世涛主编：《知识分子立场：自由主义之争与中国思想界的分化》：413－430。长春：时代文艺出版社。 |
| | 2002 | "社会转型和政治文化"，《二十一世纪》，71：14－21。 |

秦晖

| | 1999 | "'大共同体本位'与传统中国社会（下）"，《社会学研究》，4：114－121。 |

黄宗智

| | 1997 | "国家和社会之间的第三领域"，收录于甘阳、崔之元编：《中国改革的政治经济学》：155－179。香港：牛津大学出版社。 |

梁治平

	1998	"习惯法、社会与国家"，收录于张静，1998：78－90。
	2000	"法治：社会转型时期的制度建构—对中国法现代化运动的一个内在观察"，《当代中国研究》，69：18－66。
	2001	"民间、'民间社会'和 CIVIL SOCIETY"，《当代中国研究》72：63－89。

张静（主编）

| | 1998 | 《国家与社会》。杭州：浙江人民出版社。 |

许纪霖

| | 1998 | "启蒙的命运——二十年来的中国思想界"，《二十一世纪》，50：4－13。 |
| | 1999 | 《另一种启蒙》。广州：花城出版社。 |

曾庆豹

| | 2001 | 《哈伯玛斯》。台北：生智文化事业。 |

杨念群

| | 1998 | "近代中国史学研究中的'市民社会'"，收录于张静， |

1998：197 – 214。

沟口雄三

1994　　　　"中国与日本'公私'观念之比较"，《二十一世纪》，21：
85 – 97。

邓正来、景跃进

1997　　　　"建构中国的市民社会"，收录于邓正来著：《国家与社会：
中国市民社会研究》：1 – 22。成都：四川人民出版社。（原
刊于《中国社会科学季刊》（香港），1992 年 11 月总第 1
期，页 58 – 68。）

邓正来

1997　　　　"台湾民间社会语式的研究"，收录于邓正来著：《国家与
社会：中国市民社会研究》：48 – 85。成都：四川人民出
版社。

1998　　　　"导论：国家与市民社会"，收录于邓正来、亚历山大编：
《国家与市民社会》：1 – 21。北京：中央编译出版社。

2000　　　　《邓正来自选集》。桂林：广西师范大学出版社。

蒋庆

1993　　　　"儒家文化：建构中国式市民社会的深厚资源"，《中国社
会科学季刊》（香港）3：170 – 175。

蔡英文

1995　　　　"麦可·欧克秀的市民社会理论：公民结社与政治社群"，
收录于陈秀容、江宜桦主编：《政治社群》：177 – 212。台
北：中央研究院中山人文社会科学研究所。

萧功秦

1999　　　　"市民社会与中国现代化的三重障碍"，收录于罗岗、倪文
尖编：《90 年代思想文选（第二卷）》：41 – 53。南宁：广
西人民出版社。（原刊于《中国社会科学季刊》（香港），
1993 年 11 月总第 5 期，页 183 – 188。）

2002　　　　"新左派与当代中国知识分子的思想分化"，《当代中国研
究》，76：82 – 105。

顾忠华

2001　　　　"公民社会在台湾的成形经验"，收录于陈祖为、梁文韬，
2001：342 – 369。

Chandhoke, Neera

1995　　　　State and Civil Society: Explorations in Political Theory. New
Delhi: Sage Publications.

Cohen, Jean L. and Andrew Arato

1992　　　　Civil Society and Political Theory. Cambridge: MIT Press.

Gellner, Ernest

1996　　　　Conditions of Liberty: Civil Society and its Rivals. London:
Penguin Books.

Habermas, Jürgen

    1989   The Structural Transformation of the Public Sphere, translated by Thomas Burger. Cambridge: MIT Press.

    1996   Between Facts and Norms: Contributions to a Discourse Theory of Law and Democracy, translated by William Rehg. Cambridge: MIT Press.

He, Baogang

    1996   The Democratization of China. London: Routledge.
               Keane, John

    1988a   (ed.) Civil Society and the State. London: Verso.

    1988b   "Despotism and Democracy," in John Keane ed., Civil Society and the State: 35 – 71. London: Verso.

    1988c   Democracy and Civil Society. London: Verso.

    1998   Civil Society: Old Images, New Visions. Cambridge: Polity Press.

Lin, Yü – sheng

    1979   The Crisis of Chinese Consciousness: Radical Antitraditionalism in the May Fourth Era. Madison: University of Wisconsin Press.

Metzger, Thomas A.

    1996   The Western Concept of the Civil Society in the Context of Chinese History. Stanford: Hoover Institution on War, Revolution and Peace.

Pérez – Díaz, Victor

    1995   "The Possibility of Civil Society: Traditions, Character and Challenges," in John A. Hall ed., Civil Society: Theory, History, Comparison: 80 – 109. Cambridge: Polity Press.

    1998   "The Public Sphere and a European Civil Society," in Jeffrey C. Alexander ed., Real Civil Societies: Dilemmas of Institutionalization: 211 – 238. London: Sage Publications.

Shils, Edward

    1997   The Virtue of Civility. Indianapolis: Liberty Fund.

White, Gordon, Jude Howell and Shang Xiaoyuan

    1995   In Search of Civil Society: Market Reform and Social Change in Contemporary China. Oxford: Clarendon Press.

结构的组合最优化[*]

——探索中国法与社会发展的新思路

季卫东

一、省察我们所处的时代

中国发展的进程正面临一个继往开来的重大转折。

要把握这类划时代性变化的意义，要根据变化的趋势决定行为方针，必须对各种现象进行准确的记述以及理论上的深入思考。但是，对于被卷入潮流旋涡之中的人而言，自我定位并非易事。亲临其境的好处是可以获得直接的观感体验，却也很容易产生针小棒大的错觉，或者把扭转乾坤的巨变征候仅仅当作日常琐细一桩而轻描淡写。苏轼在吟出"不识庐山真面目，只缘身在此山中"这样的诗句时，实际上就提出了一个冷静的、客观的、准确的认识往往以时空上的距离为前提条件的哲学命题。对于历史热点问题以及经验的科学总结以及就有关评价达成共识，往往得经过几十年、上百年的冷却期、沉淀期。不过日新月异的社会变迁却又总是在催逼着判断和决策，在"知"与"行"之间反复制造一系列的两难困境。因此，我们只能在竭力准确地捕捉时代脉搏的律动的同时，不断研磨能把自己以及周围环境对象化的反思理性的锋芒。

一般而言，在现代某种思潮或基本价值取向的支配周期大都为十余年，基本上属于一代人的关怀所在，属于同龄群体的行为惯例。以中华人民共和国为例，

1960 年代的主旋律是破私立公，1970 年代的课题是走出政治动荡，1980 年代的基调是经济体制转型，1990 年代的特征是个人发财，而 2000 年代似乎将以关怀低收入阶层和分配公正为重点。而某种中范围理论范式的形成则一般需要半个世纪的经验积累，其影响力的射程往往有二三十年，如果再能经过三代人的两次延续（大约六七十年的时间）则可以变成精神传统的一部分。[1] 例如丹尼尔·贝尔宣告后产业化社会的来临，其根据是 1920 年代以后资本主义体制的变化，其成果是在 1980 年代初推动了后现代学说的流行。又例如米尔彤·弗里德曼批判福利国家化倾向，针对的是 20 世纪前半叶欧美政府干涉市场的事实以及凯恩斯经济学理论的主导地位，导致了新自由主义在 1970 年代末期至 1990 年代中期的普及。此外还有"批判法学"，立足于 20 世纪初以来审判过程中裁量权和政策形成功能日益增殖的现实问题，在 1960 年代后期促成了对现代法治秩序进行解构的思想运动。

根据上述长短两种测量尺度，在分析中国政治改革的前提和前景时，首先不妨把 1954 年宪法体制的确立作为起点，回顾半个世纪以来的社会发展大势，考察是否已经确立了新的历史传统以及最基本的制度变迁的路径和趋向。

我认为这一期间可以分为两个主要阶段，前二十五年（1954—1978）的时代性本质在于把个人纳入组织（计划管理），采取了经济形态改造和政治灵魂改造这样两大步骤，其象征性符号是作为国家机器中的"螺丝钉"而默默奉献的雷锋；后二十五年（1979—2004）的时代性本质是从组织分离个人（市场竞争），其象征性符号是摇滚乐第一人崔健，他通过震撼灵魂的呐喊使个体都按照发乎自然的节奏而舞蹈唱和。由于以上两个阶段的社会变迁方向是相悖的，国家意识形态的构成事实上也存在着根本性的差异，不得不承认无论从哪个阶段来看新的"想象的共同体"（B·安德森的表述）及其传统都尚在发育过程之中，并没有真正确立起来。其次，在对"改革·开放"的后二十五年进行更具体的分析之后可以发现，1990 年以后，国家权力的合法性资源发生了很大变化，追求物质财富的积累和享受成为主要的社会目标，为了改善干群关系的所谓"形象工程"也侧重于给人民以实惠。但是经济与政治的不均衡发展所造成的跛足状态势必将提出如下问题：把个人从组织中分离出来究竟可以达到何种程度？为了避免社会呈现"一盘散沙"状态同时又实现广泛的意思自治，应该如何重新建构个人与个人、集团与集团之间的关系？

---

[1] 关于惯例、传统与世代间持续时间之间的关系，参阅爱德华·希尔斯：《论传统》，傅铿、吕乐译，台北桂冠图书公司，1992 年，页 18 以下、页 44。

特别是从 1994 年申奥到 2002 年入世的九年期间，中国已经把自己定位成了全球化风顶浪尖上的弄潮儿，今后能否继续做到"手把红旗旗不湿"，取决与在国际竞争以及制度比赛中的绩效。亚洲各国的历史教训告诉我们：即使经济保持良好势头，也难免贸易摩擦和法律纠纷，而一场金融危机或能源危机就有可能发挥刹车的作用。在这里，非经济因素往往会发挥重要的影响。对于经济与政治的不均衡发展，国际社会的视线往往是非常复杂而严厉的。随着中国经济规模的膨胀以及对外贸易顺差的积累，促进政治改革的外部压力将不断增大，并会与国内的弱势群体的利益诉求发生共振。

由于传统的社区之内的信任早已残缺不全，在父爱式社会主义国家权力的卵翼之下的稳定生活也几乎变成了历史的记忆，而人际互动关系中固有的伦理规范经过革命大潮和商业大潮先后冲刷之后所剩无几，以法治秩序为凭借的安全感却尚未成型，所以在中国，全球化带来的不安感将会比其他社会更强烈。国家将不得不努力来维护稳定，但这样的努力又会与市场化、全球化所造成的自由冲动发生矛盾。在这样的状况下，怎样兼顾自由和平等、重建政治上的共识，就成为一项基本的任务。实际上，在"依法治国"、"依法治省"、"依法治县"、"依法治厂"、"依法治村"……这样一连串的口号背后，我们就可以发现这样一种努力。但是，如果法治片面依赖强制力，那无论进行多么悲壮卓绝的努力，共鸣也还是无法导致共识。在很大程度上也可以说，最近几年流行的新德政话语[2]与新宪政话语[3]无非是想更进一步，试图分别从社会信任（传统继承的正当性）与社会契约（自由民主的正当性）中寻找法治秩序的合意基础。[4]

在讨论重组人际关系的制度安排以及秩序的合意基础时，经济的自由化以及市场的缔约机制具有关键性。因而许多人都寄希望于在市场的讨价还价过程实现制度创新。这样的设想是有相当的理由和客观依据的。实际上，中国改革的许多

---

〔2〕 例如郝铁川：《依法治国与依德治国》，上海人民出版社，2001。

〔3〕 例如季卫东：《宪政新论——全球化时代的法与社会变迁》，北京大学出版社，2002。

〔4〕 这样两种基本的正当性，在菲尔麦的父权主义《先祖论》与洛克的契约主义《政府论》的观点交锋中表现得非常清楚，中国的家长主义与西欧的个人主义也构成了对比鲜明的典型。

突破和进展都依托了非正式的和正式的交涉、商谈以及协议。[5] 这么说当然不意味着作为市场的必要条件的契约同时也能构成市场的充分条件。当契约不能自动履行时就需要第三者履行，当契约内容不符合效率（例如危害第三者的契约）、分配公正（例如固定低薪的长期雇佣契约）以及当事人本人的利益（例如奴隶契约、放弃离婚权的契约）时，来自国家或社会的外部干预就有了足够的理由。[6] 当个人的自由选择将导致无法做出集体选择或公共选择——阿罗的"不可能性定理"——的场合，或者满意程度的调整不能达成均衡的场合，或者帕累托最优的要求在无意之间变质成为所谓"后改革时代"的"现状专制"的场合，私人（包括企业等民间组织在内）之间的讨价还价和两者契约的连锁是否还继续有效就不得不打个问号。在这样的意义上，应该承认单从双方竞争状态的契约曲线上展开的一系列不确定交换本身是无法解决权利配置的适当性问题的，必须引进某种公正标准来决定某一点上的交换为终结性交换，不再容许事后的讨价还价。

现阶段的中国，市场的缔约机制已经非常发达，但却并不很健全。最主要的问题在于契约的非契约性基础、经济的非经济因素组合等方面还存在着严重的缺陷。[7] 讨价还价的重复博弈以及持续性的人际关系固然可以在相当程度上形成适当的行为规范和信任，并为社会秩序的建构提供驱动装置和基础，但是近年来出现的所谓"杀熟"现象表明，[8] 通过不断交涉而形成纳什均衡以及在这样的

---

[5] 关于农村集体所有权革新与讨价还价的关系，参阅周其仁："中国农村改革：国家和所有权关系的变化——一个经济制度变迁史的回顾"，载《中国社会科学季刊》总第8期（1994年8月）页61~84，关于城市国家所有权革新与国有企业和相关的集体企业内部再分配的关系，参阅张维迎："决策权、剩余索取权和绩效：中国国有企业改革运作的一个理论分析"，载《中国社会科学季刊》总第12期（1995年8月）页5~16、邱泽奇："代理、交换与寻租：边区城市集体企业的讨论"，同一杂志页17~40。

[6] 对契约进行干预和限制的三种基本理由——效率、分配正义以及父爱主义，详见小林公：《合理的选择与契约》，东京弘文堂，1991，第2章"权利的交换"。

[7] 关于契约性和市场性的边界的这个问题早在10年前就已经提出来了。虽然现状有所改进，但再次强调一下并从不同的角度重新论述仍有重要的意义。

[8] 从陌生人之间的不信到"杀熟"所引起的传统的共同体信赖关系的动摇，参阅郑也夫：《信任论》，中国广播电视出版社，2001，尤其是第13章"走向杀熟之路"。对信任问题与制度安排的更详尽而精致的理论分析，见张维迎：《信息、信任与法律》，三联书店，2003。但是，对于后者纯粹从纳什均衡的角度来考虑制度安排以及信任机制的方法论上的妥当性，我持保留态度。

基础上启动信任机制的范围毕竟还是有限的。[9] 重复博弈过程中当事人之间的互相制裁既可以导致守信倾向，但也可能导致背叛的攀比，而报复的连锁反应则会造成共同收益下降的结果。要避免这样不取双赢乃至双输的结局，除了改善信息处理之外，还需要能够形成具有约束力的决定的组织和制度，需要对公共物品的强制性供应。目前关于交易过程乃至整个社会中的诚信危机的议论很多，而道德滑坡正好证实了仅仅从行为层面而不从集合层面来理解讨价还价的博弈、仅仅注意纳什均衡而不注意关系性选择的结果以及外部规范的危险性；但似乎有一部分人还顾忌重重，不敢或不愿坦率地指出包括知情权、行政问责等在内的制度安排所确定的国家公信力对于解决社会诚信危机具有决定性意义这一铁的事实。

总之，迄今为止是市场化推动了中国体制的改革，而市场中的自由竞争与个人的析出、个人的意思自治是互为表里的。但单靠市场的赢利性竞争和私人之间的讨价还价并不能顺利实现社会和国家的转型，必须形成一套在特定历史条件下把个人以及小集团重新联合起来、把自由选择适当地合成公共选择的程序、规则、组织以及制度。在这样的意义上，可以说我们正处在一个不断市场化、彻底市场化的时代，同时也这也应该是一个为市场重新安排非市场性的前提条件，建立和健全一整套新的公共规范体系的时代。

二、宪政、交涉泛化以及权力的人称性

提倡宪政的人们往往以经济的自由化为论证的出发点，并且强调契约这个隐喻，强调宪法的合意论构成。从统治合法性的论证或者改善的角度来看，这样的理论预设当然是必要的，否则无法形成对具有强制性的国家权力的制约机制。

但是，回顾立宪的历史可以发现，国家的成立往往并非基于契约，而与暴力和暴利有着千丝万缕的密切联系；因此作为政权建设一环的宪法制定也很难规避强势群体支配的嫌疑。鉴于这样的事实，拉塞尔·哈丁发出了以缔约比附立宪则大谬不然的棒喝。他在"要一部宪法干什么？"这篇题带挑衅的论文中断言宪法是先行于契约的事业，指出：

---

[9] 例如，与纳什不同，高逊尔提出的均衡方式是为了保障讨价还价的公正性，应该先在帕累托改进的前线上根据谈判不破裂而能获得的最大效益确定一个理想点（ideal point），再使各方当事人由此而作出的让步幅度相等或者使让步幅度最大的当事人的让步幅度最小化。这样的处理方式似乎能更好地说明集体讨价还价过程的合理性，至少显示了纳什均衡的不足之处。见 D. Gauthier, "Bargaining and Justice", in E. F. Paul, J. Paul and F. D. Miller (eds.) *Ethics and Economics* (Oxford: Basil Blackwell, 1985) pp. 29 –47, and his *Morals by Agreement* (Oxford: Clarendon Press, 1986).

宪法不解决囚徒困境之类相互作用的问题,而要决定更为长期的行为式样。……宪法不是契约,而是用以设置保证契约的制度的方式,发挥着解决前契约行为的问题的功能。[10]

因此,在他看来更适宜于表述宪法本质的隐喻是协调(coordination)或者说"同舟共济"。契约的核心是合意,而协调的关键是默许;缔约需要对协议内容进行详尽的推敲并采取积极的行为,而留待协调的姿态是消极的,对于未来的可选择范围并没有做出明确的界定,只决定抽象的原则和最低限度的规范。不过,如果彻底否定宪法的社会契约假定或者合意论构成,那么政治改革的根据以及统治的正当性基础将何从确立的问题就会再次凸显出来,不容人们以所谓正义的"大词"为理由而加以回避和搪塞。

我认为,哈丁在这里犯了个很基本的错误,这就是把作为假设现实的宪法合意论构成与具体的契约关系或多或少地不断混为一谈。[11] 实际上,对于形成和维护民主宪政的合意论构成而言,最重要的并不是原始缔约过程的事实是否存在,而是能否按照契约原理去检验制度的合意基础、能否按照社会发展的需要和民意的变化而重新修订被称之为社会契约的宪法性规范内容。因此,有没有关于异议自由和抵抗权的程序设计就成为测试真假宪政的根本指标,而不必使宪法的正当化机制真正落实到个人缔约行为的层面,因为这是根本办不到的。

具体的契约关系强调当事人之间通过合理交易进行利益分配,但社会契约论强调的则是集体交涉和公共选择,要求作为合意内容的规范必须在所有人看来都是合理的决定,所以公正的秩序应该以全体一致规则(the rule of unanimity)的理论预设为基础,很类似于那种除非社会的所有成员都同意,否则不得变更的所谓"帕累托最优"状态。这就是詹姆斯·布坎南等人提出的公共选择理论的基本思路。要达成全体一致的同意,其讨价还价过程势必变得非常复杂,决策成本将会极其昂贵,因此需要事先确定某些规则以减少交涉的代价。在这里,哈丁的宪法先行于契约的命题与布坎南的立场是相同的。但是,两者还是有些分歧点。其中最重要的是布坎南并没有因此主张宪法可以摆脱社会契约论的约束,只是强

---

[10] Russell Hardin, "Why a Constitution?" in Bernard Grofman and Donald A. Wittman (eds.) *Federalist Papers and the New Institutionalism* (New York: Agathon Press, 1989) p. 101.

[11] 不得不指出,苏力:"从契约理论到社会契约理论———一种国家学说的知识考古学"(载《中国社会科学》1996 年第 3 期)一文也犯了类似的错误。更成问题的是,苏力把契约主义秩序观不先验地设定某种普遍性伦理规范的思路推到极端并使之扭曲,过分夸张其功能性侧面,而使正义要求相对化,却又完全忽略了在进行这样的条件设定之后如何保障缔约过程的公正的根本问题。

调了当事人双方合意的具体契约关系与全体一致同意的社会契约关系之间存在着本质的区别，缔约过程会受到某些非契约性因素的影响。由于确定最终决策权的所在以及事先规则的目的也只是有利于对缔约和决策的成本进行计算和比较而已，宪政的合意论构成依然得到维持，缔约作为立宪的隐喻的意义并没有被否定掉。[12] 布坎南本人明确地指出："可以把本书（引者注：即《同意的计算》）的理论建构归入契约主义传统的范围之内"。[13]

如果坚持从自由主义和社会契约的视角来考察宪政，那么试图在中国推行的宪政的人们就不得不从这样两个根本方面来分析相应的现实条件。众所周知，中国属于"关系本位"（梁漱溟语）的社会，特殊的、长期的人际关系网络成为制度化的基础，并决定了价值体系和行为规范的主要特征。一般认为，在这里既缺乏个人自由的观念，也缺乏社会契约的观念。但是，关系网络中并不缺乏自我中心的合理行为，也不缺乏双方互动的博弈均衡，因此可以在不同程度上发现"儒家式个人主义"、"人格主义"[14]以及在"私约"到"公约"的连续性中发育的关于国家制度的"交换构想"及其实践经验。[15] 正如金耀基所概括的那样：

> 在儒家社会理论中，我们可以说，人被安置在一个关系网络中——人乃是'关系的存在'（relational being）。……在关系网络中，个体同他人的关系既非独立的，也非依附性的，而是相互依赖的。因此，个体自我并没有完全失没于种种关系之中，相反的，个体有着广阔的社会空间和心理空间自主地行动。诚然，除了天然的'伦'，如父子'伦'（在此种种关系中，个体的行为或多或少是由固定的身份和责任规定

---

〔12〕 详见詹姆斯·布坎南、戈登·塔洛克：《同意的计算——立宪民主的逻辑基础》，陈光金译，中国社会科学出版社，2000。

〔13〕 同上（附录1），页352。

〔14〕 Wm. Theodore de Bary, *The Liberal Tradition in China* (Hong Kong: Chinese University of Hong Kong Press, 1983) chap. 3, and his *Asian Values and Human Rights*; *A Confucian Communitarian Perspective* (Cambridge, Mass.: Harvard University Press, 1998) p. 25.

〔15〕 宋格文（Hugh T. Scogin, Jr.）："天人之间：汉代的契约与国家"李明德译，高道蕴、高鸿钧、贺卫方合编：《美国学者论中国法律传统》，中国政法大学出版社，1994，页164~211，寺田浩明："明清时期法秩序中的'约'的性质"，王亚新译，王亚新、梁治平（合编）：《明清时期的民事审判与民间契约》，法律出版社，1998，页139~190，季卫东："公约、公愤以及公议——现代中国的法律话语空间"佐佐木毅等合编：《过去·现在·未来公共哲学丛书4——东亚公共空间的创立》，东京大学出版会，2003。

的）之外，个体享有相当大的自由去决定是否同他人发生人为的关系。[16]

但是，在双方互动、私人关系成为社会秩序的最一般性方式时，潜伏的前提就是纳什均衡决定一切，其余都算不了什么；而在外观则呈现出市场交涉的彻底化或者说讨价还价的泛化的状态，也就是二者契约之锁和二者关系之链的普遍化。这样很容易导致某种以各方当事人的满意和相互信赖为解决纠纷以及其他问题的标准的倾向，使公共选择的决定难以做出，使法治的要求无从落实。反过来看，个人的权利和义务的边界是流动的，要在自我中心的人际关系网络结构中给主体定位也颇费周折。

为了避免契约无法自我履行所引起的秩序瓦解，需要形成第三者强制履行的机制，但由于文化传统的差异，第三者的存在方式各不相同。仅就权力的归属而言，既有"治人"与"治法"之分，也有"独裁"与"共和"之分。在强调"治人"的时候，决定权需要由可以特定化的贤人掌握，例如尧、舜，例如魏徵、包拯、海瑞、林则徐，也可以是具体的职务承担者，例如党委书记、总经理。这是一种看得见、摸得着的"经验性身体"。而在强调"治法"的时候，着眼点在一般性制度，具体个人的特征被忽略不计，决定者的主观偏好的影响被压缩到最低限。

由此可见，在权力归属方面人称抽象化的程度是不同的，法治主义的理想是追求"去人称化（depersonalization）"的客观公正，而中国的传统政治模式则试图通过"人称化（personalization）"来建立以具体主体的全人格为担保的承包责任机制。在这两者之间，还存在着"泛人称化（pan‐personalization）"的权力，即个人假冒集体的名义或者以"社会性形象"来行使压力和制裁，例如在1960年代后期出现的"反对某人就是反党，必须全党共诛之、全民共讨之"的政治话语，或者在根据旧式宗法原则发出的"愧对列祖列宗"的指责中所体现出来的那种宗族共同体压力。又例如在当今社会，夫妇吵架本来属于隐私性较强的纠纷，但其中较弱的一方往往会不顾羞耻跑到大街上去叫阵，以便争取"左邻右

---

[16]　金耀基："儒家学说中的个体和群体——一个关系角度的诠释"，《中国社会与文化》，香港牛津大学出版社，1992，页10。

舍"这样的"泛人称化"社会性权力作为自己的坚强后盾。[17] 显而易见,在中国,契约的第三者履行主要依赖于"人称化"权力,并辅之以"泛人称化"权力,真正意义上的"去人称化"权力——即法理型支配——却始终未能确立。而"人称化"权力乃至"泛人称化"权力都具有较强的任意性,缺乏抵挡交涉泛化的固定标准和制度性条件。

当然,即使是"去人称化"权力,其运作也不可能完全消除"人称化"和"泛人称化"的各种因素的影响。要最大限度地排除诸如此类的影响,必须按照普遍化的理想标准不断对制度设计进行批判性审视,于是乎就出现了相应的虚构。例如霍布斯、洛克以及卢梭分别提出了三种不同的社会契约论。霍布斯说:

> 这就不仅是同意或协调,而是全体真正统一于惟一人格之中;这一人格是大家人人相互订立信约而形成的,其方式就好象是人人都向每一个其他的人说:我承认这个人或这个集体,并放弃我管理自己的权利,把它授与这人或这个集体,但条件是你也把自己的权利拿出来授与他,并以同样的方式承认他的一切行为。这一点办到之后,象这样统一在一个人格之中的人就称为国家,……[18]

请注意,这里的全体统一的"惟一人格"不是清官好皇帝的"经验性身体",而是人人向每个他人所作的相互承诺,是以"信约"这样的假定形式存在的抽象的"超越性身体"。与霍布斯不同,洛克虽然也承认国家是一个整体并且有权要求一致行动,但不是强调放弃自决权,而是强调必须在政治决策中贯彻多数同意的原理:

> 当每个人和其他人同意建立一个由一个政府统辖的国家的时候,他使自己对这个社会的每一个成员负有服从大多数的决定和取决于大多数的义务;否则他和其他人为结合成一个社会而订立的那个原始契约便毫无意义,而如果他仍然像以前在自然状态中那样地自由和除了受以前在

<hr>

[17] 关于权力的"人称化"、"去人称化"以及"泛人称化"的基本分类,参阅宫台真司:《权力的预期理论——以了解为媒介的运作形式》,东京劲草书房,1989)第4章"权力的人称类型"。从社会关系的角度观察,可以说上述人称类型大致是与冯·维泽(Leopold von Wiese)关于群众、集团以及抽象集合的基本分类相对应的。

[18] 霍布斯:《利维坦》,黎思复、黎廷弼译,商务印书馆,1996,页131~132。另外需要注明:引文中的黑体字是原有的。

自然状态中的限制以外不受其他拘束，这契约就不成其为契约了。[19]

这样的理论构思与议会政治的现实是非常接近的，而假设的契约只不过是投票共同体的正当性根据的一个隐喻而已。如果说洛克的观点是中庸而稳健的，那么卢梭的观点则是偏锋而激进的。是卢梭把社会契约论的逻辑演绎到极端，在把公意的最高指示与公投的全民表决结合起来的意义上理解国家的正当性基础。他这样写道：

> "我们各自把身体和一切力量作为公共之物而置于普遍意志的最高领导之下。因而
>
> 我们把每个成员都作为全体的不可分割的一部分而全盘接受"。这样的结合行为就创造出一个精神上的集合性的团体用以取代契约缔结者各人的特殊自我。该团体由与集会的投票者等数的成员所构成。……这样一种因所有人的结合而形成的公共人格，曾被表述为城邦国家，当今已获得共和国（République）或者政治体（Corps politique）这样的名称。[20]

但在以个人自由为前提条件建构超越于具体个人的国家秩序的逻辑基础这一点上，霍布斯、洛克以及卢梭的主张之间有着明显的共性。与社会契约论有关的"万人战争"、"天赋人权"、"公共人格"以及较新近的"无知之幕"等概念和学说，也都是为实现"去人称化"权力而发明的虚拟的抽象建构，因为不创造出虽然子虚乌有但却无所不在的"超越性身体"（抽象身体），就无法反复清除由某地某人的"经验性身体"（具象身体）来承载社会公器或者普遍意志所造成的各种困境和流弊。[21]

从恩斯特·坎托洛维奇所描绘的"国王的两个身体（the King's two bodies）"

---

〔19〕 洛克：《政府论·下篇——论政府的真正起源、范围和目的》，叶启芳、瞿菊农译，商务印书馆，2003，页60。

〔20〕 转引自佐伯启思：《关于国家的考察》，东京飞鸟新社，2001，页225～226。另外需要注明：引文中的黑体字是卢梭原著就有的。

〔21〕 关于"经验性身体"与"超越性身体"的区别以及身体与权力的关系，详见大泽真幸：《身体的比较社会学 I，II》，东京劲草书房，1990，1992。另外，福柯从权力对身体的驯化这一角度来探究现代国家的本质，留下了《疯癫与文明》，刘北成、杨远婴合译，北京三联书店，1999 和《规训与惩罚》，刘北成、杨远婴合译，北京三联书店，1999，这样的开拓性著作。

到"虚君共和"、到"民选总统"、再到"立法国家"、再到"司法国家",然后到衮特·图依布纳的表述"作为自体再生系统的法（law as autopoietic system）"——这样的历史演变使我们清楚地看到理论虚构的现实功能。可以说,宪政的合意论构成以及普遍主义的制度安排只有借助于虚构才能成立,如果真要把全体一致的同意从假设变成具体的真实,那纯属徒劳,至少会使日常性政治和法律的决策的代价昂贵得让任何国家都承受不起,只好半途而废,于官场操作的层面则表现为阳奉阴违,从而造成理想高标、行动虚伪的结局。

在某种意义上,中国传统的国家制度设计受到"人称化"权力和二者关系、二者契约彻底化的网络性社会结构的双重影响,始终强调对规范、决定以及秩序的当事人承认和舆论支持,试图把所有的"经验性身体"的缔约关系综合成为一个整体,并把这样实在的但却缺乏整合性的混合物作为社会契约或者公意的表现。

从"约法三章"到"乡规民约",到"爱国公约"、再到"楼组公约"以及"互联网公约",从审判案件的"具甘结"到判决效果"回访",到法院"调解协议书",再到以"人民满意"为司法评价尺度,可以看到一种坚持不懈的作业,即把类似现代欧美社会契约论中的普遍意志那样的"公理"真正落实到现实具体的"经验性身体"上,从而维持以"人称化"权力为主、"泛人称化"权力为辅的制度安排。但是,这样不分社会契约与二者契约的思路最终能否超越"小宪法"的局限性而达到在全国范围内建立统一的民主宪政的目标,还是很令人怀疑的。现代民主宪政要求在保持起源于社会契约概念的合意论构成的同时,必须超越具体的契约关系,建构不必以讨价还价和互惠性为前提条件的权利保障制度,这与市场交涉的泛化完全是两回事。尽管如此,我们还是有理由对政治改革的前景持乐观态度,因为具体的互动关系占优势的社会环境毕竟是有利于克服片面从强制的角度来理解法治的观念,有利于移植、继受以及发展宪政体制的契约主义配置的。

三、扬弃休克疗法与渐进主义的深层改革

前面已经把最近二十五年的时代性本质公式化为"从组织分离个人"。在法学理论上,这样的个人应该是独立、平等、意思自治的主体。但是对社会现状的实证分析表明,在中国这样"关系本位"的国度里,析出的个人并不接近原子

形态，也不同于以社群、集体为前提的"鸟笼个人主义"，[22] 而更显著地表现为一种纯粹的"关系性存在"——个人通过不断定义自己和他者之间的各种关系而参与社会秩序的建构，[23] 或者在市场交涉过程中不断与他者博弈和协调，不断编织相互之间的各种长短粗细的纽带，从而在既有的组织之外形成了由数千万、上十亿张以自我中心的"蛛网"所组成的那样规模宏伟的动态网络性结构。因此，尽管共产主义革命以及单位体制已经在相当程度上改变了传统的以血缘和地缘为中心的、以社区为依托的人际关系的内涵，但在中国建构国家秩序的逻辑基础能否以个人自由为前提还是会不断受到来自不同角度的质疑。

在某种意义上，与血缘、地缘、其他类型的持续性人际关系以及信息技术所编织的通讯关系等各种网络结构相结合的经济活动，可以具有更大的市场化能力，从而可以产生出更具有爆发能量的卖点和成长点，并导致商业资本更快速地积累以及对缔结关系契约的个人行为的更大激励。这也正是裙带资本主义（cro-ny capitalism）或者说关系资本主义（relational capitalism）以及传销、电子商务能够大行其道的主要理由。在这里，诸如人际关系网络之类的社会资本（social

---

[22] 例如达彤把现代中国群己关系方面曾经发生过的变化表述为"在集体性的阶级和社区内部的个人化过程（the process of individualization within the collectivized class）"。见 Michael R. Dutton, *Policing and Punishment in China：From Patriarchy to "the People"*（Cambridge：Cambridge University Press, 1992）p. 15. 关于在共同体中可能实现的个人主义形态的一般性讨论，参阅藤川贤："对共同体主义的批评性研究——G·H·米德的社会性自我论的视角"，载《社会学评论》第 47 卷第 3 期年 1996 年。

[23] 参阅金耀基："关系和网络的建构———一个社会学的诠释"，《中国社会与文化》（前引）页 64～85。中国传统的哲学思维和本体论上也可以印证这样的社会学观察和解释，例如杜维明"生存的连续性：中国人的自然观"和"新儒家的宗教信仰和人际关系"，均载其论文集《儒家思想新论——创造性转换的自我》，曹幼华、单丁译，江苏人民出版社，1995。

capital），[24] 除了可以促进合作的价值之外，还可以一方面为经营等方面的个人能力附加上"可卖性（marketability）"这样一种价值，另一方面作为成几何级数自我增殖的媒介机制（关系资本）又进一步借助商业化炒作在网路中的连锁反应使这种附加价值不断膨胀，形成资源配置的倾斜日益显著的倾向。因此，人际关系网络既可能以温情和礼让来限制竞争，也可能促成极其非对称化的激烈竞争，未必总是一个圆融调和的均衡系、稳定系。

何况像关系网络这样的社会资本要实现通过合作带来互惠和共赢的价值，需要一定的前提条件，这就是存在着具有基本共识的群众、组织以及共同体；如果个人突破了社区或集体的公共性框架、关系网络中围绕"可卖性"的竞争因素和自我增殖机制被自由放纵，势必会更容易导致"豪强兼并"、"赢家通吃（Winners catch all）"的结局，在少数的富人与多数的贫民之间导致帕累特所揭示乘幂式分布曲线（即后来的经济家概括出来的"80 比 20 的法则"），[25] 在上层与底层、自由主义与平等主义之间造成不可逾越的鸿沟并可能诱发统治危机。显然，在现阶段的市场化和全球化的状况下，突破社区—集体的公共性框架变得更容易了。由此可见，在中国这样的人际关系极其稠密的网络社会，在当今这样的无疆界（borderless）时代，片面强调海耶克的"自生秩序"学说，甚至以这种提倡无为和自由至上的主观主义政治哲学来指导经济、政治以及法律方面的决策是很不适当的。[26]

---

[24] 社会资本的讨论在 1990 年代引起广泛重视，在很大程度上得益于 Robert C. Putnam，"The Prosperous Community：Social Capital and Public Life" *American Prospect* Vol. 4 Iss. 13（1993）等著述以及 The World Bank，"What is Social Capital?"（1999）*Proverty Net*（http：//www. worldbank. org/proverty/scapital/whatsc. htm）。关于社会资本的概念，Francis Fukuyama，"Social Capital and Civil Society" Paper for the IMF Conference on Second Generation Reform（Oct. 1, 1999, at http：//www. imf. org/external/pubs/ft/seminar/1999/reforms/fukuyama. htm）中有精辟表述。关于社会资本的网络结构，参阅 Ronald S. Burt，"The Network Structure of Social Capital" in Robert I. Sutton and Barry M. Staw（eds.）*Organizational Behavior* Vol. 22（Greenwich，CT.：JAI Press，2000）一文。最近的专著可以举出 Nan Lin，*Social Capital：A Theory of Social Structure and Action*（Cambridge：Cambridge University Press，2001）。对社会资本理论的批评意见，参阅 Steven Baron，*et al*（eds.）*Social Capital：Critical Perspectives*（Oxford：Oxford University Press，2000）。需要注意的是，中国经济学者和社会学者考察作为社会资本一种基本类型的"关系资本"时的视角有所不同，侧重的与其说是公共性毋宁说是私人意志。

[25] 参阅理查德·柯契：《改变人生的八十比二十的法则》，仁平和夫译，东京 TBS 不列颠出版社，1998、安田雪：《实践网络分析——剖析关系的理论和技巧》，东京：新曜社，2001。

[26] 这一点从 Anthony Giddens，*Runaway World*（London：Profile Books，Ltd.，1999）中对市场主义和世界失控的分析以及对 21 世纪前十年的预测也可以略见端倪。

在动态网络结构中，关系资本的拥有者虽然把国家权力作为结网的支架、保护伞甚至黏合材料，但却并不抱有对国家的坚定信心和真正忠诚。他们的价值取向归根结底是自我中心的，是功利实惠的，有时倒也具有类似市民自由主义的表象。他们借助私人间互动互惠的契约纽带，可以把活动的范围伸延到地域和国家的疆界之外，因而完全不妨在全球化的洪流中悠然自得地借势游泳，俨如时代新潮的代表。但对其所属的国家及人民而言，这样的关系资本家实际上已经变成了一群蛀蚀社稷梁柱的蠹虫、到处渔利的巨鲨以及在重大的关头无济于事的掮客和漂流者，其中最有才华的精英也往往只能在与国计民生的实体部分（第一、第二产业以及面向居民的服务业）无关的那些具有不确定性的方面发挥"符号分析家（symbolic analysts）"的作用。[27]　在这样的状况下，需要由一定社区、集体来陶冶的道德秩序以及以民族国家为前提的法治秩序的建构都会碰到许多或新或旧的难题，人们的身份认同也会暧昧化、流动化。在没有适当的应对措施之前，有关当局只有靠扣押权贵人士的护照这样的强硬命令才能勉强缓和内部财富的流失和向外转移对国民经济的实体以及权力运作所造成的巨大冲击。特别是跨国网络结构中的相互作用的混沌以及非对称性蝴蝶效应也会使制度上的缺陷、管理上的问题以及个人行为的影响被出乎预料地成倍放大和增幅，造成某种高度风险的状态，不仅强化了对广义的社会安全保障和应急系统的需求，同时也加深了对结构性改革的疑惧心理。

另一方面，在稠密的关系网络结构中，存在着人与人之间互动、选择以及达成妥协的偶然性、复杂性，也必然会形成自组织化非正式秩序的生产装置，进而出现能与国家性权力相抗衡的"黑老大"、"土皇帝"之类的社会性权力，法制及其他公共措施的作用往往遭到有力的抵制和排斥。在网络与法制之间可以发现一种反比例的互动，关系距离越短、网络化程度越高，法制介入的余地就越窄，诉讼的可能性就越小。鉴于这种状态，推行法治不得不在两种最基本的方式中进行抉择。一种是借助物理性强制力撕破、截断、拆除关系网络，使国家的触角长驱直入伸张到家庭和社区之中进行控制，从而贯彻落实法律、法规以及行政命令。还有一种方式是借助符号操纵术维持并利用关系网络来形成国家秩序，把自组织机制纳入法律体系之中，在按照普遍规范制约社会性权力的同时让它与国家性权力之间达成适当的均衡。

前一种方式在先秦、北宋以及现代先后尝试过，基本上是半途而废、徒劳无

---

[27]　关于"符号分析家"的概念含义，详见 Robert B. Reich, *The Work of Nations: Preparing Ourselves for 21ˢᵗ Century Capitalism* (New York: Vintage Books, 1992), pp. 177 – 180.

功，大都没有收到预期效果。根据社会网络分析（social network analysis；简称SNA）领域的研究成果，[28] 因为存在着"相互连接性（interconnectivity）"，所以网络结构是非常坚韧顽强的，甚至即使在80%的纽带都遭到破坏的状态下，仍然能凭剩下的少数网络保持相互联系，维持集束的形态和效能。特别是按照乘幂曲线分布的网络形态，只有把所有的纽带都解开才能分崩离析。但是，毕竟"解铃还得系铃人"，要从外部破坏所有的纽带不仅制度成本极高，而且几乎不具有现实可行性。退一万步说，如果只有斩断所有的纽带才能拆散稠密的关系网络，那么在目的达成的那一瞬间，社会结构本身也将轰然坍塌，留下一望无际的碎片的废墟。因此，在我国建构法治秩序不得不采取后一种方式，既不是无视网络的影响，也不以"鱼死网破"的状态为制度设计的前提，而是从既有的传统文化条件出发，寻找"送法上网"的途径，让法律规范也能借助互动网络这样的高效率媒介而周流整个社会，并通过关系重组、纽带增减、过程调节等方式来转换权力结构、改变行为方式。其结果，有可能形成某种主要建立在循环性基础上的新型法治秩序，并反过来规定传统文化发展的方向、形式以及内涵。

承认网络的存在，当然意味着默许网络在一定限度内对法律制度施加影响。这种影响常常有可能导致在多层多样的自组织秩序中法律的规范力或多或少相对化；为了应付在网络化社会中与其他价值、规范、解纷方式、管理机制之间的适应度竞争，争取获得优先性选择，法与审判的主体也不得不提供更能得到当事人和社会认同的各种处理方案以供参考和取舍。在历史上，我国的制度设计原理看起来好象是：以行政（法治）和礼仪（德治）作为秩序遗传基因的"双重螺旋体"，形成富于生命力的、不断生长的复杂性法网，而司法（特别是民事审判）犹如根据经络理论进行辨证治疗的中医方术。[29] 令人遗憾的是上述设计忽略了一个重大问题，即：网络社会具有复杂、变易、不透明的特征，而法律制度也与之相适应带上了不确定性，怎么能够形成安定的权利义务关系，又怎么能够满足大规模的产业市场经济对行为预期以及合理化组织的更高要求？在以农耕为基础的阶段，这样的制度条件还不至于引起太大的不便，但到19世纪以后，特别是

---

[28] 参见 Samuel Leinhardt, *Social Networks：A Developing Paradigm*（London：Academic Press，1977），Stanley Wasserman and Joseph Galaskiewicz（eds.）*Advances in Social Network Analysis；Research in the Social and Behavioral Sciences*（Thousand Oaks，CA.：Sage Publications，Inc.，1994），John Scott，*Social Network Analysis：A Handbook*（2ed ed.，Thousand Oaks，CA.：Sage Publications，Inc.，2000）。日本在这方面的先驱性文献见平松闿（编）:《社会网络》（东京：福村出版，1990年）。

[29] 参阅季卫东："法治中国的可能性——兼论对文化传统的解读和反思"，载《战略与管理》2001年第5期页1以下，尤其是页4～10。

随着国际竞争的激化，中国旧式市场结构与法律秩序的弊端就变得越来越难以容忍了。但我们又无法按照主观意志去瓦解社会的网络结构。

对网络结构的科学研究表明，改变网络结构的关键在于其内部不同因素和不同关系之间搭配组合的样式及其布置形态的转换。网络结构的本质决定了在不同关系纵横交织的格局中，其实一个微小的变化就有可能打开一扇隐蔽的门户，发现一条曲折的安全通道，步入"柳暗花明又一村"的新境地。当这样的小变化以及与之相伴随的关系微调活动累积到某个临界点时，网络结构就会突然发生根本性的变化。我们面临的真正困难并不是"关系本位"的网络化社会的停滞不变，而是难以充分预测其变化的结果，难以顺利实施有计划的、合乎目的性的改革。正因为在一定条件下，某种措施所导致的变化会出乎意料地展现按几何级数成倍增长的局面，甚至导致失控，所以许多人都对在网络结构中实施休克疗法抱有根深蒂固的忧虑和戒备。[30] 尽管如此，我们还是无法以自生秩序为借口来认可现实存在的一切，静待自然发生的结果，相反必须进行有意识的选择和优先性选择。特别是政治体制的改革涉及利益格局的得失大调整，不可能完全采取顺其自然的经验性渐进主义路线，必须在一定程度上进行通盘筹划并进行整体上的改组重构和制度创新。

鉴于这样的客观条件，我认为在今后的政治体制改革的过程中，有必要采取"组合最优化（combinational optimization）"技法或者"组合最优化（排序决策）理论（sequencing theory）"所提示的思维方式。[31] 即扬弃渐进主义与休克疗法这样的二分法对立的公式，在对现有的结构性因素进行重新定义和重新排序的过程中，通过途径、步骤、方式、手段的优选以及可操作性方案的设计来有效地达到制度变迁的实质性目的。在组合最优化的处理上，不追求脱离实际的单项最优，而力争切实可行的单项次优以及次优因素相互关系的最优化组合；不破坏既有的自组织机制，而按照网络结构的内在规律对关系的结合形态进行重构并不断

---

[30] 关于这一点，汪晖进行了间接但却很深入的思想分析。详见他对 1989 年以后的意识形态与社会背景的长篇论文 "1989 社会运动与'新自由主义'的历史根源——再论当代中国大陆的思想状况与现代性问题"，哲学网站《思问》（http：//www. siwen. org/lunli/xin%20ziyouzhuyi. htm）2003 年 2 月 14 日发表。

[31] 组合最优化理论的射程包括经济管理中的作业计划、遗传基因编码的分析和重组以及计算机网络的结构设计。其先驱性著作是 Said Ashour, *Sequencing Theory*（New York：Springer – Verlag, 1972）。最近的成果见柳浦睦宪、茨木俊秀：《组合最优化——以元战略为中心内容》，东京朝仓书店，2001。关于公共部门改革与组合最优化，参阅 Navin Girishankar, "Approaches to Sequencing Public Sector Reform", *mimeo*（Washington, D. C.：World Bank, 2000）.

加以改进；不否定理论命题和目标模式的意义，但同时也充分承认路径相关的影响并强调不断修正预定方案的实践理性。从法学的视角来看，组合最优化理论的基本主张其实不外乎在不确定性的状态下通过公正合理的程序设计来顺次进行选择以及制度创新的思路。这样的思路在承认路径依赖和改革举措排序方面不同于休克疗法，但在强调对现状的批判以及对国家权力结构以及各种制度安排进行最优化重构的方面却又不同于迄今为止那种"摸着石头过河"的经验性渐进主义，而提倡对体制转型进行选择的重大决断，根据经济和社会巨变的现实需要来突破现有的权力格局和意识形态束缚，并按照一定的目标模式进行制度设计。

四、关于局部非政治化的社会契约

——司法审查、预算议会以及党内竞争

毋庸讳言，从此将要进行的真正意义上的政治改革，必然会在不同程度上涉及权力结构（特别是中枢部分）的改造，以使它适应市场经济和社会利益诉求多元化的需要。面对这样已经迫在眉睫的根本性问题，任何试图故步自封、以经验性渐进主义为借口来搪塞社会呼声的态度和策略都难以向历史交代，任何试图阻挡时代潮流的举动都是徒劳无益的。况且在权力和意识形态的上层建筑与市场经济基础不相配合而造成结构性腐败不断蔓延的客观条件下，正面的回应措施拖延得越久结局就会越糟，甚至导致积重难返、回天无力的大崩溃。

那么是不是因此就一定要采取休克疗法来摧毁既有的权力结构呢？回答是否定的，除非已经到了别无选择的地步。众所周知，"关系本位"社会的网络结构导致中国传统的规范秩序多元化（情·理·法），法律体系又缺乏有效的整合机制，不得不靠高度集中化的权力、官僚承包责任制以及强有力的意识形态来维持国家的统一性。因此，与现代宪政的"国家权力结构多元化（三权分立），法律规范体系一元化（宪法至上）"的制度设计相反，中国固有的制度设计表现出明显的"规范多元化（三法并行），权力一元化（皇权独断）"的特征。[32] 尽管经历了 20 世纪的社会革命，这样的制度设计原理并没有发生本质性变化。在现代中国，实际上关系网络的所有枢纽和场域都一直依赖于高度集中化的组织系统。在既不存在足以取而代之的强大政治势力，又缺乏市民自治的组织条件，也还没有建立起高度整合的法律共同体的状态下，遽然改弦更张甚至摧毁权力结构的做法必然要导致国家整体的震荡以及无穷无尽的灾难，其结局往往也是大崩溃以及

---

[32]　见季卫东："宪政的新范式"（《二十一世纪》2003 年 12 月号即将发表）。

各种次文化集团或者军事独裁者乘机出来填补权力真空的乱像。

一方面需要立即果断地推行深层次的、根本性的政治体制改革，另一方面又不能破字当头、偏激冒进，这是中国目前所面临的最大悖论。为了摆脱这样的两难困境，我认为需要按照组合最优化的思维方式对现有的客观条件和各种结构性因素进行重新定义和重新排序，在网络结构中最大限度地缩短功能要件之间的关系距离，使之达到最接近理想模式或者目标模式并且能发挥有关的预期功能的另一种组合形态。这样的制度设计是复合性的、多样化的，并且要求在实践中不断进行学习和自我调整，从而能够应对网络结构中各种不同的实际情形和需求，在关系网络的互动的复杂性和不确定性里把理论与实践结合起来，逐步改进对制度性组合方式的设计。

在今后中国的政治发展中，究竟应该怎样进行组合最优化的制度设计？对如此宏大的课题，这里只能提供一些初步意见和有助于今后共同探讨的重要线索。例如在引进合宪性审查制度方面，我曾经主张不妨以人民代表大会体制为前提，采取分两步走的方式，先设立直接对全国人大负责的宪政委员会，然后在使之演化成宪法法院。[33] 如果到此止步，那还是属于经验性渐进主义的范畴。换言之，在第一步的阶段如果仅仅由宪政委员会对与宪法有抵触的法律进行解释性修改，或者提请全国人大以成文的方式明确修改基本法律，那么就有些太迁就现行体制的弱点，未能达到组合最优化的要求。为此我又进一步提倡了不同于经验性渐进主义的如下制度设计：

先由宪政委员会做出基本性法律条款是否违宪的审查结论（新生的结构性因素，包含合宪性审查司法化的契机）；如果全国人大常委会对认定某一法律条款违宪的审查结论不主张提交全国人大复议，就可以立即生效，反之则留待下次全国人大讨论决定，无论结局如何宪政委员会都必须服从全国人大的判断（与现有体制相衔接）。为了方便全国人大行使在合宪性审查方面的最终判断权，可以明文规定：宪政委员会对法律是否违宪的提诉的审查结论应尽量在每年3月上旬全国人大开会之前或者在会议期间做出（操作技术上的组合最优化）。为了维护宪政委员会的权威，也应该明文规定：全国人大要否决合宪性审查的结论必须取得全体代表的三分之二以上多数的赞成，即与通过宪法修正案的加重多数表决的条件相同（决策程序上的组合最优化）。另外，为了预先防止提诉案件的爆炸性增加造成合宪性审查制度功能麻痹的危险，除了规定非常严格而细致的受理要件之外，在第一阶段似乎不妨首先只承认机关的提诉权（与建议权和要求权不

---

[33] 见季卫东："合宪性审查与司法权的强化"，载《中国社会科学》2002年第2期，页15～16。

同，是对现有制度的有限改良）；至于保障人权和公民基本权利方面审查程序的启动，则暂时由国家信访局来归口进行（对现有的结构性因素进行重新定义和重新组合），等等。[34]

在第二步的阶段，应该设立宪法法院，主要通过具体的基本权诉讼方式对违宪法律和法规进行审查，不断调整政治原则与技术性解释之间的关系以保证宪政体制的连贯性和协调性（新生的结构性因素，完成合宪性审查司法化的作业）。在这个过程中，司法权将得到明显强化，从而进一步促进审判独立原则的落实并有利于较快改善法官群体的素质（实质内容上的组合最优化）。只要能够真正提高审判机关的地位，充分保障其独立性和尊严，那么即使不对政治体制进行大张旗鼓的改造，权力结构也将逐步发生深刻的变化，司法权适当制约立法权和行政权的新格局就会自然形成（组合最优化的目标模式）。

引进合宪性审查制度对原来的权力结构、特别是人民代表大会体制没有直接的冲击，因此比较容易形成共识，也比较容易获得成功。这是中国政治改革的最佳突破口。在顺利实施这样的改造权力结构的举措之后（此处的先后关系主要是逻辑意义上的，就时间而言则有可能出现犬牙交错的情形），就可以根据社会发展的需求和现实条件，以群众参与的权利和行政答责的义务为基干对人民代表大会体制本身进行重构。在这里，组合最优化的近期目标模式是通过改宪程序尽早把全国人民代表大会和全国政治协商会议及其各级组织转化成主要对财政再分配的预算、拨款以及各种津贴进行实质性审议的公开论坛，即所谓"预算议会"。[35] 不言而喻，有意促成这样的特征决不意味着全国人大将削弱根据宪法规定而行使的立法权、决定权、任免权以及监督权，[36] 只是强调把以预算审议所

---

[34] 关于具体的制度安排，季卫东："再论合宪性审查——权力关系网的拓扑与制度变迁的博弈"，载《开放时代》2003 年第 5 期，第 5 部分有较详细的描述。

[35] 在这方面，日本的经验很值得借鉴。约翰·C·堪贝尔曾经指出，日本议会中实行的是"预算中心的政治"，主要决策均围绕财政再分配进行。详见他的专著《争取预算额度——日本式预算政治的研究》，小岛昭、佐藤和义译，东京塞马鲁出版社，1984。

[36] 恰恰相反，为了更有效地行使这些基本权力，全国人大还应该根据《宪法》第 57 条、第 67 条第（6）项和第（14）项、第（15）项、第（18）项的规定，加强全国人大常委会在外交和军事方面的监督权；为了落实《宪法》第 71 条规定，应该通过宪法修正案赋予全国人大常委会特定问题的调查委员会一项特权，使之有权进入国家任何机关直接获得必要资料，并承认该委员会的一般性行政调查权；要为行使《宪法》第 63 条所规定的全国人大罢免权以及《宪法》第 73 条所规定的全国人大及其常委会的质询权提供必要的配套性制度和操作程序；根据实际需要大幅度延长全国人大常委会的会议期间，对重要事项进行公开答辩和听证；适当增加常设性小委员会的数量；把全国人大常委会办公厅法制工作委员会改为人大常委会法制局以进一步加强代议机构的立法功能，等等。

谓突破口来切实改变所谓"议会不议"的现状。全国政协当然也要继续发挥其现有的功能。

把各级人大和政协改造成这样活泼而透明的"预算议会"，至少有如下几点长处。首先是可以使政治改革直接与经济改革相衔接，缓和对人民代表大会体制进行根本性重构时的各种冲击力。其次，有利于各种利益群体和政治势力在编制和审议单纯的财政预算的程序中学会妥协的技巧，逐步提高人民代表、政协委员从事政策竞争和参与政治决策的能力，避免民粹主义、"均富"、外交等容易情绪化的争点成为政治的基本对抗轴，造成民主政治夭折。再者，有利于在有效地加强民意代表对行政权的监控的同时，也加强政府独立面向社会承担行政问责义务和政治风险的能力。还有一个长处，这就是对全国预算案的实质性讨论会刺激地方政府以及各种社会势力对到中央的公共论坛进行讨价还价的兴趣，从而有助于在推动地方自治的同时保持中央的凝聚力（这当然也暗示中央政府必须掌握足够的财源以及有权批发相当大规模的补助资金）。何况在政治改革初期阶段，以预算为中心的议会有利于通过适当限制和逐步调节民主化的范围和速度的方式，保持经济发展所需要的社会稳定。最后一点是假如预算的审议结果真能直接牵涉不同利益集团，那么对于利益代表的重视程度就会迅速提高，在这种情况下势必要出现民主党派重新分化和组合的可能性——执政党作为"全民党"重新定位和容许适度的党外竞争必然要导致民主党派通过合纵连横或者自我调整的方式争取比原有社会基础更广泛的民意支持，随之而来的将是要求采取直接普选的方式推举民意代表的社会呼声一浪高过一浪。

"预算议会"的制度设计思路的基本特征是首先尽量让代议制的讨论范围侧重于那些在不同利益群体之间进行公平分配的租税和财政事务，而暂时对其他政治性问题（例如一党长期执政、防卫和亚洲安全保障体系、在国际经济摩擦中的让步幅度等）进行一定程度的非政治化的冷却处理——搁置争议，留待今后的适当时候去解决。换言之，这意味着执政党将要在经济方面切实保障公平竞争（自由原理）、公平分配（平等原理），并以此为前提条件与人民重新签订一个局部非政治化或者非对抗化（社会协调原理）的、利益民主主义式（社会保障原理）的社会契约。这样的社会契约的"标的物"是利益集团自由主义体制，[37]但由于局部非政治化的制度安排，结果在权力结构上将呈现出法团主义协调

---

〔37〕 这方面的论述汗牛充栋，最有代表性的是 E. Pendleton Herring, *Group Representation Before Congress* (Ann Arbor, Mich.：University Microfilms International, 1929) 以及 Robert A. Dahl, *Dilemmas of Pluralist Democracy* (New Haven：Yale University Press, 1982) 这两本书。

（corporatist intermediation）的外貌，[38] 并且兼有更廉洁有效的吏治以及法律之外的非正式交涉这样相反相成的两个侧面。根据经济发展所带来的财富按照算术级数增长，而人们的对分配的期待和消费欲望按照几何级数增长的法则，作为新社会契约当事人一方的政府不得不肩负更多的责任来填补期望值与现实可行性之间的鸿沟，为此必然要形成和强化孜孜于国际贸易顺差积累并千方百计在经济发展中扩大税收的理财型态势。

为了维持经济发展的速度和效益，政府需要采取有利于资本积累的企业倾斜政策；但为了维护统治的正当性，政府又需要通过充实福利保障制度来争取广大人民（尤其是低收入阶层）的支持——在这里，社会上的不同阶层和集团的分化是在所难免的，国家机关内部的政策争论也是在所难免的，因而需要利益磨合、意见竞赛的场所、规则以及代理人。因此，"预算议会"的制度安排不仅要改变全国人大和全国政协及其各级组织的工作重点，而且还必须改变工作方式以及成员的构成。

根据现有的结构性特征进行推论，似乎全国人大向协调中央和地方以及不同民族之间的利益关系方面演变的条件较充分，而全国政协向协调不同行业、阶层以及社会团体之间的利益关系方面演变的可能性更大，在这样的前提条件下，全国政协里进行的以职业为基本范畴的不同利益集团之间的讨价还价，特别是今后对企业家精英（商会）、政治精英、科教文精英与农林牧副渔从业者（农会）、雇佣劳动者（工会）等基层弱势群体之间关系的反复协调，或许比全国人大的讨论更容易变成对预算案进行公开辩论和实质性审议的主要内容。

在人大和政协分别转化成"预算议会"之后，执政党立即面临如何在新的制度框架下维持自己的权力基础、争取广泛的社会支持、当好人民利益代表这样的重大课题。为了有效影响议会决策过程，执政党当会首先设置税制和财政调查委员会及其他与代议制功能相对应的政策和法案的筹划机构或审议机构，在这个过程中，执政党势必自然而然地重新自我定位，不再按照阶级的范畴而是按照行业团体的范畴来扩大支持者的范围，逐步形成"全民党"的组织结构。已经淡化的执政党的教条主义色彩也将日益淡化，领袖和干部集团的作用则由于党员身

---

[38]　法团主义有不同的类型，但主要是指政府部门、企业、社会团体等不是通过市场竞争或者政治对抗，而是通过交涉和相互协调作出决定的习惯，而这样的决定方式也得到社会共识乃至国家制度上的支持。详见舒米塔、伦布鲁夫合编：《现代法团主义》I卷、II卷，山口定监译，东京木铎社，1984、1986。就政治理论而言，法团主义国家与利益集团自由主义体制或者多元民主制有着本质的不同，但在现实中可以看到它们的混合形态以及中间形态，也可以发现从法团主义政治秩序转变到多元主义秩序的可能性。

份认同的多样性、暧昧性而不断增大——在这个意义上，党内民主的改革将主要集中在信息分权、决策按照民主程序进行等方面，在人事以及组织运作方面很可能将采取集权化路线。但无论如何，包容性明显扩大之后的执政党本身，在加强与各种不同利益群体之间联系的同时，将会积极扮演各方协调者、仲裁者的角色。

以下是对组合最优化改革的一些思考。

第一、党员干部大举参加人民代表和政协委员的选举，从"当然的民意代表"变成"当选的民意代表"，确立与议会同在的党员干部相对于其他党干部的优越性地位。在已经落实的差额选举的基础上，促进竞选活动，并且要确保在同一选区里执政党能推举复数的候选人，[39] 在他们之间真正形成相互竞争的局面。此外，通过扩大直接选举的范围、明确候选人与选民的联系方式、容许设立临时性竞选辅助机构等具体的措施保障选举机制顺利运作。其前景是，基层党务工作者将主要由雇佣性职员来担任，在党内会出现分权化改革，在党外的宣传和竞选活动也越来越依赖公众传媒。不过值得注意的是，中国的执政党具有非常发达的基层组织网络，因此候选人自己拉选票的意义会相对下降。这样的特点固然有利于减少募集大量竞选资金和从事广泛贿选活动等政治腐败的机会，至少是有利于减少选举的制度成本，但却很可能妨碍党内竞争的活泼化。

第二、在进行上述改革之后，候选人的个性对当选结果的影响将会增大，未必能有效地诱发不同政策之间相互竞争，也未必足以通过党内派别活动来发挥类似多党制的民主功能。要真正激发党内竞争的民主化效果，还需要在适当时候采取另一项很简单但却影响深远的改革措施，即宣布党中央总书记（或党主席）在党内公开竞选和接受投票表决的裁判，容许党内不同势力在不违背基本党纲党章的前提下发表竞选演说、公布自己的政策性主张，按照适当的程序规则来竞选党首的位置。

第三、在党内竞争的基础上重新考虑党与议会和政府之间的关系。执政党中央委员会也应该有一半以上的委员由经过民主投票程序而当选为全国人大、全国政协及其各级地方组织的常务委员的党员干部来担任，以培养作为议会内政党的活动习惯。国务院的部长和国务委员不妨逐步改从全国人大、全国政协的常委成员中选任。通过这些改革措施，人们将会看到，无论是执政党还是行政机关，都

---

〔39〕 例如日本采取的是当选议员人数介于 3～5 名之间的中选举区制，导致优势政党为了保持多数席位而必须在同一选举推举复数的候选人。详见高钿通敏：《现代日本的选举与政党》，东京三一书房，1980。

将获得新的正当性基础，国家的政治生活将变得更加符合民主和法治的原则。就执政党的立场而言，这是一幅所谓"创造性保守主义"[40] 的发展远景；就广大人民的立场而言，这可以理解为一份根据情势变更原则而改写和重新签署的社会契约。

总之，从组合最优化的制度设计的观点来看今后中国的政治发展，以《立法法》第 90 条（特别是第 2 款）和第 91 条规定为杠杆推动对违宪法规乃至法律的"司法审查"、把现有的全国人大和全国政协改造成"预算议会"以及把正在实践的党内民主推进到"党内竞争"的程度就是其中最关键性的组件或者构成因素。

根据这样的安排，中国将会拥有一个按照宪法和法律而运作的政治竞技场或者公开的政策论坛，但不同诉求互相对抗的主轴是税收和财政方面的公平分配问题；竞争性一党领导体制既可以通过党内竞争增加权力结构的弹性和活力，又可以使不同政策、不同人物之间的竞争受到共同纲领和纪律的制约，更容易协调整合，还不得不在党外正当性竞争的压力之下不断强化体制的反思理性；由于政治框架具有稳定性和长期可预测性，行政系统所面临的政策变化的风险不大，可以专注于技术性问题的解决并保持计划理性的优势，但由于"预算议会"中利益集团的代表分别施加压力，行政答责义务将加重，并有利于提高吏治的效率；独立而强大的司法权以及合宪性审查的程序能够为这样的权力结构提供充分的正当性根据。

也许有人还会觉得上述政治改革方案不够彻底，但我认为，与其他激动人心的理论和计划相比较，这样一种"有限的宪政革命"的确具有更大的现实可行性，也更能在维护社会稳定的前提下推行具有本质性意义的深层改革，并为后续的制度创新提供最适当的操作平台。

五、作为多元格局调节器的法律制度

在自由主义体制下，价值的多元性得到承认乃至高度评价；因此，除了公共性事务之外，其余的决定皆须委诸私人自治。这就导致公法和私法之分以及国家权力的消极性（"守夜人国家"模式）和中立性（当事人对抗主义解纷模式）。但在利益集团自由主义体制下，价值的多元性演化成政治秩序的多元性，公法和私法的界限变得有些暧昧不清，议会游说活动助长了立法基于妥协的事态，市民

---

[40] 这里借用了篷培尔教授形容日本自民党政权本质的表述。见 T. J. Pempel, *Policy and Politics in Japan*; *Creative Conservatism* (Philadelphia: Temple University Press, 1982).

参与政治和政府干预经济的结果使得国家权力越来越具有既是协调者又是当事人的两面性。法团主义体制更进一步加强了利益集团的多元化政治中交涉、妥协以及调整的机制及其非正式性。目前的中国已经脱离了全能主义体制，但"关系本位"的传统却妨碍着个人自由主义精神的发育和普及，所以整个社会正徘徊在法团主义与利益集团主义的岔口上，何去何从还没有确定。但无论如何，在中国，个人之间以及不同利益集团之间讨价还价和协调的政治特征也已经浮现出来并且日益明朗化。

利益集团的活动是民主政治的前提条件之一，但如果缺乏节制也很有可能会损害民主政治的基础。据瑟欧多尔·洛伊的分析，对利益集团自由主义多元政治范式的批判不妨概括为以下几点：（1）在基于集团和交涉的体制下自我修正的信仰得以蔓延，因此竞争的契机遭到压抑，最终会导致自由主义变质；（2）集团之间的竞争倾向于调解而不是对抗，并且容易与行政权力相结合；（3）集团是一种必要恶，应该受到足够的限制；（4）把制定政策的权力交给那些具有直接利害关系的集团会破坏政治责任机制；（5）利益集团的事业往往具有形成和维持特权的倾向；（6）利益集团与保守主义密切联系在一起；（7）利益集团自由主义政治的最大弱点和最有破坏性的因素是非正式的讨价还价，使一切都还原于纯粹的互动过程——那是一种既没有实体，也没有程序的过程。[41]

为了克服上述缺陷，洛伊认为必须纠正对民主的错误认识，不能单纯强调群众参与决策，不能造成政府无力的状态，不能以功利主义标准来取代正义的话语而促成政府的堕落，不能以非正式的讨价还价来破坏民主程序，为此他提出了关于"依法的民主政治"的一整套改革方案，反对把非正式的讨价还价之类的自由上升到准则的高度，而仅仅把它们作为测量理想与现实之间距离的一种尺度。[42] 按照洛伊的观点，合理的行政虽然对于国家组织具有重大意义，也还是不能因此就不断扩大行政的功能；但在讨论限制行政功能的时候，重点是为政策的制订提供明确的标准和规范，而不是简单地削弱或转移其权限；政治决定的主导权不应该由基层利益集团控制，而有必要适当集中到权力结构的上层，但与此同时必须坚持三权分立、程序民主以及在此基础上确立的法治原理——这就是他所理解的依法的民主政治的基本宗旨。虽然洛伊讨论的是美国政治改革的课题，有关的文化背景以及社会发展的阶段、方向都与中国有根本性不同，但有关利益

〔41〕 根据瑟欧多尔·J·洛伊：《自由主义的终结——现代政府的问题》，村松岐夫监译，东京木铎社，1981，页 95～103 归纳。

〔42〕 同上，页 408 以下。

集团的讨价还价对决策的影响、非正式主义的缺陷以及按照法治原理重构公共哲学的基础的许多内容，还是与现阶段中国的政治改革的对象、条件以及思路等有着非常密切的联系，值得注意和借鉴。

中国的利益集团自由主义活动的最大特点是受到"关系本位"这一社会传统的磁场吸引，非正式的讨价还价更普遍，也更缺乏外部规范的制约，并且以建构持续性的特殊关系为目标，因此合理与合情的要求始终交织在一起，导致立法、行政以及司法等公共部门都很难完全按照法治原理进行"去人称化"的处理。即使在投资、贸易等营业中，我们也可以看到某种形态的复合性结构——经济交换与社会交换、商品资金的流动与关系网络的形成、功利性计算与信赖感培养等兼容并包的状况不断生长和重构；而在信赖关系的形成方面又表现出"作为目的的关系"与"作为手段的关系"这样的复合性结构，[43] 前者对后者发挥制约作用，而后者往往对前者产生逆功能——破坏关系固有的规范形成机制，造成网络结构的腐败堕落。在"作为目的的关系"与"作为手段的关系"之间游刃有余者可以成为网络结构中的枢纽，并在国家秩序之外树立起不同类型、不同规模的社会性权力。这样的社会性权力关系往往带有不透明性、实质性以及可变性，使整个国家的规范秩序总是表现为双重构成，要按照法治原理对这样的社会性权力关系网络进行重构是一种非常艰难而复杂的作业。

迄今为止，中国曾经反复借助强大的国家权力破坏社会权力关系网络或者对它进行改组，并且在一定时期内、一定程度上成功地建构了以国家权力为依托的普遍性信任系统，用以替代传统的以社区和人际关系为依托的特殊性信任系统。例如在社会主义计划经济体制下，以权力和关系为两轮的机制被破坏，唯有国家权力成为秩序形成的引擎，人际关系的影响被大大削弱。但是，中国一直未能建构出以法治原则为依托的信任系统。就在这样的状况下，市场化改革导致了国家权力的撤退以及过去那套依托于它的社会主义普遍性信任系统开始分崩离析，于

---

[43]　按照黄光国提供的分析框架，在中国，关系可以分为三种基本类型，即"情感性关系"、"工具性关系"以及"混合性关系"，但作为原型的是两种，与本文所说的"作为目的的关系"和"作为手段的关系"的分类相对应。参阅黄光国编著：《中国人的权力游戏》，台北巨流图书公司，1988，页12~19。

是按照法治原则树立信任系统的任务被提上政治的议事日程,[44] 但以国家权力为依托的信任系统的现实作用以及集体记忆却不断干涉法治化的进程。在新旧交替的空挡之中，人们还各自为阵、匆匆忙忙地试图在传统的社区和人际关系的废墟之上恢复和强化特殊性信任系统，以弥补国家权力撤退和收缩所遗留下来的空隙，然而也还没有获得充分的预期效果。正是以这样复杂的新陈代谢过程为背景，中国在现阶段碰到了严重的信任危机。

既然在中国已经存在权力本位的信任系统（虽然它的担保作用正在不断下降）和关系本位的信任系统（虽然它的担保作用不能完全恢复），而一直缺乏法律本位的信任系统，那么通过政治体制的改革确立法治性信任系统就是顺理成章的。虽然关系性信任系统也可以在相当程度上适应利益集团政治的需要，但却很容易导致和加重洛伊所指责的那些与非正式讨价还价有关的病理现象——难以做出合乎大多人长远利益的真正的公共选择、缺乏现代社会所要求的那种不失灵活的计划理性，招致政府的无能和腐败堕落，出现小圈子私利以及操作性投票行为引起正义观和民主程序变质的事态，议会受辩论式的政治学说支配而缺乏具有真知灼见的批判理论，等等。[45] 只有法治性信赖系统才能弥补上述缺陷并且有条件对利益集团自由主义体制乃至法团主义体制进行组合最优化的改造，使之接近建立在程序的基础之上的民主法治国这样的新宪政主义目标模式。

在人际关系非常稠密、社会结构的网络化程度非常高的中国，要完全否定非正式的讨价还价等互动过程是脱离实际的幻想，从社会学理论的角度来看也没有这样的必要。但是，应该把各种小集团之间的交涉和妥协限定在适当的范围、适当的程度之内，而不能让非正式讨价还价成为制度化的基本装置，不能把特殊性互惠关系本身当成一般规范。为此，必须借助法治原理以及相应的制度框架，特别是借助合乎正义、合乎理性的法律程序来对关系网络中的互动进行限制和诱导。根据法治原理来重构"关系本位"社会中的通过交涉形成秩序的机制，需要两个方面的作业：一个方面是通过程序规则把非正式的讨价还价纳入正式的公共选择过程中并加以适当的排序和整合，另一个方面是通过法言法语对私人性的妥协、合意、共识进行解释技术上的加工，使之具有可比性和可沟通性，从而把

---

[44]　从 1996 年起中国开始公开接受"法治"概念，并在 1999 年宪法修正案中增加了把建设社会主义法治国家作为基本纲领的相关内容。另外，经济学界对法治的呼声也日渐高涨，最有代表性的论述可以举出钱颖一："市场与法治"，载《经济社会体制比较》2000 年第 3 期和"政府与法治"，载《比较》第 5 辑，2003。另外，关于法治与信任的关系，参阅张维迎：《信息、信任与法律》（前引）页 22 以下以及第 2 章"法律制度的信誉基础"。

[45]　参阅洛伊：《自由主义的终结》，（前引）页 408 以下。

具体的契约性关系转化成抽象的社会契约性关系。在这里，法律规范以及有关制度构件主要表现为互动的媒介、对讨价还价的适当性进行衡量的尺度工具。

民主政治的真谛是在多元格局和利益磨合之中进行合理的公共选择、形成统一的国家意志并使有关决策能达到有效的执行。按照这样的认识来探索中国权力结构改造的基本思路，本文提出了以司法审查、预算议会以及党内竞争为三部曲的组合最优化设计，实际上都牵扯到立法过程，即怎样把民意以法律化、制度化的方式适当表达出来并反过来限制个人行为的问题。在这方面，尤根·哈贝马斯进行过非常精辟的论述。他说：

> 立法过程是一个由各种理解过程和谈判实践所构成的复杂网络中实现的。在这里，实用的商谈与法律的商谈——在我们的过程模型中它们构成了起点和终点——最好被理解成一件有关专家的事情。如果我们不考虑对这种信息的输入和加工的组织的话，同议会商议的合理性质有关的，首先是对利益的公平平衡，伦理的自我理解，以及对规则的道德论证。除了面对具体任务我们能够做什么这个实用的问题之外，政治的意见形成和意志形成过程首先必须澄清三个问题：彼此竞争的各种偏好如何才可能协调起来，这是一个对达成妥协具有根本意义的问题；我们是谁、我们真切地希望成为谁，这是一个伦理—政治问题；我们应当如何正义地行动，这是一个道德—实践的问题。
>
> 在利益平衡的谈判中，能够形成的是聚合的总体意志 [aggregierter Gesamtwille]；在有关意义的自我理解商谈中，能够形成的是本真的总体意志 [authentischer Gesamtwille]；在道德的论证商谈和运用商谈中，形成的是一个自主的总体意志 [autonomer Gesamtwille]。在这些谈判和商谈中，影响结果的理由是各不相同的。与此相应的是各种不同的交往形式，论辩就是通过这些形式而进行的。初看之下，所有这些交往形式都表现相似的——也就是平等的——表面结构。只有一种分化的观察才能确认出深层的结构，这种结构要求在不同情况下满足不同条件。表现这种结构的，是各种交往形式对于理解代议制度、一般地说对于议会和舆论的关系所具有的种种结果。[46]

---

[46] 引自哈贝马斯：《在事实与规范之间——关于法律和民主法治国的商谈理论》，童世骏译，北京三联书店，2003，页 219～220。另外需要注明：引文中的黑体字是原有的。

在这里，我们可以非常清晰地观察到以法律制度作为调节器的多元互动过程，某项利益诉求首先作为关系网络中非正式讨价还价的对象而出现，经过人称化协调（具体人格的合意）、泛人称化协调（集体人格的共识）以及去人称化协调（公共人格的正义）等不同阶段的沟通和交涉，最后被编织到正式的制度之中；协调的过程是平面性、循环性的，而协调的结果却存在不同的层次和维度，并且在某种程度上把"经验性身体"和"超越性身体"、"关系性信任"和"权力性信任"结合在一起了。其中对不同偏好的可操作性协调可以通过多党竞争的方式进行，也不妨通过竞争性一党领导制来进行，可以通过执掌主权的议会来进行，也不妨通过"预算议会"之类政治化程度较低、技术官僚和专家色彩较浓的论坛来进行；按照道德规范和正义原则对这些协调结果进行加工、整合以及正当化的是卓然独立的司法机构所从事的合宪性审查、案件处理以及各种推理和解释的活动，政治意志只有在通过有关的各种程序而超越了非正式讨价还价之后才能获得必要的公信力和权威性。

解放、发展与法律：走向后现代的现代性[*]

於兴中

一、引言

人的解放（Emancipation）和社会的发展（Development）是欧洲近现代史上的两个主题。这两个主题在一系列轰轰烈烈的革命和变革中，逐渐地在西方社会得到不同程度的实现，而法律则在整个过程中发挥了至关重要的作用。几个世纪以来，这两个主题在西方强势文化的推动下成为世界范围内现代化的主要内容。然而，非西方国家对解放与发展这两个问题所采取的态度并非十分坚定，而法律在其间发挥的作用也不是非常明显。在进入后现代的今天，非西方国家已经不可能进入西方曾经经历过的所谓现代。因为那些曾经在西方现代化过程中起过重要作用的因素，诸如对宗教的反叛、对法律的崇拜、对理性的信赖和对国家的希望等等都已经失去了往日的魅力。就象我们今天可以拥有摩天大楼，但却不一定能建立起现代城市一样，我们可以拥有密如凝脂的法律，却很难建立起现代法治。因为法治的信念已经动摇，产生法治的氛围已不复存在；一如上帝已死，我们再也不会有中世纪人的那种虔诚。思之，令人不免有空余黄鹤楼的感慨。发展中国家所能采取的比较现实而有益的态度或许应该是立足于自身文化和社会的现实、全面审视人生的意义和人的价值，审视自身文化的价值，并努力探讨适合人的秉性全面发展的社会制度安排，探讨宗教、道德、法律等规范系统在人寻求理想社

---

* 本文编入本书时有删节——编者

会的活动中所能发挥的综合性作用。本文除引言外包括三个部分，分别讨论欧洲近现代史上的解放与发展，解放与发展主题的全球化及中国的具体情况。

二、欧洲近代史上的两个主题：解放与发展

回顾历史，我们不难发现，西方近代史上呈现出两个突出的主题：个人解放和社会发展。个人的解放意味着摆脱一切羁绊，走向自由、自主、自决。社会的发展意味着集体财富的积累、生活水平的提高和民族国家的强大。这两个主题之间的矛盾和紧张成为人类近代史发展的动力。

解放的主题早见于西方历史。当年摩西带领犹太人出埃及就是一次规模浩大的解放运动。解放一词最早见于罗马法，意指还儿童自由，后用以指犹太人在全球范围的解放。英国人对天主教徒的解放（即允许他们在英国社会中任职），[1]俄国沙皇亚历山大二世对农奴的解放，美国总统林肯的解放黑奴等等都是世界史上著名的解放运动。该词大约在 16 世纪初开始在一些著名作家的作品中出现。在解放的理论上最有建树的经典作家是马克思。他的哲学被称为"解放的哲学"。[2] 在他的手中，解放才真正成为一个与个人有关的普世的概念。

个人的解放最初的阻力是自然。人对于自然的变幻莫测和随之而来的祸患存有深深的恐惧感，希望从自然的羁绊中获得自由，期望有一种力量能驾驭自然而使得人类的生活风调雨顺、平平安安。人设想在神的怀抱里能找到这种自由，于是便投靠宗教。一旦进入神的世界，人很快就发现神的世界并非理想的安身之所。神的世界非但没有给人以自由，反倒使强加于人的桎梏更深。文艺复兴以后新的世界观、政治理想及科学精神的出现使人将寻求解放的目光投向人世间的文明秩序，希望在以理性为基础的政治秩序中获得自由、平等和正义。很快人又意识到人为的政治秩序同样有其可怕的束缚自由的内容和方法。人同时认识到，文化传统、历史、风俗习惯、性别歧视等同样可以成为使人不自由的因素。于是便产生了文化的解放、传统的解放以及性别角色意识的解放等等。这一切最终导致现代社会中人的权利意识的高涨。人的解放的诸多追求最终表现为对于人的基本权利的追求。人权问题成为人的自由的首要问题。一个政治社会能否保障其公民的人权乃成为衡量其社会进步与否的一个重要标志。

而发展的主题却是在近代才突现其重要性。"发展"一词最初用于自然科

---

〔1〕 见 Catholic Emancipation Act of 1829.

〔2〕 见 Wolfdietrich Schmied – Kowarzik，"Karl Marx as a Philosopher of Human Emancipation," in Poznan Studies in the Philosophy of the Sciences and the Humanities, Vol. 60, pp. 355 – 368.

学，后被用来指社会发展、经济发展，甚至人的发展，它在 20 世纪 50 年代后成为一个家喻户晓的名词。本文所谈的发展主要是就经济而言。历史学家告诉我们，人类社会经历了畜牧社会、农业社会、工业社会、商业社会以及现在所谓的信息社会等形态。各种形态之间存在着逐渐演化和发展的联系。但各国、各民族的发展水平并不一样。英国的工业革命是最早也是最具有深远历史意义的发展实例。继英国之后，欧洲列强效法英国，努力发展各自的经济。工业革命及其带来的文化交流和全球贸易为后发展国家提供了经济发展的可能性，使得经济发展成为近代历史上的另一个主题。[3]

解放的主题催生了人权的概念和体系，而发展的主题最终导致了资本主义。两者都和法律结下了不解之缘。然而，个人解放与社会经济发展之间却存在着难以调和的矛盾。有时，为了发展经济，有必要限制个人自由；而个人解放的最极端形式，即革命，往往破坏经济的发展。当代社会中，个人解放的追求不再以革命的剧烈形式表现出来，但个人解放与经济发展的矛盾并没有消失，而是以比较缓和的形式，即以提倡和保障人权与发展经济之间的矛盾的形式表现出来。解放和发展对法律的需要极大地推动了法律的发展，并同时锤炼了人的理性——功利性、逻辑性和规则性，使已经系统化了的法律更上一层楼，发展为法律文明秩序，即人们通常所说的法治社会。

这样，便形成了解放、发展、法律三位一体的现代社会格局。法律为前两者提供保障；解放与发展则在法律的框架内得以实现。这样就避免暴力革命和冲突的可能性，使解放与发展都成为文明的追求。所谓现代性在社会框架上的表现莫过于此。

三、欧洲问题走向世界：现代化与后现代

西方的社会框架，无论宗教型的还是法律型的，都具有向外扩张的特点。宗教型的社会以传播福音为正当理由，向外延伸；而法律型的社会的扩张口号则是著名的私有财产神圣不可侵犯论：在一片未开垦的土地上（象征性的或者真实的），加上个人的劳动，这片土地就变成了个人的财产。在这一著名论断的指引下，西方人毫不内疚地踏上了探险、占有、掠夺的道路。这一口号最辉煌的也是最令人难忘的成就便是殖民主义。殖民者们把对人的占有和对土地的占有结合起来，在他们足迹到过的地方，不遗余力地推广他们的文化价值和信仰。但不幸的

---

〔3〕 关于发展问题的一般论述，请参阅 Susanne Schech and Jane Haggis, ed., *DEVELOPMENT: A Cultural Studies Reader* (Boston: Blackwell Publishing, 2002)。

是，解放和发展这两个主题，并未成为他们在殖民地奉行的政策。相反，他们对此极尽反对之能事，因为解放与发展始终是殖民地人民的诉求。非殖民化以后，这种诉求开始变成现实。殖民主义者们感到对前殖民地的社会建设负有一种道德责任，在解构殖民统治的过程中，把解放和发展这双重主题摆上了日程，使其成为后殖民地时代民族国家重建的主要关注。

与此同时，一些并非殖民地的发展中国家也开始情愿或不情愿地拥抱了所谓现代化的主题。但这种拥抱并非因为殖民主义者道德责任的作用，而是出于寻求社会进步的需要而对一种强势文化的认同。近现代西方文化，即建立在犹太—基督教、希腊罗马文化传统之上的法律—宗教型文化，及其孕育出来的物质文明，通过一系列的文明和不文明的手段取得了世界文化的统治地位，形成了一种不可抗拒的强势文化，引领风骚达二三百年。

在强势文化形成和发展的过程中产生了无数优秀的知识分子，包括思想家、哲学家、文化人、法律学家等等。他们把在强势文化中存在的文化价值看作是一种普遍的可以放之四海而皆准的文化价值，推广起来不遗余力。有时为推广这种文化价值所采取的手段非常不文明，甚至很残暴，有时又是极友好善意的。[4]

强势文化把本来属于欧洲的问题即解放与发展推向了全世界，使非西方国家不同程度地、自愿或不自愿地接受了它们。这两个主题在非西方国家民族文化的抵触声中逐渐地走向了全世界，欧洲问题便成了全世界的问题。提倡人权（解放）、推动发展、鼓吹法治便成为全球关注的重要课题。

法律与人权

法律与权利本就语出同源。Ius，Droit，及 Recht 等词既有法律的含义又有权利的含义，用法律保障人权乃是天经地义的事。[5] 世界历史上有过两次大的人权运动。第一次即 17、18 世纪的自然法和自然权利运动，主要是欧洲范围内的解放运动。第二次人权运动的兴起是在二战以后。纳粹德国的残酷暴行促使人类在战后严肃、认真地去重新面对人的尊严和价值问题。法律实证主义者被指控为替法西斯的暴行提供合法依据的政治法律说教，从而经历了脱胎换骨的蜕变过

---

〔4〕 比如美国从本世纪初开始就一直在向别的国家输出它的法治、民主等等一系列价值。美国政府的对
外援助包括经济、政治、法律以及文化等各个方面。二战以后，美国政府向外扩张并对其他国家进
行援助的规模越来越大。到 1980 年代以后，由于世界政治格局的变化，美国对外援助又有了新的
发展。托马斯·卡路瑟所著《援助海外民主》一书对美国政府的对外援助做出了详尽的分析。

〔5〕 参阅梁治平：《法辨》，贵州人民出版社，1992。

程，然后以新的面目重新出现。然而其影响已远远不如二战以前。与此同时，自然法的理论正以各种形式开始复兴。这包括神学的自然法、古典自然法以及新自然法思想复兴。自然法的复兴使人权问题重见天日，复兴后的人权运动不再热衷于关于人权来源的讨论，也不局限于生命、自由、追求幸福等几种原始人权范畴的研究。它开始以审慎而现实的态度，以无限广阔的包容性把目光投注于人权的保障、人权的普遍化等现实可行的内容上。《联合国宪章》及《世界人权宣言》等一系列章程、宣言、公约无不体现了复兴后的人权运动着力于人权的保障、实施和普遍化这一特点。接踵而至的各种区域性的人权公约、条约的出现，以及人权内容在国际法领域中的发展使人权的保障获得了较大程度的可能性，而世界范围内各种人权组织的成立也为促进人权运动发挥了极其主要的作用。法律在这里几乎成为惟一可以依赖的手段。没有法律的支撑，那些宪章公约之类只能是纸上谈兵。

法律与发展

与此同时，发达国家的谋士们也开始为第三世界的法律和发展问题出谋划策。20 世纪五六十年代颇有抱负但寿命短暂的法律与发展运动则是一个发展主题走向世界的例子。[6] 法律与发展运动的理论资源主要来自马克斯·韦伯。[7] 韦伯相信，法律制度及司法方面的变化能促进发展，甚至是发展的前提。20 世纪后半叶有关法律与发展的项目基本上都属于韦伯的模式。法学家们试图建立理性的法律框架来促进发展。他们认为可以通过社会科学的方法确认一系列可以促进发展的普通法律规则来运用在发展中国家的具体实践中。联合国一些主要西方国家的政府及国际金融组织如世界银行深信，通过推行法治，可以在发展中国家

---

〔6〕 请参阅 David M. Trubek, "Toward a Social Theory of Law: An Essay on the Study of Law and Development", 82 *Yale L. J.* 1 (1972); David M. Trubek, "Back to the Future: The Short, Happy Life of the Law and Society Movement", 18 *Fla. St. U. L. Rev.* 4 (1990); 及 Amy L. Chua, "Markets, Democracy, and Ethnicity: Toward a New Paradigm for Law and Development", 108 *Yale L. J.* 1, 6 - 8 (1998); David M. Trubek & Marc Galanter, "Scholars in Self - Estrangement: Some Reflections on the Crisis in Law and Development Studies in the United States", 1974 *Wis. L. Rev.* 1062 (1975).

〔7〕 参阅 Max Weber, *Law in Economy and Society*, pp. 349 - 56 (Max Rheinstein ed., Edward Shils & Max Rheinstein trans., 1954) 并请参阅 IMF et al., A Study of the Soviet Economy vol. 2 ch. IV. 7 (1991).

建立和巩固民主政治，建立市场经济，或促进向市场经济的转化。[8] 令人遗憾的是，法律与发展的项目大都以失败告终，即使在某些地方发挥过作用，其作用也不是十分重要。[9] 而世界局势的变化，尤其是冷战的结束，才真正给建立法治社会、实行民主、落实市场经济等带来了新的契机。在运用韦伯的模式时，专家们主要采取的是从上往下依靠政府进行改革的做法。这种做法已经被认为行之无效。[10] 世界银行调整策略之后提出了对待发展问题的十四点新的要求。这十四点具体要求是：（1）好的廉洁的政府；（2）有效的法律和司法制度；（3）有良好组织和监督的财经系统；（4）社会安排纲领和社会项目；（5）教育和知识机构；（6）健康和人口问题；（7）供水与管道系统；（8）能源；（9）道路、运输与通讯；（10）可持续发展、环境和文化问题；（11）农村发展策略；（12）城市发展策略；（13）私有领域策略；（14）各国特殊情况。世界银行的上述要求或许不无道理，但却仍不免韦伯的阴影，仍然是一种从上往下的做法。[11] 五十多年的经验表明，韦伯的模式并未成功。[12]

传统的发展模式之所以失败的原因可能是多方面的，但比较突出的显然有三：其一是本土文化对欧洲文化的抵触，由于历史的原因，大多数发展中国家对于西方模式在感情上具有抵触的情绪，在考虑是否贯彻西方人提出的发展模式和策略时，并不是毫无保留地全盘接受，不遗余力地贯彻，而是抱着一种半信半疑

---

〔8〕 世界银行有关系统法律改革的研究基本上采取该模式。参阅世界银行，World Development Report 1990: Poverty at http: //www. netlibrary . com/ebook < uscore > info. asp? product < uscore > id = 33155; Discussion Draft from James D. Wolfensohn, World Bank President, to the Board, Management, and Staff of the World Bank Group, Proposal for a Comprehensive Development Framework 10 – 20（Jan. 21, 1999），见 http: //www. worldbank. org/cdf/cdf. pdf（memorandum from Wolfensohn, World Bank Group President, to the Board, Management, and Staff of the World Bank Group cataloging desired attributes）.

〔9〕 见 Lan Coa, "Law and Economic Development: A New Beginning?", 32 *Tex. Int'l L. J.* 545, 557 (1997)〔对 Law and Development（Anthony Carty ed., 1992）一书的评论〕。

〔10〕 见 Steven D. Jamar, "A Lawyering Approach to Law and Development", 27 *N. C. J. Int'l L. & Com. Reg.* 31（Fall, 2001）。

〔11〕 见前注4。

〔12〕 见前注8。事实上世界银行的一些项目不但没有成功，反倒使第三世界国家债台高筑。参阅 Doug Cassel, Third World Debt: Time for a Jubilee?, Northwestern University School of Law, Center for International Human Rights, Worldview Commentary No. 41, at http: //www. law. nwu. edu/depts/clinic/ihr/ hrcomments/1999/ aug25 – 99. html（Aug. 25, 1999）; Noam Chomsky, The Capitalist "Principle' and the Third World Debt, at http: //jinx. sistm. unsw. edu. au/ < diff > greenlft/ 2000/406/406p17. htm（May 24, 2000）。

的态度，尝试性地予以实践，加之国内政治因素、文化经济等条件的限制，使传统发展模式失败的可能性大大地增加了；其二是解放与发展即提倡人权与经济活动之间的紧张与矛盾。并不是所有的西方人都注重发展中国家的人权，当一些对人权比较敏感的人士大力提倡发展中国家的人权时，另有一些人，诸如商人，看重的却是赚钱的机会，提倡人权和以盈利为目的的经济活动之间的经典矛盾便再次显露出来。这种矛盾不仅是西方人之间的矛盾，也是发展中国家对这两个主题持不同看法的人之间的矛盾。而这对矛盾往往也上升为人权与主权之间的矛盾，生存权与政治权利之间的矛盾，个人权利和集体利益之间的矛盾。其三，传统的人权保护和发展模式过分地依赖国家在整个过程中的作用，因而造成了有效保护和有效发展难以落实的困境。就人权而论，国家既可以是保护者，也可能是违反者。从大赦国际的一些资料来看，几乎所有的国家都存在不同程度的侵犯本国人民的人权的实践。[13] 就发展而论，国家的广泛参与过多地承担了个人和社区的责任，结果是既培养了个人和社区对政府的依赖性也扼杀了他们的创造力。然而，这还不是最困难的问题。最困难的是这一对属于现代的矛盾以及它的守护神——法律——必须要面对后现代的浪潮。当然，这仍然是一出悲喜剧。因为后现代毕竟是现代的延续，而不是断裂。这和文艺复兴前后的情形大不相同。

面对后现代

西方人对自己文化的反思批判能力是十分惊人的。西方文化在雄厚的宗教文明传统上突然在文艺复兴时期断裂，产生了现代的理性法律型社会，早已令人感到惊讶，而目前我们正在经历着的从现代走向后现代的历程也是颇能令人瞠目的。启蒙运动以来的理性的人，到了今天，已经被牢牢地拴在自己创作的理性成果上不能自救，而且固步自封。现代社会所带来的精神异化和和制度异化使现代人变得毫无情趣，使人性变得格外单薄。[14] 后启蒙学者们对现代性的反思和对理性的批判最终迎来了一个历史的新纪元，后现代主义者们重新举起解放的大旗，酝酿了一场新的革命：寻求从理性中的解放。

后现代的特性之一是它的批判性，这种批判遍及西方社会文化的各个角落。从对资本主义的批判到对法律的批判，从对现代性给人类带来的种种灾难的批判到对理性本身的批判，后现代主义者们对现代社会解放与发展的这两个主题打上了很大的问号，彻底动摇了启蒙运动以来的科学主义、客观主义和理性主义的理

---

〔13〕 例见 http：//web. amnesty. org/report2003/usa – summary – eng。

〔14〕 参见 Gerard Delany, *Modernity and Postmodernity*，（London：Sage Publications，2000）。

想，使得发展和解放的事业更加艰难。所幸的是，后现代主义者们并没有否定解放和发展的事业。[15] 他们只是要以一种新的态度来对待这一对现代的财产。这种态度集中表现为对国家在解放和发展运动中的主体资格的怀疑，对韦伯式的传统发展模式的不信任和对法律制度的作用的怀疑上。

　　而作为现代历史的主题进入后现代的解放与发展也因此而适时顺变，换上了新的面貌。发展和解放两者之间的紧张在一定程度上得到了缓解，呈现出携手并进的势态。一种把两者结合起来的模式应运而生，这就是所谓的"发展权"的诞生。[16]

发展权

　　发展权是一种以解放的手段来促进发展的尝试，它试图把倡导人权和发展经济冶为一炉，使这两个主题在面对后现代危机的时刻得以存续。发展一旦成为一种人权，它便是天经地义的举动，这种结合试图消解解放与发展之间的紧张，同时把两者提高到一种新的高度，从容地面对后现代社会和全球化的挑战。发展权的思想在 1945 年的联合国宪章里已见端倪。1969 年的《社会进步与发展宣言》则充分强调了发展原则、发展目标及发展手段等方面的要义。尽管人们对发展权的主体是个人还是国家、发展的内容主要是人的发展还是社会的发展、发展重点是经济还是政治等一系列问题尚存有歧见，但发展作为一种权利的观念已为人们广泛接受，并且日益深入人心。联合国 1986 年的《发展权利宣言》采取了综合宽容的立场，把发展权规定为民族和个人均可享有的人权，内容涉及公民、政治、经济、社会及文化等方面。1993 年的《维也纳行动纲领》全面肯定了发展权的人权性质。

以权利为基础的发展观

　　20 世纪 90 年代以后，解放与发展的主题发生了非常深刻的变化，这种变化把人权和发展统一起来。阿玛蒂亚·森提出的为拓展自由而发展的观点正是对这种结合的理论概括。[17] 由于发展权观念的产生，使得人们开始把人权和发展联系起来思考，发现人权和发展并不矛盾，人权的进步和社会的发展可以相辅相

---

〔15〕　参阅 Jan Nederveen Pieterse ed., *Emancipations*, *Modern and Postmodern* (London：Sage Publications Ltd, 1992)。

〔16〕　见联合国大会《关于发展权的决议》(1979)；及《发展权利宣言》(1986)。

〔17〕　参阅阿玛蒂亚·森：《以自由看待发展》，中国人民大学出版社，2002。

成。人权意味着提升人们的生活品质，而发展也旨在提高人的生活水平，两者其实是可以兼顾的。传统上，经济学家、社会学家和学者们偏重于社会的发展，而法律人、哲学家和政治活动家则更倾向于人权。两个阵营之间存在着一定的分歧：前者指责人权的倡导者太过于理想化，而后者则认为前者只注重行为而不注重长远目标。1990 年代以后，人权学说和发展理论得以结合，产生了所谓"以人权为基础的发展观"，一场新的解放与发展运动正在世界各地蓬勃兴起。

"以人权为基础的发展观"虽然是 20 世纪 90 年代兴起的思潮，但与此相类似的思想早已存在于联合国的一系列文件中。它的核心思想是以人权准则作为发展的指导原则和制定发展计划的指导。这个思潮尚处于发展之中，还未形成一套完整的理论，亦未产生出普遍认同的模式。但这种思潮已经在环境保护、可持续发展、性别研究、儿童发展和保护方面初见成效。各国都有不同类型和领域的实践报告。[18]

以权利为基础的发展观将公民权利、文化权利、经济权利及社会权利等看作不可分割、相互依存且相互关联的权利。这些权利在发展的框架中应该体现在健康、教育、居住、司法、个人安全及政治参与等方面。它同时亦强调应该明确权责及其持有人，以确保权利的持有及责任的承担各有其主、泾渭分明，要求国家提供落实权利的制度及政策保障。它也鼓励较高程度的参与，社区、公民社会、社团、少数民族、原居民的广泛参与。他尤其注重对弱势群体的权利和发展的关照，重视对囚犯、少数民族、移民及各种被边缘化了的团体的利益的实现。

这种发展观明显地带有后现代的色彩。国家作为发展的主导力量沦为责任的承担者，而以往被忽视了的力量，民众的力量，则成为发展的主体和动力。这种发展观显然带有非常大的进步意义，但不幸的是有一种趋势试图将这种发展观局限在联合国所制定的《国际人权公约》的范围内，也就是三十多种权利的范围内。UNDP 在它的发展报告中所表现出的正是这种思想。须知人的发展的可能性是无限的，而国际人权公约所认可提倡的范围却是极有限的。人的发展不仅仅是人的权利的发展，而且还在于人的心性和灵性的发展，情感的发展等等。

这样一来，解放与发展这两个现代的主题在进入后现代社会后便采取后现代的方式刷新它们的历史。对国家的依靠被代之以对群众团体的支持，单一的从上

---

[18] Lisa Fredriksson, "Swedish Experiences of the Human rights – Based Approach", 见 http：//www. dse. de/ef/human_ rights/fredriksson. htm; Anne Hellum, "Towards a Human Rights – Based Development Approach: The Case of Women in the Water Reform Process in Zimbabwe", 见 http：//elj. warwick. ac. uk/global/issue/2001 – 1/hellum. html

往下的发展模式正在被从下往上的多元发展模式所代替，而对人权的维护也从依赖国家政府转向依靠个人和非政府组织。凡此种种，为解放与发展的主题提供了再生的机会，也提出了新的要求。

四、解放、发展与中国

历史与现状

古代中国有着非常悠久的历史文化传统，但解放和发展并未成为它的主题。传统中国的政治哲学和社会制度的最大特点是一种道德全能主义。法律和宗教在其间所占的地位远比道德逊色，两者都在不同程度上被予以道德化了。[19] 道德是人的心性的反映，法律是人的智性的反映，而宗教则是人灵性的反映。发达的道德文化为心性的发展提供了先机，法律的道德化使人的智性深受道德伦理的束缚，宗教的道德化使人的灵性的发展受到局限。是故，中国人的心性发达，而智性和灵性相对较弱。心性的语言是诗，智性的语言是逻辑和法律，灵性的语言是音乐。对中国古典诗歌有相当修养的人是绝不会认为莎士比亚有何等了得，而中国的音乐和西方的音乐则不可同日而语。心性的满足是情义，智性的追求是功利，而灵性的追求则是超越。心性的认知方式是直觉，智性的认知方式是推理，灵性的认知方式是顿悟。心性追求和谐，智性追求自由，而灵性则追求拯救。

建立在心性基础上的道德全能主义始终不需要面对解放和发展的问题，因为这两者都是以智性为基础的。只有在人的智性得到充分发挥的时候，才有可能产生解放和发展的理想。除此之外，解放和发展之所以均未成为中国古代文化关注的对象，还有一些其他的原因。首先，古代中国的政治哲学主要讲的是"治道"，关注的是统治与服从的秩序问题，极少顾及统治与服从之外的事情。其次，中国传统文化趋向于守旧，不注重创新和发展，这一点从历代刑法志和法典的微小变化便可略见一斑。再次，由于中国古代历朝的分分合合，汉人统治时，需要提防异族入侵，异族统治时，需要提防汉人的颠覆，因而限制了古人的政治眼光，所以会鼓励修身齐家治国平天下，但却不会想起解放、发展、民主、人权来。还有，古代中国没有一种普世的宗教和强大的教会和历代王朝分庭抗礼，充当人民的另一种保护伞，从皇帝手中争夺民众，成为其信徒，因此也就不会产生

---

[19]　关于中国法律的道德化请参阅梁治平：《寻求自然秩序中的和谐》，中国政法大学出版社，2002 及《法辨—中国法的过去、现在与未来》，贵州人民出版社，1992。关于中国宗教的道德化我尚未看到详细的论述。

解放的概念。

19 世纪以来，中国开始面对西方列强，才认识到了自己的落后。发展和解放的问题成为当务之急。清末以来，一系列改革和革命运动中的各种努力都与这两个问题有关，但对两者的侧重则有所不同。

就发展而言，清末以后，中国人做过很多次尝试，发展民族工业，市场经济，及现代化的经济制度，比如以法律的手段规定产权的归属，以法律的手段建立商品生产交换体制等等。不幸的是，这种努力在抵御外敌和内部争斗中大起大落，未能产生明显的效果。1949 年后，发展的主题被套上了政治激进主义的辔头，走过了一段备受束缚的路程，但也取得了一定的成就。1979 年以后，发展的主题以经济改革的面貌活跃于神州大地，在不长的时间内取得了惊人的成就。

在中国发展的过程中，国家始终处在主导地位。它既是发展宏图的制定者，也是执行者和监督者。这还是一种人为的发展模式，它与西方的以市场调节为主的自然发展模式显然不同。它在资源的分配和管理上存在着很大的任意性，因而导致分配不均、管理不当的社会状况。由此造成的社会不公平的现象一开始便与 1979 年以来的经济改革相伴。一部分人由于近水楼台先得月，占有大量的资源，或持有相当的分配管理权，而更多的人则处弱势地位，既无资源也无管理权。

在过去二十五年的改革中，中国政府日益注重法律的作用。政府的意识中认为法律是市场经济的保障，然而事实上，中国的经济改革和法律发展的状况并不是这方面的一个好例子。换句话说，法律在中国的经济改革中，并未发挥十分重要的作用，或者说并不像有些学者和官员所相信的那么重要。大家都知道，中国的经济改革中的很多环节大多是发端于民间，经过数年实践，得到了政府的认可，政府随即会制定政策，将这种实践在全国范围内予以推广，等到时机成熟时则制定相应法律。然而，法律制定后，并不一定能得到很好的执行，而社会实践却在不断发生变化。当新的情况出现后，政府又会颁布新的政策，并修改相应的法律，如此这般循环往复。在这个过程中，真正起作用的是政策，而不是法律。当然，这也是无可厚非的，因为处在过渡时期的社会，随时都在发生变化，需要灵活对待。政策在这方面要远比法律奏效。

就宪法而论，中国 1979 年的经济改革可以说超越了宪法所允许的范围。1982 年宪法的 17 条修正案，大多是对以往已经存在的违宪现象的事后认可。这些举动，虽然有悖于宪政发展的常理，但却为实现真正的宪政打下了基础。

但无论如何，发展的主题在当代中国是改革的主旋律，也是国家的政策和工作的重心所在。

尽管中国现在面临的解放的任务并不逊于发展的任务，但国家所采取的政策似乎更偏向于发展，其基本论点是发展经济需要稳定的环境。在这种思想主导下，国家的法制建设侧重于保障国家、企业、公司等集体利益，法律被认为是发展经济的有力工具，提高经济效益的重要手段，而不是人类普遍价值的体现和权利的保障机制。相匹配的法律意识自然而然的是国家法制主义的。这种法律意识不属于腾尼斯和涂尔干社区/社会、机械联系/有机联系的任何一种。它从社区的基础上扩展为国家的意识，但从未走向以个人权利为主的社会层面。同理，这种法律意识离开了传统，但却未进入现代，它的一些最主要的特点可以概括如下：首先，它注重国家制定法，却轻视民族习惯法，国家即法律，而法律即国家。其次，由于经济发展先导的思想而导致法律对经济的发展显示出巨大作用，但对人权保护及国家的政治活动，法律的作用则微乎其微。再次，守法的义务是一项公民的义务，而非个人作为人的义务。换言之，守法不是一种自愿的道德行为，而是一种被迫的规范行为。

设想未来

综上所述，同发展一样，解放在中国也是一项未完成的任务。这两个现代的主题在进入后现代以后，已经不能完全依靠国家的力量来实行。后现代时期的解放与发展，必须依靠非政府组织、公民社会以及其他民间的力量来完成。国际歌里的那一句歌词即"要创造人类的幸福全靠我们自己"正是后现代时期解放与发展的主导思想。虽然我们不能预言后现代时期中国的解放与发展事业应该如何继续，但有一些值得注意的方面，可以共同探讨。

首先，应该采取以解放为目的的发展观。解放是为了实现人的自由，而发展也是为了实现人的自由。解放是对创造力和发展力的释放，而发展则是对于它们的运用。解放给人提供精神上的自由，发展给人提供物质的自由，两者本是自由的一体两面。在发展中寻求解放，在解放中寻求发展，两者互为矛盾，但又相辅相成。西方人追求解放和发展的历史可以供我们参考借鉴。一方面，追逐利益被看作正当而高尚的行为，另一方面，资本主义的发展又受到精神价值的制约。故此，贪得无厌的资本家时时都受到宗教教义的约束，周日的时候赚钱，周末就去忏悔，财富就是在这种二元对立中得以积累，历史也就是在这种内部张力中写成。没有非常充足的理由支持为发展牺牲解放的发展观。

其次，应该以法律、道德、宗教相结合的综合手段推动解放与发展的事业。如前所述，西方近代历史上，解放与发展都依赖于现代法治的确立。法律以人权的方式倡导解放，以产权的方式促进发展，但那是建立在对法律的虔诚信仰之上的。进入后现代以后，法律已经失去了往日的光辉，形成法治社会的条件已不复存在。法律只能作为若干调控手段中的一种，完全依赖法律进行社会治理已经是不可能也不明智的做法。

事实上，即使西方现代社会中，法律的重要性尽人皆知，但宗教的力量仍然不可低估。马克斯·韦伯关于新教伦理是资本主义发展的原动力的论断可能不是十分确当，但宗教对人的解放的作用却是显而易见的。比如人权概念的起源、法律的起源、法律面前人人平等的原则、慈善原则等与人的解放和发展密切相关的问题，都源自宗教。而宗教更是道德的源头。西方人的道德观念来源于宗教和法律，西方伦理学讨论的问题，一半来自宗教，一半来自法律。比如善恶的观念就来自宗教，而权利义务的观念则来自法律。除此而外，西方人没有独立于宗教和法律的道德观念。中国的情况则大不相同。中国传统上富于道德观念和原则，但不长于宗教和法律。中国的道德本于人际关系，而人际关系为法律所诟病。中国的宗教一向被道德化了，未形成独立的气候，法律则心甘情愿地成为道德的附庸。

当今中国一面在抛弃传统的道德，一面在拥抱现代西方的法律。这事实上不利于中国人的解放和发展。就道德而言，人的解放绝不意味着让人变成没有道德观念的动物，而没有精神价值（宗教的或道德的）约束的资本主义则是最可怕的发展，它将使人毫不顾忌地把理性运用在满足人的欲望上，使有益的发展最终变成罪恶的积累。而中国人一旦抛弃了道德，他就真的一无所有了。

就法律而言，中国拥抱西方的法律制度显然是十分必要的，但是否能达到所谓的法治社会，则可存疑。如前所述，西方社会那些产生过法治的条件已经不复存在，非西方国家对西方法治的移植只能满足于其形式和程序，及所谓具有普遍意义的说法和制度，但却不能再重新复制产生法治的文化氛围和文化价值。比如普世的宗教，自然法的思想，[20] 资产阶级推翻封建王朝的革命热情，坚定不移的法律信仰，无往而不胜的科学主义、客观主义及理性主义等等，这些与现代法治紧密相连的文化背景已经无法被原封不动地搬到中国，事实上，在中国，只有科学主义、客观主义及理性主义还具有一定市场，但即使这些价值也时时处在后现代思潮、解构主义、解释学已及新的边缘观点的冲击和挑战之中。简言之，把希望仅仅寄托在法律的作用上恐怕收效不会太好。

而培养人的宗教性则可能是一件很值得追求的事情。大部分的中国人宗教性较弱，这使他们的行为缺少内在的约束，只有权威和利益才对他们有影响力。而这些外界的约束有时并不能起作用，尤其是对贪污腐化犯罪之类的事。究其最终

---

[20] 关于自然法写得最好的书是登特列夫的《自然法》，李日章译，联经出版事业公司，1990。

意义，人的解放和发展是人的秉性的升华，即人的心性、智性和灵性的升华，追求解放发展的理想境地，应该是追求这三者的提升。一个好的社会框架应该为这三者提供开拓的环境。

再次，应该尽可能地不依赖政府。政府在解放和发展问题上所能发挥的作用已如前述，它是一股不可忽视的力量，甚至是必要的前提，但政府的作用不能取代非政府组织、公民社会及其他民间的力量，更不能取代个人的作用。人的解放最终是个人的解放，如果本人的主体意识、人权意识和解放意识不强，极有可能权利被侵犯而不自知。加之政府的资源、能力和精力都有限，不可能把目光投向每一个角落、每一个个人；更何况，政府有它自己的利益，而这种利益并不一定都和个人利益相一致。即便是民主政府，它也是以牺牲一部分人的利益而维护另一部分人的利益为己任的。没有一个政府是所有人的政府。与此相关联的是，应该以个人与社区为单位，开展解放与发展的事业。[21] 以国家为主导性的现代解放与发展模式是以制度建设和宏观调控为主要特点。它注重大的发展，而很难深入到社会的最底层。后现代改革者对此并不抱太大的热情；相反，他们把注意力更多地投向个人和社区的发展，培养个人的自主性，支持社区建设。这种从细处入手的模式，直接关系到具体的人和社区，因而是最有效的模式。它对从大处入手，宏观调控，注重制度建设的模式是一种很好的补充。

---

[21] 在此方面一本写得比较好的书是 Michael Mcginnis ed., *Polycentric Governance and Development*（Ann Arbor: Michigan University Press, 1999）。

【讨论二】

评论

强世功：首先感谢大会组织者给我这样一个机会，使我可以向两位老师学习。

我觉得这两篇文章可能反映出两种不太一致的风格。於兴中教授的文章中从后现代的角度来审视"法治"这样的概念是不是在中国目前所处的后现代时刻已经错过了建立现代法治的所有条件，尤其是错过了确立法治所必不可少的道德、宗教等这样一些东西。这恰恰让我想起了季卫东教授以前的一篇著名演讲——"论法治中国的可能性"，认为法治在中国不是不可能，而是完全可能的。当然，於兴中教授文章里可能更多地是在强调，现代法治要有一个伦理目的的人性完善的要求，而这样的内容在我们通常所谓的"法治"中是缺乏的。我们现在讨论自由的时候，不论是从经济还是法律角度，不太强调这个伦理的维度，自由指的是拥有财产、受人身保护的这样一些法律自由。这样的自由观实际上假定道德的问题、个人伦理的问题放到私人空间里面，而我们论及的自由、法律更强调的是公共空间里面的讨论。

如果我们从法治与伦理、公共空间与私人空间这样的概念框架出发，就会看到在於兴中教授的文章提出了现代法治发展所面临的一个根本的困境：一方面要有个人自由、要解放，另一方面，对于发展中国家而言，发展这个主题变得特别重要，而这个发展一定要有一个国家，甚至一个很有能力、强大的国家来组织社会发展，因为单靠个人发展是不可能的。这样就形成一个很大的悖论，也就是我们经常所说的经常说的，为了发展可能压制个人自由，这也就是我们常说的近代以来中国在"救亡"与"启蒙"之间的悖论。为此，於教授想提出来这样一个辩证关系——以自由为目的发展观。

我想这个关系的复杂性不是仅仅提出来以自由为目的发展观就能解决的。季卫东教授在这里就是想解决怎么以自由为基础进行发展。在季卫东教授的文章里面，他从另一个话语体系来阐述这个问题，尤其他把我们五十年来的历史作一个总结概括的话，大约他讲的是，前二十多年是一个人怎么从组织中解放出来、组织怎么把个人吸纳进去变成一个国家的组织，现在这二十年又是怎么把个人从组织里解放出来。

我想简单把季卫东教授的思路再阐述一遍。他从经济学角度阐述，认为我们现在讲的自由有个前提，就是契约，但经济学讲的契约都是面对面的博弈的两个人的契约，两个人的契约从政治这个角度来讲一定要有一个前提，即两个人的契约是怎么可能的？那么这一定有一个前提，他认为有一个社会契约。那么社会契约在这个意义上讲就不是我们说的契约，其实就是我们所说的宪法，是很多人的社会契约。季教授的目的是想进一步指出：如果个人在市场里的契约要成为可能，一定要有第三者的执行，这个第三者可以假设是宪法。为什么第三者是宪法呢？从历史看，即使古代也有大量的个人交易，其与现代的区别不在于契约交易的不同而是执行契约的第三方保障力量不同。在中国古代是人格化的力量，可能需要清官、皇帝，所谓的国家最后变成了具体的实体，一个清官和皇帝这样的东西，他（季卫东）认为这个东西在现代社会已经不可能了。现代社会保障契约的第三方一定是抽象的实体，就是国家，在这个意义上讲，社会契约才变得重要了。

在这个意义上，他批评了我们所有主张先有契约后有国家这种幼稚的自由主义思想，他实际上主张，先有国家的存在，只不过国家在证明其存在、证明其正当性时不再从上帝那来讲了，而是要从社会契约来假设。所以，他认为我们现在最大的错误是把逻辑上的契约论当成历史上的契约论：好像只有推翻了国家，不要国家，通过市场、通过个人交易自发地产生一个新的社会契约秩序。

这样的理论对于转型中国的最大困难是如何把监督第三方的中国传统的一个实体性的、人格化的机构变成一个现代的、抽象的、法律化的非人格化的现代国家。这就是他关心为什么进行宪政改革的问题。他认为这要落在宪政上，宪政刚好是作为一个监督契约的第三方，这是一个抽象的、现代的、非人格的、某种意思上假设可进行公共理性交涉的民主协商的过程。

如果我们理解了季教授的理论框架和他提出宪政改革的目的，那么，我的评论就集中在两个问题上，一个就是针对他的理论框架，一个是针对他提出的宪政改革方案。在理论框架上，我认为他把两个问题混在一起，把宪政、宪法和国家混在一起。如果从学理上说，双方的交易要有第三者，即宪政建构，但实际上宪政建构也有一个前提，这就是国家，如果没有国家，宪政建构是不可能成立的。但问题在于什么是国家？在他文章里，实际上把宪法或者宪政等同于国家。我假定他采用了德国著名法学家汉斯·凯尔森的一个理论，国家不过是一套法律组织结构而已。我认为，在常规社会的常规状态下，我们一般是可以这么理解国家的。比如，我们今天问国家是什么，你马上回答有宪法等整个法律体系所组织的各种机构。但是，我以为国家的真正性质不是在常规状态下表现出来的，往往是在非常规的极端的紧急状态下，国家的真正性质才暴露出来了。正是在这里，我认为，国家不能理解为一个宪法结构，而要理解为一个主权者的政治行动。主权背后是人民，谁是人民？决定这个群体的命运的人民是谁？这实际上成为我们目前面临的一个迫切问题。在这个问题上，必须把政治的视角带进来，可以避免简单的法条主义，把宪政改革理解为简单的法律问题，而忽略法律背后的政治要素。

正是从主权问题入手，我的第二点评论就是关于季教授提出的宪政改革思路。我基本上赞同他提出的前两个思路，比如，司法审查是最省力、最重要的，因为我认为现代社会在维持宪政的时候，实际上要有个群体来担当这个宪政。好比市场经济由一批企业家担当，宪政谁来担当？实际上，我们昨天提及，为什么普通法的国家更容易搞宪政，是因为有一个强大的律师、法官这样高素质的法律共同体来捍卫这个法律司法秩序。关于"预算议会"，刚好也要与"党内民主"联系起来。"预算议会"包含了利益群体之间的交涉协商，当把利益群体，如中央和地方各个利益群体，放在议会里讨论的时候，实际是和党的改革结合在一起的。正是在这个地方，我觉得季教授提出的"党内民主"恰恰是有问题的。第一，季教授在文章里采用的是自民党的模式，而我觉得日本自民党的模式恰恰是，日本自民党后面有个强大的财团来支撑的，这与我们中国是不太一样的。第二，我们普遍对中国共产党的性质有个误解，把中国共产党理解为普通的基于结社自由基础之上的政治政党。我认为从中国共产党成立的时候就不是以结社自由为基础。像我们昨天所讲的例子，实际上，中国共产党承担的不仅仅是政党功能，而恰恰是国家的功能。要理解中国共产党就一定要它看成国家组织的一部分而不是国家之外的东西，如果这样的话，我们就不能理解中国的所有政治。如果在这个意义上讲党内民主改革的时候，一定要想到，这不是一个政党的党内分裂分派的问题，而是整个国家机构的自我分裂问题。也正是在这个意义上，我们所有人才能明白为什么导致中国政治分裂最危险的是地方是来自中央上层，而且来自少数人的分裂。事实上，中国共产党不仅是国家机器的一部分，而且就是中国的国家主权所在。如果不从主权的角度看国家，就无法理解中国共产党在中国的重要地位。

如果照这个理论思路，我的观点是，我们的改革思路不应当是党内民主，因为"党内民主"最终导致的肯定还是党内分裂、党内分派，尤其我们的党作为主权者领导军队的时候，党内分派不是要导致主权的分裂吗？而事实上，从我们的历史上看，最大的问题就是分裂主义、山头主义、派系主义等等，党的团结就是国家的统一与团结。所以，我的观点是，不采用"党内民主"，而是采用"国家民主"。当然这里面还会有很多细致的讨论。当然我这里不是要提出什么改革方案，这是政治家的事情。从学理上讲，我以为在讨论宪政改革的时候，必须对中国共产党的性质和国家整个权力结构的变迁要有个更为广泛的认识。这两点评论希望大家指正。

王绍光：二十年前我从法律离家出走的时候，当时对法律的看法是，这是个没有什么意思的东西，非常技术性，所以就跑出去了。回来再一看，法学已经发展到这么高的程度，以非常宏观的、历史的视野来看大的变局，这大大出乎我的意料。所以很多东西看不懂，所以我的评论只能看成门外汉的评论。

我先从於兴中的文章评起。我觉得这篇文章的视野非常宽阔，是把中国放在中国和西方，传统、现代和后现代这两个角度上来考察。概括性非常高，提出两个主题，一个是解放，一个是发展。当然他并不是说这两个主题在中国和西方，在过去和未来都会是一样的。实际上，无论是从解放还是从发展来讲，中国和西方的内涵非常不一样。他的重点是阐述两个主题与法律的关系，在论及到法律与解放的关系的时候他是相当肯定的，人权是解放的最终的含义。关于法律与发展的关系，我的理解不那么肯定。无论是从学理上，就是西方出现的"法律和发展"（Law and Development）那个学派设计的那套体制，那套思路基本上是失败的；还是从中国本身的和其他国家的考察。那么法律在促进经济发展、社会发展方面到底起了什么样的作用，这并不是一件那么肯定的事情。虽然是法学家写的，他却不迷信法律，文章中讲到"进入后现代以后，法律已经失去了往日的光辉，形成法治的条件已经不复存在，法律是调控的一种手段，完全依靠它是不行的。"在法律里面又能跳出法律，这种视角我觉得是非常应该肯定的。他提出的解决方法是："中国需要不仅走向法治，更需要回归自己的道德传统并开拓宗教王国的领域。"显然他希望用道德和宗教填充法律的实质性内容，同时用道德和宗教这两样东西限制法律和发展，解放不是没有限制的，发展也不是没有限制的。文章的主要问题是，他讲到要回归自己的道德传统，说起来非常容易，但深究起来会出现很多问题。比如，什么是我们中国自己的道德传统了，很多人已经谈过，现在很多人也在争，一直没有搞清楚，没搞清楚，怎样回归自己的道德传统就变得很麻烦。即使有道德传统，是否所有东西都要回归，有多少东西需要扬弃。这还是比较容易的，重要的是如何回归？在一个已经现代化、已经深刻受西方文化影响的情况下如何回归自己的道德传统？这需要社会工程（Social Engineer），不靠国家靠社区、市民社会，它自然就可以回归，这个我现在还想不清楚。另外就是培养人的宗教性。他在文章里反复强调要开拓宗教王国的领域，问题是，在中国这种状况下，开拓什么样的宗教？最近有人估计，中国有多少人信仰各种各样的宗教，大部分人信的还是没有宗教性的佛教，信仰天主教、基督教的人在增加但毕竟还是不那么多。中国需要什么样的宗教且宗教感怎么培养？文章里强调宗教对人类解放的作用，但却忘了不太久以前大量的人在谈宗教对人的束缚，这种束缚性是非常严重的，即使在今天也能看得到，很多地方都能看到宗教对人的诉求、人的发展的阻碍，尤其是如果对宗教不加控制会走火入魔，会带来更多的问题。怎么能在培养宗教约束人的欲望的同时限制宗教的破坏性、对人的束缚，可能是非常非常困难的问题。说起来非常简单，但做起来我想是非常难的。

季卫东这篇文章有 18 页，但我只看懂了 5 页，其他不是看得非常懂，因为涉及很多方面，涉及到法律、经济、社会学里面的网络理论等，虽然我都接触过，但达不到这个水平，看不太懂。我仅就看懂的地方评论。

首先，他的归纳非常准确。1954 年，也许说吧，从 1949 年到 1978 年，是把个人纳入组织，从 1978 年到 2004 年，是从组织中分离出个人。这个归纳令我眼睛一亮，我觉得归纳得非常准确。

我评价改革的设想，四个设想，第一步是设立"宪政委员会"进行宪法性审查；第二步是在此基础上设立宪法法院；第三部是改造人大、政协，这里面又有两个想法，一个是人大要变成"预算议会"，一个是把政协变成另一个院，使人大变成区域代表的院，使政协变成功能代表的院；第四是对执政党的改造。头两个想法我没什么异议，不再作评论，下面评论后两个想法。"预算议会"这个想法非常好，用预算做突破口来进行政治改革的好处，两年前，我在《读书》上发表过一篇文章叫"美国进步时代的启示"，文章结论是，财政改革现在在中国来讲就是预算改革，预算改革就是政治改革。我的观点与季卫东的观点应该是不谋而合的。但我觉得把人大改造成"预算议会"并不需要等到第三步，因为我觉得现在就可以着手来做。不必从中央开始做起，也许从县级、乡级人大做起会更好。因为我关切这个事情，与财政部门的同行联系也比较多，知道中国实现"预算议会"的前提首先是要有个预算。中国在很长时间里，一直到前两年并没有真正的预算，当时的预算也许称为""（One - line Budget），就是一个数，没有具体的真正的从零开始的每一个项目的预算（zero - based budget）。这个体制以前是不存在的，开始中央在四个部门做试点，然后推广，然后省有些试点。今年夏天我去河北省看他们的试点，省里面做部门和地区的预算。上星期去山东东营看他们的预算体制改革。现在终于有现代意义上的预算了，预算不再是简单意义上的几张纸，而是一个部门的预算就是一本书那么厚。河北省的预算可能是几千页，甚至上万页。有了这样的预算以后才能真正有预算的审查，否则没法审查。进行现代预算还有一个问题，就是要有一个统一的财政体制。中国的财政体制实际上三大块，一块叫"预算内"，一块叫"预算外"，还有一块叫"体制外"。"预算内"的钱在整个财政资金里占小部分而非大部分，如果抛开另两块，有大量的公共资金是在体外循环，这是很大的问题。现在要实行预算改革的最大的问题还不在人大，首先要把所有的资金统一到财政口来，到财政口后作统一的预算，然后从每一级每个部门做起。做到这些以后，还有一个问题是，人大能否审查？这在国外也是一样的问题。如果一个地区的预算是成百页、上千页的话，人大代表能否看得懂？这就涉及到人大里是否需要雇用专门助理人员的制度，这种工作人员能够非常简化地把预算准确归纳出来，这就涉及人大内部运作的一系列改造。这个想法非常好但更需要细化一点点，怎么来实现它，不仅着眼于中央，每级现在都可以想办法开始做。第二个关于执政党的改造，我认为季卫东那个提法基本上是个日本模式，我不知道自己的理解对不对。日本模式是"中选区"制度，即一个选区里不是选出一个人而是选出好几个人，在日本尤其是从1955 年到1993 年体制下造成自民党内部必须要竞争，竞争后果，一个是财阀加入，一个是派系林立。按照这种模式，在中国党内会出现一系列的派系，凡是实行日本选举制度的，都是在党内出现许多派系。中国共产党党内出现很多派系对中国是好事还是坏事？即使我们同意"党内民主"为突破口的话，我想要认真考虑，我们不要拿一个东西来取代一样不好的东西，后来发现替代者是更不好的东西，那就更麻烦了。在执政党改革里，我非常赞成强世功刚才提到的那点，中国是个"党国体制"，共产党是这个体制里一个非常重要的环节，它扮演的角色，在我理解，就是一个整合机制。别国有其他整合机制在该国扮演作用，但在中国目前体制下，在过去五十年，共产党基本上扮演了国家的整合机制这么一个角色。如果以这个为突破口的话，我们必须思考，目前中国在中国共产党之外还有否能够取代它的整合机制？如果没有的话，现在匆匆把党内民主了，把党分成派了，中国又缺乏一个强有力的整合机制，这种情况是否我们想要的，我想我们也应该思考一下。

　　评价这两篇文章我有点疑惑的地方，不仅仅是读这两篇文章而是看最近二十年的文献一直疑惑的问题。最近一直强调的都是人，个人，市民社会，国家与社会，非政府组织。这里，人已经变成非常抽象，所有的人都是一样的。於兴中文章中讲到人的解放，季卫东文章里谈到人际关系的网络，似乎人都是同质的，没有什么区别的。昨晚未睡着时，我看了一个美国电影《拯救最后的舞蹈》（Save the Last Dance）。讲述一个白种女人与一个黑种男人的爱情故事。这个黑人在他那个社区算得上出类拔萃，这让其他一些黑人女人不开心。白种女人于是辩解说，我们只是一个人与另一个人的爱情。黑人女人就回应说，不对，你们是白人的爱情，我们是黑人的爱情。光爱情就有种族的不同，那么在社会上有阶级存在的，尤其中国社会现在阶级分化相当严重，在这种情况下抽象地讲"人"的解放，会否出现部分人的解放是以另一些人的受奴役等为代价的。我觉得完全可以想象到这种可能性。同时，不同阶级对发展的偏好很可能是不一样的，对发展的排序、内容是不一样的。所以抽象地讲"人"是有问题的，包括季卫东讲的人际关系网络。1998 年，我、边燕杰和另一位学者在四个城市做人际关系网络的调查，中国的人际关系网络究竟有什么特征？有明显的阶级特征，不同阶级的人的关系网络的广度、深度、频率非常不一样。抽象地讲人而不作具体分析的话，我认为很成问题。所以我的观点是，25 年前，我们从以阶级斗争为纲走向以经济建设为中心、强调人道主义是历史的进步，但把阶级分析方法抛弃掉是非常可惜的，尤其在中国社会已经非常阶级分化的情况下，我认为有必要把阶级分析这个视野拉回来。这是我的看法，谢谢各位。

讨论

梁治平：事先读过这两篇文章，今天听到重述及评论，觉得非常有教益。首先，政党与国家的关系。恰好以前写过一篇短文："宪法的空缺"，讨论的也是这个问题。执政党在中国就是国家的一个重要组成部分。季卫东讲到"党内民主"的问题，评论人对此也有评论。我觉得还有另一个思路，就是把政党的国家性质公开化，换句话说，把执政党的行为放到宪法里去考虑。比如宪法修订程序，实际的做法是由执政党主导，提出草案和通过，但这在宪法里没有任何规定。从实证法角度讲这是法律上一个很大的"空缺"。宪法是国家最高法律，当然应该包含对国家所有重要机构和活动的规定和安排。如果党直接行使国家的职能，但又因为不是宪法上的"国家机构"而在法律管理的范围之外，那我们讲的"依法治国"就是一句空话。所以，要么党不行使国家职能，要么党把自己放在法律的管理之下。这样接下来我们就可以讨论，什么是法律的管理，达到什么标准才算是法治。在这方面，我认为法学界可以做很多的事情。下面是我对两位发言人提出的一些问题。

　　季卫东教授的文章主张超越渐进和休克这两种取向，因此提出他的一个

"组合最优化"，但按我们一般理解，你的设计似乎还是渐进的一种方式。第二，文章提到很多社会网络、关系性的个人、非正式结构、自主机制等，希望在此基础上建立一个有规范性的所谓"组合最优"。但文章里谈的更多的是国家机构、中央一级的最高层设计，不知你对社会性的方面如法律多元题目下通常讨论的问题是怎么考虑的？

对於兴中的文章也有两个问题。首先，你认为现代与后现代的区分不适合于中国，但是讲到中国问题你又认为法治条件在中国已经没有了，所以不可能实现法治，似乎又把中国纳入到现代与后现代里分析，这是否有内在矛盾？第二，如果中国有现代性，是否仍有现代性的制度安排的问题，若有，究竟是什么？若法治不可能，究竟又该是什么？这就涉及什么是法治。按文章的界定，法治被认为是在西方的背景下发生和发展的模式，这是否是惟一的和有价值的法治概念？在中国有无可能存在不同于西方背景下生成的严格意义上的法治概念？换言之，现代性有无可能是多元的？法治是否也是多元的？如果法治在中国不能实现是因为没有宗教背景，那么在中国诉诸宗教是不是更困难的事？

王亚新：我针对季教授的报告提两个问题。一个是技术性的，"预算议会"应该考虑中国的特点。中国的预算及财政除了刚才讲到的预算外收入，还有预算外都控制不了的部分，即所谓"非财政"的资金渠道，而且这部分在有的地方其数额还相当大。地方财政的收入与支出不少情况下往往由能够创收、有较大上交财政能力的部门与政府之间讨价还价的博弈来决定。比如法院，能够收到多少诉讼费、或者能上交地方财政多少，与最后从财政拿到多大一块有密切关系，而且此比例还含有个人因素，如领导间的私人关系、讨价还价能力、一起喝了多少酒，等等。当然这些个人因素毕竟都是表面的，最关键的还是财政的分配与创收能力有相当关系。这样的东西拿到议会去或拿到不管哪级人大，是否能够公开或制度化？技术上又如何操作？我觉得都需要考虑。

另一方面，季教授的文章提出了很好的具体政策建议，而且有很深厚的学养作为背景，但你反对渐进主义也反对休克疗法，实际上可能还算渐进主义。关键是还有另一个层面，如果提出的建议没有影响决策层，在我们学术界这个范围内的作用从长远来看是否仍属渐进式的呢？如果学术界对整个社会的走向和政治走向的影响始终是有限的话，从认识论的角度看，你觉得今后宪政会是一个什么样的走向？当然，对于这个走向，你的工作是要去建构它、要影响它，反过来对这种走向的认识也会建构你的工作，或者也可能规定着我们学术界的走向，你对这个问题怎么看？这个提问也许已经超出现在讨论的问题范围，所以不是技术性的。谢谢。

李强：我先简单评一下於兴中教授的文章。谈论人的解放时恐怕有个基本概念方面，我们还要扩张一下。西方近代所讲的人的解放是个人的解放，不仅从宗教神学束缚中解放出来，且从希腊罗马社群束缚中解放出来。西方近代特征是，一方面是个人权利的凸显，另一方面是国家权力的凸显，原来在古代社会中中介环节的约束个人行为的那些制度框架和观念框架包括社区的（Community），宗教的，家族的逐步退居二位。人权基于对个人权利的保障，但后来人的解放又包括追求个性方面非常高尚的一些方面，有时这是非常矛盾的。比如天安门广场事件，个人有没有去那里坐的权利，从人权角度讲完全可能有，但若人的解放意味着一个人追求一种高尚的目标、崇高的理想、符合道德符合宗教的行为，那么这完全是两个不同的概念。因为在后现代话语里喜欢混在一起，但不管怎么混，从法律的角度讲可能是很不相同的。法律保障人的权利、基本的个人权利，有多少算多少，至于说多大程度上能够使人解放，特别是能够达到那种从某种观念的束缚中、不正确的理念的束缚中解放出来，我想这个问题恐怕是个更高的目标。与这个相关，我就转向季卫东的文章。

我特别喜欢这篇文章，我集中谈一下文章中比较形而上的这一块。我发现如果法律走到形而上这一块的和我们很多学科都差不多的，这里面也与於教授的问题相关。实际上，季卫东文章里，西方宪政的基础是契约，是社会契约，隐含的意思是西方建立在契约基础上的社会契约有两个核心要素，一个是个人，一个是超越个人之上的国家（State），通过社会契约而非对人的契约建立起来的国家（State）具有很强的公共性因而能把社会维系起来。而我们中国无论是从传统还是改革以来，我们很大的问题是，我们是一个网络的关系，它遮蔽了个人，个人没有凸显出来，同时也使广泛意义上的具有公共性的社会契约不可能，而且是单一的契约，这样就使得可能我们原来那种占据公共权力位置的那些机构逐步变成非公共化，这隐含着一个巨大的社会危险。这个分析我是非常非常欣赏的。如果我的表述没有错，惟一感到遗憾的是，我觉得前面有非常站得住的形而上的分析，按你的逻辑推下来的话，那么中国的主要目标，就是这几年我一直提的，那就是公共权力的构建，State Building，就是要把个人从网络中剥出来，把国家（State）公共权力从网络中剥出来，把这两个现代社会的核心要素突出来。但你的方案完全可以不以抽象的理论为辅垫，可以一般讨论我们的政治改革可以这样做，因为你的方案的核心呢，我并没有看出来你要在一个很强烈的意味上突破网络、构建公共权力这样一个内涵。所以我觉得这两个方面并没有必然联系，我觉得是两个不同的文章放在一起。不管怎么样，我还是非常欣赏你在形而上这块非常清晰的对于我们国家建立宪政所面临的基本问题的概括。

郑也夫： 我先来支持一下季卫东、王绍光的这个递进的思路和从县级预算议会做起的思路，这个思路非常精彩，我觉得这个思路有很大的可行性。首先从县级预算议会做起的话，议员们插得上嘴，要是从更高级别，预算极其复杂，我们成员的素质有限。而且有可能获得上级的支持，不管真支撑假支撑，反正只要可以获得形式上支持的话，议员就有非常大的优势，如果想蒙蔽一些东西，不仅在本级交待不了且对上级交待不了。这样就能获得相对合法性。这盘棋如果真做起来了，对于培养我们的公共参与好处莫大，这是件不得了的事。

　　接下来谈於先生的报告，我觉得可能我们不能同意季先生与於先生的很多思路，因为都是不可为而为之地想一些东西，想一些思路，对这种精神我非常钦佩。於先生说到要重视本土资源与法律融合。培养宗教性在我看来是不可造就的，他自己也谈到，上帝死了，西方宗教要恢复中世纪那种状况也是不可能的了，我觉得这里有点矛盾，但我们都有愿意寻找本土资源的动机。我觉得是不是可以从以下方面寻找，比如从恢复传统道德上来说，一个是美学，一个是人情。孔子说"立于礼，成于乐"，这个思想几千年后被理论化，近代西方哲学家希勒说，没有美学教育做基础的道德只是纪律，那是干巴巴的，不是融入内心的。融入内心的应该从修养做起，从美学做起，这才能够形成道德，而我们这些年在提高人的修养、在深层教育方面太欠缺了，所以民族道德的流失也太大了，道德只成为一种纪律。第二个方面我认为应当非常重视人情资源，我们过去把人情说得很坏，好像人情是和法律彻底对立的，其实我们民族是个很世俗的民族，但我们民族很重视人情，人情里头实际上是有道德的。你为什么会对与你比较近的人做出一点牺牲，做出点利他？那绝对是一种道德。我们应看到这个道德与西方道德有差别，西方的是更普遍主义的，我们的是更特殊主义的。我曾思考过中国的献血问题，义务献血很可能给一个不知道的人用，于是我们普遍都不愿意献，但如果说做一种类似"连环保"、"甲保制"，比如有病到医院，先报告有几个朋友献过血就可以用多少血，报不出来就赶紧找人吧，这样就可以踊跃调动献血的人。我们不是没有道德，而是没有西方普遍意义上的道德，那么应该非常珍惜我们这种特殊主义的道德。最近给维迎写了个书评，他的新著里有个章节我建议大家读一下，谈的是"连坐"。一方面我们要重视人情资源，但又不能滥用，否则我们的法律又不好推行，法律应该发扬古代的那种"连坐制"、责任连带。老祖宗的制度非常有效果、非常出色，这种东西不一定就与现代的东西完全接不上轨。同等的人是信息对称的，上级对下级的信息是不对称的，你看不到它，又要让他们互相连坐，你们既然从亲情这儿生长了很多利益，那么你们也应该责任连坐。

江平：我想就季卫东教授的文章作一点小小评论。我认为季卫东教授的文章总是对中国社会的实际做很深入的剖析。他在这篇文章的前一部分特别讲到中国是一个关系本位的国家，当然，"关系本位"是高还是低这可以再作分析，量到底有多大，但关系终究是起了非常决定作用的，这点分析得应该说是很深刻的。但我觉得还需要进一步分析，谁拥有更多的人际关系的资源？我自己本身经历了缺乏人际资源的悲伤。因为1972年中国政法大学解散的时候我们是在安徽就地分配的，但有个老师手中竟然拿了11个调令，我们都羡慕不已，但我们是什么资源都没有，要想回北京只能挨门挨家地到学院去求，能不能把我们收留下来。我就深刻感到人际资源的有无可能在中国办事确实起了很重要的作用。但若进一步分析谁拥有更多的人际资源呢？如果说文化大革命是无法无天的时代，今天我们有法有天，谁拥有更多的人际资源呢？今年报道，大学生好像还有30%没有分配。谁能作个分析，大学生找不到工作，究竟是因为其能力不强不能够被吸收工作，还是因为没有钱不能够被接受工作呢，还是像王绍光教授说的由于阶级之间资源的不平等，还是因为他手中有了特别的特权，他父亲或家庭里面有某种职位更好找到工作，缺乏这样的东西他不能找到工作呢？我现在只举了这四种，能力不行被淘汰是必然的，没钱找不到工作也是有的，地区的贫困、西部地区农民找到工作也难，但是特权在里面占多少地位？我觉得我们现在很缺乏一个分析，如果有人能给我们一个实证分析，我觉得这是个很好的东西。我觉得王绍光教授提出的要加进阶级分析但又不完全用阶级分析，这我承认，阶级分析不能完全作为资源拥有的不考虑的因素，但现在也不完全都是阶级的资源。我觉得许多因素都会影响人际关系所拥有的资源，由此我想到英国著名法学家梅因的一句话，在法学界是人人皆知的，即"从古代的法到近代的法，归根结底就一句话，从身份到契约"。身份是不平等，契约是平等，那么身份里是否包含人际关系？今天的身份表现为什么东西？这句话从法学里面可以包含了非常广泛的内容，恐怕对于社会学来说也具有很广阔的内容。我注意到我们年轻的赵晓力讲师写了一个"论我国选举法中的四分之一条款"，为什么农民选举的代表和城市差那么多呢？城市里一个人代表的是农村里代表的四倍，这本身也有地位不平等、身份不平等。今天我们所讲的身份已经不是中世纪时等级制度的身份不平等也不是印度的种姓制度的不平等，但在中国肯定有不平等，有身份，这个身份表现在什么地方？哪些方面体现了身份？人际关系在哪些程度上是身份、哪些程度上不是身份？从身份到契约也不是说原来完全是身份而没有契约，而今天我们都平等没有任何身份的约束。在西方国家，大家可能都知道，在婚姻领域不平等因素遗留得最多，市场领域里不平等因素、身份更少，但在今天我们市场经济里面身份因素有多大？敬链教授老爱讲"好的市场经济"和"坏的市场经济"，我看在这个意义上，至少身份地位起了很大作用肯定是坏的市场经济。但是哪些领域，不同时期也不一样，不同体制也不一样，不同管理办法也不一样，所以我认为这个问题仍留待法学界或者其他需要很深考虑的问题。从"身份到契约"究竟里面涵盖了哪些内容？

李楯：我简单讲几句。我从 1996 年到 1999 年主要精力在做司法改革，在这之后主要做些很具体的问题，比如像国家的重大工程，劳工问题尤其农民工问题，公共卫生方面，都涉及了很多法律。我特别想在这里强调两点。首先我对当年司法改革是很灰心的，虽然我到现在还在积极地做。因此我想谈两点。第一点就是我们现在研究特别需要注意一个背景，实际上刚才两位评论人已经提到这个问题。我特别想强调就是我们这个国家与别国发展有些不同之处，我不认为我们现在就已经转向法治了或我们能否实现法治。我们要注意这样一个演化过程，同时谈到现代化时我们要注意两个问题，就是这个国家我认为经历过两次现代的运动。现在不是说我们现代化面临的这个社会，实际上，前现代的、现代化过程中的、后现代的都存在的一个非常复杂的局面。当我们考虑到法律问题时面临的两个问题，一个是我们上个世纪 50 年代到 70 年代城乡分治给今天留下的后果，包括赵晓力文章里也提到这个意思。再有一个就是，我们固然像季卫东先生说的我们经过一个重新把个人分化出来，但实际上我们在这个过程中的后期又重新形成一种财产的聚集，我们形成了一个严重的社会分化，一个很明显的很大的弱势群体。在这同时，我们在这两种体制并存，就你说的那种渐进发展之中有一种差价，这种差价的利益最大，能够一夜之间出现暴发户，这种利益的取得只有少数人才有机会，才有可能取得。所以在这种情况下，当形成新的强势利益集团的时候，使国家已在某种程度上，包括立法和公共政策的决策丧失其中立性，就是说，强势话语在这个决策和立法中的作用非常大。我本想举些例子，如劳工问题、农民工问题，一些具体的司法问题和明显的法律规定不平等，以致包括西部开发、大城市拆迁、西部大工程中相当多的既损害当地住民的利益，侵犯他们的法律权利而又影响到环境这样一些大问题，它和法律之间是什么关系。我只想谈几点，如像涉及公共卫生政策。尽管我们是特殊发展道路，我们法律中大量使用的是西方话语。我们举个例子，国务院法规文件，如对艾滋病问题所采用的一些成文的作为法律的规定，在中国为什么出现这样的局面呢？就是由于我们的结构和人家不同，会在中国出现由政府主办的非政府组织，拿了外国基金会的钱模仿国外非政府组织做的那些事，本身是没有功能的，而我们的社会结构产生出的那些需要帮助的人，如易感人群，这种结构不变的话，会不断产生出来。就是，这面没有复制功能，那面有复制功能，原因就是我们在决定法律时我们使用的话语包括公民、社会、社区等都是一种西方的话语，在这里，实质是不存在的，这是第一点。另外，在我们法律实施中，比如像 SARS 问题上，我们给了医生比警察还大的权力，不受法律制约。有一些法律中，在一部法律而不是在整个法律中存在自相矛盾的规定，如四川省和成都市关于艾滋病的那个条例。问题在哪？我们的法律有表层的具体规定，有中层的结构，有深层的最基本的理念，而我们现在在这个社会转型中既存在前三十年形成的那种思维方式、行为规则，又存在新确立的原则和搞法的人包括中国的一些领导人立法机构接受的书本上的法律理念，这二者的矛盾。所以，我觉得我们现在面临两个问题：第一，现实是什么，一定要搞清楚；第二，我们的法律非常缺乏的是一种中心的理念，一种核心的法理，而这种东西，我同意刚才梁治平先生提的，应该具有一种本土性，它既有一些人类共通的法律、法治最基本的规则，同时它应该是有本土性的，而我们如果不确立这些，我们谈宪法的修改仍然会出现它自身很多矛盾无法理清、无法解放。

旁听者（未报姓名）： 我想向各位专家学者提两个问题。第一个问题是，在中国现代化进程中执政党是绕不开的问题，刚才梁治平教授还提到涉及党和法治化问题，我们提到了依法治国、依法治市、依法治县，但从未提依法治党，梁教授还提到在这当中法学家应该有很大的作为。我们最近在起草《中华人民共和国公务员法》，这应该是法学家和行政管理学家共同起草的，它里头的调整范围就直接把中国共产党各机关的工作人员作为国家公务员来对待，各民主党派机关的工作人员也是公务员。这就涉及到一个问题，若是公务员就应当依法担任公职，依法执行职务，接下来是否有可能把党务法治化了呢？若有这种可能性，那么共产党会否这么做。我觉得这个问题可能涉及到政党国家化的问题。政党国家化在我们国家这种条件下、这种宪法下是否可行？跟法治原则是否违背？在我们国家如何实行党的法治化？第二个问题是，刚才季教授提到中国处于十字路口，采取法团主义模式还是自由主义的利益整合模式？这实际上是个很现实的问题，涉及到我们国家对社会事情如何控制的模式。在西方这种控制是长期的，是选择——反思——再选择的过程。在我国，政府有很大的力量去选择采取哪种模式，基于我国现实或基于我们的发展，应该采取法团主义模式呢还是采取自由主义模式，或者取其优点，如何选择？在我们国家现在社会发展确实利益多元化，各种各样的利益、阶层出现了，就连共产党也提出了它是全民族的、代表各种利益的政党，也就是说这种利益的整合机制应该是如何选择的？

王军：我想对於兴中先生的文章作一点评论。您的论文的一个重要的论据是，法律并不是发展的一个重要前提或者说不是一个前提。论据包括西方一些经济学家、法学家质疑西方政府或一些国际组织对第三世界国家提供的法律和经济方面的援助。从这些文献里，您得出一个结论就是，保护财产权的法律制度的推行并没有推动第三世界国家整个经济的发展，反而使它债台高筑。这方面的文章我在自己的研究中也接触过一些，有些不同的看法。我觉得，从这些文献并不能推出这样一个结论：法律不是发展的前提，或者当前产生法治的条件已不复存在。如果我们深入细节去看，这些文献所说的法律改革基本上都属于外部推行的自上而下的变革，主要是强化国家对经济的干预、强化管制。简而言之，这些西方政府或者国际组织在第三世界推行的政策是一种类似于计划经济的体制，这种计划经济体制在前苏联和在我国都已失败了，而由西方世界三流、四流经济学家及国际经济组织官僚在第三世界国家推行的这种计划经济也是不可能成功的。但这些事实并不能证明法律不是发展的前提。我觉得就像吴敬琏教授区分市场经济是"好的"和"坏的"一样，我们也可以说法律是否能够推动经济发展跟推行的法律究竟是"好的"或"坏的"也是非常相关的。"后现代"对法治的种种诉求，实际上没有必要颠覆近代和现代人们形成的对法治的基本观念。您提到人权保护与经济发展间的矛盾，但是我们也有许多理由认为人权和发展是协调一致的。比如，如果中国公民的知情权得到保护，我们就可很大程度上防止类似"非典"这样的对经济和生活造成重大损失的灾难。另外，人权中的财产权与经济发展也没有实质性的冲突。

潘世伟：季教授和於教授的两个发言及论文非常精彩，他们从一个特殊的角度来观察当代中国的现实可能，有很多独特的感觉，这种感受使我们对中国的认识丰富了，深刻了，深化了。

我想在他们的话题里谈自己另外的独立的观点。首先，中国这些年来经历了两次非常深刻的裂变。一次是"政企分开"，我们形成了相对独立的市场领域，这个领域现在已没有任何力量把它否定掉，这领域产生了许多游戏的规则，反过来对中国现代化进程产生了许多反作用力，对这个变化大家都在关心它思考它。现在出现第二个变化，在沿海发达地区比如上海，用我们官方话语就是"政社分开"，在此过程中逐渐形成一个公共事务领域，社会这块逐渐在发育，尽管非常艰难，我们已经看到的一些生长点，如社区、社团、社会阶层、社会事务、公共事务等等，这场变化人们对其关注还不够，实际上它的作用不亚于市场经济的出现，所以我们觉得对这两个变化还可以给予持久的关注。在这两种变化后形成了一种三位一体的架构，国家政府一块，市场领域一块，社会公共领域是一块，三位一体的架构各自运作的规律究竟怎样现在是非常不对称的。国家、政府依旧非常强大，市场领域处于中等发育的状态，社会公共领域现在刚刚出来，非常弱小，所以现在一大一中一小这样状况。法律对三者的支持恐怕也不是均衡的。三位一体架构带来更深层次的思考就是刚刚王绍光教授也提到了，党的地位在哪里？现在实际上在思考执政党与市场是什么关系、执政党和政府是什么关系、执政党和社会是什么关系。这种思考我们想在不久的将来会产生许多政策和理论上的一些突破。执政党在现实的中国仍然是一个最为强大的也最为有效的当然里面也有很多弊端的这么一个很重要的资源。无论从学理还是操作的角度思考分析中国现状，恐怕不能离开这个资源。这个资源就像刚才王教授说的具有非常强大的整合能力，对这种能力，政治力量、领导力量究竟怎么正确对待？但三位一体架构又是个客观现实，这里面复杂的关系可能对我们理论思考提出很多的挑战。我想我们中国学者可能有足够的智慧解决中国非常独特的这个问题。谢谢。

旁听者（未报姓名）： 我想向各位专家学者提三个问题。第一，刚才各位学者和前辈对中国怎么更好地前进和发展提了很多思路和见解，我想请教我们怎么才能让人的行为符合身份。我发现北京出租车上的"的哥"经常同你谈政治问题、大谈社会大事，而有些商人做到一定程度后想谋求一定的政治地位，而有些官员可能想"我有钱，甚至有更多的钱"。比如一个国家的公务员手里可能只有一千块的工资，在他制定政策的过程中他有没有更多的精力和时间在没有后顾之忧的前提下做自己该做的事情，就像中国古代说"君君臣臣父父子子"这样一种正常的是什么人就该干什么事，这是我的一个困惑。第二，我不是学法律的，但我听过这么一句话"人无恒产就没有恒心"，自己如果没有财产的话他对这个社会可能采取一种态度就是掠夺索取，利用我拥有的资源在市场经济条件下获得我想获得的东西，是不是说有了财产后他就会对这个社会采取一种更加理性的态度？第三，既然谈到"人无恒产就无恒心"的这个问题，那么中国现在面临一个民营化的阶段，就是说可能是个私有化的阶段，在此过程中怎么去控制？比如一个国企要出卖或退出，是卖给民营企业呢，还是卖给外资外商，怎么保证一个相对的公平、整个社会达到平衡的机制？

陈弘毅：我想对於兴中教授的发言作点评论。第一点就是他提到解放的主题。我认为这的确是现代或现代化很重要的主线，但解放不单是个人的解放也包括一些传统上称为弱势群体的解放：妇女的解放、美国黑人的解放或现在西方很流行的同性恋的解放。这也涉及到法律问题，如妇女争取她们的投票权或 1960 年代黑人民权运动，或者现在大家可能留意到最近几个月加拿大同美国都有很高层的法院就同性恋的结婚问题（Same Sex Marriage）作出一些很有争议性的裁决，这些正反映现代解放倾向，就是说越来越多弱势的或原来受歧视的人得到越来越多的权利而且其权利是受到法律所承认的。英文"解放"可译成"Liberation"或"Emancipation"，但英文还有一个单词叫 Empowerment，在西方现在比较左的话语里是个常用词，我不知怎么译，但和上述词是同一概念。第二，我同意刚才有些朋友提出的法律与发展的关系其实不是很明显被否定的，虽然 1960 年代法律与发展运动基本上是失败的，1990 年代以来也有一些新的法律与发展的运动，而且它们有很强的经济学方面理论的支持，尤其关于财产权（Property Rights）同经济发展的关系这方面的经济论证，财产权是要受到法律保护的。第三，我不太同意宗教现在在西方正在衰落或在全球范围内衰落，如美国的情况，其宗教一直是很兴盛的，在美国现代史上即使是现在当前的美国，任何做总统的人都要想办法争取在政治上活跃的基督教或宗教人士的支持，布什自己也因为是很虔诚的基督徒。在香港或台湾这种文化程度比较高的华人社会宗教还是非常活跃的，所以我觉得宗教的衰落不一定是现代的象征，后现代更反映新兴宗教的兴起，所谓"New Age Religion"，我觉得也是后现代的一个特征。

崔之元：刚才於兴中教授和季卫东教授都涉及到一个可能是最重要的概念，法治。我觉得法治虽然非常重要，但在社会哲学的层次上不是第一位的概念，实际上是第二位的概念。昨天我评论秦晖时没来得及讲一点，就是：秦晖说他认为现在西方公私界限已很分明了。其实并不这样，我们举个法律的例子，看出法治为什么不是一个最根本的，一个最深层的问题它没有涉及，就是"是什么人来制定这个法治"。大家现在很难想象，比如美国历史上很多年有个"禁酒法"，是通过美国宪法修正案才把这个法取消。但"禁酒法"有什么合理性呢？而且要通过美国宪法修正案来取消？在中国很难想象美国有那么多年不能喝酒。大家看《教父》里面很多犯罪团体都是因为"禁酒法"。另外现在布什当选后，很多保守党正在搞一个重要的立法就是进一步加强限制堕胎。在中国"人工流产"非常容易，自由度比美国大得多，但美国"人工流产"比中国要难得多，什么意思呢？就是法治虽然很重要，但它更根本的问题就是"是什么人来制定法律"。只要我们相信现代法治的一个根本特点，就是它已摆脱自然法，不认为法律来源是上帝、不是神圣的，那么如果只要摆脱了自然法、摆脱了法律来源是宗教，法律实质上是个政治来源。如果大家认真研究西方哲学，就会发现这是常识性的。比如卢梭的《社会契约论》是现代民主理论的一个奠基著作，只要看这个书的副标题，"政治权力原理——社会契约论"。什么意思呢？就是说不是自然权利，社会契约论是个政治权利，我同意刚才强世功教授讲的，有个更深刻的问题是政治问题，是我们要一个什么样的政治的问题。关于为何法治不是最深层的问题最后一个例子，美国宪法第16条修正案规定联邦政府有权征所得税。这是1913年通过的，为什么在1913年通过呢？在19世纪末美国最高法院有个判决认为所得税是侵犯私有财产的。我的意思是，对人类社会怎么组织，我们有不同的理想，有不同的哲学，这个哲学有斗争、有妥协，而这样建立了法律。而法治呢，只是有条件意义上的事，特别在中国对防止任意性很重要，但在社会哲学基础上它是第二位的，更根本的是我们的理想是什么？我们理想的斗争和妥协具体是怎么运作的？

吴敬琏：我对於兴中教授的文章提两个问题。一个问题是关于解放。刚才已有一位参加者提出这个问题，人的解放中这个"人"是什么，是个性的解放还是作为一个整体的解放。我觉得这个问题对于中国语境下特别具有意义。因为中国历史上就是强调整体优先于个人，不管是族类、一个社区，到计划经济时代更是这样。我们是一直强调解放，"解放战争"、"人民解放军"，都是强调解放。但这里有个什么问题呢？这是把活生生的人后来演化成抽象的人，整体的人，是个集合名词。再加上昨天胡汝银教授提及，群众是个集合名词。按照斯大林所阐述的列宁的原则，群众是划分为阶级的，阶级是由政党代表的，政党是由一些有威信的领袖所操办。这样一来解放的目标、内容都是由领袖规定的，一个个具体的人不见了。这里顺便说一句，昨天陈教授发言讲话及论文里都有这么一个意思，好像"群体高于个人"是一种马克思主义的观点。我不太同意这个观点。因为应该说马克思阐述得很清楚，就是《共产党宣言》里的那句话：每个人全面而自由地发展是一切人发展的条件与前提。明确发生改变的是斯大林，认为无政府主义者和马克思主义者都是讲社会主义的，打着社会主义旗帜的，两者的区别在于无政府主义者认为要解放个人才能解放群体，而马克思主义的前提则是一定要解放整体才能解放个人。我不太赞成笼统地说马克思主义就是这样。它有一个发展过程，当然我们后来用了斯大林这套东西。这点我觉得需要说明白。在此意义上，我认为胡锦涛总书记7月1日的讲话里蕴涵了一个很重要的思想，就是"三个代表"的本质在哪里，本质就是立党为公、执政为民。我是赞成"三个代表"的。但对"三个代表"有不同的解释。一种解释认为就是一个法律权利，这是法律赋予我的代表权；另一种解释，就是胡锦涛总书记的这个，我认为胡锦涛总书记这个解释是对的。

第二个问题是道德。刚才王绍光教授已经讲到了，什么是中国传统道德？谁决定这是符合中国传统道德原则？如果是由政府来决定，那么就回到过去了，就是政府不仅是个管理者而且是个教化者。如果是中国过去历史上的传统道德也就是官方的道德原则："尊尊亲亲"、"三纲五常"这套原则恐怕不适合现代社会，但这里面有没有好的内容？是有一些好的内容。但有一个区别要注意，过去是人格化的交换，这个市场关系是人格化的交换，人格化的交换这种信用体系能够靠亲情、靠乡亲的关系来支撑，而现在普遍是非人格化的交换，非人格化的交换一定要有法治而且要有第三方执法。我觉得这是个非常大的问题，因为中国几千年来形成了"儒表法里"的这么一种传统，正式的规则，非正式规则都有"儒表法里"在里面。

李绍光： 我想对季卫东教授提个小问题。您在文章及刚才讲话里都表示要扬弃"渐进主义"与"休克疗法"，取中间网络的组合最优化，但您在文章里也论及了要承认网络的存在。我的问题是，"渐进主义"与"休克疗法"这两端本身是不是一种存在？如果不是一种存在，我们只有您所阐述的"网络组合最优化"，按照我们经济学的理解，我认为是一种局部的均衡，这是一种存在。组合最优化在您的文章里好像是一种设计，局部均衡是不是通过我们自己的一种设计就可以达到的一种自由化？那么如果渐进主义和休克疗法这两端是一种存在，是否我们想扬弃就能扬弃？毕竟我们是在二十多年中国改革这个背景之上，前社会主义国家转轨的很短的历史过程中讨论这些问题，这么短的过程中是不是就可以总结出来：渐进主义或者休克疗法是可以扬弃？中国是一种渐进主义，前苏联是一种休克疗法，但从制度变迁角度看是否渐进主义和休克疗法本身有可能放到一个更长的历史时期里，这两者本身在一个特定国家是不是都有可能在某个阶段是渐进主义，而在更长阶段里也会碰到休克疗法？

回应

季卫东： 首先感谢绍光兄和世功对我所作的评论，也感谢江老师及其他各位参加者对我的发言所作的提问和评论。我计划将大家的意见整理成五方面的问题来回答。

首先是我的文章的基本思路问题。由于昨晚空着肚子出去讲演，非常疲惫，到早上还未缓过来，所以发言中观点表述得不是很充分。很感谢世功在评论中为我作了很好的补充。李强教授对我的文章的观点也把握得非常好。我想发言的主旨已经比较明确了。尽管如此，我还要针对刚才之元提出的问题，稍微再把自己的思路阐述一下。这是我想讲的第一个方面。

之元提出的问题是，我们现在都在强调法治，似乎已经达成社会共识了，但仅仅强调法治就行吗？法治只是第二位的。政治决定是什么样的法治的问题。这个问题是对的。其实我今天要回答的就是这个问题，在法治之上还有什么？当我们强调宪政时就涉及到两个更深层的问题：第一，对强制性的权力加以适当限制的问题，第二，对统治秩序提供正当性支持的问题，说穿了就这么两个问题。

我们是如何限制权力的？又是如何提供正当性支持的？传统中国并不是完全没有对权力的限制和正当性支持。从社会哲学和政治类型的角度来看，限制权力并为它提供正当性根据的主要有两种方式：一种是传统的德治或信赖；另一种是契约。从信赖这个观点上看，中国原来有关系网络中的信赖，有在社会主义建设过程中通过国家权力建立起来的信赖，但中国一直没有建立起基于普遍性法律规范而形成的信赖。我们现在强调法治，就要建立这样的以普遍性法律为保障的信赖。但是，这种法治型信赖的建立始终受到关系网络的干扰，受到来自权力的干涉。总之，即使从信赖的观点来看，在中国强调法治也是必要的；但同时也不得不留意法治以外的因素、不得不处理国家权力的问题和社会关系的问题。

再谈另一种方式。从契约的角度来看，关键的问题就是如何把具体的契约关系抽象为一般性的、普遍性的契约关系，以及如何对共识内容进行适当的第三者执行。与契约的第三者执行相对应的是国家权力的存在方式，我作了分类，有三种类型。即"人称化的"、"非人称化的"，中间还有"泛人称化的"。这里的表述与国内习惯用法不同，没有使用"人格化"这个词，是为了与法学上的"人格"主体概念以及社会伦理学上的"人格"品质概念相区别。

总之，对于契约和信赖这两种不同的正当化原理或者限制权力的方式，我分别提出了三个分析概念，即基于关系的信任、基于权力的信任、基于法治的信任以及进行第三执行的人称化权力、泛人称化权力、非人称化权力。然后我运用这样两组六项工具性概念的分析框架来探究中国进一步发展的思路。

现在我来谈第二个方面的问题，这就是关系网络结构。我们无法回避它。刚才李强教授在评论中指出：既然从组织中分离出来的个人是关系性的，那么下一步就应该再把个人从关系网络中剥离出来，把国家权力也从网络中剥离出来。这样的看法对不对？对。理论上应该是这样的。但我认为这在中国几乎是不可能的。对社会关系网络的破坏，中国历史上没有一次像中国共产党做得这样彻底。在改变网络结构方面，中国共产党是推动了社会发展的。尽管如此，它也没有能够彻底打破这个网络结构。根据社会网络分析的成果，实际上即使网络结构的80%遭到破坏，剩下的20%还有可能再生并使整体得到恢复。何况中国的文化传统也决定了这个网络结构是不可能被完全摧毁的。何况信息化时代又造成了新式的网络结构。无论如何，人际关系是一个层面，网络结构是另外一个层面，这两个东西在今后中国我认为都是不会消失的。我不是赞美关系网络，我也不是寄希望于关系网络，我只是强调我们不得不以社会结构为前提来考虑中国的宪政，作为关系性存在的个人必然导致制度设计有所不同，而网络必然要影响法治秩序的建构。以关系网络结构为前提来讨论如何推行宪政，这是我的思路的出发点。

下面是更具体一些的问题。第三个方面就是在网络结构中如何进行社会整合的问题。绍光对我发言的评论有一个非常关键的观点，这就是整合机制。既然社会的网络结构会导致各种各样的局部性关系，或者说社会的分节化，那么如何对它进行整合就是很重要的问题。共产党的成功就在于以权力的方式跨越了社会网络中所有的"结构洞"，因此能成为惟一的全体整合机制，任何其他的权力（包括社会性权力）都无法与之抗衡。剩下的问题是，如果我们谈党内民主是否会破坏这个机制，造成社会网络结构的崩溃？这是绍光所要强调的，也是大家担心的问题。但是，我们不能认为既然一元化的整合机制已经存在，现在还必须依赖它来维持社会的统一秩序，所以我们要永远维持这个机制。如果按照这样的逻辑，那么中国永远也没法变革。实际上社会的整合并非一元化的，其他的方式也能整合。我认为现在中国正面临改变整合方式的社会需要。问题是在网络关系中能否建立一个符合现代法治原则和宪政理想的新的整合机制？实际上我要讲的就是这个问题。另外，与社会整合有关，绍光还提出了一个看法，即采取阶级分析的观点。我也同意。承认阶级就是承认有不同的利益、有不同的利益集团，在这点上我们有共识。但不同之处在于能否突破过去的阶级话语。大家都知道，我国原来的权力整合机制是建立在阶级话语之上的，强调一个阶级对另一个阶级的支配。因此，如果我们仅仅强调阶级分析，那怎么能建立新的整合机制呢？这就是我为什么要把一个等级性的阶级结构否定掉，而强调多元化和对等的利益集团的理由。虽然一元化整合、阶级分析都是很敏感的话题，好在今天我们已可以公开讨论了，这是非常了不起的进步。

与党的整合功能有关，世功在他的评论中提出了一点意见：在中国的现实中，党就是国家，这种情况使得对它进行改革会有很大的困难；因此与其进行党内民主，不如在党外发展民主机制，即以迂回的方式从外围、边缘开始政治改革。这个主张我认为是可以理解的。但我觉得这中间有个矛盾，既然党就是国家，那么国家的民主化当然就是党的民主化，对不对？在党即国家的意义上，民主化如果从党外进行首先会对现有机制提出强有力的挑战，我觉得在目前政治格局下这样做的条件是不具备的。反过来，党内民主是有可能的，而且现在已变成现实了。所以国家的民主化可以也应该从党的民主化开始。但问题是，党的民主化如何开始？会不会引起整合机制的破坏？这才是我们非常关心的问题。在这点上，我认为虽然从党内民主到党内竞争也可能引起比如绍光提到的财阀支持的问题、派阀林立的问题，但日本政治的弊端是可以防止的，选举制度可以设计得花钱更少，而党内协调方式可以设计得更有效率。

第四个方面是"财政议会"问题。亚新提到我们应具体考虑这个问题，绍光也提出了具体的建议。这些意见都非常好，我们应该这样去做。实际上"财政议会"就意味着中国在网络社会的前提下，在缺乏超验的思想资源的情况下，以利益民主主义作为媒介来推行宪政，把技术性议会作为民主政治的过渡阶段。

第五个方面，最后一个方面，就是治平提出来的"组合最优化"思路与"渐进主义"有什么区别、能否扬弃渐进方式的问题。我承认，组合最优化确实包含渐进主义的成分，但还是有一点不同。中国渐进式改革的经典表述是"摸着石头过河"，碰到什么就是什么，可做什么就做什么。这好比一次没有目的地和航线图的出海远行。在市场化过程中这样做还是可以的。只要把个人分离出来，给他自由就可以了。大家自由竞争、讨价还价的结果，会达到某种均衡，在理论上有个表述，叫"自生秩序"。但这种自生秩序将会导致什么样的局面？让我们回到社会的网络结构上来看。在网络结构中，由于关系的不对称，自由竞争、自生秩序必然导致资源分配上的不公平和贫富悬殊，必须导致社会性权力的出现。结局很可能非常糟糕，甚至造成整合机制的全面失控。因此，不能放任自流，不能一味讲渐进和自生秩序，而要进行政治改革，要进行必要的制度设计。那么中国是否存在"休克疗法"的可能性？虽然现在还没有多少人公然提出来，但若隐若现的影响还是存在的，目前社会中积累的基层不满有可能在一定条件下扩大"休克疗法"的影响。但是，在网络化程度很高的社会，休克疗法的波及效果很难预测和控制。正式鉴于这种情形，我提出了扬弃"渐进主义"和"休克疗法"、通过组合最优化的方式实现体制性突破的观点。具体内容请参看论文。

於兴中：首先感谢两位评论人，他们实在是太宽宏大量了，我觉得自己写得很差，也感谢各位提出的问题。我把问题整理了一下，主要集中在以下几个词汇上：解放、发展、法治、传统道德、宗教。

关于解放，陈弘毅教授提出来是 Liberation，empowerment，还是 Emancipation？实际上，Empowerment 被译成"强化"，Emancipation 从拉丁语来，应用 Emancipation 而非 Liberation。"解放"这个词在马克思及黑格尔著作里才有比较明显的表述。马克思关于解放的思想吴敬琏老师的见解非常正确。我这儿有篇文章，题目叫"Karl Marx as a Philosopher of Human Emancipation"，下面有段话引用 Karl Marx1843 年的著作，他用的"个体"就是"Himself"，"Every emancipation is a restoration of the human world and of human relationships to man himself"，指的是个人而非整体，但后面又说了，个体的解体必须以整体的解放为前提，他用了一个词"Species－being"，人是以"种类"存在，"种"存在的，而不是个人存在的。Marx 本人对解放的看法可用其座佑铭说明——只要是人的东西对于我来说都不是陌生的（Nothing human is alien to me），这是解放的最终目的。在这个意义上来说，解放是个人的解放、群体的解放还是弱势群体的解放，这区别并不重要。虽为弱势群体的解放比如妇女的解放，最终还是要回到个人来。比如，我是一个 Gay，尽管有许多人帮助我，但我必须体会到自己是个 Gay，这样我才能解放。

第二，法律与发展的关系中法律的作用没有完全被否定，我觉得这话说得是对的，我这儿也有一份世界银行的报告，它专门对法律与发展运动作了个小结。有个学者指出，法律与发展运动只有十年时间，对其下结论未免太早，像这样大的项目应该二、三十年后再下结论，后来有人作研究还是否定的。最近一次研究是福特基金会的，把福特的全球法律项目作了个总结，是肯定的结论，认为在公共利益领域，这样的法律项目是成功的，但在其他方面则不太成功。

关于法治，法治是否最根本的问题？我同意崔之元的看法，这不是最根本的问题，人最根本的问题是人的自由，但在整个人的自由问题上采取什么样的方式时才谈到法治问题，可以采取德治办法可以采取别的办法，但法治只有一种办法一个途径。这就是对法治作个界定，什么是法治？最核心的概念是：每个人须遵守法律，所有人须在法律之下。但怎么去执行呢？须通过一定制度、原则。最后会发现，我们谈的法治不是一个简单的概念，不是一个原则，也不是一个制度，它是一种很大的文明秩序，而这种文明秩序的背景已不存在了。治平提出，宗教不存在了，中国的法治是否还可以发展？实际上是这样，产生法治的背景不存在了，产生出来的作品也就不存在了。我的意思是说，法治是过去时，已经没了，现在我们可以走的路途，也许是用法律来调整社会秩序发展经济等，但这种调节可能不是法治的意义了，而是别的含义。至于在中国能否实现现代意义上的法治，我是比较怀疑的。我有十二、三个理由，最主要理由之一是背景不存在了；其次是政治理由，刚才大家都已提到了，关于我们党的问题，关于民主新闻自由的问题，这一切的问题都是在朝向一个不是法治的社会走的，很多困难。

另一个是传统道德的问题。刚才我没谈清楚，我对它有个基本定义，就是以为情义基础建在关系基础之上的道德体系。这种道德与郑也夫教授提出来的一样，而与西方不一样。在中国，实实在在地就是要以情义的角度出发把关系作为一种价值来开发。比如，我们的宪法里是否可以不谈权利而只谈关系。实际上，五、六十年代以后订立的宪法包括很多权利义务，但更多的是关系方面的东西。自由主义宪政理论只注重权利义务不讲关系，如果我们有自己的东西，是否可以这儿考虑。比如说，从传统道德里开发出一些价值，如情义的价值、关系的价值，把这些东西重新编排一下成为宪法的体制。

最后一点是宗教。我的文章里是有矛盾的。"上帝死了"并不是说人的宗教情怀死了。每个人是有三种东西、三种秉性，有灵性、心性、智性，灵性是宗教的反映，灵性可以产生宗教，心性产生道德、感情，智性产生理性、法律、规则等。我们中国人在传统道德里的心性是很发达的，但理性、灵性不够发达，我们要做到的不是解放某个问题，而是综合地多方面地解决问题而非仅靠法律。

小结

方流芳：首先谈一下季卫东教授的报告。我觉得这篇文章是在制度变化大环境下去思考公共权力的合法性，以此为基础探究适合中国的政治改革，目标就是孔子所说的"施于有政"，寻找中国政治改革的方案。他的立论前提是，合意不足以解释公共权力的合法性，即使存在合意，也需要有外部力量去实施这个合意，以此为基础整理出初看不好懂的三个类型的公共权力——人称化、去人称化、泛人称化。"人称化"就是把权力的合法性和个人权威联系在一起，这实际上是我们很熟悉的一种政治制度，像"皇上圣明"、"亲手缔造"、"亲自指挥"，这就是"人称化"。"泛人称化"也是我们熟悉的一种制度，例如：以"组织"的名义、以"某某法律第几条"的名义去发布一个命令、作出一个决定。"去人称化"就是季卫东教授所讲的法治。如果追问下去，从中可以看到两种制度所造就的两种个体：一种是季教授所说的"独立个体"，另一种是网络中的个体。"网络中的个体"是一个很有趣的概念，个人人格在网络中被掩盖起来。季教授的宪政

（我认为是在现有网络结构下有限宪政）之路，就是"送法上网"，不是破网，也不是无视网络的存在，而是送三个"法"上网——一个是"司法审查"，一个是"预算议会"，一个是"党内竞争"。出路和对策是见仁见智的事，大家已经提出很多看法，我不再重复。季教授谈到中国每隔十年发生一次变化。探询出路之前，无法回避的基本问题是：中国究竟发生了什么变化？对于变的一面，季教授谈了许多，但中国也有不变的一面。如果看一下哈佛大学孔飞力教授写的乾隆年间的旧事——《叫魂》，再看看我们今天的处境，你会感到今天和昨天的相似，时间好象是停滞的，制度好像是凝固的。只要留心，我们总是可以看到事物不变的一面、制度不变的一面，例如：从清朝到现在，都强调"统一思想"，都有许多言论禁区。就变化而言，值得追问的是：变化究竟带来什么结果？季教授的文章里谈到、李强教授的发言也谈到所谓"法团问题（Corporatism）"。很多西方学者谈中国近年的制度变化，都谈到 Corporatism，这在政治学上究竟是指什么？虽然我对政治学上是门外汉，但我还是在此求教于诸位：我以为，Corporatism 是一种"多体整合"（用"法团"两个字是说不清楚的），是一个内部利益交织穿透的利益整合，如官商合流、官学合流，公共权力和私人利益的交织穿透，而不是因"多元"主体而分化出民间社会。季教授谈到"官本位"对多元化的影响，然而，**"官本位"所主导的"多元化"就是一种 Corporatism，是公共权力的私有化，**这种"多元化"能否推动季教授所讲的宪政，实在值得考虑。

回到於教授这篇文章。这篇文章谈论一些激动人的话题：解放、发展与法律，於教授从东西方交往的大视野去考察这些问题。从脱圣入俗的变革进入理性时代，催生了法治这样的概念；从发展产生了资本主义制度和与之相适应的私有财产保护，两者结合在一起，形成了法治的基础。然后，於就把话题转到了强势文化、殖民化等问题。强势文化对于落后地区，对于殖民地产生了渗透到人们血液和灵魂中影响，这就是萨伊德所说的"东方化"和"自我东方化"。从清朝到现在，中国所有的法律改革都在追求和西方的相似性，这种相似性成为任何统治者都不可忽视的、点缀权力合法性的门面。中国精英认为，在不改变制度本身的情况下，可以通过化妆而求得一种相似性，从而解决中国的问题。由此催生了另外一些问题：一是催生了西方的过度自信，他们自以为是地去为其他国家设计法律制度；他们想当然地认为：设计法律制度，就可以改变一个社会；他们不是让法律制度去适应人、适应社会，而是让人、让整个社会去适应一个人为创设的制度，这是一种和计划经济没有什么差别的逻辑。如於教授所言，"大多数设计项目以失败告终"，这是一个警示，也是一个符合现实的结论。然而，我们更应当追问：这种情况为什么产生？对此会有很多观点。余英时教授用"羡憎交织"

四个字概括了中国对西方的态度。"羡"给中国带来了什么？那就是，智慧和精力不是用来学习，而是用来模仿、甚至用来学舌，"学习"和"模仿"有实质区别，模仿不是一种创造，而学习、学以致用实际上是一种创造。从清末到现代，全部法律移植的过程在中国，可用"模仿"两字概括，这是一种缺乏创造性思维的"羡"。"憎"表现在，不是进行制度性的竞争，不是比较制度优劣，例如在人权、开放、宪政等方面开展竞争，而是进行对抗，借助意识形态的对抗来表现自身的存在，对抗造成情绪化宣泄，无谓地消耗了很多国民智力，浪费了很多自我改善和自我发展的机会。

"解放"，这对我永远是一个令人振奋的概念。"解放"，首先应当是思想的解放，走出"统一思想"的荒诞和迷信，因为，思想是不可能统一的，相信思想能够统一比偶像崇拜更缺乏常识，把"统一思想"当作国策只能造成普遍的言不由衷。如果能从启动个体的自由思想开始，可以涌现很多、很多的好主意、好办法。"解放"还应当从解放言论开始，人不能成为某种教条、套话的奴隶，重复套话一方面是扼制了自己的思维，另一方面是甘愿成为受他人摆布的奴隶，因此，我们应当有一种不懈的努力，去寻求最贴真实思想的语言表达。於教授还谈到，解放和发展没有成为中国的主题。其实，中国在以往几百年里经历了很多另类的解放。明年（2004 年）又是一个甲申年，从崇祯末年的巨变之后，整整三百六十年过去了，其间中国经历了太多的"革命"，太多的暴力，太多的破旧立新。然而，付出惨重的代价之后，在制度创新方面究竟取得了什么成就呢？与大清末年相比，中国在法治之路上究竟走了多远呢？。

顺便讲一个小问题。刚才，我听到诸位发言中反复使用的一个词汇"本土"，这个词现在用得很多。我不明白，这个词是如何时髦起来的？在侵华战争期间，日本人自称他们的国家为"本土"，其他地方是"海外"；当美军从海、空两路逼近的时候，日本人就说"美军轰炸本土"、"美军在本土登陆"。当年，"本土化"在台湾就是在文化、语言和精神上都趋近日本，也就是"日本化"、"皇民化"。此外，殖民主义者和殖民化的语言都把宗主国叫"本土"，把殖民地叫"海外"。"本土化"是个奇怪的词汇。为什么不能直截了当地说"本地化"，非要讲"本土化"？

（李丽根据录音整理）

论我国选举法中的四分之一条款

赵晓力

一、四分之一条款的由来

所谓四分之一条款，是指我国选举法中规定的，在分配全国人大代表和地方各级（包括自治州、县、自治县和省、自治区）人大代表名额时，按照农村每一代表所代表的人口数四倍于城市每一代表所代表的人口数分配的条款。具体见《人民代表大会和地方各级人民代表大会选举法》第12、14、16条。这样一来，农村人口在全国和地方人民代表大会中的被代表权便只有城市人口的四分之一。

比如，2002年3月15日九届全国人大五次会议通过的《关于第十届全国人大代表名额和选举问题的决定》就规定："各省、自治区、直辖市应选的第十届全国人民代表大会代表的名额，农村按人口每96万人选代表1人，城市按人口每24万人选代表1人。"

这种在城市和农村按不同的人口比例确定人大代表名额的作法，最早见于1953年《全国人民代表大会及地方各级人民代表大会选举法》。该法规定"各省应选全国人民代表大会代表的名额；按人口每80万人选代表1人"，但"中央直辖市和人口在50万以上的省辖工业市应选全国人民代表大会代表的名额，按人口每10万人选代表1人。"农村每一代表所带表的人口数，是城市每一代表所代表的人口数的八倍。确定省〔1〕县〔2〕人大代表名额时，农村每一代表所代表的人口数，也多于城市每一代表所代表的人口数。该法实施到"文化大革命"前夕。

"文革"后重建人民代表大会选举制度，1979 年的《全国人民代表大会及地方各级人民代表大会选举法》分别规定了自治州、县、自治县和省、自治区以及全国三级人民代表大会代表的名额，按照农村每一代表所代表的人口数四倍、五倍和八倍于城市每一代表所代表的人口数的原则分配。1982、1986 年修改《选举法》都保留了这一比例规定。1995 年将这三个比例，统一调整为农村每一代表所代表的人口数四倍于城市每一代表所代表的人口数。是为四分之一条款。

这五部选举法的有关规定如下表所示。

表 1：农村每一代表所代表的人口数与城市
每一带表所代表的人口数的倍数

	全国人大	省、自治区人大	自治州、县、自治县	直辖市、市、市辖区人大
1953	8	多于	多于	市人大郊区每一代表所代表的人口数，应多于市区每一代表所代表的人口数。
1979	8	5	4	农村每一代表所代表的人口数，应多于市区每一代表所代表的人口数
1982	8	5	4	同上
1986	8	5	4	同上
1995	4	4	4	同上

---

〔1〕 第 14 条各县应选省人民代表大会代表的名额；人口在 20 万以下者，选代表 1 人至 3 人；人口超过 20 万至 60 万者，选代表 2 人至 4 人；人口超过 60 万者，选代表 3 人至 5 人。省辖市、镇和省境内重要工矿区，按人口每 2 万人选代表 1 人，其人口不足 2 万人但满 1 万人者亦得选代表 1 人。

〔2〕 第 11 条各乡应选县人民代表大会代表的名额；人口在 2000 以下者，选代表 1 人，人口超过 2000 至 6000 者，选代表 2 人；人口超过 6000 者，选代表 3 人。人口和乡数特少的县，其人口在 2000 以下的乡，亦得选代表 2 人。县辖城、镇和县境内重要工矿区，按人口每 500 人选代表 1 人，其人口不足 500 人但满 250 人者亦得选代表 1 人。县辖城、镇人口和镇数特多的县，所辖城、镇得按人口每 1000 人选代表 1 人。

1979 年 6 月 26 日在第五届全国人民代表大会第二次会议上，彭真副委员长对《选举法》草案做了说明，但说明中未涉及农村和城市按照不同人口比例确定代表名额的问题。[3]

1953 年 2 月 11 日，邓小平代表选举法起草委员会在"关于《中华人民共和国全国人民代表大会及地方各级人民代表大会选举法》草案的说明"（1953 年 2 月 11 日在中央人民政府委员会第 22 次会议上的报告）对选举法中规定的城市和乡村应选代表的不同的人口比例问题进行了说明。立法者承认这个不同比例的规定违反了选举权的平等性，但符合"现实合理性"：

我们选举权的平等性，表现在选举法草案中以下的规定，即：所有男女选民都在平等的基础上参加选举，每一选民只有一个投票权。这就是说，对于所有年满 18 周岁的公民来说，他们的选举权利是不受限制的，他们的平等的民主权利是受到充分保障的。选举法草案还规定了全国及地方各级人民代表大会代表的名额及代表的产生，均以一定人口的比例为基础。同时草案又适当地照顾了地区和单位，所以在城市与乡村间，在汉族与少数民族间，都作了不同比例的规定。这些在选举上不同比例的规定，就某种方面来说，是不完全平等的，但是只有这样规定，才能真实地反映我国的现实生活，才能使全国各民族各阶层在各级人民代表大会中有与其地位相当的代表，所以它不但是很合理的，而且是我们过渡到更为平等和完全平等的选举所完全必需的。

草案规定了城市和乡村应选代表的不同的人口比例。条文规定省每 80 万人选举全国人民代表大会代表 1 人，而工业城市则每 10 万人就可选举全国人民代表大会代表 1 人。对省、市，县人民代表大会代表都作了同样性质的规定。城市是政治、经济、文化的中心，是工人阶级所在，是工业所在，这种城市和乡村应选代表的不同人口比例的规定，正是反映着工人阶级对于国家的领导作用，同时标志着我们国家工业化的发展方向。因此，这样规定是完全符合于我们国家的政治制度和实际情况的，是完全必要的和完全正确的。

二、四分之一条款与直接选举中的选举权平等

那么，四分之一条款和选举权的平等性究竟有什么关系呢？为了探究这一点，我们不妨把我国选举法中的四分之一条款与美国 1787 年宪法中的五分之三

---

[3] "关于七个法律草案的说明"，载《人民日报》1979 年 7 月 1 日第 1 版。

条款做一个比较。

美国 1787 年宪法第 1 条中规定："众议员名额和直接税税额，在本联邦可包括的各州中，按照各自人口比例进行分配。各州人口数，按自由人总数加上所有其他人口的五分之三予以确定。自由人总数包括必须服一定年限劳役的人，但不包括未被征税的印第安人。"

这里的"其他人口"，指的是黑人奴隶。黑人奴隶虽然按五分之三的比例计算在各州人口数内，作为在各州之间分配众议员名额的基础，但是黑人奴隶并不拥有众议员的选举权。美国宪法规定"众议院由各州人民每两年选举产生的众议员组成。每个州的选举人须具备该州州议会人数最多一院选举人所必需的资格。"选举众议员的选举人，必须具备选举各州议会人数最多的一院的选举人所具备的资格，当时黑人奴隶并不具备这样的资格。

黑人奴隶的选举权，是在美国内战后通过宪法第 13、14、15 修正案后才获得的。第 14 修正案第 1 款规定："所有在合众国出生或归化合众国并受其管辖的人，都是合众国的和他们居住州的公民"第 15 修正案第 1 款规定："合众国公民的选举权，不得因种族、肤色或以前是奴隶而被合众国或任何一州加以拒绝或限制。"在黑人奴隶获得公民身份和选举权后，在计算各州人口以分配众议员名额时，五分之三条款也同时废除，黑人和其他人（但仍然不包括未被征税的印第安人）同样对待。如果州拒绝或限制包括黑人在内的公民的选举权，则其在众议院的代表权，则会视被限制的人数的多寡进行成比例的削减。第 14 修正案第 2 款规定："众议员名额，应按各州人口比例进行分配，此人口数包括一州的全部人口数，但不包括未被征税的印第安人。但在选举合众国总统和副总统选举人、国会众议员、州行政和司法官员或州议会议员的任何选举中，一州的年满 21 岁并且是合众国公民的任何男性居民，除因参加叛乱或其他犯罪外，如其选举权遭到拒绝或受到任何方式的限制，则该州代表权的基础，应按以上男性公民的人数同该州年满 21 岁男性公民总人数的比例予以削减。"

和美国 1787 年宪法中的"五分之三条款"不同的是，我国《选举法》中的四分之一条款，并非完全否认农村人口的选举权。

1995 年《选举法》规定，"全国人民代表大会之代表，省、县和设区的市人民代表大会之代表，由其下一级人民代表大会选举之。乡、镇、市辖区和不设区的市人民代表大会之代表，由选民直接选举之。"则直接选举仅在乡、镇、市辖区和不设区的市进行。这一级人大代表选举，并不按城市农村人口以不同的比例分配代表名额。居住在同一乡、镇、市辖区和不设区的市的选民，他们的选举权应该是平等的。

1979 年以后的《选举法》把直接选举由乡镇一级人大扩展到县一级人大。乡镇一级人大代表的选举是普遍、直接、平等的，《选举法》并没有规定乡镇人大选举按不同人口比例在城乡之间分配代表名额；[4] 但在县一级人大代表选举中，就产生了直接选举中按照不同人口比例在城乡之间分配代表名额的问题。正是这一点带来了城乡公民选举权的不平等。

在间接选举中规定选举一个代表的在城市和农村间的不同人口比例，和公民的选举权是否平等并无直接关系。公民的选举权体现在直接选举中。只有在直接选举中，才能谈得上选举权的平等性。

1995《选举法》规定，在举行直选的县乡两级人大（包括不设区的市、市辖区、县、自治县、乡、民族乡、镇），"城镇各选区每一代表所代表的人口数应当大体相等。农村各选区每一代表所代表的人口数应当大体相等。"这表明，在县一级人大直选过程中，在同一选区之内，每个选民的投票权是平等的，一人一票，并且每张选票的效力相等；在各城镇选区之间，和在农村各选区之间，每个选民的投票权也大体是平等的，城镇选民之间的每张选票的效力也是大体相等的；但在一个城镇选区和一个农村选区之间，以及在所有全部城镇选区和全部农村选区之间，选民的选举权却是不平等的，一个农村选民的选举权是一个城镇选民的选举权的四分之一，全部农村选民的选举权是全部城镇选民选举权的四分之一。造成的结果，便可能是代表的多数并不代表人口的多数。

假设某县城镇人口占总人口的比例是 x（$0 < x < 1$），其由城镇选民选出的人大代表占总代表的比例是 y（$0 < y < 1$），按照农村每一代表所代表的人口数四倍于城市每一代表所代表的人口数计算，可以得到 β 与 α 之间的关系为 $y = 4x/(1+3x)$。容易证明，y 总是大于 x。[5] 而且，只要城镇人口比例超过 20%，那么城镇选民选出的代表便在人大中超过 50%，成为多数，这时候代表的多数并不代表人口的多数。而农村选民选出的代表若要成为多数，农村人口比例必须超过 80%。

---

〔4〕 但大多数地方在实践中是按比例行事的。"在乡镇人大代表选举的实际运作中，各乡镇的选区划分实际上已明确分为两大类，一类是'乡直'或'镇直'选区（包括县属和市属单位，即城镇选区）。用更准确的概念，应是'农业人口选区'和'非农业人口选区'。"史卫民：《公选与直选：乡镇人大选举制度研究》，中国社会科学出版社，2000，页 140。这样一来，乡镇一级的选举和县一级选举将涉及同样选举权不平等的问题。但这样做并没有法律上的依据。

〔5〕 设总人口数为 A，代表数为 a，按照四分之一条款，则有 $[A(1-x)]/[a(1-y)] = (4Ax)/ay$。则 $y = 4x/(1+3x)$。$y - x = [3x(1-x)]/(1+3x)$，因为 $0 < x < 1$，所以 $y - x = [3x(1-x)]/(1+3x) > 0$，可知 $y > x$。

比如某县有 100 万人口，其人大代表人数为基数 120 人加上按人口数增加的代表数[6] 200 人共 320 人，如果其城镇人口为 20 万，农村人口为 80 万，则城镇选出的代表为 160 人，和拥有 80 万人口的农村选出的代表数相等。假如城镇人口为 30 万，则选出的代表为 202 人，已经超过拥有 70 万人口的农村地区选出的代表数 118 人，人口的多数和代表的多数并不一致。

三、四分之一条款与间接选举中的代表名额分配

前文指出，只有在县乡两级人大的直接选举中，讨论四分之 1 条款与选举权的平等才有意义。那么，四分之一条款在间接选举中起什么作用呢？

1995 年《选举法》规定，"全国人民代表大会的代表，省、自治区、直辖市、设区的市、自治州的人民代表大会的代表，由下一级人民代表大会选举。"在这种由下一级人大进行的间接选举中，四分之一条款和公民的选举权没有直接关系，它仅仅起一个在各个选举单位之间分配代表名额的作用。

比如，1995 年《选举法》规定，"省、自治区、直辖市应选全国人民代表大会代表的名额，由全国人民代表大会常务委员会按照农村每一代表所代表的人口数四倍于城市每一代表所代表的人口数的原则分配。"这样一来，各省、自治区、直辖市城市人口与农村人口的比例，便成为和其人口数一起成为决定其人大选举多少全国人大代表的重要因素。

假设甲省和乙直辖市的人口都是 1100 万，甲省农村人口 880 万，城市人口 220 万，如果农村按人口每 88 万人选代表 1 人，城市按人口每 22 万人选代表 1 人，那么甲省应选出全国人大代表 20 人；乙市农村人口 220 万，城市人口 880 万，则乙市应选出全国人大代表 43 人。这样一来，虽然甲省和乙市的总人口数相等，但由于不同的城乡人口比例，导致乙市参见全国人大的代表比甲省多出一倍有余。

第九届全国人大人大分配在各省、市、自治区分配代表名额时，规定城市每 22 万人选代表 1 人，农村每 88 万人选代表 1 人。从下表可以看出，河南、重庆、河北、安徽、四川、湖南、浙江、贵州这些农村人口比例较大的省份，每一代表所代表的人口数，远远多于北京、上海、天津平均每一代表所代表的人口数。而北京、上海、天津每一代表平均代表的人口数，则非常接近城市每一代表所代表的法定人数 22 万人。

---

[6] 1995 年《选举法》规定：县、自治县、不设区的市、市辖区的代表名额基数为 120 名，每 5000 人可以增加 1 名代表。

表2：九届全国人大各省人口与代表数

	总人口数（万）	代表数	每一代表平均代表的人口数（万）
北京	1076	47	22.9
天津	898	37	24.3
河北	6420	110	58.4
山西	3025	59	51.3
内蒙古	2237	53	42.2
辽宁	4033	108	37.3
吉林	2550	66	38.6
黑龙江	3576	96	37.3
上海	1301	56	23.2
江苏	6868	137	50.1
浙江	4369	78	56.0
安徽	5999	103	58.2
福建	3164	57	55.5
江西	3938	72	54.7
山东	8701	173	50.3
河南	9108	154	59.1
湖北	5727	116	49.4
湖南	6356	111	57.3
广东	6788	147	46.2
广西	4502	85	53.0
海南	702	16	43.9
重庆	3002	51	58.9
四川	8160	142	57.5
贵州	3419	61	56.0
云南	3873	86	45.0

西藏	235	17	13.8
陕西	3431	63	54.5
甘肃	2388	44	54.3
宁夏	512	16	32.0
新疆	1637	56	29.2
台湾		13	
香港		36	
澳门		5	
解放军		268	
中央分配		225	

资料来源：蔡定剑：《中国人民代表大会制度》，第 159 页，北京：法律出版社，1998

　　由此可以看出，在人大代表间接选举中，四分之一条款使得那些城市人口较多的地区，获得较多的代表名额。

　　在美国宪法的历史上，1787 年宪法中的五分之三条款也发挥了类似的作用。五分之三条款是 1787 年费城立宪会议上北方各州和蓄奴的南方各州达成的一项妥协。[7] 但最后却酿成了一场不得不用内战解决的宪政危机。五分之三条款并不意味着五个黑人有三个投票权，而仅仅起着在各州之间分配众议员名额和直接税税额的作用。南方的奴隶州虽然不承认黑人的选民地位，却从蓄奴活动中获得比北方自由州更多的众议员名额，从而可能在众议院中成为多数。由于在参议院各州无论人口多少代表都是两名，自由州和蓄奴州数目相等，代表人数也相等，这样蓄奴州在众议院获得多数，便意味着在整个立法分支获得多数。"奴隶制"而不是"自由"将成为法律的原则。[8]

　　我国的四分之一条款，则使得中西部的一些农村人口较多的省份，不能在全国人大获得与其人口数相应的代表数额；也使得各省级、市级人大中，农村人口较多的地区不能获得与其人口数相应的代表数额，从而不能在选举、表决和参政、议政中充分发挥作用。三农（农村、农业、农民）问题的持续存在，城乡

─────────────

〔7〕　参见汉密尔顿、杰伊、麦迪逊：《联邦党人文集》第 54 篇，程逢如、在汉、舒逊译，商务印书馆，1980。

〔8〕　参见王希：《原则与妥协》，第 4 章 "奴隶制、内战与美国宪法"，北京大学出版社，2000。

差距的持续存在甚至进一步'恶化'，城乡分治的局面迟迟不能打破，是否和这种"合法的歧视"有关系呢？

四分之一条款甚至使得一些改革开放以来农村工业发展并不逊色的地区也无法和一些大城市在立法机关按照同样的标准获得代表数额。拿九届全国人大来说，和上海毗邻的江苏、浙江，人口数分别是上海的5.3和3.4倍，而在全国人大的代表名额却仅为上海的2.4和1.4倍。

1953年选举法说明中关于"城市是工业和工人阶级所在"的论断，显然已经不能概括经济发展的事实；因为我国工业化的进程中，一直存在农村工业和户口意义上的农民从事工业的现象，更不要说现在已经在珠江三角洲和长江三角洲成燎原之势。

我国1982年《宪法》第3条规定："全国人民代表大会和地方各级人民代表大会都由民主选举产生，对人民负责，受人民监督。"民主选举并不排斥间接选举，但是，间接选举的民主性肯定低于直接选举的民主性，因为人民对不是直接由自己选出的代表不能控制。[9] 而四分之一条款的存在又使得这种民主性进一步降低，这集中表现在代表的多数和人口的多数可能不一致。

全国人大有权制定法律，省级人大以及一部分市[10]人大有地方性法规的立法权，如果代表的多数和人口的多数不一致，则行使立法权的这些人大所立法的合法性堪忧。

另外，和在直接选举中一样，代表的多数和人口的多数不一致，还可能出现多数代表向少数人口负责、多数人民不能监督多数代表的情况。

四、四分之一条款与代议制民主

我国宪法第2条规定："中华人民共和国的一切权力属于人民。人民行使国家权力的机关是全国人民代表大会和地方各级人民代表大会。"第3条规定："中华人民共和国的国家机构实行民主集中制的原则。全国人民代表大会和地方各级人民代表大会都由民主选举产生，对人民负责，受人民监督。国家行政机关、审判机关、检察机关都由人民代表大会产生，对它负责，受它监督。中央和地方的国家机构职权的划分，遵循在中央的统一领导下，充分发挥地方的主动

---

〔9〕 美国1787年宪法规定联邦参议员由各州议会选举产生，1913年第17修正案将参议员改为由各州人民直接选举产生。

〔10〕 包括省、自治区的人民政府所在地的市，经济特区所在地的市和经国务院批准的较大的市。参加2000年《立法》第63条。

性、积极性的原则。"

由此看出，我国的政体是代议制民主制。国家的一切权力属于人民，但人民并不按照直接民主的原则的直接行使国家权力，而是按照民主集中制的原则间接行使权力。人民通过民主选举产生人民代表大会，人民代表大会直接行使权力，包括立法和选举、任命、监督行政和司法机关等。政府的集中权力来自于人民的民主权力，政府权力是人民权力的集中使用。人民遵守法律、服从政府的的前提是：政府的权力是由人民授予的，人民遵守法律、服从政府不是服从别人的意志，而正是服从自己的意志，正是因为这一点，人民既保持了自己的自由，又能够使权力能够集中行使，避免由于人民直接行使权力而可能导致的混乱和无政府局面。建立法律统治的前提，是法律具有合法性（legitimacy）；而在民主制度下，法律是否具有合法性，首先要看立法者是否得到了人民的完整授权。

上文的分析表明，四分之一条款正是在人民选举人民代表大会这一"人民授权"的关键环节发挥作用。在实行直接选举的县乡两级人大，由于四分之一条款的作用，使得代表的多数不能代表人民的多数这一情况得以出现，使得多数代表不能向多数人民负责，多数代表无法受多数人民监督。无法确保代表多数人民的人民代表大会产生的政府机关，也就无法代表多数人民行使权力。这就使人民在服从这一政府的时候，无法确信是在服从自己的意志，也无法确信自己仍然是自由的人民。

县一级人大也是产生上级人大代表的选举单位。如果无法确保县一级人大能够代表多数人民，则县一级人大选举出来的上一级人大代表，也无法确保能够间接代表多数人民的意志。以此类推，层层间接选举出来市、省以及全国人大代表，更无法确保能够代表多数人民的意志。并且，越是更高层次的人大，越不可能代表多数人民。

1953 年《选举法》的说明在为城市和乡村应选代表采用不同人口比例辩护的时候说："城市是政治、经济、文化的中心，是工人阶级所在，是工业所在，这种城市和乡村应选代表的不同人口比例的规定，正是反映着工人阶级对于国家的领导作用，同时标志着我们国家工业化的发展方向。"应该说，这种辩护误解了我国代议制民主实质。中华人民共和国建国以来的数部《宪法》都确认：中华人民共和国的一切权力属于人民。人民代表大会和人民代表代表的人民，而不是任何"地方"，不管是城市还是乡村。

美国联邦宪法中的代议制和我国不同。美国国会由众议院和参议院组成，其中众议院代表人民，名额按照各州人口数分配，参议院代表各州，各州无论人口多少都是两个名额。1913 年第 17 修正案后，参议员也改为由各州人民直选，但参议员代表各州这一点并没有改变。按照《联邦党人文集》的解释，众议院反映联邦（UNION）的国家性（national），参议员反映联邦的联邦性（federal）。[11] 我国是单一制国家，各级人民代表大会都是毫无例外地代表人民，而并不代表地方。"城市是政治、经济、文化的中心"并不当然意味着城市在目前是多数人民生活的中心，相反，城市在我国城市之所以成为政治、经济、文化的中心，在很大程度上正是靠通过户籍制度把多数人民排除在城市之外而造成的。在多数人民无法按照自己的意愿自由生活在作为政治、经济、文化中心的城市的情况下，按照四倍甚至以往的八倍比例扩大城市人口的代表权，造成的结果恰恰是各级人民代表大会虽然更多地代表了城市，却更少地代表了人民。

1964 年，在美国宪法的判例法中最终确定了一人一票原则（one person one vote）的 REYNOLDS v. SIMS, 377 U. S. 533（1964）一案中，美国最高法院首席大法官 Warren 写道："立法者代表的是人民，不是树木和土地。立法者是选民选的，不是农场或城市选的，也不是这样那样的经济利益选的。只要我们的政府还是代议制形式的政府，只要我们的立法机关还是由人民直接选举的政府机构，还直接代表着人民，自由而不受减损地选举立法者的权利就仍然还是我们政治制度的基石。（Legislators represent people, not trees or acres. Legislators are elected by voters, not farms or cities or economic interests. As long as ours is a representative form of government, and our legislatures are those instruments of government elected directly by and directly representative of the people, the right to elect legislators in a free and unimpaired fashion is a bedrock of our political system.）后来，Warren 在自己的自传中把这个案件看做自己判决过的最重要的案件，因为它捍卫了代议制政府的根本原则。[12]

五、四分之一条款与人大代表素质

有人担心，如果取消了四分之一条款，将会使大批农民成为人大代表，从而降低人大代表的素质。[13]

首先，代表素质是一个含混不清的说法，需要进一步分析。按照宪法规定，

---

〔11〕 参见汉密尔顿、杰伊、麦迪逊：《联邦党人文集》第 39 篇，程逢如、在汉、舒逊译，商务印书馆，1980。

〔12〕 Earl Warren, *The Memoirs of Chief Justice Earl Warren*, p. 308, Lanham: Madison Books, 1977.

〔13〕 比如周恩来：《周恩来统一战线文选》页 140～141，人民出版社；转引自蔡定剑主编：《中国选举状况的报告》，法律出版社，2002 页 200。

人民代表大会是代表人民行使国家权力的机关，是一个政治性机构，代表素质首先意味着代表的政治素质；而在代议制民主的政体下，代表的素质应该是指代表的民主素质。我国农民的文化素质可能比城市公民低，但文化素质低并不代表民主素质低。文化素质低的人可能并不擅长阐述政治理论，但并不意味着他们无法代表选民的利益，按照选民的诉求进行政治讨论和做出政治行动。在这方面实证调查显示，文化素质和民主素质并不存在清晰的正相关关系，在我国的官方和知识界，农民的民主素质一直被低估，而大学生的民主素质一直被高估。号称"政治素质高"的干部，他们的所谓的"政治素质"在很多时候恰恰不是表现为民主素质，而带有强烈的反民主特征。民主实践，而不是大学课堂，才是最好的民主训练场所。所以提高选民和代表的民主素质的最好办法是进行真正的民主选举。[14]

更重要的是，我国宪法和法律并没有对人大代表资格做出高于选举人的规定。《宪法》第 34 条规定："中华人民共和国年满 18 周岁的公民，不分民族、种族、性别、职业、家庭出身、宗教信仰、教育程度、财产状况、居住期限，都有选举权和被选举权；但是依照法律被剥夺政治权利的人除外。"

这意味着，拥有选举权的公民就拥有人大代表的被选举权。[15] 这和美国宪法不一样。美国宪法规定，在国会选举中，"凡年龄不满 25 岁，成为合众国公民不满 7 年，在一州当选时不是该州居民者，不得担任众议员。""凡年龄不满 30 岁，成为合众国公民不满 9 年，在一州当选时不是该州居民者，不得担任参议员。"而第 26 修正案规定："年满 18 岁和 18 岁以上的合众国公民的选举权，不得因为年龄而被合众国或任何一州加以拒绝或限制。"这意味着，有些拥有国会议员选举权的公民并不拥有被选为国会议员的权利，在投票时，有一些公民因为年龄和居留期限问题不能投自己的票。这是对公民被选举权的限制，也是对公民选举权的限制，当然这样的限制并非完全没有道理。[16]

我国法律对人大代表的当选资格并不做出过多限制，并不意味着当选代表的素质和选民的平均素质相当，也并不意味着选民中有多少比例的农民，就会通过人大选举选出多少比例的农民代表。我国宪法规定的人民代表大会制乃是代议制

---

[14] 蔡定剑："'中国人素质太低，搞不了选举'质疑：经济、文化、政治、利益与选举行为相关性调查与分析"，载蔡定剑主编：《中国选举状况的报告》，199–261 页，法律出版社，2002。

[15] 在各级政府官员的选举中，除了当选国家主席和副主席有年满 45 周岁的要求外（《宪法》第 79 条），其他拥有选举权的公民同时就拥有被选举权。

[16] 参见汉密尔顿、杰伊、麦迪逊：《联邦党人文集》第 57、62 篇，程逢如、在汉、舒逊译，商务印书馆，1980。

民主制，而不是直接民主制和身份代表制。

在直接民主制下，代表通过抽签抽出，而不是通过选举，这样每个公民都有同等的机会被抽中。在这种情况下，才会出现代表的素质等于全体公民的平均素质的情况。

在身份代表制下，代表的产生虽然也通过选举，但是代表会议中各种身份的代表名额或者比例在选举之前已经确定，这时候选民的选举权和代表的被选举权便受到限制。因为有些选民认可的代表可能应为名额或比例的原因不能当选，而有些代表当选，却可能仅仅由于名额或者比例因素促成。

我国的人民代表选举，虽然有四分之一条款的限制，但四分之一条款只是一种在城乡不同选区之间分配代表名额的做法，而不是规定不同身份代表的数目和比例的做法。在县一级人大直接选举中，"农村每一代表所代表的人口数四倍于城市每一代表所代表的人口数分配"，并不意味着农村选区一定要选举本选区的农民做代表，城市选区一定要选本选区的城里人做代表。并非居住在本选区的公民，或者职业不是农民的公民，都可以成为本选区的代表，这取决于提名和预选等程序；至于最后谁被选为代表，仅仅取决于选票。

在人大代表间接选举中，四分之一条款更是与最终代表的身份比例构成没有关系。比如"各省、自治区、直辖市应选的第十届全国人民代表大会代表的名额，农村按人口每96万人选代表1人，城市按人口每24万人选代表1人"，四分之一条款只是在各省、自治区、直辖市之间分配名额的过程中起作用，确定名额之后，这些代表由各省、自治区、直辖市人大选出，而不是由农村那96万人或城市那24万人选出。至于最后选出的代表中有多少农民或城里人，法律并不规定，而只是诉诸选举过程。

普选制的实质，在于把代表的选择权全部交给选举过程，而不是由法律事先规定。没有理由认为，占人口总数或选民总数80%的农村选民必然选出80%的农民代表。代议制民主选举应该是普遍、平等、自由、无记名的选举，选举的自由恰恰体现在选民可以按照自己的意愿选举自己相信能够履行代表职责的人，而不是与自己相似的人。在普选制发达的国家，当选代表的往往是职业政治家或政客。我们不能仅仅从当选代表的职业或出身判断选举是否普遍、平等、自由，而应该着重从选举过程判断之。

我国目前选举中，无论是直接选举还是间接选举，都存在着选举组织者推行

身份代表制的做法，在选举进行之前按照职业和党派等规定代表名额或比例，[17]
这些都没有宪法与法律上的依据。在实践中，即使这些比例对工农、妇女、知识
分子、民主党派等做出了照顾，但往往是"选举"了一些并没有意愿和能力的
人进入人大。这样"选出"的代表，即使他是一个农民，由于他本人缺乏当代
表的意愿和能力，也无法在人大中代表农民，更不要说代表人民了。

六、四分之一条款与人民民主的未来：更为平等和完全平等的选举

邓小平在 1953 年对于《选举法》草案的说明中曾表示，"在选举上不同比
例的规定，就某种方面来说，是不完全平等的，但是只有这样规定，才能真实地
反映我国的现实生活，才能使全国各民族各阶层在各级人民代表大会中有与其地
位相当的代表，所以它不但是很合理的，而且是我们过渡到更为平等和完全平等
的选举所完全必需的。"50 年过去了，比例问题除了在全国人大代表的选举中从
八分之一过渡到四分之一，似乎并没有多大的变化。当然，我们也不应该忘记，
在"文化大革命"中还曾实践过一种和代议制民主背道而驰的群众"大民主"。
显然，这种"大民主"却没有带来真正的人民民主。

1979 年《选举法》标志着重建代议制人民民主的努力的又一次开始。当这
种努力重新开始的时候，不能忘记这种努力曾经的目标。选举上不同比例的规定
只是手段，目标仍然是更为平等和完全平等的选举。多年的实践表明，城乡之间
不同比例的规定，并不是达到更为平等和完全平等的选举的可靠手段。相反，它
倒使得这种不平等有固定下来的趋势。

代议制的人民民主，应当以普遍、平等、直接、无记名的选举为根本的基
础。我国宪法和法律现在已经基本可以保证人大代表选举的普遍性和无记名方
式。现在，扩大代表直选甚至乡镇长直选的呼声很高。[18] 但是，直接选举与公
民的选举权直接相关，不平等的直接选举，将带来代表或官员无法从多数选民那
里获得授权的情况，使得选举结果无法获得最终的合法性和稳定性。所以，扩大
直选和选举平等的改革应该同时进行，这就要求尽快废除直接选举中的四分之一

---

[17] 比如，1997 年山东省青岛市城阳区选举委员会按照山东省和青岛市的要求，对本届人大人大代表的
比例做出安排：性别上，妇女比例不低于 25%；职业上，工农 60%，知识分子 15%，干部 20%；
党派上，中共党员 65%。史卫民、雷兢璇：《直接选举：制度与过程：县（区）级人大代表选举实
证研究》，中国社会科学出版社，1999，页 92。

[18] 参见周晓东："选举制度民主化改革研究：扩大代表直选"，杜钢建："乡镇长直接选举改革研究"，
载蔡定剑主编：《中国选举状况的报告》，法律出版社，2002，页 370～413，页 414～450。

条款。

如前所述，按照四分之一条款在间接人大代表选举过程中分配各省市地区的代表名额，带来人大代表代表城市而不是代表人民的疑问，使得有立法权的各级人大的立法的合法性受到置疑，和我国人民共和的国体不合，也应一并废除。

从乡村法律制度的建设看法律与发展：
纠纷的解决与经济发展

傅华伶

一、简介

有关纠纷的社会法学研究大致是从两个角度来进行的。[1] 一般的方法是从具体纠纷的角度来考查当事人在遇到纠纷后的行为方式，即什么样的当事人利用何种资源去启动哪种机构，或者是纠纷如何从当事人私下的不满转化为公开的冲突，进而提交给一个第三者在一个公开的场合加以解决。这类微观的研究是从纠纷的内部来探讨纠纷的发展和转化。[2]

另一种方法是以影响纠纷类型、发生频率的外在因素为出发点，从而发现客观的社会经济状况与纠纷之间的联系，即社会经济状况的变化如何引起纠纷的变化。与有关现代化与犯罪的研究相似，这种方法着重分析社会经济发展对纠纷的类型和数量的影响。[3]

本文试图从上述两种方法的角度来考查社会经济变化、纠纷及纠纷解决机构和当事人三者之间的关系。本文的主要观点是，中国农业经济的发展和政策的变

---

[1] Robert L. Kidder, *Connecting Law and Society：An introduction to research and theory* (New Jersey：Prentice – Hall, 1983), Chapter 6.

[2] William Felstiner, Richard Abel, and Austin Sarat, "The Emergence and Transformation of Disputes：Naming, Blaming and Claiming" (1980/81) 15 *Law and Society Review* 631.

[3] 同注1。王海涛："中国农民法律意识现状探讨"，载《政法论坛》，2000 年第5 期，页30。赵晓力："中国农民法律意识现状探讨"，载《政法论坛》；"通过合同的治理"，载《中国社会科学》，2000年第2 期，页120。

化引起了农村纠纷类型的改变，导致了国家法律和机构对农村社会的渗透，影响了农民的法律意识和解决纠纷的行为方式。经济的变化引发了纠纷、纠纷解决机构和当事人多方面的连锁反应。

1978 年以来的农村经济社会变革削弱了乡村干部的权威和其解决矛盾纠纷的能力。新的社会经济关系需要新的纠纷解决机构和方式。面对新的社会矛盾，国家把诉讼和惩罚机制延伸到农村。警察、法庭、律师相继进入农村，并试图替代农村地方势力在纠纷解决中的作用。但法律对农村的渗透并不是直线发展的。取决于经济的和其他的因素，国家法律在农村的发展是一个复杂、反复的过程。在过去的二十多年中，法律机构在农村经历了一个替代、冲突、撤并和重组的过程。

本文可分为四个部分。第一部分分析家庭联产承包责任制实施以来农村纠纷的变化。第二部分介绍国家如何通过法律制度的方式来弥补乡村社会变化所带来的影响，并强调法律机构在农村的渗透是对农村纠纷发展变化的被动反应。第三部分探讨 1990 年代农村社会经济危机对乡镇法律机构的影响。最后一部分讨论上述的变化对农民权利意识的影响和农民处理纠纷方式的变化。

二、法律制度的要件

一个法律制度可分成四个组成部分：规则、机构、中介和当事人。[4] 经济社会的变化从上述四个方面影响法律制度。这四个方面又相互影响，相互推动。

规则是指国家或其他性质的权力机构按照适当的程序制定的、具有普遍适用性的行为规范。它包括国家制定的法律、法规，以及细化、操作这些法律、法规的政府规章和其他规范性文件。它同时也包括民间机构制定的规章。因此规则的范围是广泛的，大至全国性的法律，小至村规民约、家法族规。规则可能是合法的，也可能是法律之外的，甚至是非法的，比如非法或犯罪组织的规章。总之，凡是能够规范其成员行为的准则，而且能得以执行的，均可以称为规则。

规则是多元的，相互间既有合作又有冲突。一种规则的合法性、有效性取决于多种因素，包括政治经济环境，机构对规则适用的效果，以及当事人对规则的认同和接受。任何社会都会有主流的规则和许多边缘化的规则。主流和边缘的规则既相互排斥，又相互补充。它们之间的关系是在一个长期磨合的过程中发展起来的。

---

[4] Marc Galanter, "Why the 'Haves' come out ahead: Speculations on the limits of legal changes" (1974) 9 *Law and Society Review* 95.

规则需要一定的机构将其运用于具体的纠纷之中。机构的主要特征包括其职权性、稳定性、专业性。一个机构有其独特的职权范围，由专业人士操作，并按照固定的模式运行。机构的目的是实施规则。由于规则是多元的，机构也是多元的。不同的机构有不同程度的合法性和有效性，因此机构与机构之间会为争夺当事人而相互竞争。在成熟的法律制度中，法院是主导的纠纷解决机构，而其他的纠纷解决机构都处在法律的边缘地位。

当事人是一个法律制度中最重要的组成部分。由于多数的纠纷解决机制都是被动的，当事人便成为整个机制的启动人。同时当事人也是规则最终要影响和规范的对象。在多元的规则和机构的影响下，当事人基于自身利益在不同的机构间作出合理的选择。在很大的程度上，法社会学和法人类学的研究都围绕着这样一个主题：当事人在遇到纠纷时会将此纠纷提交到什么样的机构，这个决定过程会受哪些因素影响，这个决定对于机构和机构适用的规则又会产生什么样的影响。

一般来说，当事人的选择取决于当事人所拥有的资源。拥有不同资源的当事人会面对不同的纠纷，其利益受到损害的机会与程度不一样，启动机制的能力也不同。总之，不同的当事人对整个纠纷解决机制和程序的主观感受不同，其所受到的客观影响也不一样。

在当事人和机构之间，中介起到了重要的桥梁作用。当机构把抽象的原则适用到当事人的具体纠纷时，中介的参与和帮助通常是必不可少的。机构所适用的规则可能很复杂，机构本身的操作程序可能具有很强的技术性，在这种双重复杂的前提下，当事人与机构的沟通必须通过中介这个桥梁。另外，中介也能为当事人提供必要的社会支持。

同时，中介对机构也具有重要意义。中介往往对机构的运作起到润滑的作用。没有中介事前的准备，当事人之间、当事人和机构之间的直接接触容易导致纠纷的激化。长远来看，没有中介的参与与缓冲，机构会受到很大的直接冲击，其发展空间也会受到限制。

三、纠纷的演变

自 1970 年代后期开始，政府在农村实行联产承包责任制，将土地承包给农户。农民对政府的依赖和交往大量减少，而农民之间有关生产经营交往的密度和深度却大幅度增加。农民成为独立的经济主体，并与周围的社会发生复杂的法律关系。他们涉及纠纷的机会因此大量增加。

另一方面，土地承包政策激发了农民耕种自己土地的积极性。粮油产品价格保持相对高位，而且进城务工还未形成主流，农民对土地的依赖性很强。有关的纠纷直接影响到当事人的切身利益，因而不能简单地去回避。农民有必要去面对并处理其面临的纠纷。

基于这些原因，围绕农业生产而产生的纠纷，特别是有关田地的测量和划分、水利资源的利用，以及农户之间争田、争地、争水渠、山林的纠纷大量增加。1980 年到 1982 年，司法行政系统调解了 310 多万件有关生产经营纠纷（指由争山地争水争农机具和土地承包合同引起的纠纷），占同期全部纠纷总数的 15.5%。[5] 1983 年的最高人民法院工作报告第一次提到有关土地、山林、水利、农具、肥料等新型纠纷的增加。[6] 1984 年的最高人民法院工作报告又指出，"农村中与生产密切相关的纠纷……日益增多。"[7] 1985 年同样的案件又在上年的基础上增长 12.7%。[8] 1986 年再次"大幅度地上升"。[9]

同时，与生产有关的纠纷引发了大量的群众性械斗，而且由此引发的刑事案件也随之而上升。根据最高人民法院 1988 年的工作报告，1983 - 1987 年法院判处的"重刑杀人犯"中，70% 以上是农民之间的纠纷激化引起的。[10]

1978 年到 1985 年是中国农业经济发展最好的时期。家庭联产承包责任制提高了农民的生产力，国家农业支出占财政支出的比例保持 10% 以上的高位。农产品的商品量和商品率均迅速增长。农副产品连续几次加价，价格成倍增长。工商业特别是乡镇企业开始起步。政社分开后，国家精减了农村管理机构和"脱产干部"的数量，加上税费种类数量较少，农民当时的负担并不重。[11]

农民逐渐开始富裕起来，并开始有商业往来，新一轮的债务纠纷因此开始增长，社会矛盾的焦点也反映到这个方面。以下两个例子能说明这个变化。1986 年以前，农村贷款发展有限，但到了 1988 年以后，农村民间借贷开始发展。从

〔5〕 李冰："1979 至 1993 的人民调解工作"，载《中国司法行政年鉴》1995 年册，法律出版社，1996，页 34。

〔6〕 "最高人民法院工作报告（1983）"，载最高人民法院办公厅编：《最高人民法院工作报告集》，长城出版社，2001，页 116。

〔7〕 同上，页 132。

〔8〕 同上，页 154。

〔9〕 同上，页 166。

〔10〕 同上，页 178 - 179。赵晓力，同注明。

〔11〕 余红：《中国农民社会负担与农村发展研究》，上海财经大学出版社，2000。Robert F. Ash, "The Peasant and the State," in Brian Hook (ed.), *The Individual and the State in China* (Oxford: Clarendon Press, 1996), p. 70.

1984 年到 1990 年，民间借贷每年增长 19%。[12] 贵州省高院调查报告中更指出，从 1988 年起，该省的债务案件每年以 45% 左右的幅度递增。[13]

1980 年代后期开始，中国农村经济出现困难。由于政策规定和政策执行中出现的问题，粮油产品价格开始下调。国家对农业的投资也减少到 8% 以下。农用生产资料价格的上涨也使粮食生产成本大幅上升。同时，乡镇企业的发展开始停滞不前，并成为乡镇的负担。[14] 国家银行对农村信贷开始紧缩，并对乡镇企业实行"只收不贷"的政策，加剧了乡镇企业的破产。[15]

依赖于农村经济的县乡政府机关人员已增加到相当惊人的程度。直接由农民养活的县、乡、村三级干部的数量成倍增长。庞大的地方党政部门不仅是农民的负担，也是农村改革最大的阻力。在多重的压力之下，农民的负担在相对和绝对的意义上都开始上升。虽然国家作出了"减负"的规定和努力，但其效果往往是短暂的。1990 年代农村经济的最大特点是农民的现金收入的增长幅度持续下降，而农民的负担却快速增长。[16] 同时，随着农民收入的减少，贫困问题再现，商业往来开始减少，由此引发的债务、商业纠纷也逐渐减少。

大量的摊派，加上粮油产品价格的下调，和生产（化肥、农药）生活资料价格的上升，也给农村的社会冲突带来了新的特征。事实是农民种田一年的收入仅够支付政府的摊派和购买生产资料的费用。虽然中央和省政府不断地要求"减负"，而从官方的统计数字中也见到一些成效，但落到每个农民头上的负担仍没有减轻。摊派的总数像一团面，收摊派的税费就像是揉面团。你可以根据要求把面团揉成不同的形态，但它的大小总是一样。

摊派的直接后果之一便是干群关系的恶化。农民欠税，政府暴力"兑现"的现象上升，引发新类型的社会冲突。实际上，自承包责任制实施以来，农村干群关系一直没有能够理顺。由于历史和经济的原因，干群的利益冲突在 1980 年代没有激化。但在农民的收入绝对减少，政府的摊派还在增加的时候，农民对乡村政府的对抗开始公开化、有组织化。1990 年代中期以后，农村的纠纷开始

---

[12] 转引自梁治平："乡土社会中的法律与秩序"，载王铭铭，王斯福：《乡土社会的秩序、公正与权威》，中国政法大学出版社，1997，页 45。

[13] 贵州省高级人民法院民庭："当前民间借贷纠纷案件的调查分析和审判对策"，载《人民法院年鉴1991》，人民法院出版社，1994，页 819。

[14] Jean C. Oi, "Two decades of rural reform in China: An overview and assessment" (1999) 159 *The China Quarterly* 616.

[15] 陈桂棣、春桃：《中国农民调查》，人民文学出版社，2004，页 249。

[16] 余红，同注 11。

转型。

国家的强制"摊派"和农民积极和消极的抵抗造成农村社会矛盾和纠纷的转化和激化。政府也清楚地意识到这种变化。1999年召开的第四次全国人民调解委员会工作会议指出，"随着改革的深入和经济建设的发展，社会矛盾纠纷出现了许多新情况和新问题。基层纠纷的内容、范围和表现形式发生很大变化。特别是公民与集体、集体与集体、集体与国家、公民与国家之间的矛盾纠纷日益增多，造成新时期人民内部矛盾的多元化。"[17]

与此同时，城市开始对农村全面开放，进城打工的机会猛增。1980年代后期，中国的民工潮开始形成。在外部的诱惑和内部的压力的影响下，大批农民弃农进城。农民的弃农进城造成大面积田地无人种植管理，即所谓的"抛荒"。在大量的成年农民离乡进城的同时，他们也把社会矛盾从农村带到了城市，因此有了大量农民既"无家可归"，又"有家难回"的现象。高纠纷、高诉讼、高犯罪的群体从农村向城市转移自然减少了农村农民之间的纠纷。[18]

这些主观和客观的原因降低了农民对土地的依赖程度，农村与土地、山林、水利资源有关的纠纷也相应地开始减少，导致这类纠纷的比例由1980年代初的15%以上下降到1990年代的10%左右。[19] 1998至2002年的农业土地承包纠纷较上五年下降30.7%（由1993至1997年的3526000件减少到244200件）。[20]

但另一方面，国家因基础建设和城市发展的需要占用了大量的农村用地，而在征地的过程中又出现了大量的腐败和补偿不公的现象，因而导致了农民与政府间的剧烈冲突。农村土地征用过程中产生的各类矛盾，已成为税费纠纷后农民上访的焦点问题。而近来的几起影响较大的农民上访大案都与征地有关。[21]

四、纠纷解决机构

法律机构的设置往往取决于农村社会矛盾和纠纷的性质和严重程度。从结构主义的角度来看法律与社会的关系，我们会发现这样一个历史过程：社会结构越

---

[17] 《中国法律年鉴2000》，法律出版社，2000，页203。

[18] 王智民等：《当代中国农民犯罪研究》，中国人民公安大学出版社，2001。

[19] 《中国司法行政年鉴》1999年册，法律出版社，2000，页13。

[20] "1998-2002人民法院审判工作和队伍建设情况"，载《人民法院报》，2003年7月15日。

[21] "中国农民失地问题严重，专家称症结是产权模糊"，载《中国青年报》，2004年2月9日；许志永："农村土地应当私有化"（2003年10月17日），载新昌县数字农业（农业论坛），< http: // www. xcny. net > 。

复杂，社会交往的深度和密度指数越高，对国家法律的需要会越多。[22] 按照调解员、警察、律师、法官的先后顺序，社会结构的变化促使国家去发展新的纠纷解决机构和纠纷解决方式。中国农村的法制发展基本遵循了这个模式。

司法助理员

国家对农村经济改革的第一个反应是重组乡村人民调解制度。从 1979 年开始，司法部开始在乡镇一级设立司法助理员的职位以领导农村的调解工作。司法部于 1981 年召开了第一次人民调解工作会议，并通过了《司法助理员工作暂行条例》。条例规定，每一个乡镇、街道都应设立一位专职司法助理员。司法助理员受乡镇政府和县司法局的双重领导，并接受基层人民法院在工作上的指导。[23]

司法助理员履行以下五项职责：管理农村人民调解委员会的工作；指导调解，并帮助和参与复杂纠纷的调解；开展法律、政策和道德方面的教育；对地方纠纷开展调研以求取得解决纠纷的更好办法；最后，司法助理员应向上级政府反映民情。另外，该暂行条例还对司法助理员的条件和工作作了原则性的规定，并特别强调司法助理员不能强行调解或处罚不接受调解的当事人。

在司法助理员制度发展的初期，各地的实践是不同的。首先，城乡之间的差别很明显。相对于城市，1980 年代初期农村的治保、调解基础较弱，因而对司法助理员在领导、发展、组织农村调解组织的要求要多一些。有关的文献反复地指出，农村治保调解在 1980 年代初已处于瘫痪状态。具体表现在治保主任、调解主任的工作既无权又无钱。他们的工作不再受到村民的尊重和理解，他们还要担心因为他们的工作可能会受到的打击报复。况且，他们还要耕种自己的土地。[24] 司法助理员的组织领导作用因此也显得非常重要。

形式上，司法助理员的推广是很成功的。据司法部 1996 年的统计，90% 以上的乡镇配有专职司法助理员。[25] 但实质上，司法助理员制度的发展是艰难的。1981 年，因为县司法局没有这个编制，这个职位大多是设在乡镇政府。但实际

---

〔22〕 Donald J. Black, *The Behavior of Law* (New York: Academic Press, 1976).

〔23〕 载于《人民日报》，1981 年 8 月 26 日。Fu Hualing, "The Judicial Assistant System in Rural Mainland China" (1992) 28 *Issues & Studies* 23, 26.

〔24〕 载《法制日报》，1989 年 5 月 23 日；《广西年鉴 1987》，广西年鉴编辑部，1987，页 262。Elizabeth J. Perry, "Rural Violence in Socialist China" (1985) 102 *The China Quarterly* 414.

〔25〕 "司法部关于加强司法所建设的意见（1996 年 6 月 24 日）"，载中华人民共和国司法部等编：《法律服务工作实用规章（1979－1998）》，湖南人民出版社，1999，第 3 册（《基层法律服务编》）（以下简称《基层法律服务编》），页 96。

上，乡镇政府的正式编制中也不包括司法助理员。这个职位的设立因此需要"占用地方编制"。自 1986 年以后，"中办"明确指出乡镇党政编制不包括司法助理员，并由此引发了乡镇政府精简这个职位的现象。司法部惟一能做的便是请求政府维持现状，待将来增编后再决定。[26]

1990 年国务院颁布《民间纠纷处理办法》。虽然根据该办法，司法助理员被认定为"基层人民政府的司法行政工作人员，"但有关的编制问题一直未有很好地解决。当地方政府需要削减人员时，司法助理员往往是首当其冲。司法部也只能让地方部门"积极争取当地党委和政府的重视和支持……主动与编委、人事、财政等有关单位疏通、协商"，以稳定司法助理员制度。[27]

司法助理员主持的调解服务是无偿的，但调解收费历来是一个有争议的问题。1980 年代早期在云南部分地区的调查显示，12.5% 的村庄实行收费调解，费用 1 到 2 元不等，而且当事人须在调解前交 10 到 20 元的押金。虽然司法部多次发文批评这种"错误做法"，[28] 但精神上的表扬已不再能刺激村民和干部在这方面的参与。对于多数调解员、司法助理员来说，收费、罚款是其收入的主要来源。[29] 司法助理员通常要求当事人在调解前交押金，并在调解后从双方或一方收取一定比例的调解费。但在法律上，人民调解仍然是不允许收费的。[30]

随着司法助理员制度的发展，这个制度也进一步地机构化。在司法助理之下成立了司法所，司法助理员也逐渐改称为司法员。在此基础之上，政府在 2000 年开始试行乡镇司法调解中心制度，借以扩大司法行政调解在农村冲突解决中的作用。[31]

公安派出所

1980 年代以前中国农村没有派出所，县公安局可在有需要的地方派驻一个公安员。由于农村经济政策的改革、社会纠纷的增多、犯罪率的上升和当时人们对社会治安的关注，中国从 1980 年代初开始在乡镇一级设立公安机构，以解决

[26] "司法部关于司法助理员编制问题的答复（1986 年 10 月 7 日）"，载《基层法律服务编》，页 104。
[27] 同注 25。
[28] "司法部关于调解委员会调解纠纷不应向当事人收费问题的复函（1989 年 10 月 25 日）"，载《基层法律服务编》，页 112。
[29] 中华人民共和国司法部编：《中国司法行政的理论与实践》，中国政法大学出版社，1992，页 1712。
[30] 《人民调解委员会组织条例》（1989 年 5 月 5 日）。
[31] 高昌礼："乡镇司法调解中心要发挥更大作用"，http://www. china. org. cn，2000 年 10 月 30 日新闻。

两个问题。第一是地方政权的危机，集体所有制的失败导致了旧的管治机制的崩溃，农村干部的权威下降，并逐渐失去有效管制的能力。因此，新的公安派出所的首要任务便是巩固乡党委和人民政府的权力。农村派出所的第二个任务便是针对改革开放后的大量的犯罪和"封建迷信活动"。

乡镇派出所有两种警察，一种是由县公安局下派的正式警察，其工资是由县局负担。另一种是合同警察或保安，他们没有编制并由乡镇支付。一般来说，乡派出所有三到五名警察。如财政许可，乡政府也可招聘一些合同警察。

派出所自身的资源是有限的，除了县局的工资、乡政府的资助外，派出所也有自己创收的任务。加上警察的人数少，派出所警察只有精力去办理一些严重的犯罪或"有利"的案件，如抓赌。一般来说，人们通常认为乡镇警察工作作风"简单"、素质低下。从 1990 年代中后期开始，公安部门开始有选择性地向乡镇派驻刑警，以对付正在上升的刑事犯罪。[32]

乡镇人民法庭

法律对农村的第二次渗透发生在 1980 年代中。随着农村经济的发展、民商事案件的增加，县基层法院开始向农村派驻人民法庭。法庭的设立从 1983 年开始试点，1980 年代中期全面铺开，1980 年代后期进入高峰，其发展的趋势大致上和农村经济增长的趋势一致。正如法院反复强调的，法院为经济发展护航，为经济发展服务。

虽然少数地区做到了一乡一庭，但普遍的模式是三乡一庭。而交通不便的地区，一庭要求覆盖 50000 到 100000 人口。至 1986 年底，全国有 14000 个人民法庭在乡镇成立。按照三乡一庭的标准，还需要建设 15000 个法庭。到 1988 年，全国也只有 15000 个法庭。乡镇法庭的主要任务是审理民事案件和部分经济纠纷案件和轻微刑事案件。同时，它也担任人民调解、普法等其他工作。[33]

乡镇法庭的作用很快就得到了证明。据 1988 至 1991 年的统计：80% 的一审案件由法庭审判。地方的统计也能证明它的效率。贵州某县的法庭在 1986 年审判该县 99% 的民事纠纷和 64% 的经济纠纷。另外，根据江西省高院在该省宜春地区人民法庭的调查，该区人民法庭在 1989 年审结民事案件占全区民事案件的

---

〔32〕 Fu Hualing, "Shifting landscape of dispute resolution in rural China," in Jianfu Chen, Yuwen Li and Jan Michiel Otto (eds.), *Implementation of Law in the People's Republic of China* (The Hague: Kluwer Law International, 2002), 179.

〔33〕 王立编：《〈关于人民法庭若干问题的规定〉及典型案例释解》，人民法院出版社，2001。

69.7%，经济纠纷占 49%。[34]

由于乡镇法庭的建设是对付突然上升的民事经济案件，政府对它的发展和建设并没有充分的准备。1988 年，全国 15000 个法庭中，约 11000 个没有自己的办公用房。"法庭干部'吃饭没有锅，睡觉没有窝，办公没有桌'的现象十分普遍"。[35] 由于条件艰苦，工作环境恶劣，县城的法官不愿意被下放到乡下。江西宜春的调查很能说明这个问题：20 个法庭中有一半没有配庭长，说明有职务的法官一般不会下乡。而且 40% 的工作人员是新手，包括新转业干部，新分配的大中专毕业生和新招收的干部。[36]

乡镇法律服务所

法庭的大量设立产生了对法律中介的需求。早在 1980 年 11 月，广东就成立了乡镇法律服务所。服务所由司法助理员主持工作，由三名以上工作人员组成，司法助理员之外的人员称为"乡镇法律工作者"。服务所的职能主要是提供法律咨询和参与诉讼。[37] 随着乡镇企业的增多，商业交往的频繁，广东的经验在 1984 年召开的全国司法行政工作会议上得到肯定，并得以推广。到 1987 年，全国有近 20000 个乡镇法律服务所。

乡镇法律服务所是农村经济发展的直接后果，而建所的首要条件是商品经济的发达程度和当地对法律的需要程度。[38] 在认证乡镇法律服务所的必要性时，司法部官员指出："到 1986 年底为止，全国已有乡（镇）村集体企业 150 多万个，经济联合体、专业户、承包经营户上亿个。这些不同的商品生产者面对日益频繁的经济往来中出现的大量法律问题，越来越迫切要求得到法律服务。"[39] 乡镇法律服务所的主要目的是为乡镇经济发展提供法律咨询和保障，包括草拟合同，参与诉讼等。总之，它的定位是为农村商品经济发展"保驾护航"。[40]

---

[34] 江西省高级人民法院办公室："宜春地区 20 个人民法庭情况的调查报告"，载《人民法院年鉴 1990》，人民法院出版社，1993，页 774。

[35] "部分省、自治区、直辖市人民法院审判法庭，人民法庭建设工作座谈会纪要"，载于王立，上注 33，页 355。

[36] 同注 34。

[37] "关于乡镇法律服务所的暂行规定（1987 年 5 月 30 日）"，载《基层法律服务编》，页 17。

[38] 《司法部关于进一步加强乡镇法律服务所组织建设的若干意见（1989 年 11 月 10 日）》。

[39] 鲁坚："在全国乡镇法律服务工作会议上的讲话（1987 年 5 月 12 日）"，载《中国法律年鉴 1988》，法律出版社，1989，页 693。

[40] 乡镇法律服务所不能参与的法律活动包括提供直接公证服务和提供刑事辩护。《乡镇法律服务业务工作细则（1991 年 9 月 20 日）》。

　　乡镇法律服务工作者是一支很活跃的乡村律师。自 1999 年起，司法部开始了全国统考，并要求法律工作者和法律服务所交费注册、登记。

　　乡镇法律服务所的最为特别之处是其"亦官亦民"的特点。[41] 司法所和服务所两块牌子，一套人马。理论上是先官后民，收到纠纷后首先进行调解，调解不成时，便为当事人的下一步行为提供法律咨询。但由于调解不能收费，法律服务可以收费，而两所的收入大部分靠自行收费来解决，因此在"官"与"民"两条途经谁先谁后、谁轻谁重的选择上，利益是重要的考虑因素。在离婚纠纷中，司法助理可能希望能通过调解，促成当事人协议离婚。因为一起离婚案，司法助理员可收 300 至 500 元。基于这个原因，他（通常是他）不愿意把纠纷送到法庭，而法庭对这笔收入也是很眼红。

村委会

　　村委会和乡镇政府（特别是治调委员和司法助理员）起着多重的、有时甚至是相互矛盾的作用。村委会的选举和农村基层自治是一个引起广泛注意的研究题材，特别是政治学家、社会学家们已从各自的角度深刻地研究了选举的历史背景、过程、效果和局限。研究的主要方向包括选择是否真正的民主，村民是否愿意，或是在什么情况下会积极参与选举，什么样的村委会最能代表村民的利益，以及它如何调整与村民之间和与政府之间的关系。但有关村委会选举与地方治安和农民之间的矛盾纠纷的解决的研究则不多见。

　　就解决村民的纠纷而言，村委会可能同时扮演着机构、中介和当事人三个不同的角色。至于扮演何种角色则取决于纠纷的类型和重要程度。最常见的是村干部，特别是治调主任，作为调解纠纷的第三者（机构）所起的作用。在村民之间发生了小型纠纷时，村干部会主动地或被动地参与纠纷的解决，并能发挥一下"和事佬"的作用。[42]

　　当纠纷恶化到村干部无法解决的程度时，村干部的角色便会从机构变为中介。这个角色的变化在离婚案件中表现最为突出。由于调解工作是由司法员办理，为了方便，农村的协议离婚也由司法员办理。农民协议离婚的程序是这样的：夫妻双方提出申请，到户口所在地的村民委员会申请调解；调解不成，便由村委会介绍到司法所，再进行调解；调解不成，司法员会让双方冷静 15 天。15

---

〔41〕 苏力：《送法下乡：中国基层司法制度研究》，中国政法大学出版社，2000，页306。

〔42〕 张静：《基层政权：乡村制度诸问题》，浙江人民出版社，2000，第 4 章；吴毅：《村治变迁中的权威与秩序：20 世纪川东双村的表达》，中国社会科学出版社，2002，第 11 章。

天后再坚持要离婚时，司法员会给双方分配财产、子女抚养权，并发给离婚证。村委会在这个过程中对当事人双方起到一定的准备和帮助作用。

当本村、本乡村民利益受到外界的损害，乡、村干部能通过政府或个人的影响为村民争取更多的利益。

在一些特定的案件中，特别是在有关税费的案件中，村委会或其村干部会成为一个纠纷的当事人。基于村委会的角色定位，村干部可能会成为两种完全不同性质的当事人。在多数情况下，村干部会站在村民的对立面，和村民发生直接的冲突。这种冲突多发生在有关税费冲突中。村干部代表国家或自身的利益向农民征收税费而遇到村民个体的或有组织的反抗。在这种意义上，村干部象征着国家权力的末梢，行使国家的权力，并要求村民履行其对国家的义务。前面谈到的大量的"干群关系"的纠纷便反映了村干部在国家与村民之间关系上的定位。

随着村民自治的程度加深和村民权利意识的增强，村干部也逐渐起到了本村村民代表的作用。许多学者指出，在理想的状态下，村民选举能使村民选举出最能代表本村利益的村委会和村干部，从而能增强干部利益和村利益的认同。同时，村民自治能逐渐显示出乡村利益和国家利益的区别，而村委会在这两个利益发生冲突时具有乡村代表性的特征。村委会在政治上是代表国家的，而在法律上是代表村民的。

有关"失控村"的讨论能说明这种矛盾的尖锐性。失控村泛指被"黑""恶"势力侵入的农村基层政权。由于黑恶势力侵入，政府对农村失去了控制。于建嵘的调查发现，失控村的出现可归咎于四个原因。第一是乡镇领导"引狼入室"以达到"以黑治黑"，改善社会治安的目的；第二是宗派控制民主选举；第三是经济能人的"利益诱惑"；最后是原村干部权力坐大，由红变黑。[43]

在什么程度上村政权已变"黑"，成为恶势力的代表是一个事实和定义的问题，有待进一步的实证研究。"黑"、"恶"、"失控"都是比较模糊的概念，它们可能包括许多内容，因此需要区别对待。但除了第一种情况外，其他三种"失控"的情形都与"自治"、"选举"和"民主"有关。自治是一把双刃剑，"失控"，或者是一定程度上的失控，并非是很不正常的事情。选举越是成功，村干部越具代表性，与乡政府的冲突就越是尖锐。

"黑""恶"势力具有的代表性在公安部主持的农村犯罪研究中表现得很清楚：

---

〔43〕　金太军、施从美：《乡村关系与村民自治》，广东人民出版社，2002，第9章。

农村流氓恶势力抓住农村中征地拆迁、农民负担、个别基层干部贪占集体资金、一些职能部门行政执法行为失当等热点、敏感问题和民族、宗教问题，打着'为民请命'的旗号，组织、欺骗、胁迫群众闹事…[44]

五、法律机构的"本土化"和后果

乡镇法律机构的财政来源于乡镇政府的支持、对当事人的收费、罚款或是政府或相应的上级机关的拨款。从 1990 年代中开始，乡镇政府的财政危机开始恶化，不能给当地法律机构任何财政支持。加上农民的上缴减少、乡政府人员大量超编，乡镇政府已无法运转。

即使有关的上级机构，特别是县法院、县公安局，能保证乡镇人员的工资收入，这个保证也是有条件的：即乡镇机关能每年完成一定数量的上缴。例如县财政给县法院的拨款的前提是法院每年能上缴一定数量的诉讼费。而县法庭又会把这个指标作为任务下达给各法庭。同样地，县公安局为各派出所的干警发工资，但同时要求各乡镇派出所每年上缴一定数量、通常是数万元的罚没款。

这些"负担"最终自然地转嫁到农民当事人的身上。因此寻找有"价值"的案件也就成为乡镇法律机构的工作重心。法院的重要工作便是主动寻找经济案件，以收取更多的诉讼费用。而以处理简单民事案件为主的法庭便会受到嘲笑指责。[45] 而公安派出所的首要任务便是寻找"可罚性"强的案件，像卖淫嫖娼、赌博等案件。同时，"以罚代刑"也就成为乡镇派出所的一个重要甚至主要操作方式。"私了"不仅存在于受害人与加害人之间，更存在于国家机构与犯罪嫌疑人之间。司法助理员更是把眼光放到本地农民身上，因为其主要收入来自于调解（或法律服务）的收费。

法律机构对乡镇经济的依赖产生了两个可能的后果。第一是其职能的地方化。法律机构在乡镇政府的要求下，被迫从事非法律性的服务以换取乡镇政府的支持。特别是法律机构的权力和这种权力的合法的或非法的运用，是乡镇机构看得上、用得着的东西。特别在执行一些不受欢迎、不得人心的政策时（像计划生育、征收税费），乡镇政府往往把"法律"推到前线。公安、法庭、司法都遇到同样的问题。

司法部对司法助理员的越权行为的指责和这种越权行为可能带来的后果的分

---

[44] 同注 18，页 198。

[45] 江西省高院的调查表明，过多地处理"婆婆妈妈"的小事会降低法庭的地位。同注 34，页 776。

析具有一定的代表性：

> （司法助理员）在履行职能时不能严格依法办事，有的严重超越职
> 权范围，办了不应该办的事，甚至欺压群众、侵犯他们的合法权益。例
> 如：有的参与乱集资、乱收费、乱罚款等加重农民负担的活动；有的参
> 与向农民征收乡统筹、村提留款时，采取强制手段，甚至非法拘禁，严
> 刑拷打，以致酿成人命等等。这些问题的发生，不仅损害了基层司法行
> 政队伍的形象，败坏了司法所的声誉，更严重的是激化了矛盾，引发了
> 冲突，造成社会不稳定……[46]

地方法律机构的工作范围是广泛的，地方乡镇政府甚至可调配人民法庭工作
人员参与乡镇政府工作，甚至"鸡打针、狗挂牌"之类的活动也要法庭人员参
加。[47] 他们工作方法是专横的。法律机构不仅不能解决社会矛盾，调解民间纠
纷，反而成为激化矛盾的工具。他们全然已被地方政府收编了。

对乡镇经济依赖的第二个后果是，当农村经济不足以支持其生存时，它们便
会自动调整，甚至退出农村市场。除非在特殊情况之下，法律服务已成为一种商
业性的服务，并按照市场的规律运作。由于法律服务（正如教育服务、医疗服
务一样）主要依赖本地的经济支持，因此当本地没有支付能力时，这种服务便
会在数量和质量上受到限制，甚至消失。

到了1990年代中后期，农村法庭的撤并开始成为热门话题。法院在农村回
缩的理由很多。官方的理由是：第一，三乡一庭使"警力"分散，人为的造成
每一所都"势单力薄"，不能形成拳头和力量。资源上的限制导致了两个问题。
首先是受到乡镇政府的影响。由于在财政上部分受制于乡镇政府，乡镇政府通常
把法庭的法官当成政府人员的一部分而随意委派任务，同时也对法庭的工作
"指手划脚"。把农村法庭合并才能集中力量、资源，"人多势众"才可以与地方
政府的势力抗衡，这样才能保证法庭的相对独立。

其次，三乡一庭，一庭一个合议庭未能为当事人提供有效的服务。农村法庭
的法官自喻为"草鞋法官"（相对于县基层法院的"跑鞋法官"和以上级别法院
的"皮鞋法官"）。他们大多数时间在外办案，在当事人家里调解纠纷，而且法

---

[46] "司法部关於司法所和司法助理员必须严格依法办事的通知（1997年9月23日）"，载《基层法律
服务编》，页8。

[47] 《〈关于人民法庭若干问题的规定〉释义》，同注33，页7。

庭还需要在三个不同的乡巡回办案。多数时间，乡镇法庭内没有法官，法庭因此缺乏机构应有的固定性和起码的预期性。

第二个理由简单一些。三乡一庭的设置，是在 1980 年代形成的，在以后的十多年中，农村经济发生了巨大的变化，新的商贸中心已经形成，而新的经济格局和旧的法庭地理位置不相适应。按照法律的经济服务的原则，法庭设置，包括地理位置，人力物力资源的配备都应适应经济发展的需要。法庭因此应该集中起来为农村经贸，而不是为农民服务。[48]

回缩的绿灯一打开，城里的法官纷纷回到县城，回到他们的"熟人"世界里。如果交通的改善可以成为法庭集中的理由，那么交通的改善也同样可以成为法官撤回并集中于县城的理由。

一个没有被仔细研究的理由是通过法庭解决的纠纷——主要是经济纠纷——在农村的减少。农村法庭审理案件的数量在全国案件数量的比例从 1980 年代以来的 80% 降到 1990 年代的 30%。[49] 人民法庭效率不高已成为社会反映强烈的一个问题。

六、纠纷和当事人

在日常生活中，每个人的利益都可能受到不同程度的损害。在许多情况下，受害人并不知晓自己受害的事实或受害的程度。例如，农民也许不知道乡粮站收购粮食的价格已被当地官员人为地压低；农民也许不知道应征的税费的具体数额是多少。

但当事人获知自己受害的事实后的反应是一个复杂的过程。当事人可能忍受受害的事实，也可能责怪他人，并提出诉求。这个过程的转化取决于当事人的政治经济地位和社会文化背景。多重的内外因素决定一个当事人是否把一个受害的事实转化为一种公开的诉求。

当事人可能回避问题，忍受他人造成的损害。Felstiner 认为在"技术复杂的富裕社会里"，家庭社会关系松散、居住和职业的流动性大、人与人的依赖程度低，因此遇到纠纷时，当事人有很多的机会回避，而且回避的代价也不大。相反，在"技术简单的贫困社会"里，家庭社会关系复杂而稳定、居住和职业的

---

[48] 刘思达已注意到农村经济的发展与法庭合并的关系。刘思达：《清河县的基层司法：一个关于中国法治现代性问题的研究》，未刊稿，页 13。

[49] 1999 全国一审案件 5692434 件，法庭审理 2073480 件。《中国法律年鉴 2000》，法律出版社，2000，页 133 及 1209。

流动性小、人与人之间的依赖程度高。因此发生纠纷的机会多，回避的代价也较大。[50]

在明确自己所受损害的前提下，多数人（不管是在城市还是农村）的反应还是忍让和回避。多数人在受到损害时，会选择从潜在的冲突中走开，忍让对方，回避矛盾。即使是刑事犯罪的受害者，也有 60% - 70% 不会报案。[51] 在忍让还是提出诉求，回避还是报案之间进行理智的选择之后，多数人还是认为忍让、回避更为合理。

在中国农村，回避、忍让也是常见的现象。文化的影响也好，社会结构的限制也好，忍让仍是一个重要的解决纠纷的方式。不过，是否忍让最终取决于纠纷的性质、双方当事人的地位和不忍让可能带来的后果。付少平的调查很能说明这个问题。[52]

	忍让/发牢骚的人数	百分比
与亲戚发生矛盾	355	37%
与干部发生矛盾	473	49%
与一般村民发生矛盾	263	26%
与政策相矛盾	717	89%

当事人的上述态度不仅表明了对方当事人社会地位的重要性，同时也与案件类型及机构的反应有密切的关系。越是与政府/政策问题有关的纠纷，地方法律机构越是不愿意处理，当事人也就越倾向于回避，而那些纠纷对农民的生活又有最大的影响。

如果不愿意忍让和回避的话，当事人的选择方式是什么呢？这个问题的答案

[50] William L. F. Filstiner (1974) "Influences of social organization on dispute processing" 9 *Law & Society Review* 63.

[51] Roger Cotterrell, *The Sociology of Law: An Introduction* (2nd edition) (London: Butterworths, 1992).

[52] 付少平："对当前农村社会冲突与农村社会稳定的调查与思考"，载《理论导刊》，2002 年第 1 期，页 37。该研究是于 2000 - 2001 年对陕西关中农村两个村的调查。比较郑永流等：《农民法律意识与农村法律发展》，武汉出版社，1993；汪枫峰："转型期的贫困地区农民法律意识现状 - 对长安营乡农民法律意识现状的调查分析"（2003 年 4 月 24 日），载岳麓法学沙龙，< http://www. lawsalon. net >。

反映出了中国城乡的明显差别。农民当事人有其独特的方式。我们再来看看付少平的数据。

	找他谈谈	吵架/打架
与亲戚发生矛盾	95（10%）	423（44%）
与干部发生矛盾	57（6%）	280（29%）
与一般村民发生矛盾	56（6%）	458（46%）

很显然，没有忍让、回避的纠纷大都是通过打闹来解决的。除家庭婚姻纠纷外，由于民间纠纷导致人受伤，因而要求赔偿的纠纷是非常普遍的。在这些案件中，由"民"到"刑"的转化的速度是很迅速的。从纠纷、吵架、打架，到聚众械斗已成为纠纷发展的一个重要模式。往往在法律机构介入的时候，纠纷已经恶性发展。农村的基本社会机构已相当退化，公共产品严重缺乏。在长期不能在政府之外通过自发的方式自治自律的环境里，农民自发的组织能力，理性的解决问题的能力已相当有限。现存的"自治"机构也大多徒有虚名。比方说，2001年中国有所谓800万调解大军，但每年调解的案件不到500万件。每个调解委员会员每年调解不到一起纠纷。[53]

农民当事人会因为地理距离、费用、对制度的陌生、干警对农民的歧视等原因而不愿意启动农村法律机构。但对规避法律的主要原因还是经济上的。除误工和路费以外，当事人需要付出的合法的（诉讼费、法律咨询费）、灰色的（取证费）和非法的（送礼）花费是一般农民负担不起的。在目前县级法院、司法、公安财政困难的情况下，法律机构把它们的财政危机尽可能地转移到当事人身上。而当事人也清楚这种状况。[54] 而且，法制越是规范，程序越是正规，证据要求越严，法律过程的成本越高，农民当事人的负担越重，越想回避法律。法制需要一定的经济基础。农民收入的下降直接影响他们运用法律的能力。

同时，在大的政策性纠纷的处理方面，政府往往把法院和公安排除在外，习惯于通过政治途经来解决棘手的社会矛盾。例如法院一般不会涉及农村税费和农民负担的问题。这种纠纷因此便落在党委领导下的司法员的肩上。司法员调解纠纷的方式简单、灵活、方便，因而成为解决干群纠纷的重要场所。"私了"便成

〔53〕 张福森："巩固完善有中国特色的人民调解制度"，载《中国司法评论》，2002 年秋之卷，页1。

〔54〕 汪枫峰，同注 54。

为解决刑事责任纠纷的重要方式。一般认为，通过私了规避法律常常被认为是农村中的一个普遍现象。一项调查表明中国农村刑事案件的私了率占25%，而城市的私了率占4%。据称，"像抢劫、强奸、放火、重伤案，甚至故意杀人这样的刑事案件（的私了）也经常见到。"[55]

人们对私了原因的猜测较多。农民"不知法"是一种普遍的看法。不知法因而导致了对法律的规避。另外，忌讼、厌讼也被当成私了的原因之一。学术的研究从文化和社会结构方面来看私了，从法律多元的角度，把私了看成"国家制定法"和"乡规民约"之间的冲突。[56] 同样，梁治平认为农民对法律的规避或违反并不能简单归咎于农民的愚昧。他指出，"正式法……与乡土社会的生活逻辑并不一致，因此很难满足当事人的要求"。[57] 农民因此开始寻找并运用与其"知识结构"相适用的纠纷解决方式。于是历史经验和传统便成为有用的"工具箱"。

这样"文化"的解释和更加"结构"性的解释是有密切关联的。正如梁治平接着指出的，村民回避法律是因为国家法律制定的缺陷。由于国家机构供求方面的不平衡，村民开始寻找其他的途径。而并非是"私了"有任何实质上的优势。农民"非法"结婚是因为政府提供的合法登记并不便民；农民生病时求神拜佛，是因为农村医疗制度的瘫痪；农民"私了"自己的损害，是因为法律机构的缺陷令他们不能把纠纷"公了"。

而农村的"黑恶势力"[58]也在利用法律机构的真空，行使解决纠纷的职能。自称为"第二政府（派出所，法庭……）的黑恶势力"

> 凭借恶名，充当"执法人"、"中间人"，大肆插手民间、经济纠纷，包揽诉讼，既吃原告，又吃被告，从中渔利，或者故意寻衅滋事，制造事端，借题发挥，大施淫威，暴力欺压，敲诈勒索受害人，威逼拿钱"摆平"。[59]

---

[55] 宋振远："公了想说爱你不容易——乡村社会犯罪私了现象调查"（2003年9月6日），载中国农村研究网，< http: //www. ccrs. org. cn >。

[56] 苏力：《法治及其本土资源》，中国政法大学出版社，1996，页41。

[57] 梁治平，同注12，页465。

[58] 黑恶势力被定义为"以宗族为基础，以'多进宫'人员为核心，以少青无业游民为主力，具有帮会色彩的犯罪组织"。王智民等，同注18，页189。

[59] 同上。

在稳定压倒一切的大政策下，各级政府都在努力把本地的矛盾在本地消化，而不是把矛盾上交。因此 1990 年代以来的村规民约的重要要求便是严禁聚众闹事，严禁越级上访。而在"公了"机制不健全的情况下，"黑恶势力"主持的"私了"也为社会稳定作出了一定的"贡献"。

有的纠纷是无法私了的，特别是涉及个人、集体、国家之间较大经济利益的经济纠纷。而这类纠纷将会越来越多。在地方政府主持的调解失败，形成僵持局面时，受害的农民当事人往往能通过各种途径给政府施加压力，以打破僵局，制造新的平衡。

第一是闹事。应星把他笔下上访农民的抗争策略概括为"说、闹、缠"的组合。[60] 李连江和 O'Brien 则把"刁民"闹事看成是农民自发的、原始的抗争方式。[61] 由于闹事的目的在于影响政府的决定，参与的人越多，越公开，越是有威胁性，效果越好。闹事需要有一个具有号召力的纠纷，通常是一些严重影响一批农民利益，有关土地的划分、征用或经济利益的划分的纠纷。[62] 在"刁民"的策划和组织下，甚至是在村干部的支持下，农民会有组织的"围攻"乡政府及其他政府机构。

第二是自杀。"顺民"的最终的抗议是自杀。虽然自杀是一个复杂的社会伦理问题，但当事人选择结束自己的生命来抗议自己受到不公正的对待。虽然这类纠纷只是影响了当事人个别的利益，但自杀的悲剧性色彩能引起广泛的同情心和义愤感。自杀的悲剧和社会的反应能迫使政府改变其决定，撤换、惩罚有关的干部，并改变政府的政策。例如 2000 年出台的强硬"减负"政策实际是很多农民的生命换来的。

第三是上访。当"闹事"或其他激进的方式没有引起当地政府足够注意的时候，外界的压力便成为关键。在对 196 封农民给《农民日报》的信件的分析后，赵树凯发现绝大多数上告对象是乡、村两级政府；上告的主要内容是针对政府对农民经济上直接和间接的剥夺和剥夺过程中实施的暴力手段。[63] 更直接和

---

〔60〕 应星：《大河移民上访的故事：从"讨个说法"到"摆平理顺"》，生活、读书、新知三联书店，2001。

〔61〕 Lianjiang Li and Kevin J. O'Brien, "Villagers and Popular Resistance in Contemporary China" (1996) 22 Modern China 28.

〔62〕 童兆洪："群体性纠纷案件审理情况的调查" (2003 年 10 月 8 日)，载中国农村研究网，< http: // www. ccrs. org. cn >。

〔63〕 赵树凯："社区冲突和新型权力关系——关于 196 封农民来信的初步分析" (2003 年 5 月 3 日)，载中国农村研究网，< http: //www. ccrs. org. cn >。

有效的方式包括集体的"越级"上访，即绕过县、乡政府，直接到省、市政府请愿、静坐。[64]

农民的权利意识和对权利的主张

许多著作已指出长期受压迫和剥削的农民（或其他弱势群体）具有很强的宿命感，他们看不清自己的利益受到损害的事实和过程，主观的受害感也不清晰。一种很明确的受剥夺的感觉的形成需要一定的过程。

由于教育、启蒙、亲自体验等种种原因，中国农民已开始认识并主张自己的权利。政府的普法教育，"送法上门"，特别针对"减负"的教育，加深了农民的"受害"感，并增强了法定的、理想的权利和现实中受"剥削"之间的反差。村民委员会的选举是另外一个有效的教育方式。不管选举的质量如何，以及选举的效果怎样，参与的过程是有启蒙意义的。因为它给农民一个反思的机会，让农民认清自己权利和义务的界限在哪里，这对帮农民找出自己的"受害点"有积极的意义。农村社会调查也反复地证明，农民知道权利的意义，并在设法去争取他们的权利。[65]

农民的权利意识增强的另外一个原因是农民对城乡贫富差别的亲身感受。政治学中关于社会革命的理论和社会学中犯罪的理论都一致指出，绝对的贫困并不是革命的土壤，也不是犯罪的原因，而只有当农民走出绝对的贫困，在奔向"小康"时，才能成为革命的推动者，或是犯罪的生力军。[66] 革命或者是犯罪都需要动机，而这种动机的主要来源并不是客观的贫穷，而是对贫困的主观感受。主观的感受越强，动机便会越强。

公安部的农村犯罪研究在解释农村犯罪率上升现象时这样写到：

> （现代化的进程）极大地震撼着农民长期以来所养成的那种道德观念和价值影响。经济发展的影响，城乡的交流，使得（他们）原有的传统道德观念和价值取向受到了十分强烈的撞击。农民不再是简单的"庄稼汉。"[67]

---

[64] 上访是一个复杂的政治过程。一方面，上访可能防止社会矛盾激化，另一方面，集体上访又包含着不稳定因素。因此，国家在提供合法的信访途经的同时，就严格加以限制。同注60。

[65] 蔡定剑主编：《中国选举状况的报告》，法律出版社，2002。

[66] Steve Box, *Deviance*, *Reality and Society*, 2nd ed., (New York：Holt, Rinehart and Winston, 1981)。

[67] 同注18。

相对贫困的感觉增强的原因主要有两个。第一，农民进城后的亲身体验。每年上亿农民在城市里时时刻刻在体会着社会地位的低下和经济上的贫困，这种反差会迫使他们思考权利的问题，增强他们的权利意识，并把这种意识带回农村。第二，交通的改善，信息技术的发展，也使中国农民与城市接近。而农村发展的滞后会直接引起农民的逆反心理，增加其权利意识。因此，当农民的利益受到损害时，这种损害更容易得到发现，而受损害的主观感受也越深，反弹也越大。经济的发展能使农民产生并维持其权利意识。[68]

农民的法律意识、权利意识的增强也表现在"以政策为武器的反抗者"的出现。[69] 当地方政府违法操作，损害农民的利益时，国家的法律给农民的诉求提供了依据，并使农民的抗争合法化。浙江省在对 2003 年全省 62 件群体性纠纷的调查中指出，所有涉及土地使用权流转的纠纷、农地征用的纠纷及农村集体经济收益分配的纠纷均是由于村委员在违反了《村民委员会组织法》的前提下做出的，农民违法闹事是为了寻求法律的保护，并纠正违法的决定。[70]

而农民也有能力运用法律来为自己争取更大的利益。赵树凯对 196 封农民来信的分析表明，农民在诉求中会明确表示，他们不满或抗议是因为未能行使法律赋予他们的权利，而且能对自己的诉求说明法律和政策依据。[71] 这种"合法的抵抗"或"基于法律的抵抗"的效果更好。基于法律的诉求具有较大的合法性，而且能为上级政府接受，并引起社会的共鸣。[72]

八、讨论与小结

纠纷存在于一定的社会经济环境之中。往往一些看起来微不足道的纠纷和大的政治经济背景是紧密相连的。因而不能把纠纷看成一个孤立的静止不变的事

---

〔68〕 王海涛：同注 3，页 34。

〔69〕 同注 66。

〔70〕 同注 68。中国法律制度的一大特点是国家法律相对抽象，需要在地方进一步地方化、具体化。因而地方政府的"立法权"很大。但在法律和地方法规发生冲突时，却没有一个有效的解决机制。这种可能的冲突给农民提供了"上访"和"告状"的理由和机会。抽象的法律往往会对权利作出保障。这样的权利都会在法律具体化过程中受到限制。在人们的眼里，这样的限制损害农民的利益，因而可能是非法的。而且，在许多情况下，法律或政策只会为地方政府规定一个任务和目标，而不理会（或视而不见）这个目标的实施办法。计划生育和"摊派"的征收是两个很好的例子。政府的强制性目标迫使地方官员采用违法手段来达到那些目标。

〔71〕 同注 63。

〔72〕 同注 67。

件。法律机构对农村的渗透取决于两个条件。第一个是需要。从集体经济向家庭经济的转移使农村的社会经济关系变得复杂，农民之间生产经营上的往来增多，而且加深。在这个社会转型的时期，社会矛盾的多样化、复杂化是不可避免的现象。在这个环境之下，政府开始重组农村的人民调解制度，并使其进一步规范化、机构化。同时，警察开始正式进入中国农村，代表着国家权力的最直接的参与。接着法庭和作为中介的法律服务机构也全面进军农村来处理与借贷和乡镇企业有关的纠纷。1980 年代初期是中国农村经济旺盛时期，1980 年代中后期应该是农村法制建设的鼎盛时期。

第二个条件是可能性，特别是财政上的可能性。国家对农村法律机构建设的投资是有限的，大部分的开支和费用需要乡镇负担。即使在城市，国家的预算也只能支付法院、公安部分的开支，其他部分需要有关机关自行筹备。在农村，这个问题便显得更加突出。实际上，农村法律机构的开支直接或间接地由农民负担，乡镇政府给予的补贴大多直接来源于农民的税费收入。法庭的收费、公安的罚没也直接来源于农民当事人，而司法助理员和其领导下的法律服务所的收费服务更是依赖于地方经济。在 1980 年代，农民的收入相对稳定，农村经济相对活跃，因而能支付大量的法律负担。

到了 1990 年代，农民的收入开始下降。种田不但不能获利，反而成了负担，加上进城打工的机会出现，弃田进城成为农民一种较为普遍的选择。经济的停滞、农民对土地的依赖减少造成了生产、经营经费和交往的减少，导致了有关纠纷的减少。

法庭缺少案源，法官的收入减少，司法员和法律工作者的收入也相应减少。而自身财政危机重重的乡镇政府也没有能力再去支持当地的法律机构。因而法庭开始了所谓的重组、撤并，以便把法官放到案源多的乡镇或撤回县城。司法员也开始了合并，从一乡一所到三乡一所。农村法庭、法官、司法员均在撤回、减少。惟一还留在乡镇而且还在不断扩大的是警察。为了对付不断升级的犯罪问题，派出所的位置得到了加强，而且刑警也开始进驻农村。

如果 1980 年代农村的纠纷主要表现在农民之间的纠纷，1990 年代的纠纷则主要是农民与集体，农民/集体与国家之间的纠纷。在农民之间的纠纷的调处过程中，乡村干部、法院、警察是一个中立的第三者，和纠纷双方没有直接的利害冲突。纠纷通常能在当地得到解决。而在农民与集体与国家的纠纷中，农村的干部和法律官员的定位也发生变化。要么成为村民的代表，共同与国家抗争，而逐渐走向"失控村"。要么站在国家的一边，成为农民上告上访的对象。纠纷因而不能在当地得到解决，上访成为普遍的现象。

在 1990 年代的社会经济发展变化中，农民在其（通常是痛苦的）经历中受到了很好的法律和权利的培训。由于土地承包是通过合同的方式加以固定的，农民生产生活中的重要一部分是围绕着合同的签订与履行来进行的。在一定程度上，农民比市民对合同的重要性有更深刻的理解。村民选举的实施使农民成为积极参与政治的社会阶层。他们最能体会自身的参与对村政权的运作及自己的切身利益的影响。在饱受层层盘剥之下，农民最能体会公平、合理的含义。同样，进城打工的农民最能体会平等权的具体含义。农民对法律的回避、刑事案件的私了、农民的上访，表现了他们对权利的认识、了解和追求。

限制农民对权利追求的原因不是没有法律，更不是农民对法律的无知，最重要的是他们缺乏法律和机构的保障。权利上的不平衡和物质上的剥夺可能阻止弱势的农民采取有效的措施去保护其权利，但是他们清楚自己所处的困境和他们受到不公正待遇的事实。[73]

---

[73] James C. Scott, *Weapons of the Weak: The everyday forms of peasant resistance* (New Haven and London: Yale University Press, 1985).

【讨论三】

评论

温铁军：非常感谢大会安排我评论。我认真地读了香港傅老师的文章，我觉得他不仅给我们描绘了一个比较完整的农村法律发展过程的图景，而且似乎告诉我们这里面有一种叫恶性循环（的现象）。我们看到的情况是似乎1980年代农村的司法方面的机构的设置在增加，人员也在增加，当然它是随着农村家庭承包以后发生的各种各样的纠纷增加而变化的。接下来走到1990年代，这个情况似乎发生了逆转。一方面，司法机构在收缩，另一方面，代表国家暴力的警察在增加，无论是法律服务所，还是法院都在减少，司法的服务人员在减少。这个过程并没有随着1990年代农村中发生的经济、社会、政治等等方面的纠纷增多而进一步增加司法机构和人员，相反，它在收缩。然后接着出现的现象似乎是农民更多地在使用一些不那么规范的手段：有点矛盾先吵先打，打出点事后再说。然后另一方面家族势力、黑恶势力在增加控制，就是非正规的非规范的这种称为暴力的组织或称其为别的什么非规范的强制手段的控制在增加。这就给了我们一个值得思考的问题，为什么从1980年代我们强调加强法制建设等等，最后走到了一个恶性循环的结局？当然这未必是定论，我只是感觉。读了这篇文章以后感到它除了全面地描绘出一个图景之外，指出了一个比较有逻辑关系的一个恶性循环。这是怎么回事？前不久我与梁治平老师有一次请教，我问法律界是不是有一些不太贴近实际。我这两年老说一些不太好听的话，说农民头上"三把刀"，上学、告状和医疗都是公共品，结果变成了砍农民的刀。十六届三中全会，胡锦涛总书记讲话时没讲"三把刀"，现在讲农民有"三难"：上学难、告状难和医疗难。我们所看到的问题，中央领导也看到了。但是客观上农民确实存在告状难的问题，这似乎不是一个法制建设加强了、"以法治国"的口号贯彻了就能解决的问题，它背后隐含了一系列相当多的问题。时间有限，我简单地把我们想到的问题向大家作个汇报。

　　首先，农民到底是什么？目前，其实已清楚，因去年社科院陆学艺老师作了一个很大的调查，最后的结果是，不讲阶级按阶层看，农民是第 10 个阶层，是最底下的阶层，就是说，在社会的定位上可以称为被统治阶层或弱势群体，总之它是最底的阶层。最底层的社会的人是数量最庞大的人群，那么，这些人群需要的是什么样的法律服务？需要的是什么样的法律治理？我不知道司法界的朋友在考虑这个问题的时候是怎么想的？好在有这位傅老师把这个恶性循环给大家描述出来了，否则我们似乎无从讨论。这是第一个重要的值得我们认真考虑的问题。农民是人口最多的最大的底层弱势群体。有哪个发达国家的法律制度最有效地解决了弱势群体的问题的可以被我们借鉴拿来用的？有没有？或是哪个发展中国家？如果有成功的我们不妨照搬！没有，怎么办？这是我解决不了的问题，我提出来。

第二，我们大家明明知道 50% 以上的县级财政发不出工资，60－70% 的乡镇级财政发不出工资，我们也明明知道现在乡村两级的公共负债早已经不是 5000 亿、6000 亿，而是一个很大的数字。拿什么养这块公用品，当然包括司法。这就是傅老师在他的文章中表述的这样一个过程。1980 年代似乎在增加，1990 年代在减少。为什么减少？你从头往前捋，捋到分税制，乡镇企业的大范围的倒闭，一系列的宏观经济政策和现在农村出现的问题都能相关。因此，出现了什么呢？当农业产值只占 GDP 产值的 14% 时，而农业人口占全国人口的 64%，那么当然不可能对这么点的 GDP 的份额去征税，然后去满足那么大人口的公用品的需求，当然也就包括法律需求。因此，司法系统包括法律服务退出农村，是因为它不经济。因为法律也产业化了，司法服务是要挣钱的，没钱它服务吗？于是乎，当然大多数农民就回到了原来的状况。我想，也许我们多播下一颗"依法治国"的种子到农村，就会获得一个超越以拳头治村的传统的跳板。

现在如果我们认真阅读一下这篇文章，它结合实际，勾划出来了一个基本的发展的线索，给出了一个问题。那我们分析如下。第一，我们不可能面对这样一个庞大的弱势群体，拿出有效的办法来解决它的法律服务的需求。第二，我们知道，因为我们过份强调了在农村这样一个不可能产生税基的基础之上，建立一套完善的政府结构，这是历史上前所未有的。当然我跟秦晖在这个问题上有不同意见。这认为过去历史上正式的政权在县以下是很难存在的。不是皇帝老子不想管到每一个农民的炕头上，而是他管不了，因为没钱。小农经济条件之下，本来就存在着交易费用奇高的这样一个问题，任何官方任何政府，不论是皇帝还是现代政府，面对两亿三千万农户九亿农民是无法交易的，交易成本必然导致所有的制度设计都无法真正贯彻落实。更何况已经有这么庞大的负债没人买单，而这些负债又是以各种各样的现代话语为名下去。这是第一个问题。

　　第二个问题。我们现在拥有两千多部法律。前不久，有个人问我一个奇怪的问题：为什么感觉上你们 1980 年代的政策比较好，而 1990 年代的政策反而不那么有效、不那么好？我当时说了一句很让他感到震撼的话，因为我们 1980 年代没法。他问怎么解释？我只讲了一个故事。当时"小岗村" 28 户农民按手印，是干什么呢？是破坏法律，是严重的违法，违宪之大法，而且违当时中央文件十一届三中全会文件，那在过去就是准备坐牢、准备杀头的，所以他们才按手印。如果大队干部给我们做了这件事，咱们 28 户农民按手印，保他的家族子女能有饭吃。就是他们要违法，他们只有破坏了当时的法律才会有中国 25 年的改革，而 1990 年代，我们有这么多的法律，其中有多少是恶法？有多少是不可执行的法律或是执行起来成本很高的法律，或没有操作性的法律？再进一步有哪项改革是先立好了法才能改得成的？当年小岗村农民突破的时候，并没有任何人设计好改革，但它突破了。当然我这个观点有些极端，这个场合非常不合时宜，难道大家不应该想一想吗？1990 年代，我们知道有很多法律是有严重问题。随便举个例子，《电力法》，无论农民自己集资上了什么样的电力设备，你不同意收归国有，你就是违法。因为按照《电力法》，国家投资开发的电力设备归电力公司，但如果民间投资，形成的电力设备也必须归公司，不收归国有，出的问题由你负全责。因此，国家对农村基层电力投资，最后结果都变成垄断部门资产的扩张，然后还要把所有过去农民自己投资形成的电力设备全收归它，这是好法还是恶法？这种法怎么贯彻，怎么执行？执行的结果当然是对农民财产权利的剥夺。所以，1980 年代无法，1990 年代有法，但都是部门立法，而部门立法保护自己，尽管有 2000 部法律，其结果又是什么？我们还知道一个故事，电视台报道过的，有个交通执法人员，截住了一辆车，车上有一个难产孕妇，让这个车主交罚款，否则不让走。车主和孕妇的婆婆跪下来求都不让走，硬逼着这个难产的孕妇和孩子一块死在车上。为什么？他在执法。当电视镜头对着他们提问时，他们毫无愧意的说，我们执法，我们有什么错？这就是《交通法》，规定搭载的不是你自己的人就叫作非法。什么叫私人运输？这难道是好法？我说 1990 年代我们有 2000 部法律，其实情况似乎并不那么好。我们再看看我们前不久开过一次会，农民打官司告状，算了一下，打官司告状赢的比例非常低，大概共有百分之几赢了（我不太记得该数了），而百分之九十几全输。百分之几能赢的，就算是赢了，执行的比例又非常低。当时我们开那个会，全国找的案例，农民打官司打赢了并且执行了的只有一个案例。所以，农民是一个最庞大的弱势群体。我们现在建立了这么庞大的一套法律体系，他们两者之间什么关系？我越想越不明白。所以，让我评论，我就把问题提出来，请大家来帮我解惑。

张晓山：很高兴有这个机会来作一点评论。这两篇文章我都认真阅读了，文章涉及到很多内容。

我先谈一下傅教授的文章。这篇文章涉及面比较广，我觉得他有一个基本的思路，中国农业经济的发展变化引起了农村纠纷类型的改变，导致了国家法律机构对农村社会的渗透，影响了农民的法律意识和解决纠纷的行为方式。我认为这个论断还不够全面，为什么？原因仅仅是农业经济的发展变化不可能导致以下的所有这些变化。因为农村的纠纷类型除了农村农民和农民内部的纠纷，还存在农民和集体、村，农民和地方政府的纠纷，还包括村集体和地方政府的纠纷，这些类型的纠纷中有很大一部分是超出了农业经济发展变化的因素的。我个人认为，中国整个发展模式和宏观政策的制定，整个社会在转型期的经济、政治、社会、文化体系和相应载体的演进都发生着作用，在对农村纠纷类型的变化，国家法律机构的渗透等多方面都有影响。所以最后仅仅依靠农村经济自身的发展，恐怕也不足以使农民自己从困境中解放出来。我下面主要谈两个问题。

第一个问题，我认为从改革以来，尤其是 1990 年代之后，中央和地方权力的重新划分我们称为分权化，这样的中央与地方分权、分税导致地方本身财权、事权的划分，实际上这方面存在比较多的问题。所以在傅教授文章中讲到的这个关于新机构的增长，实际上这涉及到一个问题就是垂直领导和地方领导这两个问题。垂直领导和地方领导，领导什么？主要是三个：业务、经费和人事。经费中包括几部分，工资、办公费、奖金和福利等等。据我们的调查，各个不同机构，这些方面是不一样的。有的是把人事收上去，然后经费、工资还在地方，有的是把工资也收上去，然后奖金、福利在地方发，靠本身自筹。有的垂直领导只垂直业务。但总的规律，凡是有油水的东西都抽上去，那些没有油水的东西，需要担负的东西，上边抛下来，所以这就是"财权上收，事权下放"。所以往往税务的东西都收上去，为什么？而且它本身的奖金跟收费的指标相结合的。就是这么一种情况，是"财权上收，事权下放"或是光给政策不给钱，英文叫"unfounded mandate"。所有的事情都让你办，但是没有任何资金的资助，然后造成一个乡村公用品的过度的供给，各个部门都有事情去办，人民的路人民建，厕所人民建，什么都人民建，但是没有钱，得自己掏，向农民摊派，找农民去收。另外一个是公共物品的短缺，很多该办的事没办。这种状况造成了很多部门利益的驱动，必然向农民去伸手，要去自筹，要去创收。而创收自筹到最后，负担都落到了老百姓那里。这样，必然涉及触犯到农民的利益。这些年为什么摊派负担造成了农民和集体、农民和地方政府的纠纷和抗争？这个是根本性的问题。乡里成了农村矛盾的集合点，国家和农民矛盾的集合点。有一次一个乡政府干部跟我说，农民负担问题实际上是和中央大政策有关的。如果是在城市里建学校，是国家财政投入，而乡村政府没有钱，只能从农民手里收，城乡没有统一的政策。公路建设上，乡村公路都是农民自己修，而城市道路都是国家财政投入。所以，农民负担从根本上讲，是国家大政策造成的，所以这个问题我认为底下老百姓包括底下基层干部都看得很清楚。这样一种方式的存在，如果仅是农村经济在发展，而整个宏观格局、大的政策这种利益结构不调整，恐怕问题不能解决。正因为出现了这么多问题，刚才傅教授讲的，农民用血的代价、自杀换来的，最后中央感到必须要改革，强制性的减负，精简基层政府机构。这种情况下，国家政权从农村撤退。有的老百姓说，共产党已经从农村撤退了。但是，这么一撤退，有很多该办的事情不办了，政府该办的事不办，同样是渎职和失职。这种情况下，现在公共产品的供给出现危机，因为很多事情要办，则需要钱，如水库、公路和基础设施的建设和维护。要办公益事业又要减轻负担，怎么办？政府多收钱，农民就上告，问题很难解决。这是负担的问题，在目前只能说有一定的缓解。但是我们目前的分权化本身没有制衡机构，是一种没有民主参与的分权化。在这种情况，在经济全球化背景下，地方政府和地方政府之间是恶性竞争，然后，地方政府跟海外在恶性竞争。珠江三角洲和长江三角洲竞争，长江三角洲之间，江苏、浙江和上海又在竞争，以各种各样的方式来吸引外国直接投资，零距离接触，把外商看成上帝。怎么办？最好的办法就是获取人家的土地。土地怎么办？从农民那里来，这又涉及到农民的根本利益。最后土地问题现在又成为新的纠纷、抗争的焦点。这些问题恐怕都不是农村自身的问题，而是涉及到整个政策、体制和发展模式的问题。这是第一个问题。

第二个问题就是，分权化导致中央和地方利益相对有不协调的之处。中央现在很多事情，想政令畅通，要把政策实施下来，而靠地方，省一级政府很难。但现在有一个情况是，现代媒体的发生、发展和介入，尤其是电视、报纸实际上使中央的精神政策能向农民渗透和普及。所以现在底下的地方官员很难，他们讲：过去我们一般有了中央文件到省里，省里要消化，有一个慢慢的过程，省里吃透了到市里；市里吃透了到县里，县里再到乡里，这样的话，我们整个精神都有了。而现在不是了，一下子报上、电视上有了，农民就看见了，有时候我们不知道，他们已经知道了。他们就都拿着这个报纸、精神来找我们了，所以现在我们工作就很被动了。为什么呢？农民现在能够通过各种现代传媒介入进行合法的抗争。这下面有两个问题（我不展开讲），一个就是法律与法律的矛盾。现在我们有许多法律自己打架，这样，农民就可以利用各种相应的法来保护自己——如农村土地承包，《村民委员会组织法》和《土地管理法》本身是有一定的不协调——来和政府抗争。实际上，这是我们整个体制的问题。另一个是法律和政策文件的矛盾。刚才铁军讲得很清楚，我们现在很多政策文件出台之后是在纠正法律。实际上有些政策出台之后，原来的法律还在适用。那么，法大还是政策大？这里农民有时可以用政策有时候可以用法，这是我们整个体制的问题。刚才铁军讲的有一个问题我与他有异议，就是 14.5% GDP 这样的税基怎么能够支持 64%的人口等等，实际上这两个不是对称的。14.5% GDP 是农业增加值，但农村人口中很大一部分从事着非农业的创造、乡镇企业的创造，乡镇企业的工业产值已占全国的半壁江山，这一部分的增加值是农村的创造，但他们没有得到相应的回报和相应的公共产品的服务。

最后，我评论赵博士的论文。刚才我们讲宏观政策发展模式、国民收入分配格局本身造成了我们现在农村很多矛盾的变化和纠纷问题。这样，这一格局调整要在不同地区，在城市和农村之间调整，所以这涉及到政治机构。这一条款实际上是城乡二元结构在政治上的体现。我们过去一直讲城市政治是国家政治的重心，是税源，农村是不平等交换的一方，农民是政治的对象。现在我非常地认同赵教授的看法，"合法的歧视"实际上是导致落后地区农村人口不能平等地参与决策。所以这阻碍了我们所倡导的政策的调整、符合统筹和科学的发展观的真正的落实。这个四分之一条款在这恐怕很大程度起到阻碍作用。所以"三农"问题，或城乡分治的局面，在一定程度上与四分之一条款有关，尤其是今后人大这个橡皮图章越来越硬的时候，恐怕这个问题要越来越突出。这就是我的一点感想。谢谢大家！

应星：谢谢大家给我这个机会。我对傅老师的文章作四点评论。

第一点，我们现在习惯含糊地说"改革开放（二十年）以来"，但确切地说，中国 1980 年代到 1990 年代这期间，社会已经发生了很大的变化。从法律和乡村生活的关系就可以看到 1990 年代的社会生活和 1980 年代已经产生了一个很大的变化，所以有学者把 1990 年代以来的社会称之为一个"断裂的社会"。傅老师的这篇文章可以印证这一点。这是我的第一点评论。

第二点，关于法律对农村渗透。他谈到了两个因素：一个是需要，社会生活越复杂，对法律的要求越高；一个是可能，从财政的支持来说。傅老师是分别谈到了这两个因素，但他的文章对这两个因素之间的关系讨论得不多。1990 年代以后，农村的社会生活越来越复杂，原来的纠纷，按傅老师的观点是农民与农民之间的，现在更多是农民跟国家、集体的纠纷，需要国家法律机构的渗透和介入，而这个时候却由于财政上、经济上的不能支持而退缩。这两个因素对法律对农村的渗透所发挥的影响是相反的，那么，它们综合起来，到底会产生什么样的实际作用呢？

第三点，傅老师讨论到农民碰到什么样的纠纷，选择什么样的方式（是忍让还是解决？如何解决？）时，表达了一个观点：除婚姻纠纷外，农村的纠纷选择方式大多与经济利益有关。这点我不太同意，虽然经济利益是农民面对纠纷选择方式的很重要的因素，但实际上大量的还是与非经济因素有关系的。我举两个例子，一个就是有关上访和农民上法院打官司的。在这篇文章中，傅老师说到农民为什么现在上法院打官司少了，上访的却不断地增长。表面上这好像是由于经济因素的影响——打官司的费用很高，上访相对来说费用低，实际上从我对上访的研究来看，上访实际的费用是不比上法院打官司少的。那么农民更多选择上访而不选择上法院，很多情况下不是因为经济方面的原因，而是因为上访解决问题的可能性会更多一些。这是我举的第一个例子。另外，傅老师提出的自杀的问题。我有个朋友现在做博士论文，对自杀问题做了很深入的研究。他研究发现，农村出现的大量的自杀现象，很大程度不是因为经济因素，而是涉及对幸福的观念问题。所以，在这一点上，我们需要考虑更复杂的因素。

最后一点，傅老师表示，现在农民"基于政策的反抗"的增长，说明农民的权利意识在增长，我对此也是有疑问的。"基于政策的合法的反抗"与真正的自主权利是不是一回事？大部分农民的心里觉得我身边的、看到的村官、乡官都是贪官污吏，而国家总是好的，这是所谓的"反贪官不反皇帝"的传统心理。为什么呢？因为村长、乡长来干什么——就是要钱、要命。计划生育就是"要命"，收税就是要钱。而国家在普通农民心中是什么？是新闻联播，是焦点访谈所代表的。其实，刚才张晓山老师谈的特别对，很多问题不是因为下面的贪官污吏，而是政策本身有问题。基于政策的反抗，一方面固然是对贪官的反抗，但另一方面也可能是强化了固有的不平等权利安排。由此，我过渡到评论赵晓力的这篇文章。

如果说傅老师的文章涉及到了基层干部在执行政策中的问题，而没有涉及权利本身对农民的歧视的问题，那么赵晓力这篇文章就把整个问题带进来。我对赵晓力这篇文章做三点评论。

第一点，我们谈三农问题，一般只从户口制、从城乡壁垒来谈，而很少从政治身份、选举和法律意义来考虑。而我们谈民主问题，现在一般更多的是谈要扩大直接选举，一般没有过多关注选举平等的问题。那么晓力这篇文章的意义正好是在这两个角度都非常敏锐地抓到了一个要害。这篇文章在这个问题上论述是非常清晰的。

　　第二点，为什么存在四分之一条款，在选举法的说明中解释是基于中国的基本情况，所以我们要进一步看到，晓力论证存在四分之一条款是有很多人担心农民的素质的问题。晓力这篇文章已经分析到了，农民的文化素质比较偏低，并不等于它的选举素质、政治素质偏低，这个观点我是同意的。但是我们需要注意另一个方面问题，我们回到傅老师文章中，其中谈到一个观点，现在看到很多"失控村"，跟自治、选举和民主多少有一些关系。这说明了什么问题呢？晓力的文章认为，给农民完全平等的直接选举是最好的办法。在我看来它不是最好的，而是次好的。我同意废除四分之一条款，但是我们不能对直接选举，对平等选举有过高的期望。我们看到台湾在今天民主开放之后，在基层有很多黑金政治出来，而在台北，黑金政治就很难顺利执行。因此，我认为，实际上民主选举是整个民主制度的一个配套的一环，还有更重要的环节，比如新闻的自由，法律的健全，中间团体的兴起等等。要这些配合起来，那么才能做到这点。

　　最后，晓力这篇文章大量参照美国来论述的，虽然这里谈到中国跟外国不一样，实际上是把美国宪法作为一个镜子来看中国。我的问题是：中国的宪法状况与美国比较的基础在哪里？用什么样的中国来比？为什么我要这么说呢？刚才晓力也谈到了，现在有两个中国：一个是字面上的中国；再一个是实际上的中国。我们的代议制民主到底是怎么运作的，这跟美国的代议制民主制是不是一回事？虽然晓力谈到即使在美国，政党活动也是不会纳入宪法的。但这跟中国的情况还是不一样的。因此我的问题是，我们跟美国比较的基础到底在哪里？我想这是一个值得思考的问题。无论是字面上的宪法还是实际上的运作情况，我们未来在宪政改革、在民主化中对未来的设计中都需要作一个更好的比较。

讨论

王绍光：这两篇文章涉及到中国最大的群体，我觉得非常有意思。实际上傅老师最后提出一个问题，在农村中国过去的这十几年里面实际是建立了一套现代国家的基层制度，包括司法、包括税务，包括教育都下到底下去了，也是中央压下去的。现在带来这么多问题，可能有两条解决思路。一条是铁军隐约提到的，就是在农村到底不要建立现代国家这套体制。苏力也写了很多，靠农村的习惯来解决。但另一套思路，还是在农村要建立现代国家体制。我听李强在讲建立现代国家体制，可能包括这个含义，不光在城市，农村也得建立。如果要建立，我认为现在有一些要澄清的东西，比如我在网上看的，说中国的官僚体制是世界上最大的。这实际上是错误的。如果计算一下中国的财政供养人口，大概是30个人左右养1个人。而美国是12个人养1个人。所以跟美国相比的话，这个体制并不大。所以这本身不是问题，问题是如果要养，由谁来养？农业税占财政收入的比重不是下降了而是上升了，就是从农民拿的东西并没有减少而是拿多了，而财政支援农村的实际上是下降了，不管是按财政支出的比重还是按GDP的比重算都是下降了，到2001年才有一个拐角，刚好平下来。所以，现在希望用农村来养一个现代的国家机制，我认为是不可能的。那么我认为，最重要的是要打破财政的二元体制。现在的财政基本上是二元体制，城里的钱不到乡下去，乡下不论是建立现代国家体制还是修基础设施等等，都是让农民自己出钱，包括费税改革也没有准备打破这个壁垒。朱镕基在那次人大那个会上，表示中间缺口有多大，只能拿出300个亿，说得好像很困难。但是公务员加工资，1400个亿轻轻飘飘地就出去了。就是财政支出重点到底在哪，这是一个很大的问题。这个可能就涉及到第二篇文章即赵晓力那篇文章。

我觉得晓力这篇文章非常好。我昨天刚算了算，在人大各种人的背景，政协里面的人的背景，它的比重，同这些阶层过去——从1995年到2002年——的工资的增长是成正比的。哪一个阶层在这些代议机构里面的人数比重比较大，那它增加工资的速度就比较快，所以这不是毫无意义的。人大情况最好的，依我来看是五届人大，当时工人和农民加起来占50%，现在不到20%，大概18%左右，农民占到10%左右。在政协里面，基本上是精英俱乐部。政协里面有工会界、商业界人士。农业界有哪些人呢？是袁隆平那些人，没有一个是农民。工会界都是工会干部。在这种情况下，虽然我们的代议制可能不是那么起作用，但是实际还是起作用的。我写过一篇文章，关于财政转移支付到各个省，我看与各个省在中央委员会中的代表的比重是相关的。不知为什么，不管怎么算，每一年算，都是相关的。所以这个代议可能还是有一点用的。在这个意义上，就是要改变四分之一条款，还有其他一些不公平的条款，我估计会非常重要，包括要改造政协。我现在不知道从法律的角度，有没有人能够提出来这是违宪的问题，提到全国人大常委会，让它来审查这个违宪的问题，有没有这种可能性。谢谢！

吴敬琏：我与绍光的观点有不一致的地方。我觉得关于四分之一条款的意见很好，如果能够废除这样的条款，至少在形式上全国人民是平等的，当然很好。使我不安的是整个论文似乎有个假设的前提，就是我们国家执行的是代议制民主。是不是这样？这就需要进行考察，就是他这个代表实际是否经过授权的，他们是否是可问责的，没有证据表明这两个问题的答案都是肯定的。譬如，政协本身不是一个议会，我们政协的领导们特别怕别人将政协类比为上议院之类的。以前，我和叶选平副主席一块出访，出访到外国都是上议院接待，我们的叶选平副主席每一次讲话里面必有一次申明，我们不是上议院。然后别人问，你是什么？他说不清楚。而我们更没有什么授权的问题。你刚才提到中央委员会不是议会，中央委员会委员更不是议员了，也是没有授权问题。你这种相关性分析并没有说明因果关系，谁是因谁是果不知道，只是知道它相关。

於兴中：我有两个小问题。第一，今天的感受很深刻，两位报告人的发言内容是我最生疏的。我是从农村走出来的，我觉得农村的问题是非常严重的，今天更加深了认识，我以前花了很多时间去研究那么多抽象的问题，感到很惭愧。另外，今天两位报告人做的研究非常好，这样的研究我从来都没有做过，我觉得他们作这种研究很不容易。

我有两个小的问题，是概念性的问题，一个是傅教授提到的农民的法律意识是很强的，不是没有法律意识。我觉得农民知道法律是表示他们有对法律的知识，但并不等于他们有法律意识，因为在谈法律意识的时候，不是谈违法而谈守法。既然他想到了要规避法律，在发生纠纷的时候不是选择法律而是选择其他的手段，即证明他们可能不是很高的法律意识。

赵晓力的报告写得很好，但有一个问题，就是谈到蔡定剑的研究表明文化素质与民主素质不是成正比的，我对这个表示非常怀疑。我认为这里面有很大的问题，若你不知道民主是什么，你是不会主动去采取民主的。我想这里面是有一个很大的反差的。

周汉华：我对赵晓力的文章谈一点看法，我对这个问题关注得比较早，1986 年我本科毕业论文写得就是这个，题目是《城乡的平等选举》，其中的结论与他的有很多相似之处。这里我想谈几个观点。

第一，1954 年宪法确立了四项选举原则：普遍、平等、直接和秘密投票。其实我们后来的选举法都没有实现，这四项原则没有一项得以实现。那么，就平等选举而言，这不是我们的首创，我们完完全全是从苏联照搬过来的，尤其是苏联的 1936 年宪法。苏联 1936 年宪法的基础和我们宪法的基础，我认为是不一样的，尤其是在苏联建国后所存在的农村的经济形势和我国搞了合作化以后的经济形势从基础上是不一样的。（对此我现在不展开论证。）我们很快就搞了合作化、人民公社，实际上很快就公有化了。所以我们的基础和苏联当年用这个不平等的选举的基础不一样。第二，苏联当时之所以要提出搞实质上平等形式上不平等，它有一个基本的判断，就是农民是比较落后的，它是和落后的生产方式联系到一起的。在传统的农业经济之下，这样的判断是正确的，但是我认为随着农业的产业化、农业的市场化，农民是不是必然是落后的，这个判断本身并不是一定能成立的。所以我从这两点来说，我们现在四分之一条款的原始的立论确实不能成立。我们即使要保留它，应该找到新的根据，原始的根据已经不存在了，这个在斯大林的著作中有非常详细的论证。

我认为赵晓力博士的这篇文章提出了一个深层次的问题，这个更值得去探讨的，就是多数人民主和少数人权利的保护，我更愿意从这个角度来谈。因为这不只是城市与农村和选举上的四分之一上的差别，比如我们换一个语境，也是选举法中有关少数民族的规定我们就会理解这一点。如果我们都搞成平等选举，即少数民族的代表性从哪来，它怎么能在这个多数民主、大家一人一票的体制之下表达它的意志。有一位很有名的地理学家，曾把中国的地图划过一条线，就是从黑龙江的瑷珲到云南的腾冲划一条线之后，把中国划出两半，一半是 96% 的人口，另一半是 4% 的人口。如果都是用形式上的平等的多数决定制，那么少数民族的权利怎么保护？不光是少数民族的权利，还有人烟稀少的地区的权利，如西部地区的人民的权利，怎么保护？

还有一个问题是刚才吴教授提到的，很有意思，就是所谓的"界别"代表制。我记得这是我们十三大的时候一个很重要的创举。实际上界别代表制也不是建立在一人一票的基础上的。政协作用之所以比较大，其实很大程度上是因为它采用了界别代表制，科学界的代表，或文艺界的代表或其他企业的代表。后来因为我们十三大的报告没有付诸实施（没有采用）。如果我们要机械地采用一人一票制或大家都一样，那么这和利益集团的方式、和界别代表方式如何协调？这是一个问题。第二个问题，在一个多数民主体制之下，怎样来达到保护少数人权利的目的，实际上是可以有不同制度安排。不平等的选举本身并不必然是不合理的。如美国当年搞两院制，实际上两院制就是典型的不平等的安排。就是为了防止大州侵犯小州的利益，比如人多的州选出的议员多，众议院人多，那设计一个参议院，不管人数多少，一个州都是两票。这就是一种非常典型的来保护少数人利益的制度，我们难道能说他们违背了平等原则吗？能从宪法的基础上能够把它推翻吗？后来在戈尔和布什的选择中也出现这个问题，实际上当时戈尔获得大众投票是比布什多出三十多万票的，但是美国的选举制度安排的是选举人团作最后决定。而美国人承认了这（安排）是合宪的，并没有表示一定要把它推翻。这也是一种制度安排。即使像违宪审查制度本身也是一种制度安排，它是一种在多数人决定多数人民主基础上保护少数人权利的一种制度安排，要不然，违宪审查的根据又何在呢？实际上是法院是推翻了多数人制订的法律的，它认定它违反宪法的。另外一个是美国讨论非常激烈的，就是格式诉讼（a formative action），就是对这种权利的一种特殊的保护到底是不是应该存在呢？是否要大家都一样？我觉得这几个问题更深层。四分之一条款实际涉及我国改革以后的很多的基本思路。第一个问题，我们是不是要承认有少数人存在？我们有没有这个勇气承认少数人存在？有没有这个少数人的概念？第二个问题，有少数人存在的话，怎么来确定这个少数人，即哪些人属于少数人？有时候人们都不愿意当少数派。历史上有根据民族、财产、文化、性别、年龄划分少数人。我们现在要问的问题就是根据什么来决定谁是少数人。第三个问题，更深层的，少数人的权利如何来保护？是给予权利特殊保护，还是像晓力提出来的"合法歧视"。对大多数人合法歧视，反过来说是对少数人的一种特别保护。因为对少数人保护，实际上就是一种对大多数人的合法歧视。

最后我得出一个简单结论：可能我们现在不能就一般意义上谈纯粹的平等。

肖卫兵：我就傅老师文章阐述一些自己的观点。很有幸，我在上海这两年基本上作了全部的有关上海基层司法行政的调查研究工作，在上海现有的十九个区县中，只有一个区县没有具体的调查研究资料。我这里想提几个具体思路：总体来说，纠纷解决机构包括司法科所、基层法律服务所、人民调解组织这三大机构。

第一个，司法科所。根据司法部 1990 年代和 2000 年前后两个通知的精神，突出要加强把街道、乡镇的司法科建成司法局的派出机构。这种思路是否对我们农村包括乡镇的法律纠纷的解决有一个积极的重大的促进作用。我认为是值得深入思考和论证的。上海基本上是往司法局的派出机构这个模式来建立的，其效果要等到以后再来考证。

第二个，基层法律服务所，这几年来发展很不稳定。先是司法部脱钩改制的提出，就是把基层法律服务所从司法科所剥离出来。但是现在很多农村还是没有做到的。可是改制这个过程没有实行多久（上海市区基本做完了，农村没有开始），司法部就在 2002 年 7 月份，由张福森部长提出了"一个调整，两个加强"的总体意见，这个意见的提出使得脱钩改制的进程突然停止。基层法律服务的发展方向和定位就来了个大转弯。为什么这么说呢？因为"一个调整，两个加强"对我们基层法律服务或法律服务所的定位进行了重新思考。所以，傅老师文章中提到，基层法律服务是在为农村经济保驾护航，那么可能这种提法现在有待进一步细究。我的总体研究思路是：基层法律服务应该是不同于律师事务所的，它是为特定群众提供便利的公益性并且不参与市场竞争的社区法律服务组织。而这样一个定位无疑关乎现有的基层法律服务的生死存亡问题。什么意思呢？以前基层法律服务所和基层法律服务工作者最大的收入来源是诉讼收入，上海的实际是85%至90%都是来源于诉讼的。但由于"一个调整，两个加强"（一个调整是指街道法律服务所从诉讼领域中逐步退出，两个加强是指加强律师公证和基层法律服务、法律援助工作，面向基层，面向社会，面向群众服务的功能，并且加强律师为社区提供诉讼法律服务的功能）。这就说明现在基层法律服务组织要从诉讼领域中退出来。以前刑事诉讼它本来就不能参与，三大诉讼中，民事诉讼、行政诉讼它可以参与。但现在基层法律组织要从诉讼领域中退出来，基层法律服务为农村提供法律服务的可能性就不存在了。基层法律服务所的生存也将有可能不再存在。那么以后应有怎样思路？而且非常有意思的是，现在基层法律服务将面临退出历史舞台的窘境，不是由于农民支付不了诉讼费用而是由于司法部的"一个调整，两个加强"意见所导致的。而"一个调整，两个加强"是一个讲话，不是法律、也不是政策。

第三个，人民调解组织。在此我提两点思路，一个是今年实施的最高院的司法解释已经把人民调解协议确定为民事合同的性质。建国以来，总体来说，全国的人民调解工作逐渐萎缩，这种萎缩过程更大原因是其本身的权威性，或者是其法律效力得不到确保。而最高院的司法解释确立它为民事合同性质，这使得人民调解协议的法律效力得到了加强。现在上海整个思路是：如以后涉及财产方面的，可以直接向执行庭申请执行，而实际是，涉及财产方面的，可以向法院申请支付令。这样的结果必然促使人民调解工作会有一个很好的发展势头。另一个思路是以前政府基本上包办该工作，包括司法科所都是人民调解员。但现在人民调解工作的一个思路是走一个社会化、市场化管理的进程，那么市场化、社会化管理是不是人民调解工作今后发展的一个强大趋势呢？值得大家深入思考。

再一个是，所有上海的这些做法我们一个理念是政府购买服务，如秦晖教授说的小政府、大社会。我们现在不提"小政府、大社会"，我们只提有限政府，就是政府应直接提供一部分的公共物品，更多服务应该通过政府购买服务的方式来提供。政府购买服务当然可以把它的资金纳入到公共财政里面去。

梁治平：我发表一点感想。傅教授文章的风格很沉稳，他平静地叙述了一段历史过程。但在接下来的评论中，铁军用一种激烈的方式，把这个问题非常尖锐地提出来了，咄咄逼人。我觉得非常好。关于改革开放以来农村的法律发展，文章给了我们一个比较完整的画面，让我了解了不少东西。以前我们觉得农村的问题一大堆，但对法律制度在农村到底是一个什么状况了解很少。我们讲送法下乡的问题，把它看成1980年代以后意识形态和国家治理方式发生改变的结果，把法律向农村的渗透看成是一个中国现代化的一个必经过程。我们把这个过程理解成这样一个单向的过程，但是这篇文章让我们看到一个复杂、曲折的发展过程：法律在渗透的过程中被本土化、行政化、地方化，法律成了一个行政权力的一个部分，现在又开始退出。这些变化向我们提出很多问题。大家讲依法治国，依法治村，这个法治到底是什么？如果法学家们老在讲法治，但实际上法治不是那么好，法治的作用非常有限，这意味着什么？如果我们对这个问题有更多的了解，在这个基础上去找出一些对策，制定相应的政策，那种会是特别好的一件事。

赵晓力博士的这篇论文我认为写得非常好，很清楚也很有说服力，当然他把这个问题限定在一个很具体的问题上，在这个范围里，他说明的问题是很有说服力的。但这个问题涉及的面是非常广的。吴老师提到的，还有周汉华教授所补充的，我觉得非常重要。我想谈的一点跟吴老师讲的很接近。可能很重要的问题是一个代表制度、选举制度的问题。其实重点不在于代表是不是工人、农民或其他什么人，而是他们代表谁？他们怎么样去代表这些人？这个过程和机制是怎么样的？这一点最重要。当然前提是一人一票或是平等的代表制。至于用其他机制来平衡和保护少数人的利益，那是可以做很多制度上的设计。在一个民主社会里，公民的政治平等应该表现在选举的平等上面，我想这是没有问题的，但很重要的是代表制的问题。就像今天上午绍光评论的那样，要把议会变成预算议会，涉及到很多问题，如议会本身的结构、开会的方式、活动方式和开会时间，包括很具体的事项如秘书、助手的工作等。这样它本身的预算就要增加很多。每一个系列性的问题的改变都要涉及好多技术性的环节。所以我觉得这里涉及到很多像代表制度、选举制度这一系列问题，都是很复杂很具体的制度。如果我们在做这个研究的时候能把这些问题考虑进去，我想就会更完整。

胡汝银：我也是在农村长大的，我觉得傅教授讨论的问题具有普遍性。实际上这个问题不止于在农村，如刚才治平提到的，法律实际上在很多地方变成了行政权力的一部分，变成了行政权力的附属物，被政治化。我们讲宪政思想，就是要求整个法律非政治化，这是非常重要的。我们看证券市场也是这样的。外地有些法院经常来我们交易所法律部来封谁的账号，这实际是为地方经济保驾护航，往往成为地方保护主义的一个工具。然后是司法机制的可信度非常糟糕，在这里，如果你是外地的一个公司，你要来打官司，你可能永远打不赢。所以，没有形成一个非常稳定的预期，这个司法它最后就有了很强的偏见，造成它的公正性产生一系列的问题。这个问题怎么解决，实际上牵涉到我们整个司法系统的改革的问题。

一方面，地方很多公共服务现在提供不足，但另外一方面，中国的公共部门人员规模上摊派，非常厉害。前几年是农民摊派，房子不向他们收费。最后就变成了很多地方政府上已经破产了，破产了又向银行贷款。这实际上不光是农村，很多城市里面的大城市的支出按他们的财政计算可能要到 2025 年才能还清。那么这里有几个问题，一个就是公共部门总规模过渡膨胀的问题。第二个就是结构扭曲的问题，应该有的功能它没有发展，它不该做的事都做了，愿意去管制、愿意去审批，管人管物管事它都愿意管，不愿意去提供公用的守夜人的服务，所以最后是结构扭曲。第三个是缺乏一个良好的问责机制和透明度。我作为一个纳税人，我交税了，我交税给政府后，政府是向我提供公共服务的。你怎么跟我提供，怎么用这个钱？知情权到目前为止我们没有。这里的问责性和透明度不行，所以必须要改革。我们讲公共部门经济学，公共部门如何让它非常负责的（responsible）非常透明的（transparent），这个问题实际上没有解决，所以这就非常难了。第四个方面，公共部门内部人员控制，内部人怎么花钱，工资怎么定都是他说了算，非常有意思。一些地方，去年教师工资全部在拖欠着，甚至打白条给他们。有些地方是发工资甚至把地方酒厂的酒提给你，当工资给你，甚至你要去推销，像代金券一样的给你。那么，公共部门里面最弱的那些人，他的工资是拿不着的，然而最强势的人他拿到了，甚至不止于这些。有些地方先吃国有企业，国企吃完了就吃私营部门，吃完后打白条，最后全部没有了都跑到外地去打工，就到地方去吃。这都是因为公共部门的支出没有任何约束，这实际上是一个非常重要的问题。先要解决不向农民摊派，这个问题是解决不了的，因为没有从原则上来解决怎样来提高公共部门的服务的质量的问题，它的服务效力的问题。这实际上是和整个社会的公共福利联系在一起的。所以牵涉到一系列问题。

崔之元：我想对张晓山在评论中提出的观点再展开作一些评论。我认为他提出了一个非常重要的观点，如果套用江平教授的话，就是中国的农村问题不能够在农村就地解决，而必须对国民收入的整个格局进行大的改变，也就是说对整个国家的宏观经济政策进行大的调整。我觉得这个思路虽然有不少学者提出，但讨论得不多，占主导地位的一个思路，实际上是强调说农村的最主要的矛盾是与乡村干部腐败、乡村机构的膨胀很有关系，这当然很有道理，我觉得这方面很有意思。对这个问题我看李昌平的书受了很大的震动，《我向总理说实话》这本书中提出了一个很大的命题，他认为乡政府的负债为什么这么严重？因为主要借钱给乡镇政府的本身就是各级干部，他们把钱借给政府，然后再向农民去摊派。湖北省是这样，他就怀疑整个全国都这样。具体是不是这样，我觉得是一个重大的经济问题，需要研究。所以从农村干部腐败本身来分析此问题有一定道理，但这个着重点显然不是在国民格局本身的大调整。我认为张晓山提出的问题，值得思考。最近财政部的报告非常有意思，它强调 1994 年分税制改革的时候，本来的设计很好，不一定造成地方财政的紧张，因为 1994 年当时马上就有一个转移支付，但是没料到，1994、1995 年的形势意外的好。这个是一方面，导致出口退税量特别大，出口退税额实际超过了整个农村教育投资，出口退税量这么大，还有一个很大的原因是中国所谓的出口一直采取了一个政策，但一直到 1999 至 2000 年才建立的所谓"出口保障金台账"到位，当你没有建立出口保障金台账制度时，整个出口假的特别多。一个客观上造成形势好，另一方面人为的假的，这些形势直接导致分税制的设计无法落实，1994、1995 年就没有转移支付，立刻就造成地方政府的财政困难。下面李昌平讲了一些故事，有一个宏观政策的背景，我觉得这方面值得重要研究。农村干部的腐败，政府的膨胀肯定很有道理，但是外贸政策、整个宏观经济的调整，实际上我们对它研究还不够。我向大家请教，希望各方面的专家能让我在这方面多做一些了解。谢谢！

强世功：我谈一下对四分之一条款理解的问题。我认为我们把四分之一条款理解为一个平等权利问题本身就进入了误区。因为我们一旦讲平等的时候，我们就会遇到一系列的问题，包括我们最初提的要个表面平等还是实质上的平等的问题。我觉得不是这样的，因为你完全可以说四分之一条款就是一个事实上的平等，你可以找出和想出来各种各样的理由。比如，美国的参议院、选举团制度等等都可以说是为了事实上的平等，这都是公说公有理，婆说婆有理的问题。

我认为这不是一个简单的像我们的财产权或其他权利的平等保护，这个保护是一个政治权利。为什么要强调政治权利，因为政治权利和经济权利和社会文化权利是不一样的。这个政治权利的一个假定含义是，这个国家的人民主权建立在什么之上，这是个核心的问题。是建立在一个一个的个人之上，建立在一个一个的单位之上，还是建立在每一个省之上？其实美国最初争论的联邦的主权是建立在各州之上还是建立在每个个人之上。从马里兰案（Maryland Case）以来，美国就强调联邦的主权一定要建立每个人个人之上，不能建立在州之上。因为建立在州之上，不仅在共和体制中是矛盾的，而且最大的问题是州的权力可能对联邦构成一个挑战，这是一个现代国家的主权不能容忍的。

那么反过来看我国的主权究竟建立在什么之上？我国的国家主权不是建立在个人之上，也不是建立在省之上，而是建立在阶级之上。我们《宪法》第 1 条就讲主权，中华人民共和国是以工人阶级领导的，工农联盟为基础的。那么这样一个人民民主专政的国家，当然我就应该计算哪些是工人，哪些是农民。如果我们采用阶级话语，我们发现一个问题：我们采取了"界别代表制"。我们不用"阶级"而是用"界别"。界别是相对中性的，比如科学界、律师界、行业界、妇女界等等，它实际上是不同性质的集团在主权中的代表。看我们的全国人大代表里，一定是妇女要占多少，少数民族要占多少，工人要占多少，农民要占多少，知识分子要占多少。当我们的主权落实到一些莫明其妙的群体之上，我认为这不能承载一个现代国家主权的。如果现代国家主权一定要建立在个人之上，毫无疑问就是一人一票。至于实行一人一票之后少数民族怎么办，你可以采取美国的搞参议院，只要给予一人一票，所有制度的设计都可以变得合理。但是，如果说你为解决实质平等的问题而否定一人一票的话，实际上就把国家的主权架空了。

回过头来看，建国后最初国家主权建立在阶级上是有效的，后来是无效的，尤其是改革开放后，已开始无效。我们发现了存在很大问题，城乡差别表面上是阶级里的工人、农民，实际上在中国已经变成一个主权建立在省之上的国家了。就像美国的州之上。为什么这么说呢？我初步统计了一下，东南沿海各省所占全国面积不到三分之一，但全国人大代表中已占了一半。这意味着，这个国家的主权一半落到了东南沿海很小的一部分国土面积之上了。如果我们再把它放到中央政治局里面，观察他们的履历背景时，都是在南方重要的沿海城市担任过省长、省委书记的。可以注意到，东南沿海每一届省长、自治区主席、党委书记基本上是进政治局的。但是相对而言，陕西的不是，宁夏的更不是，内蒙的也不是。虽然我同意吴老师的意见，但是不能说我们的议会没有落实，更不能说我们的人民代表大会不是向人民负责的议会，他们实实在在地是有立场的，并非毫无立场。这个时候，我认为四分之一条款很重要，因为实际上理解政治主权最后要落在这上面。

第二个问题，为什么这个时候讨论四分之一条款。政治哲学上有许多道理，要讲的东西太多了，但是根据我对我们基层选举工作的了解，（我经常参加一些会，自己作一些研究，我问过人大系统面里的人，问到四分之一条款时，没有人对这感兴趣，认为这不是他们的问题，他们现在的问题是要直接选举，不是等额选举，要搞差额选举，他们认为这是重要的。）我觉得这个很重要，就是上午季老师表示的，如果我们要把人大搞成预算议会，这意味着什么？各个利益阶层所有的讨价还价、政治斗争都会拿到议会里来。但是如果真正实现预算议会，如果你的主权不能落实到个人，这个政治斗争可能就是一部分人在斗争，有许多人与这没有关系，那就涉及到区域之间利益划分的问题。以我自己家乡陕西为例，我们陕北发现煤和石油的时候，关于煤和石油的开采的问题，中央和地方打得一塌糊涂。那时候北京办亚运会，改善大气环境，要把无烟煤和天然气无偿地运过来，当地要使用天然气的时候，必须从国家的公司来购买，而且价格比北京的价格要高得多，地方当然不满意了。我们现在所有报纸上报道说发生了暴力抗法事件，国家出面来查清。这是什么问题呢？国家是挖出来就可以拿走，挖出来你就会运到上海去，但是运到上海去我们不可能以市场的价格出卖，而是凭借国家权力。这是为什么？因为这是国家的政策。但是，如果国家的政策掌握在议会中，而议会由东南沿海的省份所把持，这是什么后果？中国的中央与地方的关系问题就凸现出来了，地区之间的差异就凸现出来了。而这些地区的争夺最后会削弱中央的权威。在这个意义上，四分之一条款一定要取消，主权建国的根本就是建立在每一个人的身上，而不是建立在一个区域之上，也不建立在一个阶级之上。这是我的发言。

李强：对于农民问题，傅老师阐述得特别不错，加上温铁军老师和张晓山的评论，调动了我的想法。因为我自己也是农村出生，农村长大，所以对农村的问题我经常研究，我的一个基本的感觉，农村的问题是相当的严重的，我认为温老师的观点非常对。这个严重性我自己感觉比他们讲得更为严重一些。中国农村几千年，虽然我们这个政治权力从中央一直到县，但是农村呢，它有某种程度的社会的条件，不是市民社会。所以，好在农村封山的时候，照样有婚丧嫁娶，照样有借债还钱，上百年没有政府的时候。有一本书叫做《中国传统的社会》，过去日本人打来了，把村里的小孩抓走了，作了人质，各家各户凑一些钱去把这个人质换回来。但是由于这种秩序是国家不到位的秩序，一些重大的秩序是没有办法维持的。我们1950年代开始的合作社和人民公社制，是一种政治的全面渗透来摧毁了传统的社会结构。现在我们把人民公社制捡起来，那我们农村中现在是要啥无啥了，政府不到位，社会实际上重新再恢复原来的市民社会几乎是不可能的。最基本的问题怎么解决？如原来我母亲在农村中，看电视要天线，原来大队架起来了一个天线，天线坏了需要二百元钱就凑来；原来这个井是在外面的，大家都可以来取水的，现在有家人修院墙把这个井圈到院子里面去了。农村中的秩序是双重的，一层是调解解决纠纷，另一层是国家的问题。你要建立秩序，就必须有一个公共权力，这个公共权力不是大家可以随便协商了以后就能把杀人放火的事解决得了的，有一些问题一定非要国家的法律机构来解决。现在农村的权利、法律，不管你独立不独立，必须由国家来做，只不过是职能分别不一样，不可能完全独立于国家之外去。农村一个很大的问题是人口特别多，结果把这个法律的东西变成了有偿服务，所以大家就打官司打不起了，这个国家（state）就变成了土匪，要买路钱，"要打官司可以，拿钱来！"。公共权力的一个非常重大的问题就在农村里。由于市民社会没有办法再重新恢复，由于国家机构的公共性的逐步的丧失，农村的秩序问题远比一般想象的要严重。我经常接待从农村来的亲戚朋友，我经常听到很多这样的故事。谢谢！

秦晖：我对四分之一条款谈三点看法：第一，四分之一条款的确起源于苏联，但不是来自1936年宪法，一开始就区别所谓的苏维埃原则和立宪会议的原则。因为俄国二月革命之后，所谓立宪会议就是采取一人一票的西方制的原则做的。而且临时政府推行立宪会议曾经是布尔什维克要推翻它的一个理由。布尔什维克掌权之后，驱散了立宪会议后建立了苏维埃。而当时苏维埃定的就是农民苏维埃产生代表的名额比例和城市工农兵苏维埃代表的名额比例是10：1，就是比1936年的比例还要大。它美其名曰"阶级原则"，就像刚才强世功分析的一样，它名义上是认为工人阶级比较先进，所以应该10倍于农民的代表权，但实际上阶级原则也是一个借口，当时苏维埃原则就是在城里，它也是有区别的。最早的三届苏维埃，有一个专门规定，城里面军人的选举权要十倍于工人。如，彼得格勒选举中，军人100个人，产生一个代表，工人1000个人产生一个代表，苏维埃中有一大半就是军人。当时的那些苏联理论家都认为军人政治权不平等和我们以前讲传统的政治权不平等在性质上有个很大的不同。这里除了代议制的真伪问题，我认为吴老师的观点是正确的，就是四分之一条款问题远不是简单的问题。

我们可以承认政治权力的确应该平等，妇女没有平等的权力，农奴没有平等的权力的确是非常严重的问题。但我们也实际上应该看到这两种不平等在传统时代都是以小共同体为单位的。具体而言，在男女关系问题上，丈夫肯定是不能完全代表妻子的利益，但是丈夫与妻子的利益的关联度毫无疑问是比较大的。在农奴和农奴主的关系上也是一样——当然农奴制有一大堆的缺点我们不用去考虑，但是农奴制和官僚制相比有一个特点，就是这个传统的庄园是一个小共体，用马克思的话说，它是附属和保护关系之间的对立统一，它是保护人与被保护人之间的关系，类似于《水浒传》的庄主和庄客之间的关系。所以这两者之间也有相当大的关联度，而一个集权政府基层官僚与下面的子民之间的利益关联度就差得多。所以在明清时代出现的一个现象就是在中国西南地区很多地方都搞过改土归流，改土归流之后不久很多地方发生了动乱。一个很重要的原因就是流官比土官要利害得多，要坏得多。土官是兔子不吃窝边草的，流官是不管你什么的。所以一改土归流，当地就大肆搜刮民脂民膏。于是到处造反。所以我觉得现在我们这种城乡之间在一个大共同体本位条件下的政治权力不平等，是由于没有这种小共同体的利益关联度，所以导致了它的后果更严重。

第三，这个问题的实质在那里？我认为实质还是在于代议制的完善。我们现在对四分之一可以改变成五分之三或什么，但这里面除了比例之外更重要的是代议制的基础问题，也就是刚才强世功也提到，到底是采取界别代表制还是采取地域选区制这样的问题。这个界别代表制其实在政治上就是所谓的集团制。这个集团制有时经常成为伪民主的一个工具。最典型的就是在两次大战期间，德、意这两个法西斯国家都是实行集团制的，就是所有的代表都是分成工人代表、农民代表等等，而且工人代表、农民代表都是按照一元化的集团组织，工人代表就是工会，当然这个工会是纳粹的工会，农会、学生什么等等也都是这样。这样就造成了严重的问题，这个集团制本身就破坏了代议原则，因为它假定工人只能选工人，农民只能选农民，但实际上真正的代议原则应该是我认为谁能够代表我的利益我就选谁。比如农民认为温铁军能代表他的就选了温铁军。你能说这个温铁军不比一个农村出生的一个生产队长更能代表农民的利益吗？这个很难说。其实民主制度就是一个授权问题，我授权给谁，谁就代表我。如果你按这个名额来分析，美国的议会，它议员的出身也集中在很少的几个行业中，如议员中律师出身的最多，记者出身的次之，演员出身的也占了很大一部分，但你能说律师就仅仅代表律师阶层吗？当然不是的。关键在于律师本身就是职业代理人，人们认为它最能代表人民的利益就委托给他了。只要这种委托授权机制是严格有效的，那么我认为，工人是不是选举工人，农民是不是选举农民，这个并不是问题的关键。谢谢！

张军扩： 刚才大家都提到了农村存在非常严重的基本公共产品供给不足的问题，包括基本的司法服务、基础教育和基本医疗的一些涉及到基本人权的非常基本的问题。产生这种问题的一个很重要的原因是资金的不足，而产生资金不足的一个重要原因是我们的这种体制，虽然是很重要的公共产品，但是由各地农民来负担它的资金。城市 GDP 和农村 GDP 有一定的差距，这种差距是客观存在的，会相当长的时间一直持续下去。农村虽然人口比较多，但它所创造的 GDP 比较少，相应就享受的比较少，所以这种差距会长期存在。我们有一个基本的问题就是在一个统一的主权国家，这种基本的公共产品，特别像一个法定的基础教育、基本的司法服务这样一些东西，是否应不管任何地方的收入差距不同，但大家都应该享受一个基本的大体平等的权利？我想在一个统一的国家，其他的公共产品，包括养老保障或设施可以有所不同，但有些基本的政府服务大家在享受上应该是平等的。这就涉及到对这方面的基本的财政体制的安排问题。实际上在前九年的改革中也是有这样的安排，包括转移支付的问题。但我觉得执行得很不够，基本上还是由地方负担，所以出现了很多这方面问题。解决这些问题，我非常赞同大家刚才讨论的很多根本的解决办法，包括代议制中农民应该有自己更多的代表，有发言的地位，那么我想这是一个长期的问题，从短期来说我认为也会有很多改善的余地。我想目前我国财政的支出结构和政府的功能不合理，对农民的支持不够有力有很大的关系。我举一个非常简单的例子，比如这两年，中央财政拿了很多的钱给名牌大学，包括北大、清华等去支持他们的发展，而在基础教育方面拿出的钱又很不足，我想这就是一个典型的财政的错误配置的问题。像这种名牌大家如果是管理体制较顺的话，他们是不会缺钱的。这个基础教育是法定的，我们的资金应该更多的去支持这样的一些事业。

季卫东：从两位报告人的报告和三位评论人的评论我们可以看到一幅完整的图景。本来这两个报告的内容是没有直接的联系的。但在逻辑上，两者之间存在着密切的关系——也就是说，在农村需要提供公共物品而这种公共物品的财政支出不够。这种情况下，一方面是傅教授展现出的农村公共物品的资源不足的情况，另一方面晓力的报告提到假如要解决这个问题，得从代议制下手，提高农村代表的比例，以便在决定公共物品分配时农民的诉求可以得到更充分的反映。至于参与决策的是农民本身，还是农民利益的代表，这倒不是最重要的问题，在这里我也同意秦晖教授刚才提出的意见。

　　宪法四分之一条款在中国存续，其实有一个特殊的历史背景，并由此带来了一系列的悖论。所谓特殊的历史背景，就是高度集权的政权必须维持高度忠诚的支持者群体，也就是刚才秦晖教授涉及到的那个对政权的忠诚度的问题。为了政权的安泰，需要保持这样一个差异。这是一个方面。还有另一个方面，实际上评论人在评论中已经提到了，农村过去是主要税源；也就是说中国产业化的积累有赖于强制性的农村税收入，这意味着纳税者不能在资源分配和汲取等方面的决策中发出强有力的声音，否则，在农民占人口大多数的国家，那样的机制根本没法维持。为此必然要加强对农村的控制，国家权力必然要渗透到农村中去。在这个渗透过程中，对农村，过去国家采取的是最大控制、最小制度成本的思维方式。因为增强控制力以后必然要增加控制成本，而这个成本又不是国家愿意负担的，于是就形成这样一种特殊的监控机制。

　　由于要加强对农村的监控，所以在某些方面的公共品提供并不是不足，与其他国家相比，是相当充分甚至有些过份的。比如我们有大约850万名人民调解员，有12万名基层法律服务工作者，再加上9万多名司法助理员，有4万多个司法所和近2万个人民法庭分布在农村。我今年3月份到山东省去调查，看到司法所的活动已经相当制度化了，还有非常严密的联络员网络。这些制度安排不管是否完全合理，作为一种提供公共物品的架构，是很庞大的。问题在哪里呢？国家留下了这样庞大的公共物品供应系统，但却不愿意负担相关的成本，而把这个成本转嫁给农民。对农民来说，这个负担太重。而另外一方面，随着农村的经济社会关系越来越复杂，各种调整机制也越来越复杂，决不是单靠行政权力就能解决的。在这样的背景下，国家权力正在从农村撤退出去，把更多的事务交给农民自治，并进一步转嫁公共物品的成本。

于是我们又看到了另一幅图景：农村不再是国家的主要税源，强有力的监控已经不再必要，国家正在撤离农村，但却没有充分安排今后提供公共物品的制度架构。正是在这样的背景下，晓力的文章提出来一个财政再分配的问题。对于先前的状况，晓力的主张可以按照这样的逻辑来解读：农民是主要的纳税者，但却不能在关于分配和再分配的决策过程中享有充分的发言权。但目前的状况是，农民不再是主要纳税者了，现在农村的税收在财政收入中所占的比率很小，所以按照纳税与发言的逻辑关系来说明代议制改革，就会面临一个非常深刻的悖论：再分配就意味着要把其他部门的税收转移到农村来，这时又会出现另一种意义上的纳税者发言权大小的问题。所以，这里涉及的问题是很复杂的。

还有一个问题涉及农村处理公共事务的机制。在国家撤退出来的场合，就像江老师提到的那样，公共事务的处理、纠纷的解决越来越依赖于传统的机制。它让你自己去解决。而传统机制会导致很多黑箱操作，形成社会性权力，甚至助长地方黑势力。如果地方黑势力坐大了，要靠国家的强制力来打破，温铁军先生提到的警察力量增强的问题就是很好的实例。但警察可能会滥用权力。而限制这个权力、限制国家强制力的是法律。当法律限制权力时，似乎与农民借助警察来制约地方黑势力的愿望发生矛盾。何况这个法律在限制国家权力的滥用方面又显得软弱无力。法律本身缺乏打破地方黑势力的有效性，又可能限制警察之类提供的强制力，所以在农民眼里，这个法律是没有力量的。在这里，理论上存在一种类似剪刀、锤子和布的三者关系：要通过法律限制权力，要通过权力来打破关系网络，而这个关系网络又不能不影响到法律的效力。

总而言之，在考虑宪法四分之一条款时，最关键的因素是税源与财政再分配，与此相关中国代议制设计面临着深刻的悖论。而在考虑农村秩序重建时，最关键的因素是法律、基层权力以及社会网络环环相扣、一物降一物的关系。正确理解和改组这样的连锁关系是农村秩序重建的基本前提。

回应

傅华伶： 非常感谢各位的评论，我要带回去好好地思考。具体的问题不是很多，主要问题是从宏观的角度入手，崔之元老师提到的有关农村的纠纷的变化和机构的设置不是一个完全的纯经济的发展问题，还有其他的非经济的因素，像贸易、国家的政策等。文章中也讨论了农民进城政策的开放，一些纠纷的变化。我文章的主要目的还是从比较小的问题、微观的角度去分析农村一些纠纷的变化，如包产到户影响到什么等等。这些纠纷的变化带来了法律的干涉，应该从一个比较大的角度，除了一些微小的变化以外还要去看一些宏观的政策，国家与农村的关系，这些很重要的值得考虑的问题。

另外一个比较具体的问题是，於兴中老师提到的农民法律意识的问题，他理解的法律意识是守法，如果是违法或回避法律，是不是法律意识？这是一个概念问题。现在外国人争中国到底有没有法律制度，说到底是给法律制度定义的问题。你这样定义就有，如果那样定义就没有。比如法律回避，真正回避法律最多的恐怕不是农民，如我们的警察回避法律就很多。私了，不仅仅是农民的问题而是我们整个法律体制的问题。好多大的问题象吴老师提到的好多问题不仅仅是农村的问题，整个都有这样的问题。但有些问题在农村表现得特殊一些，突出一些。

一位老师提到的上海政府购买服务。现在我看到的湖南一个很落后的县，跟上海比就有很大的差别，让政府购买服务，其直接的问题是政府没有购买的能力。调节要市场化社会化，当然是很好，但是现在做不到这点，这样的话整个法律服务就要真正的瘫痪了。

江平老师提到一个很好的问题，我也看到农村的村规民约都会有很大的变化，以前有一些罚款的内容，1998年以后就没有了，剩下的就是三条："小事不出村，大事不出镇，矛盾不上交"，实际上这已成为口号了。还有一些如不让记者采访，不能有法论功等等。村规民约留给村庄的一些权力到1998年以后就都给拿走了，剩下的就是一些空洞的口号性的东西，如让你做什么不做什么。当然这只有一个好处是上面的压力很大，如果一个乡的问题到了县里面，县里的问题到了市，到了省里面，当地的领导是要受处罚的，那么一个结果就是愿意跟农民和解。本来是不给钱的你要闹事的话，就会赔；本来是赔一万的，你要闹事就会给你赔两万，反正钱到最后还是农民自己的钱。这样就尽量去缓和矛盾，让社会矛盾淡化，但是最后的结果如何也说不好。

赵晓力：首先，应星提到的直接选举中出现黑金政治或贿选的情况，已经有学者作过的研究。比如在村民委员会的选举实践之中，为防止贿选已经摸索出很多经验，可以参考。王振耀在他的《迈向法治型选举的历史逻辑》一书中详细讨论过这个问题，他认为实际上可以通过严密的投票程序最大可能地防止贿选。在村民委员会的选举中，法律规定"选举时设立秘密写票处"。除了设秘密写票处，还要要求每个人都必须进去，不是你愿意进去就进去，不愿意进去就不进去。为什么不愿意进去也要让你进去呢？因为在实践中发现，如果不这样，那么大家都不会进去，众目睽睽下你进去就意味着你不想按照别人的意志投票，这样你看我，我看你，秘密投票成为一纸空文，就给贿选、强迫和投人情票留下可乘之机。我想，完备的程序不能百分之百地防止，但是能够在很大程度上防止贿选。我们发现，最近新闻报道中揭露的村庄选举中的贿选，都没有严密的选举程序。贿选要成功，最关键的是给钱之后他要确定你有没有投他的票，如果是大家都秘密写票，贿选者就无法确定到底谁遵守了承诺，如果选民可以既拿他的钱又不投他的票，这就在很大程度的抑制了给钱的动机。排队领选票、秘密写票这些看起来很琐碎的设计其实可以起很大的作用。在这方面有一些成功的经验，我们可以在人大代表选举中参考。

关于美国宪法和中国宪法的比较，我认为各国宪政实际上都是两张皮，一张是纸面上的，一张是实际上的。只不过我们的这两张皮离得太远了些，所以大家很不满意。在美国这两张皮可能离得比较近一些。但是在任何一个国家里都不可能实际的宪政和纸面的宪政一模一样。比如，纸面上共和国都承认人民主权，但人民一人一票的投票会不会导致多数的统治甚至多数的暴政？这里需要理解一下多数的统治、多数的暴政究竟是什么意思。托克维尔在《论美国的民主》中非常清楚地阐述过这个问题。首先，他认为美国革命之后，人民主权原则已经深入人心，走出新英格兰诸州，成为全国性制度。但他又紧接着表示在任何民主国家所谓人民主权都是多数人的统治。然后他论述什么是多数。多数就是能够团结得像一个人那样的团体，在美国就是政党。多数并不是一个人口数量的概念，比如九亿中国农民，数量很多，但却不是多数，因为他没有组织起来团结得像一个人，他们出现在城市的时候，只是一个一个的个人，任何一个三四个人的组织都可以打败他。再比如在东北的一个黑社会，如果这个城市的其他人不能够团结起来，而只有黑社会能团结起来，像一个人一样，那么这个黑社会它就是多数。所谓多数的统治，多数的暴政，不是人口意义上的多数的统治。中国农民如果不组织起来，即使去投票也是一个一个个人的投票，无法形成统一的意志，那么农民人口再多也是少数。现在在九亿农民还是一盘散沙的情况下，讨论一人一票会不会造成农民的暴政，为时尚早。实际上在现代民主政治中，多数的统治就是多数党的统治。政党通过控制媒体、通过控制社会团体，扩大自己的统治，通过参加选举，使自己的统治取得合法性。从这个角度来看，关于一人一票、四分之一条款的讨论必然会延伸到政党制度的讨论。我希望在以后的研究之中能够涉及这方面的内容。

我也很高兴听到王绍光老师介绍他的发现，如人大代表中比例越多的人，工资上升越快。我希望能够看到他的研究。他还提到中央委员会中来自各省市的、各方面的比例和财政转移支付的流向是有正相关的。中国如果有一个实际的议会，我想那就是中央委员会，但这个研究的困难可能很多，因为一个非选举政党它的活动的原则是秘密的。我不是中央委员，不知道它的运作规则。我希望有条件的学者能够对这方面进行研究，使我们通过他们的研究能够知道中国这个实际上的议会－－中央委员究竟是怎样运作的。如果这个实际的议会能有一天能够公开地活动，那么我国两个宪法之间的差距就可能缩小。我国目前代议制民主的运作的确令人失望。我们希望通过落实选举来充实这个代议制民主的一个方面。我想不管宪法怎么修改，像人民主权、代议制、人民民主这些原则是不会修改的。这些原则都是通过漫长的革命确立的，如果你要修改，你必须付出同样的代价。

於兴中老师提出的文化素质、政治素质和民主素质之间关系的问题，很大程度上这是一个经验研究的问题。目前实际上有一个很好的观察窗口，那就是进行了很长时间的村委会的选举，有的地方的农民为什么那么积极地投身到村委会的选举中去？目的就是要控制村庄财政的收入和支出。在这个层次上，实际上所谓的"预算议会"问题已经提出来，而今天在这个会议上季卫东老师在全国人大和省市层面提出了这个问题。在村委会选举中选举往往和查账联系在一起。选举出来的干部或许不能很快把这个村庄变成一个很富裕的地方，但定期选举的确可以控制村庄干部的财政支出，并进一步建立比较完善比较严格的财政收支制度。在我看来，这就是民主素质。民主素质是一个学习的过程，在一定程度上，参与村委会选举中的村民素质比大学生要高，因为村民选举已经进行很长时间了。大学生的民主素质之所以没有想象中那么高是因为他们缺乏民主实践。在这次北京市的县区选举中我们观察得很清楚，除了大学生自荐选举外，还出现了很多小区业主也自荐选举。但是两相比较，可以很清楚地看到谁的民主素质更高。大学生的文化素质应该更高，但实际中我们观察到的却是小区业主更懂得如何利用媒体，如何使用法律，如何动员选民，他们在这方面要比大学生高明得多。

关于多数民主与保护少数人权利的问题，在我国的选举法中关于少数民族的权利有专章的规定。还有一些老师提出的四分之一条款的来历问题，非常感谢！我会进一步查找这些资料。还有一些问题，没有时间了，我会后再回答。谢谢！

小结

简资修： 首先我对赵教授的文章发表一点看法。当时我阅读这篇文章的时候，我就想世界上怎么还会有这样的条文存在，规定在宪法中？我很难理解。对于农民的问题，不要输入任何的哲学问题，显然中国农民是个弱势群体，如果再在投票上面做限制的话是根本讲不通的。因为是少数，是弱势人才会有比较多的票数。那现在弱势的人更加弱势，这是不合理的。

第二，是关于赵教授在文章中提到的数字上的问题。他认为四分之一条款只对直接选举有影响，而对间接选举没有影响。但我认为它在这两个选举中都有影响，如果利用杠杆原理，全县五分之一的人就可以控制整个县。但是假设一个省只有五个县的话，全省要选出一名全国人大，那么间接选举中有可能小于五分之一就可以控制这个省的全国人大代表。我举例，这五个县里有一个县完全是农业县，另外一个也完全是农业县，但是另外三个城市只分别要五分之一，就会产生三个人，这样可以形成多数票，可以三比二就决定投票了，那么最后是二十五分之三就可以决定投票。如果这样的话，最后实际上是在少于五分之一的情况下就可以控制全国人大代表。股东连锁控制，占百分之一的股东可以控制几百家公司，这种操控方式也与此类似。这就是不实行一人一票制，会产生这样低于五分之一的票决定选举的结果。这是单纯从数量上分析，如果从质上分析，强调代议制像西方那样，与文化素质低没有关系。但如果一直强调这方面至少在四分之一条款，弱势人难以控制，因为身份的代表才可确保。如果你再不以身份来做区分的话，那代表更会被稀释掉，因为你没有经过很正常的代议程序。我觉得在这个地方，恐怕特别强调身份而不是代议的问题。

再来看农民素质的问题。我对人的假设还是倾向于经济学的假设，就是大家的动机还是受外界的影响很大，而不是在于他的素质。每个人对他自己的利益其实是很清楚的。我这里举一个台湾的例子，刚才有教授提到台湾选举的黑金政治，但黑金政治不是在农村选出的人不好，其实是在"中央"不好。因为国民党要保政权，所以他必须要去拉拢这些人，他们这些民意代表对他本乡的人绝对是挺身而出的，他们一定要收买这些人通过贪污或重点包工程，但他一定是造福乡里的，决不会鱼肉乡民。农村选出的这些代表一定是为农民的利益着想的。

而从城市的角度，认为农民的素质很差。我举个例子，台湾几年前通过所谓"农业开发条例"，规定限制农地买卖。台湾的农地问题是非常严重的。如果从"国土"开发的观点分析，农地是确实要管制的。但后来在农业县的立法委员的强力反对之下这个条文根本没法通过。但从城市看来，应该是对的。因为基本上台湾的农民的保障是比较差的。从整体"国土规划"来看，如果"中央"的税收没有下到农民，这些代表就为了保护他们的选民的利益而产生冲突。所以透过这两个例子，我想这是一个制度的问题，不是选民素质的问题。在这个政治制度上，选民觉得没有受到照顾而这些代表可以给自己照顾的话，他们当然会选择对自己有利的代表。

傅教授的文章从社会事实和法律相对应的角度阐述观点。

第一，他很清楚的提出中国农村纠纷的变化，从使用纠纷到交易纠纷、到乡间福利到离婚整个社会结构就是这样，那法律制度应该有所回应的。从解除管制来看，农村突然被松绑之后，傅教授认为受禁锢的人们突然获得解放后的一个反应便是犯罪，我觉得这种前提是不合适的。我想这个犯罪的定义是影响安定等等。

第二，谈到国家法和乡村的时候，傅教授的发言中"渗透"和"被动反应"重复出现，但我认为这两个是有点冲突的，渗透是国家主动的影响，而被动是国家根本不想管。这样的情况怎样解释。

第三，对纠纷的区分，从现代国家发展来看，不同的纠纷由不同的法院分别处理，越来越专业。如在使用纠纷中，原来由一般的法庭处理。而婚姻纠纷中，现在由家事法庭处理。现在乡间的福利，由行政法院来处理。像德国也是这样。所以，在这些问题不可能用某种模式来解决，现在是专业化了。这样，农村的纠纷应用什么样的法律来解决？当然，有些纠纷如果没有专业化，没有那么大的能力，而只能做到某种程度。

最后，到底应该怎样来解决？傅教授提到这是不是公共的，必须由国家来解决？这种公共财务到底到什么样的程度，由谁来提供，中央还是省提供？这牵涉到分权的问题，我不敢轻易下判断。也许根本的解决办法，是不是开放式解决。如果进行管制乡村人口，不让农村人口进，城市发展很好，而乡村乱成一团。城市为什么不进行开放让农民进城？这是不是也是一种歧视。所以我想最后最彻底的解决方式是不是开放？台湾的农村纠纷已经比原来少了，因为没有管制户口，乡村很多人口已经移到城市。当然这个会牵涉很多的问题，我也不敢轻易下判断。但这样长期上可以慢慢解决纠纷。

还有，关于抗争的问题，它是不是不合理的？他们觉得是受到了很多不合理待遇，才会有抗争。那这种抗争不是在税上，而是在环保上，环境污染严重，农民会采取自力救济。当时台湾政府以强力态度采取影响经济发展的方式，但最后必须是要让步，因为对农民有所损害，又不给予赔偿，当然是不行的，这时政治利益、地方势力高度运用，那些所谓的民意代表就没有市场了。我想最后还是减少所谓的抗争，大家有没有觉得他受到公平的待遇，我想这是最重要的一个判断。

（周艾燕根据录音整理）

为什么工业革命在英国而不在西班牙发生？

杨小凯

以诺斯（Douglass C. North）为代表的制度经济史学家发现，公元 1500 年开始的大西洋、地中海、黑海等海洋贸易，特别是跨大西洋长距离贸易，是工业革命的关键条件之一。这其中，制度差异对经济增长特别是工业革命的发展有着关键作用。

贸易带来的好处以及相关的经济增长可以用亚当·史密斯（Adam Smith）的分工理论很精确地刻划其中的精髓。

亚当·史密斯认为，分工的发生将使得生产活动的专业化水平得以上升；专业化水平的上升，则创造了供给与需求；于是，贸易随之出现。供给与需求的增加，则意味着市场容量的变大；而市场的变大，将进一步促进专业化与分工水平的发展。这种分工与市场贸易互为因果的良性循环，正是亚当·史密斯在《国富论》中最重要的思想，也是亚当·史密斯所认为经济发展的起源。经济社会也就不断地从这种分工与市场扩大的良性循环中获得成长。西欧的大西洋贸易正触发了上述经济成长的良性循环过程，同时造就了人类历史上的第一次工业革命。杨小凯的新著"经济学"和"发展经济学"（中文版由社科文献出版社出版）用很多模型分析了这个过程。

虽然自 1500 年以来，大西洋贸易对西欧的发展具有举足轻重的地位。许多在 16 至 19 世纪从事大西洋贸易获利的国家，以亚当·史密斯的思想足以刻划经济增长的精髓。不过，同样进行大西洋贸易，工业革命却只发生在英国与荷兰，但是却不在西班牙与葡萄牙发生。这又是什么道理？

最近，麻省理工学院的强森（Simon Johnson）、阿西墨格鲁（Daron Acemoglu）以及加州大学柏克莱分校的罗宾森（James Robinson）等人，在他们的新文

章 "欧洲的兴起：大西洋贸易、制度转变与经济增长" 中对上述问题做了深入研究，并提供大量经验证据。他们认为 16 至 19 世纪西欧的经济增长，虽然只是长期经济增长理论的一个片段现象，但如能研究 16 至 19 世纪大西洋贸易发展对经济增长的贡献，并藉此管窥经济增长理论的样貌，或能让人们进一步理解完整经济发展理论所应具备的原理原则。[74]

强森等人比较英国与西班牙在大西洋贸易上具备的条件。他们发现，与英国相比，西班牙在大西洋贸易上不但比英国起步早，而且许多条件优于英国。也就是说，从客观条件看，如果工业革命能发生在英国，工业革命也应该能在西班牙发生。他们发现，西班牙大致在以下三个方面优于英国。

第一，西班牙、葡萄牙早于英国从事大西洋长距离航海探险，较早掌握并拥有相对优良的航海技术和经验。可以说，这两国是整个大西洋贸易的先行者，并在相当长的时间内主导甚至垄断了整个大西洋贸易。

第二，由于西，葡早于英国从事航海贸易，他们率先占领了自然条件优于北美的南美洲，所以西葡比英国有更好的自然资源进行国际贸易。

第三，强森等人引用马克思主义以及新马克思主义的边缘理论，认为帝国主义的发达应以剥削（殖民地）为手段，越对殖民地进行剥削的国家，该帝国的国力应该越强。不过，英国与西班牙对待殖民地的方式有显著的不同。英国对各殖民地的治理以自治为主。基本上，英国让各殖民地成立议会自治，各殖民地拥有各自的宪法并有自主的税收权利。只有当英国本身遭遇战事，英国才会透过各殖民地均有代表的英国国会，以决议的方式要求各殖民地缴交特别税捐来支应战费。英国对前殖民地香港连这种战费要求都没有，所以中国政府 1997 收回香港后也不敢向香港收税。而西班牙的殖民地均无议会，西班牙在各殖民地拥有税收权，各殖民地所收缴的税收大部分被送回祖国。也就是说，相对于西班牙、葡萄牙，英国对各殖民地的治理并非以剥削殖民地而满足祖国为目的。但西班牙、葡萄牙的确对殖民地进行剥削。所以，依照马克思以及边缘理论的说法，西班牙与葡萄牙的帝国主义发展，应该使工业革命发生在西、葡两国。

但历史却让工业革命在英国发生而不在西班牙发生。至今，原来分别为英国与西班牙殖民地的北美与南美，北美的美国甚至已成为世界的超级强权，而南美洲绝大多数国家仍为开发中国家，政局不安，经济动荡。

面对这种历史矛盾，强森等人提出了一套大西洋贸易影响制度转变，制度转变再与长期经济发展交互影响的良性循环理论，并以这个理论说明工业革命为何

---

[74] 原文标题为 The Rise of Europe：Atlantic Trade, Institutional Change and Economic Growth。

会发生在英国而不是在西班牙。

强森等人对上述的发展提出三个重要的假说。第一个假说是，大西洋贸易对欧洲的经济发展有关键的影响。第二个假说是，大西洋贸易的利益能催化制度转变。第三个假说是，制度转变的前提条件与国王和皇室专制权力的强弱有关。

强森等人根据以上三个假说所建立的完整论述如下：大西洋的贸易机会，若能与各国国内内在的制度转变发生良性循环，则从大西洋的贸易得到的好处会引发经济成长与工业革命。而各国在大西洋贸易发展初期所拥有的政治制度，与各国在大西洋贸易后所进行的制度转变有密切的关系。

他们搜集历史资料证明他们的观点。他们以城市化程度以及平均每人国内生产毛额两项指针作为贸易发展下分工高低的代理变量（proxy），他们收集了15至20世纪的东欧、西欧与南欧的城市化数据。他们的经验研究发现：进行大西洋贸易的城市均有长足的发展，而不进行大西洋贸易的城市，例如东欧、中欧或地中海的城邦，如意大利的城市等，则发展迟缓。

另外，他们发展出制度指数（institution index），用以刻划三种制度特征。其一，为刻划各国或各城邦、皇室或其他特权阶级侵犯商业活动权利限制的程度；其二，为对私有财产保护的程度；其三则为允许人们在有利可图的产业中自由经商的程度。这些指数可以作为交易效率的代理变量（proxy）。他们发现，随着大西洋贸易的不断进展，进行大西洋贸易的各个城邦对财产权的保护，对特权阶级权利的限制以及自由经商的权利等均明显地增加，而那些不进行大西洋贸易的城邦则变化有限。他们对经验数据的回归分析证明，除大西洋贸易对分工水平和城市化有正面影响外，一国的政治制度的专制程度对分工水平和城市化有负面影响。

第三，他们也发现，英荷两国在大西洋贸易之初，对专制王权的限制明显多于西、葡。英国的议会对皇权有相当的制衡能力，而西、葡则为专制王权的国家，这个初始条件对改进上述交易效率的制度变化有明显的影响。也就是说，在英国，限制皇权、保护私有财产（特别是对土地私有产权的保护）以及人们可以自由经商的权利等等，在随着大西洋贸易的不断扩展下，改进的程度远优于西班牙。

也就是说，在理解大西洋贸易对西欧经济成长的影响后，人们对工业革命的发生有了很不一样的图像。这个图像是以英国为背景而非以西班牙为背景。

英国在进行大西洋贸易之后，社会中出现新的富有商人。这些富商为了保护既有的财富，或为了创造更多的利益，便和原有的王室以及特权阶级发生冲突。由于英国自始就有比较自由的代议政治制度，这种议会政治对制度改革产生了正面的作用，因而出现了许多新的政治与经济制度。例如王室的财政与国家财政分离，政党不能从事营利事业，企业成立不需政府批准而自动注册，从事国际贸易不需要经过国家特许，也就是一般民众可以自由从事大西洋贸易而获取利益等等有利于经济成长的制度因此出现。

这些制度的出现以英国大革命打破都铎王朝贸易特许垄断权为先导，其中詹姆斯二世复辟时期又打破革命后共和国执政克伦威尔的政治垄断，恢复议会制。但詹姆斯二世企图恢复王室各种垄断特权，又被议会从荷兰请来客籍国王（威廉三世，其妻为英国公主，有英国王位继承权），发动光荣革命，既避免了第二次大革命可能导致的新政治独裁，以虚君共和制限制了王权，又以威廉的武力革了詹姆斯二世的命，避免了王室的各种垄断特权的复辟。

强森等人发现的大量历史证据说明，这一时期与英国王室有关系的大型贸易公司不断减少，规模大多也相对变小，而大量与王室无关、没有特权的人民从大西洋贸易中发财。在这个过程中，这些新的贸易机会造就了与王室特权无关的新商人阶级，他们当中有人甚至富可敌国。这些新富正常交税，在国会中有代表为他们发言，因此能在政治上发挥相当影响力，这使得整个新富阶级在人数与影响力上比旧有的等级特权更强。另外，社会中的新富不再是固定的等级，社会阶级有了很大的流动性，也就是说，大西洋贸易冲垮了英国社会等级制度的藩篱，一般人均能分享大西洋贸易的利益，好处不被国家垄断独占，任何人都可能成为成功的企业家而进入上层阶级。这种高流动性进一步深化了分工的演进与贸易的发展，引发了亚当·史密斯所描述的经济成长的良性循环，整个社会因而富裕起来，而工业革命也因此在英国发生。

一个值得注意的现象是，从大西洋贸易创造出来的新富中，有许多人是拥有地产的企业家。这些地主在产权能获得保护之后，利用土地取得资金，而这些资金也就成为进一步促进投资与赚钱的资本来源。亦即，有效地保护包括土地在内的私有财产权，让这些拥有土地的地主，不仅不会成为妨碍经济成长的障碍，反而成为经济发展的助力。

而西班牙从事大西洋贸易却得到与英国相反的结果。由于西班牙王室垄断大西洋贸易的好处，在当时除了皇室以及皇室本身特许的公司或等级拥有贸易的权利外，他人均被禁止从事国际贸易。加上西班牙王室对殖民地有税收权，这使得王室从大西洋贸易获得的好处益加助长王室权力与专制地位，造成社会中不可跨越的等级越加坚强。与此同时，王室却将贸易所得到的好处花费在奢侈品或炫耀性的财富之上，社会不能善用大西洋贸易获得的好处，因此，社会中出现一种不能被逾越的等级，社会的流动性反而更僵固，贫富差距亦越悬殊，大西洋贸易的好处不能被一般老百姓所共享，没有新的商人阶级出现，最终社会也就没有新的制度创新，促进经济成长的良性循环就不可能发生，工业革命也就不会在西班牙出现。

总结的说，强森等人的发现有以下几个含意。第一，让人们重新认识西欧经济发展的历程，理解大西洋贸易在其中所具有的关键地位，及其如何引发第一次工业革命以及相应而来的经济成长。第二，颠覆了马克思认为帝国主义的发展必须以剥削为手段。事实上，工业革命或资本主义的出现反而发生在限制专制王权的议会国家，这些国家内没有皇室的特权，没有固定的特权阶级，社会的流动性高，并且保护私人从事商业的各项权利等等。也就是说，英国与西班牙在制度上的差异正反映在商业活动是否开放，而商业活动的开放与否则影响了社会是否存在不可跨越的阶级。第三，他们的发现与诺斯、托马斯等制度经济学家的观点一致。他们发现制度的确在经济成长中扮演关键角色。杨小凯和廖最近用一个超边际经济模型严格证明了这一猜想。

上述的故事对中国经济的改革开放特别有启发性。中国 1978 年的改革开放就如同开放大西洋贸易一般地开放了太平洋贸易。中国自改革开放以来的经济成长绝大多数也来自太平洋贸易。中国至今享有与美国极大的贸易顺差，正足以证明中国正是从太平洋贸易中获得经济成长的好处。

很不幸的是，中国经济的改革开放还是建立在政府对商业活动的垄断与管制之上。事实上，只要成立企业须经政府批准，政府也就控制着所有产业的商业活动。也因为成立企业无法自动注册，所以从事商业、贸易活动就须和政府建立关系，行贿甚至收买政府官员，也正是政府对经商自由，贸易自由的限制，因此就造就了今日在中国成功经商要靠关系，讲门路；造就了表面上是私人企业的股份公司，本质上仍为官商企业的特许利益等级；以及最严重的，造成社会流动性遭受阻碍，贫富差距日益悬殊，社会动荡的可能性逐渐严重的情形。

因此，如欲中国经济发展长久延续，关键中的关键就是打破政府对商业以及贸易活动的垄断，限制政府对贸易的干预，建立公平合理的选举制度，以及建立分权制衡、权责相符的政府体制等等，好让中国能像 500 年前的英国，让太平洋贸易带动制度与经济成长的良性循环，造就中国的长治久安。

从中国的经历看司法改革与资本市场的关系[*]

陈志武　王勇华

一、导论

在法律经济学的文献中，一个基本的共识是法律与经济发展之间存在相关性。据此，市场经济的发展必须依赖一个基本前提，即存在一个保护财产关系的法律体系。因为如果没有这样一个可靠的法律体系，人们无法预期从事交易的结果、无法知道从交易中获得的利益能否属于自己。经营、交易结果的不确定性将导致人们停止交易；即使他们作这些交易或投资行为，交易成本将高得令人难以接受（North 1990）。[1] 因此，法律秩序的缺失，必将导致市场和经济发展的停滞。最近，La Porta，Lopez de Salines，Shleifer 和 Vishny（1997，1998）（后文简称 LLSV）的一系列令人鼓舞的研究成果，将人们讨论法律与经济发展之间的关系的视野集中到了法律与资本市场发展这一主题上。LLSV 利用一个跨国数据库（该数据库包涵大量不同制度和经济形态的国家的横向经济指标），证明一国实体法所规定的对股东或证券持有者的保护程度与她的资本市场的流动性和发展深度有重要关系：发展程度高、流通性好、股权分散的资本市场通常对中小股东权

---

[*] 感谢 Donald Clarke，Belton Fleisher，Andrei Shleifer 给本文提出的建议。也感谢史明雷、熊鹏和周锋等为本文提供的大量数据和案例。

[1] 参见 Clarke（2003）立足于中国近期发展的经验对"产权问题"（property right matters）的讨论。

利的法律保护也最好。[2] 而且，他们认为一国应该首先进行"股东中心主义"（shareholder - friendly）的法律变革，否则，资本市场就不可能发达。

法律经济学文献普遍认为，法律对市场发展起着重要作用，尤其是当市场已经发展到成熟阶段时更是如此。有利于市场发展的法律（Market - friendly law）固然令人渴望。但是，如何才能达到这一境界？什么东西可以更好地促进法制的变革？法律如何变革才能为经济的持续发展提供条件呢？Coffee（2001）针对法律与经济发展的相互关系提出了与上述相反的观点：市场发展在前，然后才可能有以"股东中心主义"为基本理念的法律变革；不可能是先有完善的法治，然后才来发展经济。Coffee（2001）提出这一观点的初衷并不是要回答资本市场与股东权利的法律保护之间的相互关系问题。他的这一观点是建立在历史依据上的："尽管证券交易所自 17 世纪中叶起就已出现，但交易所存在的初期，通常只进行债券交易。这一状况一直持续到 19 世纪中叶。在此之后，又经过一段相对较短的时期，个人掌握的财产日益增多，在美国和英国出现了股权分散的现象。然而，这些分散的股权和少数股东在当时却缺乏有力的法律保护。比较完善地保护证券投资者的法律制度是后来才有的。"Coffee 进一步解释："这种发展顺序从政治上也显然有说服力：只有在那些最有动机推动法律变革的群体形成之后，只有当这些群体认为通过法律变革他们的利益真能获得保护的时侯，法律变革才可能在这些群体的追求下发生。"因此，要想引发法律变革，必须首先形成利益群体（这里指分散的公众股东），然后，靠这些利益群体才可能形成有效的游说力量，才可能成为法律变革的利器，从而推动司法变革。

这里存在两个问题。首先，利益群体是怎样在市场发展进程中出现的？其次，哪种类型的市场或经济行为更有助于法律发展？广义的市场包括不同的类型，例如，证券市场，消费产品市场，劳动力市场等。这些市场在一个国家可能同时存在。这些市场所形成的利益团体不可能力量均等。如果真的如此，那么，哪种类型的市场更有利于创造出最能推动法律变革的利益群体呢？毫无疑问，对不同的国家，因自身的情况各异，回答也就不同。如果最有助于推动法律变革的市场或者经济活动具有一些共性，理解这些共性将有助于我们理解法律与经济发展间的相互关系。

本文论证的主题集中在两个方面。首先，我们要说明，Coffee（2001）关于

---

[2] 参见 Shleifer and Vishny（1997）所作的深刻而全面的调研。证券市场发展的法律问题这一课题引发了法律经济学界更多的辩论和研究成果。法学界关于此问题的研究包括这些文献：Black（2001），Cheffins（2001），以及 Coffee（2001）。

"发展与规范"之先后顺序的解释,以及美国和英国资本市场的发展历史,很大程度上与中国正在进行的改革实践是一致的。[3] 市场发展的初期阶段,经济发展先于法律发展。这与其他事物的发展变化规律有所不同;与前苏联和东欧国家通过"休克疗法"(shock – therapy)推动经济改革也不同。中国从 1978 年开始在农业领域通过"摸着石头过河"的方式尝试从原有的计划经济体制向市场经济体制过渡。1980 年代初,当农业领域的改革取得成功后,中国开始了国有企业向股份制企业的改造,并于 1990 年 12 月首先在上海成立证券交易所,让几个先行改制的国有企业公开上市。当中国的证券市场已经帮助老国企从公众那里募集到资本时,其对法律变革的影响开始变得重要了。这一经验就是"先发展,后规范"的实例。

其次,我们将比较证券市场和消费品市场对法律变革所作的不同贡献。从经济数字的角度看,中国证券市场对国民经济和整个社会的影响还仅仅是"边缘性"的。中国大约有 1000 万证券市场投资者,而各种类型的消费品市场却拥有12 亿人口的消费者。换言之,证券市场仅仅直接影响到一小部分中国人,在中国经济中所占比例很小。而消费品市场则影响着绝大多数中国人。因此,由证券市场发展成长起来的利益群体从数量上远小于因消费品市场而成长起来的利益群体。然而,正如后文将要论证的那样,前者却更有力量推动法律变革,而后者则不然。这是为什么呢?

二、中国的法律传统

中国的法律传统有别于西方的显著特点是:司法系统并非独立于行政系统(例如,Jones(2003)就此做出了精彩的论述)。至少从唐朝开始(公元 618—906),直至 1911 年清朝末年,中国一直就是中央集权制。皇帝通过其官僚机构和他的绝对权力控制、管理整个国家。最低等级的官员是县级,这些官员代表中央政府行使包括征税、公共工程建设、乃至法律诉讼等所有国家权力。因此,司法审判仅仅是众多行政行为中的一种。由于在政府机构中根本没有"分权"思想,那些郡县级地方官员事实上不受任何制约,维一的制约是未来的升官机会、职位的升迁。

中国法律传统的另一特征是,强调行政与刑事制裁,缺少民事责任以及程序法方面的规范。中国传统观念认为,法律是统治者用来加强其统治权力、维持社

---

[3] 参见 Boycko, Shleifer and Vishny(1997)关于俄罗斯社会变革和法律的适应性问题的论述。

会秩序的工具（至今，该观念在很大程度上仍然存在）。因此，《大清律例》作为清朝法制体系的核心部分，主要汇集了涉及官员行为、官僚机构职责等政府机构的制度；而并不包括解决个人与官方之间以及民间的纠纷的法律条款。这部法典仅仅涉及一些被认为可能影响到朝廷制度的民事行为。因此，该法典本质上属于行政法典和刑事法典，它倾向于依赖行政和刑事处罚来调整社会关系。这与西方法律源头——罗马法的传统有明显的区别。罗马法的灵魂是市民法，而不是行政法或者刑事法。罗马法诞生于罗马还处在小规模农业社会的时候，所以，罗马法的发展主要是用于解决发生在罗马市民间、罗马市民与社团间、以及社团间的纠纷。因此，民事（civil matters）很早就占据了西方法律的中心位置。正如 Jones（Jones，2003）评论的那样："在中国，只有当帝王的利益受到侵害时才会考虑像罗马市民法那样的法观念。"

近现代中国法律体系的精神与历代王朝的并没有很大改变。司法系统依然被政府行政权力牢牢控制；政令与法院的判决经常混淆在一起。大约从 20 世纪 80 年代中期开始，中国的法律体系开始发生真正的变革，大量的新的实体法被颁布（尤其是在商事和民事法律领域），并于 1991 年颁布了《中华人民共和国民事诉讼法》。也就是说，比起以往各朝代，现在中国有更多的书面"成文法"（laws on the books）了。然而，正如我们后面将探讨的，这些实体法和程序法并没有从根本上彻底改变我们前文所谈到的中国传统法律文化的两个特征。许多法官并没受过专业教育，他们中的很多人（尤其是在不发达的省份）甚至是没有接受过法律专业学习的退役军人。尽管如此，自 1978 年以来，中国开始建设一种具有实质意义的司法制度架构。

正如我们前文提到的，经济改革进程中产生的问题和冲突在推动法律基本结构的变革中扮演了十分关键的角色。经济发展越来越要求司法独立。中国正在进行的改革是"先发展，后规范"的典型例证。下面我们将说明，正是中国证券市场的发展，推动了中国法治的创建和变革，尤其是证券民事诉讼制度已经成为"成文法"（laws on the books）的重要组成部分。

三、中国证券市场及其法律的发展

"文革"结束后，中国随即于 1978 年开始经济改革。但是，直到 20 世纪 80 年代中期，改革的主要成就还只是集中在农村，作分地到户。但是，土地的所有权并未分配给私人，农民只是在一段较短的时期内享有土地使用权（每隔几年，村委会会重新分配土地的使用权）。这样做的主要目的是鼓励发展家庭联产承包责任制（改变改革前的集体生产模式）。尽管如此，农民的收入和生活水平还是大大提高了。

农业改革的成功引发了关于如何在国家所有权（state ownership）占统治地位的工业领域进行改革的讨论。20 世纪 80 年代中期，首先将农业生产的个人责任制模式引入工业企业。也就是说，国有企业（state – owned enterprise）的管理者或管理团体在任职的几年内，就企业的年收入或营利目标可以承担个人责任；部分利润可作为奖金分配给管理者和工人。由于这种责任制模式导致很多管理者的短期行为，所以无法较好解决国企改革的问题。人们开始意识到，如果产权不明晰，不可能有效地引导管理者进行长远规划。[4] 因此，80 年代末期，中国开始尝试"股份制"，试图将国有企业转变为股份制企业。

（一）中国证券市场的发展背景

随着大量股份公司的设立，中国政府开始准备设立一个正式的股票交易所，以便新成立的股份公司的股票上市交易。出于当时的政治考虑，改革家们人为地将股份主要分割成三种类型：国有股、法人股、流通股。为防止国有资产流失，也为防止投机行为，国有股和法人股不能公开上市交易。然而，无论何种股票，股票的持有者都有同样的现金流权（cash – flow right）和投票权（voting right）。现在，一个典型的股份公司的股份分布特征基本表现为国家股、法人股和普通流通股各约占 1/3。[5] 假如大多数法人是国有或国家控股的，则国家直接或间接控制了多数企业的约 2/3 的股份。这种股权结构是证券民事诉讼困难背后的主要原因之一，因为如果民事诉讼判决向中小投资者赔偿损失，那就会造成国有资产流失。这使法院陷入两难境地。

除国有控股的股权结构外，另一个阻碍证券民事诉讼的原因是意识形态问题。中国传统的政治观念认为，只有通过劳动所得的收入才是正当的。虽然上海证券交易所早在 1990 年 12 月就开业（两个月后，深圳证券交易所开业），但直

---

[4] 从某种意义上讲，国有企业代表的是一种极端的所有权分散形式，即国有企业的所有权平均分成一定的份额归整个国家的公民享有。由于政府控制着国有企业管理层的人事任免，而政府又不是直接民选的政府，因此没有相关的机制来约束这些代理人以及代理人的代理人，使他们真能为了最终股份持有人（公民）的利益而工作。于是，国有企业管理层问责机制的缺失就不足为怪了。在高度集权、非民选的政府下，由于问责机制的缺失，具有极端分散的股权结构的国有企业运作不好，那是必然的事。当所有权与经营权出现极端分离的时候，必须要有有效的治理结构来制约。

[5] 参见 Chen and Xiong（2001）就法人股价值被低估问题所作的研究。他们认为，由于这些法人股不能公开上市交易，没有流动性，所以这种股票的市场价相对流通股价平均低 86%。这种因股票流通性而导致的定价扭曲是公司治理问题的一个重要研究领域。

到 2002 年 11 月，资本收入才作为正当收入写入党章。中国共产党第十六次全国代表大会修改了党章，正式承认通过劳动和资本（如货币资本、智力资本和管理资本）取得的收入都是正当的。也就是从 2002 年开始，共产党员才正式被允许购买或交易股票；在此之前，共产党员通过持有股票而获得的收入是否合法还是"灰色的"。显然，中国传统的"合法收入观"与股东权益保护的理念是相悖的，这正是中国的证券和公司法律法规执行不力的部分原因之所在，也是法的制定与实施间的一道障碍。回到原来的问题：是什么原因使这道障碍在 2002 年被消除？中国是如何使法律最终从文本走向现实的呢？

要回答这些问题，我们应谨记：在中国，证券市场是为了帮助国有企业从社会筹集资本，从而解决国有企业面临的资金短缺问题而建立的；证券市场并没有给社会大众提供多样化的投资组合方案和规避当前收入与远期消费之间风险的渠道[6]。因此，股东权利及其保护问题，是在股票交易开展多年以后才被普遍关注的问题；并不是设立证券市场之前就已考虑的问题。1990 年至 2000 年，中国政府对每年首发（IPO）上市的股票采取了配额制，以使股票的首发上市工作能够按计划有条不紊地进行。中国近 150 年来的"现代化"（modernization）进程中，从来没有偏离过这种在计划中发展的理念和实践（例如：Goetzmann and Koll，2002；Kirby，1995）。这种有计划地发行证券市场的另一目的是想让新发股票的速度尽可能慢一些，这样可以抬高原始股的价格，大大增加市场对原始股的需求，为国有企业发行股票创造一个良好的市场环境。换言之，政府主管部门的首要任务是管理并维持一个好的、有吸引力的证券市场环境，至于这是否以牺牲股民们的利益为前提，这似乎并不重要。

每年年初之前，国有企业发行股票的配额将分配给中国的 32 个省、自治区和直辖市。表格 1 显示了平均每年约有 100 个新挂牌上市的公司，最少的年份有 13 家，最多的年份有 206 家。这意味着，每个省、自治区和直辖市平均每年会得到 3 个上市配额。无疑，这种配额限制使审批上市的权力价值非常高，从而给寻租和受贿创造了巨大的空间。为此，每个省级政府行政部门都设立了专门的证券上市管理办公室去疏通与中国证监会的关系，以得到更多的配额并为帮助本地企业上市做准备。

由于每个辖区内有多少企业能够上市已成为衡量各级地方政府工作成绩的重要指标，又由于地方官员藉此可能获得升迁，所以，各级地方政府官员更有激励

---

[6] Walter and Howie（2003）坚信，中国政府发展股市的主要动因以前是，而且将继续是把其作为帮助国有企业进行改革的工具。至于资本市场发展出的"副产品"则是次要的。

帮助本地企业在财务上操纵业绩、甚至作假,以使更多本地企业的股票能上市;或者,当地方企业因虚报财务数据或营利情况而被媒体曝光时,地方政府往往会帮助掩饰这些欺诈行为。由此可见,当政府是为了帮助国有企业摆脱资金困境而推出证券市场时,当地方政府是为了政绩而帮助国有企业上市时,二者都很难过多考虑股东的利益。从一开始,中国证券市场就不是为股民们、股东们而设立的。这也为后来的股东权益保护问题出了难题。

当一个公司成功取得上市配额以后,还需要做大量的文件准备和审批工作,这一时间大概要经过两年。漫长的上市过程包括两个阶段。第一个阶段叫做"上市辅导期"。所谓上市辅导,就是将亏损的国有企业资产分成两部分:"好"的部分经包装后上市,"坏"的部分在"好"的部分上市后成为该上市公司的控股股东。在此阶段,有时就会做一些假票据和假合同粉饰利润以迎合上市条件的要求。例如,《中华人民共和国公司法》(以下简称中国公司法)要求公司发行新股应在最近三年内连续盈利。此外,证监会颁布的规章中进一步要求公司发行新股被正式批准前,必须满足一定的净资产回报率(ROE)。企业往往通过虚报财务数据和收入等方式来满足这些要求。

完成新股发行后,为了增发股票,中国公司又还必须满足对净资产收益率的要求。例如,中国证监会这几年对上市公司申请增发新股须达到的净资产收益率的具体要求做了多次微调:(1)1993 年规定,在最近两个会计年度的净资产收益率是正的;(2)1994 规定,最近三个会计年度净资产收益率平均不低于10%;(3)1996 规定,连续三个会计年度净资产收益率不低于 10%,;(4)1999 年规定,最近三个会计年度净资产收益率平均不低于 10%,且连续三年超过6%;(5)2001 年规定,最近三个会计年度加权平均净资产收益率不低于6%。上市公司针对这些政策的每一次变化而重新调整财务报表作假方式,以适应最新的政策要求。一项研究表明(朗咸平与汪姜维,2002),1994 年以前,很多上市公司每年的权益回报率也就稍微超过 0%;而在 1994 年至 1999 年间,多数上市公司的权益回报率略高于 10%,但不会超过 12%;但从 2000 年起(特别是 2001 年以后),大多数上市公司的权益回报率都在 6% 到 8% 之间。这项研究有力地证明,在中国证券市场上广泛存在操纵业绩的现象。这意味着投资者被系统性地欺骗了。

中国的上市公司的另一普遍行为是 Johnson, La Porta, Lopez de Silanes and Shleifer(2000)以不同方式定义的"掏空行为"(Tunneling)。所谓掏空行为是指,上市公司的控股股东或大股东与该上市公司从事关联交易,以掠夺上市公司的资产。通常的做法是,上市公司以不合理的高价从它的股东那里购买低价值或者无价值的资产或租借土地、厂房、设备等。正如《新财富》所报道的，控股股东或者大股东的"掏空行为"广泛存在，已经引起证监会的关注。[7]

即使存在上述制度性问题，中国证券市场仍旧在亚洲市场排行第三（前两位分别是日本和香港）。截至 2003 年 7 月，上海证券交易所和深圳证券交易所共有上市公司 1259 家（包括 A 股和 B 股）。上市公司的股本总额超过 4 万亿人民币。[8] 交易的月周转率达到 18.2%。这 1259 家公司中约有 20% 是没有国有股控股的私营企业。

这决不是说中国的证券市场发展得很好，只不过表明它具有强大的生命力。表 1 显示了每年的新融资总额的情况。在表 2 中我们看到，90 年代，中国证券市场的新融资总额（根据新融资总额与 GDP 的比值算）低于美国，却高于日本和德国。应该承认，这一阶段是中国证券市场的开端，因此它应该在开始时出现繁荣境况。

前面对中国证券市场发展背景的回顾表明，从 20 世纪 90 年代至今，个人所有权和股票交易的基本理念还没有被完全接受；对私有财产权的保护也并不充分，中国还缺乏维持资本市场发展的法治基础。总之，这些事实与 Coffee（2001）所提出的"先发展，后规范"的假设是一致的。中国在发展证券市场的初期，对如何构建适合证券市场发展的制度体系并没有清晰的思路。当投资者数量日渐增多时，一批强大的利益群体发展起来了，这促进了相关法律和制度的发展。

（二）1999 年《中华人民共和国证券法》颁布以前

由于证监会和其他政府部门控制着证券市场发展的整个过程，控制着证券发行和交易的每个阶段，所以，就像晚清的股市一样，中国证券市场的启动是自上而下的。证券交易所是国有的并且由政府任命的官员管理，而那些证券公司也都直接或间接的是国有的（或者国有控股）。自证券市场启动以来，各股份公司为

---

〔7〕 参见 Clarke（2003）就公司治理问题发表的文章。《新财富》的文章可从 http：//www. newfortune. net. cn. 获得。

〔8〕 由于国有股和法人股不能上市流通，没有可靠的信息对国有股和法人股进行估价，所以，中国上市公司的准确股本金额仍然是未知数。所谓 4 万亿股本总额的说法来源于中国证监会官方网站上发布的消息。他们将发行的股本总数与 A 股市场流通股市值价值简单相乘得出这一数据。在 Chen and Xiong（2001）看来，这种算法明显高估了中国证券市场的股本总额，因为法人股、国有股在转让或者拍卖时其价格通常相当于市场流通 A 股价格的 14%。另参见 Walter and Howie（2003）关于中国证券市场股本总额的论述。

了能够上市，普遍进行"财务辅导"并重新包装，或者制造不实的财务信息以符合相关规定的要求，这已是"公开的秘密"。

虽然人们知道证券市场上存在不少的会计造假和市场操纵行为，但直到2001年一系列丑闻暴露前，证券民事诉讼仍然没有被重视。尽管在1990年末就成立了上海证券交易所，但直到1993年中期证券市场开始持续低迷之后，许多投资者才开始意识到应该通过起诉上市公司及其管理层、董事或其他当事方要求赔偿。如图1所示，从1990年12月到1992年5月21日这一年半的时间内，上证指数从100点直线升至1266点。特别是仅在1992年5月21日这一天，指数即从617点飙升至1266点。随后的5个月内，指数又连续下滑。但这种下滑状态并没有持续更久，也没有引发广大投资者要求相关操纵者承担民事责任。在1992年底，政府介入证券市场，鼓励股票交易，重振股市。

在1990年代初，即使有投资者想起诉要求赔偿，法院也不会受理这种诉讼。在1994年7月1日前，股东们惟一可以寻求保护的法律就是《中华人民共和国民法通则》（以下简称民法通则），这一法律规定了民事侵权行为的受害人有权要求民事赔偿。然而，中国法院对于民事侵权诉讼尤其是对证券领域的民事侵权诉讼普遍缺乏实践经验，这一缺憾直至今天依然存在。造成这一现实的部分原因或许是因为中国的法学教育在文革时期完全停止，直到1980年才恢复。

中国法律制度是借鉴大陆法系国家尤其是日本和德国法律。而且，中国法律遵循"未经明确允许就是禁止"的原则，也就是说，没有法律或最高人民法院的司法解释的正式书面规定，法官不能根据自己的理解和法律原则去判决具体案件。当1986年民法通则颁布实施时，中国还没有证券市场，所以，在民法通则修改或者制定新的民法典前，中国民法中没有关于证券民事责任制度的相关规定，就毫不奇怪了。

在中国，必须先有全国人民代表大会通过一项法律，随后有最高人民法院颁布针对这项法律的一个或多个司法解释，这时，法院才能受理某个新型民事诉讼案件。这一过程通常会持续5年甚至更长的时间。

由于1999年7月1日《中华人民共和国证券法》（以下简称中国证券法）颁行之前，没有证券方面的法律，不得不用行政规章来填补这一空白。1993年中国证监会颁布《股票发行与交易暂行条例》，禁止证券市场上各种形式的卑劣行为，并规定可以就因这些行为而导致的经济损害提起民事诉讼。[9] 但是，法

[9] Hutchens（2003）. 对中国证券民事诉讼的历史作了精彩的论述。该文分析了在一个缺乏民事法律传统的国家中，各种因素（积极和消极）对法律发展的影响。

院对审理证券民事诉讼准备不足，因此这些行政规定对个体投资者并没起到任何作用。1993 暂行规定的处罚方式或者是中国证监会的行政处罚，或者是检察机关提起刑事诉讼。以下是三个典型案例：[10]

1. 第一起因内幕交易而受行政处罚的案件是中国证监会于 1994 年 1 月 28 日公开做出的对中国农业银行襄樊市信托投资公司上海证券部予以行政处罚案。违规者由于下述行为被处罚：（1）内幕交易及操纵市场；（2）占用客户保证金账户进行自营股票交易。处罚决定，对襄樊上证通过挪用客户资金、内幕交易获取的非法所得 16711808 元人民币予以没收，并对其处人民币罚款 200 万元。但，在这个案件中，没有对任何管理者或其他个人罚款或作其他形式的处罚。尽管如此，此案标志着中国证券市场朝规范迈出了第一步。

2. 第一起因虚假信息披露及误导性陈述引起的行政处罚案件是中国证监会于 1996 年 9 月 2 日公开做出的。在此案中，违规者是大明集团股份有限公司（胜利油田的上市公司）及其承销商、会计师事务所、律师事务所等帮助大明集团股票上市的中介机构。中国证监会认定，大明公司在股票发行、交易过程中，有虚假披露、严重误导性陈述和遗漏重大信息等行为。证监会因此对大明公司处以 100 万元人民币的罚款并对大明公司全体董事会予以警告。对于涉案承销商、会计师事务所、律师事务所也分别处以 200 万、40 万和 20 万元人民币的罚款。同样，在此案中的行政处罚中，仍旧没有对管理者个人或其他人员处以罚款。

3. 1999 年 12 月，成都市人民检察院对"红光实业"主席及主要经理主管人员证券欺诈案提起公诉。提起刑事起诉的背景是，1998 年 11 月 26 日，中国证监会做出决定，对红光实业处以罚金，同时对公司董事及主管人员提出警告。该公司被发现编造虚假利润，虚报 1996 年利润 15700 万元，少报 1997 年亏损 3152 万元。2000 年 11 月 14 日，法院作出判决，认定红光公司"欺诈发行股票罪"的刑事犯罪成立。

1995 年以后，行政和刑事处罚步伐加快，这主要基于以下背景。1990 年 12 月上海证券交易所开业，当时只有约 45000 个个人股票账户，其中多数投资者是上海本地人。在 1991 至 92 年股市不停高涨时，很多个人投资者因被股市的暴利和刺激所吸引而投身进来。（Hertz（1998）曾对中国股票交易现象从社会学角度作出了说明。）《人民日报》间或发表的支持证券市场的评论文章以及一些政界

---

[10] 欲了解更多的证券行政处罚案件及其细节，可访问中国证监会官方网站：http://www.csrc.gov.cn. 在其前任主席周小川的领导下，中国证监会为提高市场和行政监管的透明度作出了巨大的努力。其中证监会官方网站的开通并向社会提供丰富的容易获得的信息也是其努力的重要内容。

高层人士的评论，进一步激发了公众购买股票的热情。政府的目的是通过这一途经帮助解决国有企业的财政困难。

截止 1999 年底，中国证券市场拥有 4400 万个股票账户（到 2003 年 4 月，股票账户已超过 7000 万个）。[11] 正如上文所述，开始于 1996 年初的对证券违规者的规制行动，结束了从 1993 年中期以来长达 3 年的"熊市"。在此空前长期的市场不景气期间，很多个人投资者被套牢，这些投资者开始寻求挽回损失的途径。专家学者们结合这些投资者的遭遇，呼吁完善市场规范，并最终创造一个良性的证券市场。来自公众的压力迫使中国证监会在 1996 年采取了更积极的行政举措。因此，从整个证券市场的发展历程来看，是先有"熊市"，加之迅速增加的投资者群体，然后才有实质性的规制行为，才有对司法改革的呼声。"牛市"是造不出好的法律变革的。

然而，公众从行政处罚决定中看到，首先，那些应对误导或欺骗投资者承担责任的管理者和中间人个人实际上并没有受到处罚（仅予以口头警告处分），通常是上市公司被处以罚款。也就是说，最终是股东而不是应承担责任的违规者支付了罚金。其次，罚金并没有分给遭受损失的股东，而是上缴国库。第三，如前面提到的第三个证券刑事案，被告虽然已经被监禁了，但这丝毫没有使投资者的经济损失得到赔偿。

无法从行政或刑事制裁中获得补偿后，投资者大众终于意识到中国传统法律体系中所强调的行政和刑事处罚的局限性。对于普通投资者来说，他们更关心的是自己的损失能否得到补救，而不是违规者是否已经被罚款或被监禁。因此，公众开始探讨通过证券民事诉讼维护自己的财产利益。中国的新闻自由虽然受到较多限制，但财经媒体（包括印刷物、网络和电视）却有幸能够得到较多自由。因此，投资者、专家和学者可以公开探讨股东权益和民事诉讼这些话题。尽管由于某些政治性考虑，政府禁止成立任何正式的股民组织。但通过多种途径，股东的共同经济利益还是形成了非正式的股民利益群体。

1994 年的公司法规定了股东权利，其中包括股东有权对因虚假陈述、操纵市场等行为造成的损失主张经济赔偿，但是这些规定非常模糊。正如前文提到过

---

[11] 证券市场上投资者数量与证券交易账户存在较大差别。首先，同一个投资者，如果他同时在上海证券交易所和深圳证券交易所进行证券交易，可能同时拥有两个交易所的证券账户。这意味着 7000 万个证券账户可能需要缩减一半。其次，投资者可能通过借用别人得身份证而开立多个证券账户。这是那些市场操纵者的惯用伎俩，以此躲避对其交易行为的监管。有人认为真正的投资者数量约为 1000 万左右。参见 Walter and Howie（2003）。

的一些因素（例如缺乏具有操作性的司法指导或最高人民法院的司法解释），接下来的几年法院仍然拒绝受理政券民事诉讼案件。

1999 年 4 月，一名上海股东提起民事诉讼，要求红光实业对其因证券欺诈而造成的损害进行赔偿。但是，上海法院在好几个月的时间内都无法答复是否可以受理此案。2000 年初，法院还是最终决定不受理该案。

（三）突破口在哪里

1998 年 12 月 29 日，全国人民代表大会通过了中国证券法，该法于 1999 年 7 月 1 日起生效。该法与 1994 年中国公司法一起组成了中国关于公司组织形式、证券公开发行和交易的基本法律框架。但这并不意味着受害的投资者就能直接向法院提起诉讼、请求赔偿损失或者要求公司的董事会和管理层为了股东利益的最大化而工作。

1999 年 1 月至 2001 年 6 月是中国股市的又一个"牛市"（上证指数最高达到 2218 点），证券法正是在这段时间里生效的。在此期间，财务数据造假、市场操纵、内幕交易等现象层出不穷。中国证监会先后发布了 92 个行政处罚命令，涉及的机构 104 家，涉案人员达 270 人。[12] 媒体也就相关欺诈案进行了详细的报导，但是，"牛市"使证券法在长达两年的时间内被人们遗忘了（或许投资者们正忙于数钱）。

证券法生效的头两年内，没有多少投资者试图通过民事诉讼的方式获得损害赔偿，司法机关也没为证券法的具体实施进行知识储备，最高人民法院也没有起草有关证券法实施的细节性问题和程序性问题的司法解释。当多数投资者从牛市获利，而部分投资者受损时，推动法律变革的力量并不强大。

接下来发生的一系列事件改变了这种状态。2001 年 4 月 23 日，中国证监会宣布对四家广东投资基金管理公司作行政处罚，总罚款金额为 4 亿人民币，与此同时要求被处罚者返还同样数额的非法所得。[13] 做出该行政处罚的事由是：从 1998 年 10 月至 2001 年 2 月间，该四家公司发布虚假信息，联合操纵上市公司"亿安科技"股票价格。"亿安科技"董事局主席及其亲属以及该上市公司的高级管理人员等都涉嫌其中。《财经》杂志 2001 年 7 月号的封面文章就本股票操纵案做了详细的报导。随即，《财经》杂志 8 月号又就另一个热门上市公司"银

---

〔12〕 相关信息请访问中国证监会的官方网站：http：//www. csrc. gov. cn.

〔13〕 这些罚款还有待收缴上来。无论是民事判决还是行政罚款，在中国执行起来都非常困难。这是中国面临的另一有待解决的现实法律问题。

广厦"的财务问题作了深度调查报告。[14] 报告披露，从 1998 年至 2001 年间，"银广厦"编造了大量的收入凭证（包括价值数亿元人民币的向德国的出口凭证）、并不存在的建设项目和生产车间等。整个造假涉及的金额超过 10 亿元人民币。虚报利润达人民币 7.7 亿元。这个事件不仅使广大投资者感到震惊，同时在整个社会上也引起了强烈的反响。在这之前很多人想当然地认为，财务会计造假的上市公司毕竟还是少数，并没想到问题会严重到如此程度。"银广厦"事件被冠以中国的"安然事件"的称号。这些事件正好发生在上证指数从 2218 点高位下降到九月份的 1700 点左右期间。（参见图 1）

这些事件使法律变革被提上议事日程。失望的投资者开始在证监会门前示威。证监会主要官员开始会晤最高人民法院领导，协商能否让司法介入证券市场，让法院在证券监管方面发挥更大的作用。然而，"管好自己的一亩三分地"是中国官员的典型思维方式（无论是在行政机关还是在法院系统）。就证券市场监管而言，大家通常认为是证监会的事情，而不是法院的事情。所以，虽然证监会努力强调这是法院系统应有的职能，法院系统最初还是不情愿介入证券民事诉讼。[15]

2001 年 9 月 20 日，投资者同时在北京第一中级人民法院、广州市中级人民法院和上海市中级人民法院起诉"银广厦"及其管理层。此间，一些江苏的投资者也打算提起诉讼。律师也正在为起诉"银广厦"及相关人员和机构准备材料。与此同时，报纸和电视也连篇报道那些愤怒的投资者上当受骗的故事。大量分析证券民事诉讼的文章也如雨后春笋般涌现在互联网上。一个诉讼浪潮正在形成，这极大地冲击了最高法院和中国现有的司法系统。对作为执政党的中国共产党来说，他们觉得，如果不能正确地疏导这种"浪潮"，其政治后果会非常严重。

（四）关于证券民事诉讼的临时禁令

2001 年 9 月 21 日，最高人民法院发布了一项通知，要求所有下级法院暂停受理证券民事诉讼案件。这个通知在证券诉讼的浪潮即将汹涌澎湃的时候出现，使每位置身于股市、关心中国资本市场法律发展的人都感到非常震惊，并立即招

---

[14] 参见《财经》以前和近期的一些文章。http://www. caijing. com. cn.

[15] 据参与协商的人士透露，在中国证监会和最高法院协商的过程中，最高法院的领导认为所有与证券交易有关的纠纷都应该是证监会的事情，法院系统不应该介入其中。到 2001 年为止，保护关投资者利益的事情并没有排在最高法院的议事日程上。

致各方专家及利益团体的批评。大家讨论最热烈的不仅是证券市场的发展问题，更涉及到法治问题，尤其是法院的职责问题。这个通知立即将最高法院推至聚光灯下。回过头看，证券民事诉讼给中国的法院系统提供了一个绝好的机会，本来借此可在中国社会赢得更多的政治地位和尊重。然而，最高法院放弃了这次机会。

经过多方了解，我们终于明白，原来最高法院是考虑到下面几个问题：首先，由于证券民事诉讼是不同原告就同一事由在不同的地方法院起诉同一被告，有可能会出现不同的判决结果，这将影响整个法院系统的声誉和可信度。在中华人民共和国的历史上，还从没出现过这样的先例——不同原告就同样的事由同时在不同省份提起诉讼同一被告。法院系统该如何应对可能发生的危机？会不会在法律及政治上造成混乱？其次，如果每一个被侵权的投资者都单独提起诉讼，整个法院系统将被数以万计的证券诉讼所淹没。第三，由于没有先例，地方法院的法官们对当事人的诉讼地位、必需的证据类型、损失计算等问题都没有统一的标准。最后，如果大量的上市公司被起诉，如果个人原告都得到正当的赔偿救济，将会造成国有资产的大量流失（因为大多数上市公司都是国家控股）。在这种民事诉讼中，被告人的利益实际上就是国家利益。这恰恰是原告权益与国家利益相抵触之处。在二者间是否有折衷的办法呢？如何才能达到司法独立？——这些因素使法院使对证券民事诉讼"叫停"。

"叫停"的通知发出后，法学专家们在传媒展开广泛争论和分析，从而为社会大众提供了一个接受法学教育的最好机会。在这期间，即使没有受过法律训练的人也知道什么是"集团诉讼（class action）"，为什么集团诉讼可能是证券民事诉讼最好的方式，[16] 为什么更强调民事诉讼而不是行政或刑事诉讼，在证券民事诉讼中谁负担举证责任，为什么法院应当受理股民提起的诉讼等。因此，现在很多投资者和读者也能够评论"集体诉讼"和"举证责任"了。如果你留意这些变化，就会发现，法律文化正是在这一过程中发展了。

（五）禁令的部分突破

2002 年 1 月 15 日，最高法院发布第二个通知，指示下级人民法院可以受理和审理已经由中国证监会及其派出机构做出生效行政处罚决定的、因虚假陈述而引发的民事侵权赔偿案件；然而，仍然暂不受理因其他如内幕交易和市场操纵等行为引发的民事诉讼案件。

---

〔16〕 陈志武（2002）对美国证券集团诉讼立法情况和如何在中国实现集团诉讼作了详细的论述。

　　该通知有条件地为证券民事赔偿开了一道门，但通知设置了一道前置程序，即需由行政部门事先作出生效的处罚决定，这似乎混淆了司法与行政的职能，再次引起广泛的争论（促进法律文化发展的又一新机会来了）。这一规定有悖于中国宪法规定的司法独立原则，有悖于股东权益的保护。最高法院对此作出解释，认为下级法院对证券民事侵权案件的取证及证据认定等方面缺乏经验，这个前置条件只是一个过渡性安排。

　　虽然如此，通知发布还不到一周，2002 年 1 月 24 日，三名投资者在哈尔滨以虚假陈述为由起诉上市公司"大庆联谊"及其管理层的案件被受理。随即，又有 767 名投资者以同样的理由起诉了"大庆联谊"。由于最高法院的第二道通知中指明暂不受理集团诉讼，这些诉讼只能一个个单独进行。[17] 但 770 人中还只有 94 人同意单独诉讼。尽管如此，为这 94 个单独诉讼，哈尔滨中级法院就此举行了为期两个月的听证会（从 2002 年 8 月至 10 月），

　　2002 年，另有 9 家上市公司及其高管和其他相关责任方在不同的法院被起诉。他们中间，"银广厦"约为 1100 个单独诉讼的被告，并且诉由都是虚假信息披露。2002 年各地方法院受理了这些诉讼并对其中的一些案件进行了开庭审理，直至今日本文撰写完成时，仍没有一个案件获得法院判决（有几个案件通过法庭调解结案）。其原因还是很多具体程序问题和实体法上的规则不够明晰，比如当事人的诉讼地位、如何认定损害（损害到底是不是证券市场的系统性风险）等等。

　　这些困境促使最高法院于 2003 年 1 月 9 日又颁布了《关于审理证券市场因虚假陈述引发的民事赔偿案件的若干规定》（以下简称《若干规定》）。该《若干规定》共 37 条，是对证券法的具体解释，是在广泛听取了法学界、金融界的专家和学者们的意见后制定的。该解释仍将可以受理的证券民事诉讼范围限定在因虚假陈述引发的案件，仍旧要求受理案件的前提是有关行政部门已就该案件做出了行政决定，或者有刑事判决。不仅如此，《若干规定》还对提起证券民事诉讼设置了新的限制：《若干规定》第 9 条规定所有证券民事赔偿案件必须由上市公司所在地有管辖权的中级人民法院管辖。法官们认为这一规定使司法过程更便

---

〔17〕郭锋律师代理了 696 名"大庆联谊"受害股东，他替其当事人争取集团诉讼而非个人诉讼的权利。他坚持自己的立场不放，和哈尔滨市中级人民法院的协商持续了长达 1 年之久（2002 年）。如同 Hutchens（2003）所说，郭锋律师坚定不移和坚持不懈地奔走于最高法院和哈尔滨中院之间，为推动证券民事诉讼起到了至关重要的作用。这表明，律师在中国法律变革过程中扮演了重要的角色。就在郭锋律师为集团诉讼奔走的同时，代表其他 94 名原告起诉"大庆联谊"的律师同意采用单独诉讼的方式。这也是为什么哈尔滨中院在 2002 年 8 月与 10 月间举行听证会的原因。

捷了（例如，调查证据更容易了）。这一限制与《中华人民共和国民事诉讼法》
（以下简称民事诉讼法）的规定并不一致，在民事诉讼法中原告可以选择由原告
或被告所在地法院管辖。此外，如前文所述，当地政府对本地的上市公司具有强
烈的保护意识，这意味着当地法院在审判中可能偏袒被告。这就暴露了中国法律
体系的另一个特征：司法便捷优先于原告的诉讼权利。

　　总的来说，《若干规定》为地方法院审理因虚假陈述引发的民事赔偿案提供
了更具体的实践指导。[18]《若干规定》在 2003 年初引发了人们对证券市场的新
热情，使已失望的投资者们对损失赔偿有了更多的希望。但是，迄今为止，相关
法院仍旧没有对 2002 年的那些案件作出判决。如此多的未决案件表明，地方法
院也许还在等待最高法院对一些尚未明确的细节作出更明确的指示。

　　从中国证券法颁布实施到现在，已经过去 4 年了。尽管很多方面已经有了进
展，法院系统在具体执行证券法方面仍然需作更多的努力。[19] 在法的制定与法
的实施之间还有很大的差距。这也说明了，在大陆法系国家，自上而下地制定法
律然后布制实施的法律传统是根深蒂固的，也往往成为社会发展的障碍。中国的
实践经验进一步证明了普通法系的优势，因为在判例法下法官们有通过实践创造
法律的权力，能使法律更强劲地发展。

四、产品责任民事诉讼

　　与证券民事诉讼相比，产品责任民事诉讼领域并不是近些年民法变革的前沿
话题。下面这些法律和司法解释构成了产品责任民事诉讼的基础：

　　1.《中华人民共和国民法通则》（1986 年）规定了因产品瑕疵而导致的民
事赔偿问题（第 122 条、第 130 条、第 131 条、第 132 条和第 136 条）；

　　2.《最高人民法院关于下级人民法院如何审理产品责任民事案件的操作细
则》（1988 年 1 月 26 日）；

　　3.《中华人民共和国民事诉讼法》（1991 年）规定了审理产品责任民事案
件的程序细则；

　　4.《中国人民共和国产品质量法》（1993 年）和《中华人民共和国消费者
权益保护法》（1993 年）是关于产品质量民事责任的主要法律。

　　1993 年通过的两部法律是对 80 年代末 90 年代初市场上存在的假冒伪劣消

---

〔18〕 参见 Hutchens（2003）文章关于证券民事诉讼对法律体制的影响的深入分析和论证。
〔19〕 通过对大量处于经济转轨时期国家的考察，Pistor（2000）认为，法律的移植通常难以获得成功。
移植的实体法律如果想取得成功，就必须改变一国原来的一些固有制度性结构。

费品猖獗现象的反映。然而，由于这两部法律日渐成为行政和刑事诉讼的规则，他们跌入了"法制"的序列。基于产品质量法律提起的民事诉讼非常少见。与证券民事诉讼在最近两年取得长足进步相比，产品责任领域的民事诉讼缺乏具有里程碑意义的事件。

中国有众多行政部门和政府机构监管各类消费品，例如计量检测中心、药品监督管理局等。这些行政机关成为推进产品质量法实施的主要公共力量。他们经常通过"政治运动"似的活动，通过没收和焚烧等方式来试图消灭假冒伪劣产品。第一次这类运动是由全国人大于 1992 年发动的。在此后的十年间，没收的商品价值总额超过 30 亿元人民币。

通过 www. lawyee. net（中国最大的法律数据网站之一），我们能够检索到的最早的产品责任民事诉讼案发生在 1989 年。该案中，位于内蒙古包头市的一家供销合作社起诉同市的一家电冰箱供应商。诉由是因为原告的职员在打开被告出售的电冰箱时因触电而死亡。经包头市产品检验局检测，该电冰箱存在质量瑕疵。当地法院因此认定冰箱生产商应该承担法律责任并判定：（1）归还电冰箱价款 7900 元；（2）赔偿受害者家属共计 13987 元；（3）赔偿其他损失和开支 5400 元。

尽管还有其他一些零星的基于产品质量责任的民事案件，但是大多没引起太多重视。通过 www. lawyee. net，我们共收集了 80 个产品质量案件（其中 43 个为消费者产品质量案件，7 个案件中存在因产品质量致人死亡的情节，32 个案件中包括对产品使用者的身体伤害）。其中，59 个案件以原告胜诉结案，法官判决的最大赔偿数额为 108 万元人民币，赔偿平均值为 127395 元。赔偿通常包括三个部分：直接损失、惩罚性赔偿和原告因诉讼而支出的成本。这些赔偿与美国法院判决的典型消费品责任赔偿额是无法比的。这足以说明中国消费者得到的保护是多么少。

在众多产品责任案中，尤其令媒体关注的是若干诉"东芝"的案件。1999 年 10 月，美国德州地方法院主持了一起诉东芝美国公司的集团诉讼案，在原被告双方达成的和解协议中，东芝美国公司向原告赔偿 2.1 亿美元。[20] 诉讼事由是，NEC 公司宣布并刊登声明指出其 1989 年出产的软盘微处理器存在瑕疵，而东芝公司在明知（knowingly）的情况下仍然在其笔记本电脑中使用该产品。磁盘驱动瑕疵导致两个笔记本使用者的数据丢失。原告团体包括 50 万该东芝产品的使用者。东芝公司在美国达成调解协议后，并没有向其中国的消费者通告其产

---

〔20〕 参见 Robertson（1999）关于此和解方案的报导。

品中存在的瑕疵，而是继续将存在瑕疵的该类产品销售给中国的消费者。

2000 年 5 月 8 日，一个中国消费者因偶然的机会在网上发现了这七个月前的和解结果，并将其公布于众。东芝公司的态度引起了广大消费者的普遍愤怒。网站上的留言版和各种报纸媒体上充斥着民族主义色彩、情绪化的评论。司法界和法律专家就此展开了激烈的辩论。2000 年 5 月 25 日，9 名东芝笔记本用户在北京对东芝公司提起共同诉讼。[21] 同年 8 月 15 日，三位原告在上海又一次将东芝公司告上法庭。直至近日，没有消息报道这些案件的结果，或许因为与此案件有关的争论包含了过多民族主义色彩的内容，因此政府要求法院就此进行低调处理的原因吧。

为了说明中国对消费者权益保护的进展非常有限，有必要介绍 1999 年发生的一个有名的名誉诽谤案件："恒生电脑公司"诉王洪案。1997 年 8 月，王洪先生购买了一台恒生笔记本电脑。之后不久，王先生发现该电脑经常无故死机。电脑的保修期是直到 1998 年 6 月 1 日。在保修期内，王洪将电脑拿到恒生电脑专卖店，但没有得到任何维修服务。以后，王洪又多次与恒生电脑专卖店联系维修事宜未果，一直持续到 6 月末。王洪决定在网上发布谴责恒生电脑的帖子，并向政府支持的中国消费者协会进行投诉。两个月后，维修服务的事情还是没有取得任何进展。接着，王洪在网上发布了更多愤怒的帖子。《微型计算机世界周刊》和《生活时代》分别于 10 月 10 日和 7 月 27 日就此事进行了报导。

1999 年 4 月，恒生电脑公司将王洪和这两家媒体告上法庭，起诉其名誉侵权。基层法院判定王洪和这两家媒体的侵权事实成立并判决王洪向原告赔偿 50 万元（相当于王洪年收入的 25 倍），另外两家媒体分别赔偿 25 万元。案件上诉至北京市第二中级人民法院，北京二中院仍然认定侵权事实存在，只是改判王洪向恒生电脑赔偿人民币 9 万元（相当于王洪年收入的 4.5 倍）。

法院在王洪诽谤案中的判决证明了保护消费者权利的道路还有多么远。王洪只是试图获得应该得到的、而且是他付了钱的售后服务而已。他在网上的帖子只不过是提醒广大消费者联合抵制该厂家的产品。然而，为此他还是付出了沉重的代价。

---

〔21〕 必须指出的是，尽管在 2000 年 5 月的此消费者产品责任诉讼案中，原告被允许采用共同诉讼的方式来捍卫自己的权利，然而，直至今天，最高法院乃不允许在证券民事诉讼中采用这种集体诉讼的方式。或许，在产品责任诉讼中，他们不用过多考虑如证券民事诉讼中存在的那些政治性因素。相反，法院在是否允许证券诉讼采用集团诉讼形式时较多考虑的是政治风险问题。参见 Lawrence（2002）。

五、产品责任与证券民事诉讼之比较

一个有趣的研究课题是：为什么证券民事诉讼导致了法律的重大发展而产品责任诉讼却没有呢？这两个领域有什么明显的特征差异？从实际影响来看，证券市场所涉及的人群相对较小（12亿人中最多只有几千万人是股民），而消费品却涉及到整个社会生活的方方面面。因此，消费者权益保护对整个经济而言应该更加重要。但是，正如本文前面讲的那样，在推动法律变革方面，证券市场具有更大的推动力。

我们试图提出以下几个观点：首先，投资者群体的特点在于其同一性，或者说其高度可认同性（commonality）。在证券欺诈中，股票持有者在同样的地点、同样的时间被同样的欺诈行为所伤害。损失的因果关系非常容易证明，尤其是股票的持有者本人对损失的发生并没有任何责任。与此相比，产品（消费品）损害却不同，即使是同一产品，例如东芝笔记本电脑，对使用者造成的损害将会发生在不同的时间和不同的地点。这一事实表明，受害的消费者之间具有较弱的同一性。尽管可以从技术上证明消费者所遭受的损失是基于同样的产品瑕疵，但是产品制造者和经销商经常会以消费者使用中的过错作为抗辩理由。产品责任案件要求特定原告提供因果关系的特定证据。

其次，证券交易中的损失能够比较容易和迅速地确定。价格差异是衡量证券投资损失的有效、也直接的手段，这不仅极容易计算，而且经济损失是证券案件中的惟一损失。与此相比，因产品瑕疵导致的对消费者的损害通常是不明显的，也是难以衡量的。这些损害，例如死亡，后果严重，但其损失后果则比较主观且难以用金钱衡量。损失的不确定性和测度损失的困难性使受害者的处境难以得到其他受害者和社会的同情与认同，使利益群体难以形成。

最后，证券市场的两个特点：受害者的共同性和损失的可迅速测量性，这些都有利于媒体的广泛报导和辩论，使有关证券民事诉讼和股东权利保护这样的话题具有广泛的读者面。人们对证券交易得失的敏感性是导致证券市场受到整个社会关注的一个重要原因。与此相反，没有什么消费品的话题成为这么多人日常关注的焦点。因此，媒体对证券市场的关注同样是有利于形成具有一定政治影响力的证券投资者群体的重要原因之一。

六、结论

自韦伯和哈耶克提出有关法律与经济发展的关系问题以来，关于法律是否会影响经济和市场的发展的争论已经持续了数十年。近年，有些学者通过援引中国这些年的发展经验，尤其是通过将中国与具备更加完善的制度机制的印度进行对比后认为，法律与经济增长和市场发展没有关系。[22] 这种结论实际上是建立在"先规范，后发展"这样的理念上的。然而，对中国实践经验的近距离观察表明，对新兴市场而言，"先发展，后规范"或许更能准确表述其特征。正如 Coffee（2001）所认为的那样，经济和市场发展的开始阶段，是建构制度的阶段，同样更是尽力发现问题并挑战旧制度的阶段；经济社会发展之后，法律的变革也就随之而发生了。在一国经济发展的第二阶段，也就是当一国试图寻求更加长远、成熟的经济发展时，法律的变革是必须的。因此，法律秩序未必是市场发展初期的前提条件，但却是市场成熟发展的前提条件。

市场的萧条通常需要法制的变革来改变。19 世纪 30 年代早期美国的经验验证了这一点。中国证券市场的两个萧条时期（1993—1996 年和 2001 年至今）同样引发了法制（尤其是司法）的重大变革：第一个萧条时期促使中国证监会采取更加严厉的措施处罚违规者；第二个萧条时期推动了证券民事诉讼的发展。

通过中国经验得出的第二个观点是，不同的经济活动对于法律的变革会产生不同的推动力。资本市场可能是形成具有一定的政治影响力的团体并从而对法律变革产生重大影响的最有力的力量。这是因为资本市场具有两个基本特征：（1）在该市场上形成的利益团体具有高度同一性和认同感；（2）在该市场遭受的损失是确定的而且是立即可以知道的。资本市场的这两个特点不仅使市场投资者之间能够比较容易地产生迅速的认同感，而且能够在公共媒体和其他场所形成探讨的理想基础，从而促进法律文化的发展。证券民事诉讼是对法律是统治阶级进行阶级统治的工具这一传统中国观念的挑战。

参考文献

1. Black, Bernard S., 2001, "The Legal and Institutional Preconditions for Strong Securities Markets," UCLA Law Review 48, April 2001.

2. Cheffins, Brian R., 2001, "Does Law Matter? The Separation of Ownership and Control in the United Kingdom," The Journal of Legal Studies 30, June 2001.

3. 陈志武，2002，"证券集团诉讼在美国的应用"，《证券法律评论》2002

---

〔22〕 参见 Thakur（2003）就中国和印度的情况所作的比较，另参见 Kristof（2003）就俄罗斯、乌克兰和中国的情况所作的比较。

年第 2 期，第 260 至 294 页。

4. Chen, Zhiwu and Peng Xiong, 2001, "Discounts for Illiquid Stocks: Evidence from China," Yale School of Management.

5. Clarke, Donald C., 2003, "Corporate Governance in China: an Overview," China Economic Review.

6. Clarke, Donald C., 2003. "Economic Development and the Rights Hypothesis: the China Problem," forthcoming in the American Journal of Comparative Law.

7. Coffee, John C., Jr., 2001, "The Rise of Dispersed Ownership: The Roles of Law and the State in the Separation of Ownership and Control," Yale Law Journal 111, October 2001.

8. Goetzmann, William and Elisabeth Koll, 2002, "The History of Corporate Ownership in China." Working paper, Yale School of Management and Case Western University.

9. Hertz, Ellen, 1998, The Trading Crowd: An Ethnography of the Shanghai Stock Market, Cambridge University Press.

10. Hutchens, Walter, 2003, "Private Securities Litigation in China: Materials Disclosure about China's Legal System," forthcoming in the Pennsylvania Journal of International Economic Law.

11. Johnson, Simon, Rafael La Porta, Florencio Lopez de Silanes and Andrei Shleifer, 2000, "Tunneling," American Economic Review Papers & Proceedings 90, May 2000.

12. Jones, William C., 2003, "Trying to understand the current Chinese legal system," in C. Stephen Hsu, ed., Understanding China's Legal System: Essays in Honor of Jerome A. Cohen, 2003, New York University Press.

13. Kirby, William, 1995, "China Unincoporrated: Company law and business enterprise in twentieth century China," Journal of Asian Studies 54, 43 – 63.

14. KRISTOF, NICHOLAS D., 2003," Freedom's in 2nd Place?" The New York Times, Aug. 29, 2003.

15. La Porta, Rafael, Florence Lopez – de – Silanes, Andrei Shleifer, and Robert Vishny, 1997, "Legal Determinants of External Finance," Journal of Finance 52, July 1997, pp. 1131 – 1150.

16. La Porta, Rafael, Florence Lopez – de – Silanes, Andrei Shleifer, and Robert Vishny, 1998, "Law and Finance," Journal of Political Economy 106, De-

cember 1998, pp. 1113 – 1155.

17. 朗咸平 与 汪姜维, 2002, "寻找最适当造假利润率",《新财富》, 2002年 10 月号。

18. Lawrence, Susan V., 2002, "Shareholder Lawsuits: Ally of the People: A lawyer campaigns for minority – shareholder lawsuits against Chinese listed companies and wins a partial victory, but political sensitivities mean class – action suits are still barred," Far Eastern Economic Review, May 9, 2002.

19. North, Douglas, 1990, Institutions, Institutional Change and Economic Performance, Cambridge University Press.

20. Pistor, Katharina, 2000, "Patterns of Legal Change: Shareholder and Creditor Rights in Transition Economies," European Business Organization and Law Review 59.

21. Robertson, Jack, 1999, "Toshiba's $ 2 billion settlement confounds the industry," SiliconStrategies, November08, 1999. (http://www. siliconstrategies. com/story/OEG19991108S0007)

22. Shleifer, Andrei and Robert W. Vishny, 1997, "A Survey of Corporate Governance," The Journal of Finance 52, June 1997, pp. 737 – 783.

23. Thakur, Ramesh, 2003, "China is outperforming India", International Herald Tribune, Jan. 7, 2003.

24. Walter, Carl E., and Fraser J. T. Howie, Privatizing China: The Stock Markets and their Role in Corporate Reform, John Wiley & Sons.

附 录

表 1: 中国股市历年的融资总额

这里的数据包括原始股和股票增发等。数据来源是北京的色诺芬公司（www. SinoFin. com. cn.）

	新上市公司数	融资总额（以百万元为单位）
1991	13	500

1992	40	9, 409
1993	124	31, 454
1994	110	13, 805
1995	24	11, 886
1996	203	34, 152
1997	206	93, 382
1998	106	80, 357
1999	98	89, 739
2000	137	154, 086
2001	79	118, 214
2002	71	96, 175

表2：中国与其他国家的股市融资总额比较

这里的数据包括原始股发行和股票增发等。我们用一国的股市融资总额跟同年 GDP 的比值来测量其股市融资水平。

	中国	美国	日本	德国	法国
1991	0. 02%			0. 23%	
1992	0. 36%	0. 90%		0. 06%	
1993	0. 91%	1. 64%	0. 16%	0. 11%	
1994	0. 30%	1. 64%	0. 08%	0. 03%	0. 18%
1995	0. 20%	1. 08%	0. 20%	0. 27%	0. 29%
1996	0. 50%	1. 26%	0. 54%	0. 56%	1. 94%
1997	1. 25%	1. 72%	0. 27%	0. 29%	0. 08%
1998	1. 02%	2. 35%	0. 74%	2. 74%	0. 88%
1999	1. 09%	1. 34%	0. 93%	1. 04%	0. 85%
2000	1. 72%	2. 03%	0. 90%	1. 44%	1. 44%

2001	1.20%	2.33%	0.49%	0.29%	1.56%
2002	0.94%	1.26%	0.34%	0.20%	0.85%
平均值	0.79%	1.60%	0.47%	0.61%	0.90%
均方差	0.65%	0.25%	0.13%	0.02%	0.47%

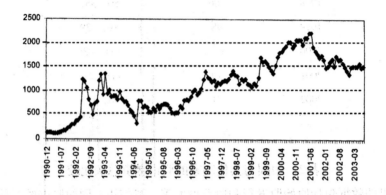

图一：上证综合指数的历年表现。数据来源是北京的色诺芬公司（www. SinoFin. com. cn. ）

政府持股与中国公司治理

郭丹青 (Donald C. Clarke)

政府持股与中国公司治理

公司治理这一概念引入中国的时机似乎业已成熟。中国分析家对公司治理的抽象定义一般是指在商业组织中，调整所有具有利益关系的当事人相互之间关系的整个体系，而且通常认为股东是其中具有特殊重要性的群体（如 Liu, 1999; Yin, 1999）。但是实际上，中国对公司治理的论述几乎仅局限于代理问题，而且范围限定在两种公司内：国有企业（SOE），特别是改制成为符合公司法[1]要求的法人形式后的国有企业，以及上市公司，上市公司必须是符合公司法规定的股份有限公司（CLS）。本文将探讨上述狭窄范围内的中国公司治理，并且试图就关于公司治理的论述、法律、机构和制度（此后略称"公司治理法律及制度"或 CGLI）中存在的令人困惑的一些特性作出解释。

中国 CGLI 的一个基本困境，根源于在一些经济领域，国家要对企业保有完全或控制性所有权的政策。国家希望其所有的企业能够有效运行，但是企业的有效运行并不是仅为财富的最大化服务的。如果国家拥有所有权，目的仅仅是为了实现其所有的财产的经济价值最大化，那么国家政策也没有必要强制国家对企业拥有所有权了。如果企业由他人经营可以获得增值，[2] 那么国家应当会出售企业，分享增值的现在值从而获益了。对于国家来说，落实财富最大化的政策，只

---

[1] 本文提到的所有法律条文会在参考书目清单之后予以列明。

[2] 情况通常如此。一些研究表明，非国家所有的中国企业，其经营业绩要好于国家所有的企业（Chen, 2001; Qi *et al.*, 2000; Xu & Wang, 1999）。

需要根据能使国家财富最大化的情况需要，获取、保持或者放弃对企业的控制权。

因为中国政府显然没有这样一项使财富最大化的政策，所以导致了国家对企业的控制，不是基于作为股东要实现财富最大化的考虑，而是基于对其他因素的考虑——如要服务于维持城市就业水平、保证对敏感行业的直接控制及实现政治性就业安排等目的。[3]

由此产生了若干问题。首先，这些目标当中的许多很难对其进行衡量，即使能够衡量，也很难决定各目标之间的最佳平衡。这为监督带来了困难。其次，国家继续对企业发挥影响的政策，导致国家作为控股股东，与其他股东之间产生了利益冲突。国家通过对企业的控制，实现价值最大化之外的目的，会造成国家剥削小股东的现象，因为小股东与国家股东不同，只有通过价值最大化才能从其投资中受益。

本文的主题是，国家通过实施不同的新规则——"现代企业制度"下的组织制度，希望推动 SOE 更有效地运行。这是公司化政策主要涉及的内容。但是决策者们很快发现，对国家所有权的需要的考虑迫使他们必须对这些规则作出修改、调整。而且，对国有企业特殊情况的考虑的结果使整个《公司法》受影响，导致了不是国有企业需要遵守为私营企业设置的规则（这是初衷所在），而是潜在的私营企业被迫要遵守仅适用于由国家大量投资的经济的规则，它们因而遭受挫折。

最后，公司治理不止是简单地设立合适的规则。同时也必须设立必要的支持机构和制度。但是，正如我将会提出的那样，我们不能理所当然地认为支持机构和制度在中国已经存在。

中国 CGLI 改革的背景

中国的 CGLI 改革，以及作为改革一部分的《公司法》，主要是针对国营经

---

[3] 因此，建议国家一方面对某些企业保留所有权，一方面又以利润为主导对它们进行经营的方案是内在地存在着矛盾的。Tenev and Zhang（2002, p. 133）还提出以无投票权的优先股取代现有的国家股权。国家继续对企业拥有所有权这个问题，是不可能如此轻易就获得解决的。在合适的条件下，无投票权的优先股或许是好的投资，但是难以理解为什么一个认为国家所有权应该有实际意义的决策者会满足于此，也难以理解为什么国家要束缚自己，永远不出售该股票。实际上，在将股权转换为无投票权的优先股的时候，国家要放弃它对企业的控制权，而该控制权不仅能用以实现非经济的目标，而且能用以保护它不受管理层或控股股东的剥削，甚至能用以剥削其他股东以便实现自己的经济利益。

济的问题的，尤其是为了解决传统 SOE（TSOE）存在的问题（Jiang，2000，p. 21；Wang，1999，p. 135）。在国家决策者看来，国家以外的行为人对便利的从事商业活动的组织形式的需要，只是一件占有很小的重要性的事情，因此公司法更多地具有管理性和强制性，而不是注重对企业的鼓励和培养。实际上，在这样的背景下，政府不这样做才是反常的了。长久以来，对政府及其官员控制以外的聚敛财富的行为，以及对任何非国家领导下的有组织的活动，官方一直是持有怀疑态度的（Fang，2000；Kirby，1995；Saich，2000）。一个禁止未经授权的钓鱼俱乐部以及研究古董家具和剪纸的协会的政府（MOCA，2003），不太可能对以挣大钱为目的的组织的任意发展持友好的态度。

TSOE 不仅仅是对像法兰西航空这样的国有独资公司的一个别称。实际上，它可以在经济上类比为一个组织松散的"中国有限公司"内部的成本中心或分支机构。直到 1988 年，中国才出台了规范工业 TSOE 的法律，而至今也没有正式的法律规范商业 TSOE。在过去，从来没有在这方面制定法规的需要。组织法所实现的功能——如调整债权人、投资者和经理层之间的关系——就仅通过国家内部行政程序来解决，因为所有的关系人都是国家机构或者国家工作人员。

出于本文的目的考虑，有必要区分清楚本文所界定的 TSOE——计划经济体制下的国有企业————与依照《公司法》设立的国有企业或国家控股企业，即使这些企业通常被称作"国家所有"。在考虑企业法和《公司法》时，一个关键的因素是，两种构建国有企业的方式存在着重要的差别。

对 TSOE 的现行政策，基本上就是通过将它们公司化，废除了原有的形式，即将它们转换为符合《公司法》要求的公司形式：（a）股份有限公司（CLS），大致相当于西方国家中的股份有限公司，（b）有限责任公司（LLC），[4] 为规模较小且更紧密结合的投资者所采用，或者是（c）国家全资所有的有限责任公司（WSOLLC），是国家机构所有的特殊的 LLC。这个过程，并不必然地包含了私有化的过程——是否私有化取决于谁拥有转制后的企业的股份——已经在进行过程中。

公司化进程的政策包含了许多目的。这些目的包括 SOE 转换成公司形式后的股权资本筹集，通过调控作用扩大国家对某些行业的控制权，以及通过实行新的企业组织形式以改善对国有资产的经营管理。通过《公司法》立法的一个次要的考虑是，通过提供新的组织形式，鼓励非国有经济的发展。这些目的中的一

---

〔4〕 在《公司法》规定的所有组织中，股东通常不对公司债务负责，从这个意义上来说，这些组织均是"有限责任公司"，我在此所指的是采用有限责任公司这个特殊名称的一种特殊的公司组织形式。

些将会在下文中详细讨论。

关于 CGLI 改革，需要注意的最后一点是，尽管有国家从经济中撤出之说，但是国家肯定会在一些行业中维持对企业的控制：根据现在常用的提法，就是"涉及国家安全的行业，自然垄断的行业，提供重要公共产品和服务的行业，以及支柱产业和高新技术产业中的重要骨干企业。"（JJRB，2003）。实际上，企业改革部分地包含了政府通过调控手段，扩大其直接控制的范围的过程（CCP，1999；Ma et al.，2001）。在传统经济体制下，国家（通过一个或更多的下属机构）是 TSOE 的惟一所有人，对 TSOE 有完全的控制权。因为公司制度有可分的股权，公司化允许非国家投资者对企业出资，而只要他们是少数，国家就无需跟他们分享控制权。国家一如既往地享有控制权，但是现在是在更大范围内享有对资产的控制权。[5]

公司化的目的：通过重组改善管理

虽然公司化服务于多种目的，但是其中最主要的目的是鼓励通过更有效的管理，实现更高的效率。公司化通过结构改革，致力于解决备受诟病的使传统国家所有制体制缺乏效率的其中三个特征。其一，评论家们认为在旧有体制中，所有权和控制权均统一在国家手中，并批评该统一导致了"政府干涉"对企业经理层施加的在实现利益最大化之外的其他目的。其二，他们指出，各种管理企业的国家机构之间会有相互冲突的目的，因此会引起问题。其三，他们指出，缺乏一个有效的、有动因并有能力监督经营者以及保证有效经营的最终委托人。我下面依次讨论以上几点。

传统体制中的所有权、经营权和"政府干涉"

通常认为，公司形式将所有权（所有权由股东享有）与经营权（经营权由管理层享有）分离，这会成为治疗 TSOE 存在的弊病的良方，因为对 TSOE 的弊病，比较普遍的诊断是认为其根源在于所有权与经营权在国家手里的统一。评论家们形容了经理们是如何在不同政府管理机关的不断干涉下，在经营企业的过程中同时要满足各式各样的而且是相互冲突的要求，因而饱受折磨的。根据上述诊断，公司化将国家所有权与国家控制权相分离，从而使公司经理层不再受干涉，

---

[5] 像一名前高级决策人最近所夸耀的那样，虽然国家对广州轻工业集团公司仅有 6% 的股权份额，但是国家控制了该公司 94% 的"社会资本"，因而该公司被认为是"国家控股"公司（TFCER，2003）。

得以进行有效的营利性经营活动。

但是对这一问题的诊断结果和解决方案都存在着根本性缺陷。解决方案存在缺陷是因为它假设在新的经济体制下，国家所有人的目的是获得利润。公司化政策并没有意味着国家放弃在很多行业行使直接所有权的决心，而如果说营利是惟一的目的的话，那么，这种决心是没有意义的。

诊断结果存在缺陷是因为在旧有经济体制内与在新的体制内，所有权和经营权的分离情况是同样存在的的，因为国家是一个抽象的集体概念而不是一个人。虽然说国家拥有所有权或许有一定意义，但是这种所有权必须通过人作为代理来行使。因此国有企业无论是在企业层面上还是在行政管理机关层面上，都受控于并非企业所有者的人员。将权力下放给企业经理，或者对 TSOE 实行公司化，一点都不能改变这个事实。

因为所有权和经营权的统一并不是问题所在，因此将所有权从经营权中分离出去不可能是解决方法。但是仍然有很多中国评论家认为，所有权与经营权相分离，不是资本的提供者和管理者之间的劳动分工所附随的一个令人遗憾的产物（Berle & Means，1968 [1932]），而是一个有其本身的价值的、应当追求的好处，因为这似乎是"现代企业制度"的一个必要特征。[6] 持改革态度的评论家似乎欢迎股东权分散、难以实现对公司实质意义上的控制的伯利和米恩斯公司模式，而不是害怕这种模式。的确，很多人将股权集中结构几乎视为股权分散结构这种理想型的畸形状态。[7]

然而呼吁国有企业要独立于政府的"干涉"实际上是呼吁不对管理层进行问责。因为公司财产是由政府机关向企业出资而获得的——肯定不是由经理层出资的——所以政府机关对应当如何使用公司财产，拥有一定的发言权，似乎是不无道理的。当然，关键问题是，政府机关给公司经理设定了什么样的经营目标，如何对公司经理的业绩进行评价。不过，那是国家应当如何改变其管理代理人的方式的问题，而不是国家应当完全放弃对其代理人进行管理的一个理由。

多重目标

公司存在多重目标，这无疑是个确实存在的问题。国家是一个由自然人组成的复杂组织，自然人属于不同的集团，每个集团又有其各自的目标，因此国家不会，也许根本不可能，提出一个单一、统一的目标，然后由其代理人将这种目标

---

[6] 当然不是所有评论家。至少有方流芳教授和林毅夫教授曾经指出过这个问题。

[7] 例如，Gu（2000）提出限制大股东的投票权，（错误地）认为这是美国公司法的一个特征。

实现最大化。而且，在传统体制下，多重机关各自享有对 SOE 的部分控制权
——一个或更多机关分管工人，管理层干部，生产目标，投入等——而没有机关
需要为自己或其他机关作出决定的代价负责。因此，即使有人有这样的意愿，他
也很难在相互间存在冲突的目标之间进行平衡。

即使在只有一个监管机关时，该机关本身也可能有数个目标。相对而言，利
润最大化是衡量公司经理业绩的一个直截了当的指标，而非经济的目标，如出于
国家安全的目的对某一产业进行保护，则是较难进行衡量和监管的。监管机关甚
至自身都可能不知道，如何对在实现国家不同的目标的过程中产生的费用和收益
进行衡量，如何进行利益平衡，因而很难对施行这些目标的公司经理进行监管。

公司化的初衷很明显在于要解决多重控制者具有多重目标的问题。首先，各
种国家机关对企业享有的利益均依据同一标准——股权——进行衡量并且得到量
化。其次，新股东通过惟一的渠道来表达他们的利益主张——股东投票——在投
票中使用多数原则，从而消除了有冲突的目标。第三，虽然新股东之间存在着利
益冲突，但是他们也有着共同的利益基础：可供分配的利润。因此，即使在股票
所有权并没有私有化的情形下，股权结构的多样化的初衷在于希望它会导致公司
更专注于营利这个单一的目标。

该理论有很多值得称道之处。然而在实践中，大量的 SOE 在公司化后仍然
由单一的国家股东控制。该控制可能是通过正式渠道，如股东投票，也可能是通
过传统方式，如在国家重点所有企业或国家重点控股企业中（无论是否公司化
或上市企业），由共产党组织部作出人事委任。

缺乏有效的最终委托人

许多分析家认为，国有企业监管的关键问题在于缺乏一个最终的委托人。按
照这种分析，国家的代理人监督企业管理层，则另外必须有代理人再来监督国家
代理人，但是无论这样的代理人的链条有多长，我们一直没有一个最终的委托
人。更准确地说，公有制下理论上的最终委托人，即中国的公民，过于分散且力
量薄弱，远不能扮演实质性的角色。这导致的结果是，不可能存在有效的监督，
因为在监督者的链条中，没有人有恰当的动因；没有自然人有权得到有效的监督
会产生的资产增值。[8]

公司化试图以更有效地对公司管理进行监督的、追求利润的股东，来取代顺

---

[8] 对这些问题的总体讨论，见 Lin（2001），Liu（1999），Qi *et al.*（2000），Shleifer & Vishny（1997）以
及 Yu（2001）。

从的、疏忽大意的国家所有者。但是国家所有权自身，是否在本质上就存在问题呢？当然，现有的产权结构导致了许多问题。即使国家作为委托人，有协调一致且易于衡量的目标，它的代理人——企业管理层的监督者——也可能不会很好地按照那些目标来进行监督。事实上的监督和管理是由地方官员实施的，这些官员由地方政府委任并支付薪金。即使那些官员很好地代表了他们的委托人的利益，地方政府的利益也可能经常与中央的利益互相冲突。而且在实践中，地方官员监督的有效性，因为他们出于各种动机推诿职责，或者在许多情形下仅仅是因为他们缺乏技能来理解采取的措施将会增加还是会降低企业的价值，而大打折扣。

然而即使缺乏最终的自然人委托人是会产生代理成本的，这些成本也并不一定导致破坏性的结果。很多运作成功的机构，如非营利性组织（Hansmann，1996）或工业基金（Thomsen，1999），就在监督链条的终端缺乏一个能获得剩余利润的自然人。还有更多的机构——例如政府及养老基金——虽然有最终的自然人"所有人"，但是该所有人与组织关联甚微，事实上等于不存在。

因此，虽然缺乏最终的所有人——也就是说，一个既控制着其代理人又有权获得剩余利润的自然人——是实现有效监督的一个障碍，但是这并不是一个不可逾越的障碍，也不是最主要的障碍。因此，在设定了正确的目标、拥有恰当的技能、具有合适的动因时，没有理由说国家雇员还是天然地不能实现有效监督的职能。国家监督存在的问题，更有可能是因为缺乏上述要素，而不是因为缺乏最终的自然人委托人。

无论在监管链条的终端是否需要一个自然人监督者，当前运作的公司化进程都不会产生这个结果。当 TSOE 进行公司化，将其股权分派或者出售时，在很大程度上新股东或者是国家机关，或者是国家直接或间接所有的其他实体。这样的情况无论这些公司是否是在中国股票市场上市的公司都存在。这些实体在构建时，很可能是出于营利的目的，但是如果实际上它们能够有效地追求利润，也仅仅说明私有制并不当然地是最重要的。仍然保留国家所有权时，结构重组不能消除缺乏委托人由此产生的费用，因为后者必然因前者而产生。

CGLI 中对国家的考虑的继续存在

虽然改革者决心启动公司化工程，但是对国有企业的考虑仍然很多。作为国有企业的所有人，国家规定国有企业应当如何运作，是在情理之中的。但是与此同时，国家没有必要就非国家当事人如何交往和合作作出详尽的规定。本节将会着重研究两个典型的领域，在这两个领域中，国家对国有企业的考虑导致了《公司法》朝着不利于非国有企业发展的方向倒退，其中一种情形是由于国家作出不必要或不合适的规定，另一种情形是由于国家没有作出规定。

倾向于使用强行性规则而不是默认规则（default rules）

公司化以及《公司法》所要达致的一个目标是，使组织经济活动变得更为容易。这一目标是否实现值得质疑。究竟是使适用的法律具有强行性，抑或给予公司组织者一定的自由度，自由选择他们认为最合适的治理规则，这个基本的政策选择就是一个例子。现行的《公司法》在这方面的政策选择很清楚：所有的规定几乎一律是强行性的。正如公司法学者方流芳教授（Fang 2000，p. 40）所抱怨的那样，"整部公司法均弥漫着'为民做主'的态度。立法者表现得过于自信了。立法者认为他们比公司当事人更聪明，因而可以替他们作出安排。"[9]

为什么商业活动的参与者不能自行选择调整它们之间的关系的规则呢？这部分归因于中国政府官员们对私人解决私人问题的不信任，也部分归因于政府几乎是本能的偏好，即倾向于统一性，排斥多样化，即使统一性没有多少明显的好处。但是主要原因则仍然是，《公司法》要实现 TSOE 的公司化这一倾向压倒了一切。《公司法》所考虑到的典型企业（起码，是典型股份有限公司）并不是由私人企业家们相互之间订立合同，确立最佳的治理规则，继而组建的，而是公司化的 TSOE。因此，《公司法》的规定并没有给合同当事方留下选择的余地，这并不奇怪；在 TSOE 改制时，实际上不存在合同当事方。将 TSOE 转换为 CLS 的过程是受政府指引的。最终确立原始股东相互之间关系的交易类型，并没有受到市场力量的很大影响：不存在发达的公司控制权市场或经理人的劳动市场，国家投资者也没有"华尔街的选择"（即出售股权，不再参与公司的事务）。因此，在这种特殊情况下，我们可能没有理由认为由"当事人"自行选择治理规则，会在经济上有效率。实际上，无论《公司法》的某些规定是多么死板和失当，原则上也不能排除如下的可能性：可能较之不受这些规定限制，任由国家官员与 TSOE 的负责经理自行组织公司结构，这些规定更好一些，更能减少对国家资产的浪费。

但是，与此同时，我们仍然难以理解，为什么在没有涉及国家资产的情形下，对很多事宜的决定权仍然不能交给当事人自行掌握。国家可能希望为自己所

---

[9] 作者在此向方教授致歉，虽然其原文是中文，将本论文从英文翻译成中文的时候，只好把已经翻译成英文的话再转译成中文。

有的企业施加诸如在利润的再投资、[10] 董事的最少或最多数量[11] 等方面的限制,但是为什么私人也要遵从同样的规则呢?

立法者显然懂得如何将很多内容交由一些商业企业的参与人决定,这从在不涉及大型 TSOE 的转型的企业组织问题上,商业企业享有的大量、甚至是过量的自由度可以看出来。《合伙企业法》,《乡镇企业法》以及有关股份合作制企业的规定(SCRES, 1997),篇幅均比《公司法》要短很多,规定的内容也比《公司法》要少得多。其实,至少有一种获得官方承认的商业企业形式——由母公司设立的全资子公司——没有法律或者任何规则对其内部结构进行规制,但是具有独立的法律人格。它的法律上的基础仅仅来源于《公司法》中一个含意模糊的句子,指出公司可以设立子公司。[12]

但是,当涉及 TSOE 的转型时,立法者不无道理地要为最终结果设立规则。这就是有国家政策的含义所在。问题是,如果说许多强制性规则的适用范围应仅限于国家所有和国家控股的公司,这可能是合理的,但是主张这种界限的存在就等于重新对国家所有的公司和非国家所有的公司作出区分,而这样的区分恰恰是公司化政策所要消除的。再一次,我们看到出于将 TSOE 的组织形式转换为公司的考虑,满足国有企业的需要和要求是以牺牲《公司法》的规定和结构为代价的。这没有实现既定的效果——即用经典的公司法原则规制国有企业,使它们更有效率——相反,产生的却是截然相反的效果:所有公司在很大程度上受一些只应适用于国营企业的原则规制。

未能建立适用于公司管理层和董事的统一法律标准

因为国家的政策不是使股东的财富最大化,所以很难创造出合适的统一标准来对经理层及控股股东进行规范。如果控股股东追求其股份价值的最大化,小股东的利益会自动得到满足。但是如果国家通过它对企业的控制,实现的是价值最大化以外的目的,就会剥削小股东,使他们没有别的途径从投资中获益。

只要国家政策要求国家在它不是惟一的股东的公司中继续成为一名积极的投资者,对于小股东进行有实质意义的法律保护,意味着要么对国家能力进行限制,而限制的恰恰是国家保有控制权所要做的事情,要么为国家是控股股东的企业建立事实上的独立法律体系(起码对小股东的权利而言不是适用于一般公司

---

[10] 《公司法》第 177 条。

[11] 《公司法》第 112 条。

[12] 《公司法》第 13 条。

的法律体系）。但是一个独立的法律体系要求严格区分国家控制公司与其他公司，而这种区分恰恰是将 TSOE 进行公司化所致力于要消除的。[13]

没有真正面对这一问题，导致就管理责任制定规则极其困难。虽然《公司法》规定有忠实义务,[14] 但是似乎没有办法使这种责任切实得到履行，而且《公司法》没有表明有注意义务。而且，虽然评论家们经常提及股东利益的最大化，认为这是在非国家所有的公司内，经理及控股股东应有的责任，但是在整个公司治理的法律和规则体系中，我们都找不到有关这样一个义务的规定。[15]

对改革提出的建议：控股股东的权力

对现行《公司法》最常见的抱怨，或许是它赋予了控股股东过多的权力。正如上面所讨论的那样，很多中国评论将股权结构分散的伯利和米恩斯模式奉为至宝，几乎将公司形容成了一个政治团体，团体的成员在股东大会上就政策进行辩论，对问题进行慎重考虑后就此进行投票。在控股股东可以单方面作出决定时，股东大会就流于形式了，评论家们认为这是理想的公司治理模型的一种畸形状态。因此，许多评论家认为一股独大的现象是有问题的，对限制他们权力提出的建议，不仅仅是为了打击他们损害小股东权益的能力，而且是打击他们对公司的稳定控制权本身。

这种对公司组织形式的构想存在的第一个问题是，它根本是不现实的。公司并不是政治团体，也不可能期望它像政治团体一样运作。公司法认为有更多钱就有更多发言权，是完全恰当的，小股东在他们不会对投票结果产生影响时参加股东大会，花时间去了解公司事务，是不合算的。[16]

存在的第二个问题是，适用于私有制条件下的公司的理想型，无论它是否符合实际，在公有制广泛存在的条件下，不可能获得实现。中国最大的控股股东是中国政府机关。动摇控股股东的地位本质上就是在动摇国有制，而这是不可能从学术刊物上的讨论变成立法实践的。

存在的第三个问题是，股权集中是否是一件坏事，这并不清楚。对中国上市

---

[13]　实践中的结果可能是对小股东没有具有实质意义的保护。长江商学院院长、某公司独立董事的话所反映的观点很值得注意："我从来不认为独立董事就是中小股民的保护者，千万别这样认为，我首先是保护大股东的利益，因为大股东是国家的。"（GAXXRB, 2003.）

[14]　《公司法》第 59～62 条。

[15]　证监会颁布的一些示范公司章程和公司治理准则里面有这个目标，但这些文件连部门规章都不是。

[16]　对集体行动问题的概述，见 Olson（1971）的经典著作。

公司的研究表明，总体而言，公司业绩与政府以外的机构性股东对股权的集中所有正相关，而与对股权的分散所有负相关（Chen，2001；Qi et al.，2000；Xu & Wang，1999）。[17] 因此，法律政策应该针对消除权力的滥用，而不是针对股权的集中所有本身。

公司治理机构和制度

任何公司治理体系均依赖一系列机构和制度来执行。例如，在美国，公众公司的公司治理，不仅依赖于资产、债务、管理人才以及公司控制的市场，而且依赖于中介机构，如融资机构，法律、会计服务行业，诸如法院、证券与交易委员会、私人诉讼人等的法律机构。对于这些机构是否扮演了它们应有的角色，尚存在着讨论的余地（例如，比较 Coffee（2002）与 Ribstein（2002）），但是我们对它们是有着清晰的概念的。

与此类似，中国的公司治理方案，也应当对适用的机构和制度、以及它们完成预期任务的能力有现实的了解，这是至关重要的一点。例如，我们不能对以原告为主导的私人诉讼期望过高。上市公司的现状是有着政治支持的；中国法院在政治上不是强有力的，因而不愿意受理牵涉大额金钱及强大被告的案件。最高人民法院仅允许法院审理非常有限的证券案件（Supreme People's Court，2003）。因此，如果公司治理改革意味着增加《公司法》中私人诉讼的诉因，在短期内是不可能见到成效的。

至于公司治理中可以发挥作用的政府机关呢？首选似乎应该是中国证券监管委员会（CSRC）。但是证监会在一些重要方面是受到阻碍的。首先，相对于它工作的规模，证监会工作人员规模过小。[18] 让我们仅考虑在上市公司监管方面，CSRC 与美国证券与交易委员会（SEC）各自的职责。SEC 的主要职责是执行关于信息披露的规定。SEC 并不对公司利润进行保证。另一方面，CSRC 在执行信息披露的要求的同时，却必须执行试图保证商业投资的质量的规则和要求。而且，CSRC 制定和执行公司治理规则的权力已经受到了质疑，认为该权力缺乏足够的法律依据（Sheng，2001；Tang，2001）。虽然迄今为止这样的质疑仅仅是学术上的，但是法院或许会受此影响，同意其中的某些观点。

---

〔17〕 对美国公司的研究（e. g.，McConnell & Servaes，1990；Wruck，1989）发现，公司业绩与所有权集中程度之间是倒 V 字型的关系：所有权集中程度增加时，公司业绩先是上升，但是在所有权集中程度再增加时，公司业绩将会下降。

〔18〕 全国范围内的专业工作人员数量可能少于 1500 人（证监会官员与作者的谈话，2003 年 7 月）。

考虑机构职责的必要性，我们可以通过考查 CSRC 最近的规定看出来，规定要求至 2003 年 6 月 30 日，上市公司董事会中至少有三分之一是独立董事（CS-RC，2001）。根据证监会的规定，独立董事对公司及全体股东有诚信和勤勉义务。但是在中国现行法律体系中，这样的义务有意义吗？

《公司法》仅规定了忠实义务，股东可以对违反该义务的行为提起诉讼。CSRC 在其甚至不具有政府行政机关的法律地位的情形下，不大可能自行创造股东可以据以向董事提起诉讼的私人诉讼诉因。它已经启动过数量有限的对董事的惩罚程序，[19] 但是仅仅依赖于行政执行力的规范并没有太大的价值，因为 CSRC 的资源有限。

正如 Mark Roe（2002）指出的那样，公司治理不仅仅是满足于作出合理的法律规定，而是依赖更多的因素。其他机构和制度的存在是至关重要的。但是我们不能假设这些机构和制度会在中国天然存在。其他中介机构，如律师事务所、会计师事务所、投资银行、经纪人及股票交易所——像中国所有的组织一样——只在政府容许时存在，不会因回应市场需要而蓬勃发展。在公司控制上，没有真正的市场，经理人市场也仍然非常狭小。

结论

任何对中国公司治理的讨论，都必须严肃对待国家要在企业所有权上继续发挥重要影响的政策。《公司法》的起草者试图解决的许多问题，其最佳解决方法和途径，未必是通过诸如《公司法》这样的成文法的，甚至也不一定是通过立法机关和政府执行机关的。牵涉到国有企业事务的问题，诉诸在合同自由及私人权利环境下运作的机构，似乎不大合乎情理。维持国家所有的政策仍然延续时，为非国有企业的公司治理体制的发展扫清障碍，应当让政策制定者意识到，一个统一的立法模式不仅是不必要的，而且是不恰当的。

但是设定合理的模式并不足够。政策制定者必须对公司治理机构的能力作出清楚的考虑——不仅仅是法律的考虑，而且是社会和经济的考虑——从而使该模式按照预期的效果运作。

---

[19] 例如，参见不幸的陆家豪的故事，陆家豪虽然是一个没有商业经验的学者，但是在受邀请担任不受薪的独立董事后，最后却因纠纷被 CSRC 处以 100000 元的罚款（Wu，2002；Wei，2002）。

参考书目

Berle, A. & G. Means, 1968 rev. ed. [1932], *The Modern Corporation and Private Property* (Harcourt, Brace & World, New York)

Chen, J., 2001, Ownership structure as corporate governance mechanism: Evidence from Chinese listed companies, *Economics of Planning* 34, 53–71.

中国共产党中央委员会:《关于国有企业改革和发展若干重大问题的决定》,1999 年 9 月 22 日通过。

Coffee, J., 2002, *Understanding Enron*: *It's about the gatekeepers*, *stupid* (Columbia Law School, The Center for Law and Economic Studies, Working Paper No. 207)

中国证券监督管理委员会:《关于在上市公司建立独立董事制度的指导意见》,2001 年 8 月 16 日发布。

方流芳:"温故知新——谈公司法修改",载郭锋、王坚(编):《公司法修改纵横谈》,法律出版社 2000 年版,页 35–42。

GAXXRB:"独立董事像花瓶?",《港澳信息日报》,2003 年 1 月 1 日。

顾功耘:"公司法修改应解决的若干实际问题",载郭锋、王坚(编):《公司法修改纵横谈》,法律出版社 2000 年版,页 57–61。

Hansmann, H., 1996, *The ownership of enterprise* (The Belknap Press, Cambridge, Mass.)

江平:"公司法从 19 世纪到 20 世纪的发展",载郭锋、王坚(编):《公司法修改纵横谈》,法律出版社 2000 年版,页 21–28。

JJRB:"合理布局调整结构,发展壮大国有经济——访国务院国有资产监督管理委员会主任李荣融",《经济日报》,2003 年 6 月 13 日。

Kirby, W., 1995, China unincorporated: Company law and business enterprise in twentieth century China, *Journal of Asian Studies* 54, 43–63.

Lin, C., 2001, Corporatisation and corporate governance in China's economic transition, *Economics of Planning* 34, 5–35.

刘云鹏:"从现代企业理论与产权理论看中国的公司治理问题",载中国(海南)改革发展研究院(编):《中国公司治理结构》,外文出版社 1999 年版,页 119–132。

Ma, N., K. H. Mok & A. Cheung, 2001, Advance and retreat: The new two

- pronged strategy of enterprise reform in China, *Problems of Post - Communism* 48, 52 - 61.

McConnell, J. & H. Servaes, 1990, Additional evidence on equity ownership and corporate value, *Journal of Financial Economics* 27, 595 - 612.

中华人民共和国民政部，公告 41 号，2003 年 6 月 6 日，http://www.mca.gov. cn/news/shtuan41. html

Olson, M., 1971, *The logic of collective action: Public goods and the theory of groups* (Harvard University Press, Cambridge, Mass.)

Qi, D., W. Wu & H. Zhang, 2000, Shareholding structure and corporate performance of partially privatized firms: Evidence from listed Chinese companies, *Pacific - Basin Finance Journal* 8, 587 - 610.

Ribstein, L., 2002, Market vs. regulatory responses to corporate fraud: A critique of the Sarbanes - Oxley Act of 2002, *Journal of Corporation Law* 28, 1 - 67.

Roe, M., 2002, Corporate law's limits, *Journal of Legal Studies* 31, 233 - 271.

Saich, A., 2000, Negotiating the state: The development of social organizations in China, *The China Quarterly*, no. 161 (March), 124 - 141.

国家经济体制改革委员会：《关于发展城市股份合作制企业的指导意见》，1997 年 8 月 7 日通过。

盛学军："我国证券监管法律制度模式"，载《现代法学》2001 年第 3 期，页 116 - 120。

Shleifer, A. & R. Vishny, A survey of corporate governance, *Journal of Finance* 52, 737 - 783.

中华人民共和国最高人民法院：《关于审理证券市场因虚假陈述引发的民事赔偿案件的若干规定》，2003 年 1 月 9 日发布。

汤欣："中国上市公司治理环境的信发展"，载清华大学 21 世纪商法论坛，2001 年 11 月 18 日。

Tenev, S. & C. Zhang, 2002, *Corporate governance and enterprise reform in China* (Washington, D. C.: World Bank and the International Finance Corporation).

TFCER："196 家中央企业大整合：演出开始了"，载《21 世纪经济报道》，2003 年 7 月 14 日。

Thomsen, S., 1999, Corporate ownership by industrial foundations, *The Euro-*

pean Journal of Law and Economics 7（2），117－136.

王保树："股份有限公司组织机构的法的时态考察与立法课题"，载中国（海南）改革发展研究院（编）：《中国公司治理结构》，外文出版社，1999，页134－150。

魏雅华："独立董事被罚第一案"，载中国律师网，20002 年 12 月 13 日，http：//www. chineselawyer. com. cn/article/200212135599. html

Wruck，K.，1989，Equity ownership concentration and firm value，*Journal of Financial Economics* 23，3－28.

吴国舫："从陆家豪案反思独立董事制度"，载《检察日报》，2002 年 11 月 20 日。

Xu，X. & Y. Wang，1999，Ownership structure and corporate governance in Chinese stock companies，*China Economic Review* 10，75－98.

Yin，W.："企业集团上市公司的股权结构改造"，载中国（海南）改革发展研究院（编）：《中国公司治理结构》，外文出版社，1999，页98－111。

余颖："大股东控制型公司治理的效率评价"，载《财经科学》，2001 年第 3 期，页50－53。

法律

《中华人民共和国公司法》，1993 年 12 月 29 日通过，1994 年 7 月 1 日实施。

《中华人民共和国合伙企业法》，1997 年 2 月 23 日通过，1997 年 8 月 1 日实施。

《中华人民共和国乡镇企业法》，1996 年 12 月 29 日通过，1997 年 1 月 1 日实施。

法治与比较制度：以台湾的公寓大厦规范为例

简资修

一、前言

　　台湾近来都市化加深，公寓大厦林立，衍生了很多问题。人口聚居，有公共安全问题，自然是毋庸置言。此外，公共设施之设置与维护，例如电梯或绿地等，也是人多嘴杂，问题多多。即便在私权的分配与移转上，也由于寸土寸金以及集居的共生共荣关系，因此迭有争执。甚至在重建或重大修缮上，由于台湾对于土地的强烈需求以及天然灾害（例如 1999 年的九二一大地震），亦非不常见之事，则如何整合意见，亦是问题。如此种种，都有待法律制度来加以调适，毕竟法须与时转。

　　若从分析上的市场与公权力两极对立来看，一方面是放任个人在市场上去自由交易运作，另一方面则是诉诸公权力，直接分配或管制物之使用或人之行为。但事实上，此一分类，在公寓大厦的规范上，是过于粗糙。不但在市场面，交易完成有赖于明确的产权规范，甚且在公权力方面，其强制力之行使，也非必然直接而有效，因此都有待进一步的细致分析。这些既非典型公权力或典型市场的运作，在此不妨将之称为社会，而以社区自治为其典型。

　　从法律层面来看，制定于 1929 年的台湾地区"民法"，[1] 其第 799 条（建

---

〔1〕　民法的总则篇、债篇及物权篇虽都制定公布于 1929 年，但后二者，则是于翌年才施行。

筑物之区分所有)[2] 以及第800条（他人正中宅门之使用），[3] 虽就此有所规定，但毕竟过于简陋，与现时脱节了。台湾的法院在无明确的法律规定下，在司法时，也就摇摆不定，意见相当分歧了。一度，"司法院"大法官还必须动用到违宪审查权，来介入此一纷争。[4] 而立法者则直至1995年，才颁布了公寓大厦管理条例，始进一步厘清产权以及承认自治规范的效力。2003年底，立法者并修订了该条例，加深其规范密度。本文以下主要拟以争执最多的楼顶平台及停车位之规范演变为例，说明公权力、市场、与社会规范的互有消长及其合理否。

二、两种共有：个人取向或团体取向

公寓大厦的楼顶平台与停车位之所以有纷争，一方面是来自都市化后的寸土寸金，[5] 道致私有化的压力，[6] 另一方面，是其与公寓大厦的本体具共生共荣的关系，因此完全的私有化，又令人不安，因为市场毕竟会失灵的。不过，市场失灵并不代表其替代制度，例如法院、政府或社区，就一定优于市场。其原因是，这些替代制度也是人世间的制度，各自有其"罩门"！因此法治的选择，应是一种立于制度间的比较，而非单一制度面的。[7]

一般说来，公寓大厦各部分间因共生而共荣，而此可来自物理结构之必然与人为划分。楼顶平台与公寓大厦的关系，系属物理上结构之必然。[8] 停车位则

---

〔2〕 "民法" 799条："数人区分一建筑物，而各有其一部者，该建筑物及其附属物之共同部分，推定为各所有人之共有，其修缮费及其他负担，由各所有人，按其所有部分之价值分担之。"

〔3〕 "民法" 800条："前条情形，其一部分之所有人，有使用他人正中宅门之必要者，得使用之。但另有特约或另有习惯者，从其特约或习惯。因前项使用，致使所有人受损害者，应支付偿金。"

〔4〕 大法管释字349号解释："最高法院"1959年度台上字第1065号判例，认为"共有人于与其他共有人订立共有物分割或分管之特约后，纵将其应有部分让与第三人，其分割或分管契约，对于受让人仍继续存在"，就维持法律秩序之安定性而言，固有其必要，惟应有部分之受让人若不知悉有分管契约，亦无可得而知之情形，受让人仍受让与人所订分管契约之拘束，有使善意第三人受不测损害之虞，与宪法保障人民财产权之意旨有违，首开判例在此范围内，嗣后应不再援用。至建筑物为区分所有，其法定空地应如何使用，是否共有共用或共有专用，以及该部分让与之效力如何，应尽速立法加以规范，并此说明。

〔5〕 例如在市区的一个停车位，其价值可等于效区的一间公寓。

〔6〕 参见 Harold Demsetz, *Toward a Theory of Property Rights*, 57 Am. Econ. Rev. 347–59 (1967)。

〔7〕 参见简资修："市场、法院或政府：法律实践的制度面向，《月旦法学杂志》"，107期，204–209页 (2004)；Neil K. Komesar, Law's Limits: The Rule of Law and the Supply and Demand of Rights (2001)；Imperfect Alternatives: Choosing Institutions in Law, Economics, and Public Policy (1994)。

〔8〕 台湾近来有呼声，要求立法强制建物屋顶应为尖顶形式。若是如此，则屋顶"平台"的问题，就不存在，但"尖顶"问题，将取而代之。

视其系位于地下室或法定空地而不同。地下室属于物理结构之必然，法定空地则是人为划分。

首先要指出，从台湾整体的法治结构来看，此共生共荣的关系，并不必然道出这些资源应归属于单一所有权———一人独有或数人共有。最明显的例子，是土地与建筑物的所有权可以分离，[9] 而事实上，建筑物却是必须立于土地之上，则其共生共荣关系，是毋庸置疑的。也许此一规定，是不当的，[10] 但其非本文的重点。本文在此强调的是，从台湾**既有**法律体系的整体观点来看，共生共荣不必然道致应归属单一所有权。

不过，就楼顶平台与停车位言，台湾的法院以及立法者的主流意见，显然都认为不将之归于同一所有权———因此鉴于公寓大厦的多数所有权人，而成为其共有———无以维系此共生共荣的关系。在楼顶平台方面，法院自始自终，以之为各区分所有权人的共有，[11] 而公寓大厦管理条例第 7 条本文规定："公寓大厦**共用**部分**不得独立**使用供做**专有部分**。"显然也是采取同一看法。在停车位方面，其若是位于地下室，在早期，地下室的所有权仍可独立所有，[12] 不过，如今依据上述公寓大厦管理条例第 7 条的规定，也已不可独立所有，至少在防空避难地下室是如此；至于停车位若是位于屋外法定空地，则法定空地一直是共有的。[13]

将楼顶平台与停车位的所有权定性为共有，在台湾，首先要面临的是法律体系的问题。在台湾的"民法"中，有两种共有。一是、分别共有（"民法"817 至 826 条）。一般称共有，系指此而言。二是、公同共有（"民法"827 条以

---

[9] 此有别于德国，但同于日本。

[10] 例如，"民法"876 条所规定的法定地上权，即是因应土地与建筑物之分离而来，而迫使法院必须介入地租之决定。基于私法自治之原则，以法院代替私人自治，必须有充分的理由，否则是治丝益棼。

[11] 参见简资修："公寓大厦屋顶平台之产权研究"，《军法专利》，第 41 卷第 10 期，8－15 页（1995）。

[12] 参见"最高法院"1982 台上 1193 号判决："查'民法'第 799 条所谓共同部分，系指大门、屋顶、地基、走郎、阶梯、隔壁等，性质上不许分割而独立为区分所有客体之部分而言。系争地下层……为该大夏之一层（连地上七层共八层），其建造须挖土作挡土墙，建造成本较之地上层有过之而无不及，倘非专为规划投资施工开建，不可能形成，依一般社会交易观念，性质上当非不得独立为区分所有之客体，原审未注意之，遽认系争地下层（非地基）为该大厦之共同部分，依上开法条推定为该大厦十四户所共有，已属不无违误。"引自王泽鉴，《民法物权第一册：通则·所有权》，195 页，注 3（1994）。

[13] 例如"最高法院"1991 台上 1809 判决，"最高法院"民事裁判书汇编，5 期，338－343 页；大法官释字 349 号解释文最后一句话："至建筑物为区分所有，其法定空地应如何使用，**是否共有共用或共有专用**，以及该部分让与之效力如何，应尽速立法加以规范，并此说明。"

下）。其各自有不同的功能。分别共有是在规范具暂时性质的共有关系，[14] 公同共有则是在规范具长期性质的共有关系。因此若依照此共生共荣关系具有长期性质，应是适用公同共有的法理，始是比较允当的。但由于公同共有，并无如分别共有存在著应有部分，各共有人得自由转让其应有部分（"民法" 819 条第一项），则要迁就公寓大厦的各区分所有权人，得自由转让其所有权——其所有权，除了其专有部分外，还包括共荣资源的共有权——以利资源在市场流通，因此转而以分别共有的规定来规范之。不过，此一变通，是要付出代价的。

本文前已言之，分别共有的功能，是在规范暂时的共有关系，而公寓大厦的这些共荣资源，却是具长期的关系，则方枘圆凿，即有待磨合。以分别共有处理长期的共生共荣关系，其最大的问题是，共有人间可能缺少 "公同" 关系，[15] 以致于影响了共有资源的有效利用。按在分别共有中，各共有人仅对共有物的简易修缮及其他保存行为，得单独为之（"民法" 820 条第二项）；就共有物的改良，则是非经共有人过半数，且其应有部分合计过半数，不得为之（"民法" 829 条第三项）。这些规定莫不显示，分别共有的规定，其目的仅在于**消极**避免共有物的价值流失，而其最终目的，是在尽快分割共有物结束此分别共有关系（"民法" 823 条），使所有权（分别）归属于一人，从而可**积极**创造物的价值。

反观，这些公寓大厦的共有资源，既无法分割，因此无法解套，则分别共有的悲剧——共用的悲剧或共决的悲剧——就可能发生。共有人竞相利用共有资源，竭泽而渔，造成资源过度使用，是为共用的悲剧（the tragedy of commons）；共有人对于共有物的利用，互相策肘，造成资源的低度使用，是为共决的悲剧（the tragedy of anti – commons）。[16]

就楼顶平台而言，在其上加盖或构筑花圃等之使用，是否可增加公寓大厦的**整体**价值，意见不一。若是其无价值或甚至会减损公寓大厦的整体价值，则共有人间的无法达成共识，即非悲剧，因为现状就是最佳，但其若是增加价值，则共决悲剧即生。在此还必须注意一事，此即，即便共决的悲剧不会发生，但共用的悲剧，也可能发生。此是来自各共有人虽依 "民法" 821 条，得就共有物之全部，为本于所有权的请求，从而得对侵害共有物的人（包括他人与其他共有

---

[14] "民法" 823 条第一项规定："各共有人，得**随时**请求分割共有物。但因物之使用目的不能分割或契约订有不分割之期限者，不在此限。"第二项规定："前项契约所定不分割之期限，不得逾五年。逾五年者，缩短为五年。"

[15] 在公同共有中，此 "公司" 关系，是 "共有" 存在的前提条件。

[16] 参见简资修："物权法：共享与排他之调和"，《月旦法学杂志》，97 期，217 – 226 页（2003）。

人），有所请求，但为人作嫁衣裳，又是何必？所谓搭便车的行为（free – ride），于焉发生。如此一来，**名义上的共有物沦为事实上的无主物**，并非不可想像，而且还是极端可能。

至于在停车位方面，不管其是位于地下室或是屋外的法定空地，其设置增加了公寓大厦的整体价值，倒是无人质疑。因此其如何分配或如何转让，更是需要共有人达成共识，否则共用或共决的悲剧，即难免要发生。

先来看共有人无法达成共识时，其他替代制度的反应。在楼顶平台方面，台湾的政府是以强行的建筑法规，规范了楼顶平台的使用。若违反者，即是所谓的违章建筑。但在政治程序操作下，此违章建筑的标准，一再修正，而且在执行上，也不一致。[17] 因此这些建筑法规，对于楼顶平台使用的影响力，其实是有限的。在刑事裁判中，也未发现楼顶平台使用人，以公共危险罪，被科处刑罚。倒是在市场运作下，公寓大厦的开发商，往往在出售合约中，明定楼顶平台归顶楼住户使用。至于1995年制定的公寓大厦管理条例，是否排除了此一约款的效力，仍有争议。[18]

在此阶段，有两个问题值得注意。一是、基于近水楼台先得月，顶楼住户即使在无共有人的明白同意下，先占使用楼顶平台，法院是否要承认之；二是、开发商与住户分别签订的"楼顶平台供顶楼住户使用"条款，其效力是否及于此第一批住户的后手。

就第一个问题，法院是不承认楼顶平台归顶楼住户使用，已成习惯法或是习惯，[19] 因此理论上，其他共有人得依"民法"821条，请求顶楼住户拆除加盖，回复楼顶平台的原状。不过，事实是，在台湾只要一眼望去，处处可见顶楼加盖，显然形式上的法律，不敌社会现实。其中原因，一方面是前已言及的各共有

---

[17] 例如，在台北市，楼顶加盖若未超过三分之一，并不被视为违章建筑。1995年，台北市甚至就地合法化以前的违章建筑，这些旧违章建筑，仅在重大情况下，始须拆除（参见台北市工务局建筑管理处违建查报作业原则）。此外，在民意代表的选民服务中，"开说"违章建筑，是其重要部分。

[18] 该条例第7条第3款明文规定，屋顶之构造不得约定专用，但该约在2003年修订前的第八条欲又规定，楼顶平台非依法令规定，并经区分所有权人会议之决议，不得有变更构造、颜色、**使用目的**、设置广告物或其他类似之行为。因此从第八条来看，楼顶平台显然可变更使用目的。而若将第7条的屋顶之构造，等同于楼顶平台，则楼顶平台仅可因共用而变更使用目的，但若不将屋顶之构造等同于楼顶平台——意指楼顶平台为屋顶之上的空间而非其构造本身——则变更使用目的，就不应排除约定专用之可能。不过，2003年修订后的条文，**"使用目的"**此一词语，已被删除，看来立法者有意使楼顶平台的使用单纯化。

[19] 参阅方人："法院对公寓屋顶平台物权之判决"，《现代地政》，7卷3期，18 – 9（1987）；邱萬金："谈方人先生'论法院对公寓屋顶平台物权之判决'"，《现代地政》，7卷4期，21 – 5（1987）。

人有搭便车的行为倾向，另一方面则是顶楼加盖已成社会规范，在房屋买卖市场中，顶楼住户可使用楼顶平台，是实实在在交易标的的一部份，[20] 而非顶楼住户，对此也是了然于心的，因此也算是接受了此"社会"规范。

就第二个问题，此一楼顶平台使用条款，既然是开发商**分别**与各住户签订，而非各住户间自己签订的，因此严格说来，其非各住户间已达成协议。不过，台湾的法院一向将之视为各共有人就共有物所达成的分管契约。即便如此定性，由于公寓大厦的区分所有权转让频繁，则受让的后手，即未与开发商签订此楼顶平台使用条款，有者甚至未见此先前的契约，则其是否应受此分管契约的约束？

一般说来，由于台湾的"民法"是债物两分体系，而各共有人间就共有物所签订的分管契约，只是债权契约，并无对世的效力，因此其不得拘束共有物应有部分的受让人。不过，台湾的"最高法院"在其 1959 台上 1065 判例，却认为分管契约的效力，对于应有部分的受让人继续存在。35 年后，台湾的大法官在其释字 349 号解释，以善意第三人有受不测损害之虞，而此有违宪法保障人民财产权的意旨为由，推翻了此判例。但由于此解释附加了应有部分的受让人，必须是在其不知，而且无可得而知的条件下，始不受分管契约的拘束，因此现实上绝大多数的情况是，受让人还要受分管契约拘束的。[21] 其理由无他，受让人是无法辩驳其不知此"社会规范"! [22] 台湾的"最高法院"为何如此偏离法律体系，以及大法官虽然名义上维持了此体系，但其实质并无大不同，应该都是来自现实社会的压力——共有物无法分割，但又需物尽其用。

在停车位方面，一般说来，开发商都会事先规划好停车位，分别将之贩售予

---

[20] 金融机构在办理贷款时，对此也不排斥，因此此一"非法"，并未如其他经济发展中国家的过度（法律）管制，造成资本无流动性。参见 Hernando de Soto's *The Mystery of Capital: Why Capitalism Triumphs in the West and Fails Everywhere Else*（2000）。

[21] 例如"最高法院"2002 台上 2477 判决要旨：按契约固须当事人互相表示意思一致始能成立，但所谓互相表示意思一致，不限于当事人直接为之，其经第三人为媒介而将当事人互为之意思表示从中传达而获致意思表示一致者，仍不得谓契约未成立。公寓大厦之买卖，建商与各承购户分别约定，该公寓大厦之共用部分或其基地之空地由特定共有人使用者，除别有规定外，应认共有人间已合意成立分管契约。又倘共有人已按分管契约占有共有物之特定部分，他共有人嗣后将其应有部分让与第三人，除有特别情事外，其受让人对于分管契约之存在，通常即有可得而知之情形，而应受分管契约之拘束。《"最高法院"民事裁判书汇编》，45 期，67－73 页。

[22] 虽然此为事实问题而非法律问题，因此在诉讼程序上有不同的处理。例如"最高法院"在其 1994 台再 141 判决道："本件再审原告于受让系争共有土地之应有部分时，是否不知其让与人与其他共有人订有分管契约或无可得而知之情形，及再审原告是否曾就此为主张，均属事实问题。……自无适用法规显有错误之可言。本件再审之诉，虽认有理由。"

区分所有权人或外人。停车位若由区分所有权人使用，前述分管契约的法理，在此自有适用的余地。不过，若由非区分所有权人的外人使用，由于外人非共有人，则定义上，分管契约即无成立的余地。但是即便如此，法院还是承认外人对此有使用权。在停车位的纷争中，以下情况是其中最大宗：拥有停车位使用权的区分所有权人，将之独立移转给其他区分所有权人，而事后受让此区分所有权的人，是否得对独立受让停车位使用权的该区分所有权人，主张停车位该归其享有。相对于楼顶平台，无人会怀疑若其有专用权，其权利一定归属顶楼住户，停车位的归属，实很难有此推论，而此是问题之源。就此，台湾的法院以及学者可说众说纷纭。[23] 不过，基于此是共有人间的关系，其解决应依前述的分管契约法理为之。

总而言之，这些资源若被定性为共有，其资源分配机制，依据法律逻辑，应是共有人间的分管契约，但诚如本文以上论述，此一分管契约在实践上往往不存在，而市场——指开发商分别与住户签订使用契约——或者社会规范——指顶楼住户事实上使用楼顶平台，而其他住户默认之——才是主宰了资源分配的因素。从比较制度的角度言，法院也许想以共有的定性，使其置身事外，任由共有人自己去解决纷争。不过，现实是，由于此分管契约之不存在，法院仍然必须介入纷争，将市场契约披上分管契约的外衣，或者在楼顶平台的使用上，为个案的认定，则相对于专有的定性，其是否有较低的成本优势，即非无疑。

将楼顶平台定性为顶楼住户所有，虽然有造成顶楼住户过度使用的可能，但一者，由于楼顶平台与顶楼是实实在在的生命共同体，基于自利心，顶楼住户过度使用的机率不大；二者，若真危及公共安全，一通电话或一封检举信，公法例如建筑或消防法规，是可介入的，或比较麻烦经由诉讼，法院也可以相邻关系的规范介入；三者，开发商若认为此初次产权分配不当，一如其在处理停车位之分配然，是可以分别与承买住户签约，约定楼顶平台不归顶楼住户使用。事实上，此种约定也不少见，尤其是在价位比较高的公寓大厦中，更是如此。可见市场机制会区隔出不同产品，满足不同的消费者。基此，若说私有的运作成本会高于共有的成本，恐难令人信服。

至于在停车位方面，法定空地一如建筑物所立之土地为共有，无人可争执，但地下室一定要共有，就不是一见就明。法定空地与地下室为共有的好处是，因此减少了公寓大厦区分所有权人的人数，从而可减少分管契约或其他管理上的交

---

[23] 例如，蔡明诚："停车位所有权及专用权相关问题探讨——从'最高法院'2000 年台上字第 1994 号民事判决谈起"，《台湾本土法学》，43 期，35–48 页（2003）。

易成本。不过，若是如此，为何不也限制地上层住户的数量？法律释义上的理由是，个别停车位因为不具构造上的独立性，所以不得做为所有权的客体，而地上层的住户，则具构造上的独立性。[24] 也许另外还有两个功能上的理由：一、停车位所占空间较小，若开放其独立所有，则区分所有权人数就会过份膨胀；[25] 二、停车相较于住户，其与公寓大厦管理的关系较不密切，独立的停车位主人，就比较无诱因去参与公寓大厦的事务，或可能形成少数偏见。基此，停车位所在的地下室或法定空地，定性为共有，尚称妥当。但所有权共有，并不意味使用权一定要限于共有人，外人应也可享有使用权，毕竟停车位的供给与住户的需求，并不一定一致，开放外人参与有助市场均衡。另外，若是市场上有如此住户，其要求更纯净的居住空间，不希望有外人打扰，即使是入内停车也是如此，则开发商也会端出此种排除契约的。

三、社区自治：市场与政府的制约

分析至此，现可回到上节起始即点出的：以具暂时性的分别共有类型，规范具长期性的公寓大厦住户关系，必然是格格不入的。某种形式的"公同"关系，是必要的，如此才可以解决"市场契约"或"分管契约"的不足——此即，进入此"公同"关系的人，皆受公同规范的拘束，不管其知或不知。[26] 此种公同规范，称（社区）规约。证诸法律的发展过程，此种社会自律法（reflexive law），是愈来愈重要。台湾 1995 年颁布的公寓大厦管理条例，即采取了此一途径。[27]

当然，此种社区规约，也非万灵丹。其既为一种参与程序，就有可能发生多数偏颇（majority – biased）或少数偏颇（minority – biased）的弊端，则在其成立之初以及执行过程中，就需加以防范，而看起来可能相当矛盾的是，此却是有赖市场及政府的配合。本文前已提及，开发商会极大化公寓大厦的整体价值——此并非来自他的利他心，而是整体价格卖得愈高，他赚得愈多——而且社区市场几乎是处于完全竞争状态，不虞他有垄断之实，则开发商与所有住户签订的买卖契

---

〔24〕　参见王泽鉴：前注 12，196 页。

〔25〕　若是如此，开放整个或整层地下室可单独所有，也无不可。

〔26〕　此就有如股份公司，股东可自由转让股份，但公司仍独立运作，不受影响。

〔27〕　该条例原第 24 条规定："区分所有权之继受人，应继受原区分所有权人依本条例或规约所定之一切权利义务"，2003 年修订后的 24 条第一项为："区分所有权之继受人，应于继受前向管理负责人或管理委员会请求阅览或影印第 35 条所定文件，并应于继受后遵守原区分所有权人依本条例或规约所定之一切权利义务事项。"

约，应成为日后规约的基础。而的确，台湾的公寓大厦管理条例第 56 条（2003年修订前为第 44 条）第一、二项即规定：公寓大厦的起造人，在申请建造执照时，就应检附住户规约草约，而且此一草约，在第一次区分所有权人会议召开前，系视同规约。此外，在规约的执行过程中，一定的程序与门槛，则需政府的监督。

四、结论

　　本次大会的主题：国家、市场与社会，从法规范的观点来看，就是高权管制法、私人自治法以及社会自律法的辩证关系。就此，Teubner 曾以工业国家为例，认为其从私法自治到国家管制，现则走向社会自律。[28] 在台湾的公寓大厦规范演变上，依稀有此影子。高权管制法，主要表现在公共安全，例如建筑、消防及国防，因此有了法定空地与地下室（供防空避难之用）等的强制设置。但在资源稀少性所道致的私有（用）化压力下，在边际上——此即，在不危及公共安全下[29]——调整这些资源的使用，显然是有利于物尽其用、地尽其利。不过，利用较近于市场色彩的分别共有之法律形式来处理此问题，显然是不足的，而某种近于政府色彩的"公同"关系——（社区）规约——则是必要的。而一如政府是为人民服务，因此须受人民所制定宪法的制约，此一规约须来自住户的全体同意——此即，开发商分别与住户所签订的契约——而此是来自市场的竞争结果！在公寓大厦的规范中，公权力、市场与社会，其实是可以不处于冲突的状态，三位是共生共荣的。

[28]　参见苏永钦："相邻关系在民法上的几个主要问题——并印证于 Teubner 的法律发展理论"，收于氏著：《跨越自治与管制》，169～218 页（1999）。

[29]　《公寓大夏管理条例》第 16 条第 2 项："住户不得……私设路障及停车位侵占巷道妨碍出入。"

现代国家制度构建与法律的统一性[1]

——对法律制度的政治学阐释

李　强

中国自 1978 年开始的改革在经济体制转型方面取得重大成就。传统的公有制与计划经济体制正在向以多种所有制为基础的社会主义市场经济转变。经济体制的转型大大激发了个人的创造性与经济活力，中国经济取得举世瞩目的成就。然则，与经济体制改革的广度与深度相比较，我国在政治与法律制度方面的改革大大滞后。传统全能主义政治结构的制度后遗症仍严重阻碍社会主义市场经济秩序的完善，阻碍新型社会秩序的形成。尤其是，统一法律秩序的缺失已成为建立稳定社会秩序与市场经济秩序的重大障碍。一方面，司法中的地方保护主义、部门寻租及腐败行为严重地腐蚀司法的统一，阻碍统一的政治与经济秩序的形成。另一方面，地方与部门立法的混乱甚至彼此冲突也日益引起人们的关注。

惟其如此，建立统一的司法秩序成为人们广泛关注的重要问题。最近召开的中共中央十六届三中全会通过《中共中央关于完善社会主义市场经济体制若干问题的决定》，强调"维护法制的统一和尊严"，"防止和纠正地方保护主义和部门本位主义"。

实现法制的统一性不仅仅涉及法律制度问题，它也涉及基本政治与社会结构，涉及国家制度的特征与组织形式。本文试图从政治学的角度分析统一法律制

---

〔1〕　本文中的某些观点已在笔者此前发表的若干文章中有所表述，参见李强："国家能力与国家权力的悖论"，载《中国书评》，1998 年 2 月期；李强："后全能体制下现代国家的构建"，载《战略与管理》，2001 年第 6 期；李强："宪政自由主义与国家构建"，载《公共论丛》，三联书店，2003。

度所需要的国家结构。本文的分析将主要是理论的与历史的。本文试图展示，法律统一性是现代国家的产物，中国实现法律统一性的目标必须与实现现代国家构建的目标结合在一起。

一、法律统一性的内涵与意义

统一的法律秩序意味着立法的统一性与执法的统一性。这种统一性通常被法学家们称作法律的普遍性。昂格尔在《现代社会中的法律》中，将法律的公共性、实在性、普遍性与自主性概括为现代法律秩序或法律制度的基本特征，以区别于另外两种前现代法律模式，即习惯法或相互作用的法律以及官僚法或规则性法律。根据昂格尔，现代社会法律的最本质特点是实现了"立法的普遍性理想和适用法律的一致性理想"。[2]

当然，即使在现代社会，法律的统一性在联邦制与单一制国家条件下会有不同特征。在联邦制度下，这种统一性也许仅仅表现为在特定立法与司法主体之间的"和谐性"（harmonian）。而在单一制的国家中，法律的统一性就会具有更严格的特征。首先，它要求国内各级立法机构所通过的法律具有一致性，至少在重大问题上具有一致性。其次，它要求各级执法机构在执行法律时具有一致性，尊重法律的普遍性特征。

法律的统一性是实现社会安全与秩序的必要条件。法律制度作为社会统治制度的核心要素具有多重价值目标或体现多重功能。从低限角度言，法律制度的目标与功能是为人们的社会、经济活动提供安全与保障，提供秩序。用霍布斯的术语来表述，法律制度的建立是使人们结束自然状态（即战争状态）而进入有秩序生活的前提。或者，用当代德国著名公法理论家施密特的概念来表述的话，法律秩序的出现是人类生活中政治的、亦即敌对的冲突转化为法律的亦即非敌对冲突的基本前提。[3]

当然，保障社会秩序仅仅是法律制度的基本价值或最低目标。事实上，正如韦伯所言，人之区别于动物的基本特征在于人有对合法性的追求。在政治生活中，被支配者对支配者的服从往往有超越功利计算的深层动机，有深刻的精神因素，即相信支配者有某种"合法性"（legitimacy）。出于对合法性的追求，人们往往会对法律"秩序"作出价值评价，要求法律不仅保障社会秩序，而且体现

---

〔2〕 昂格尔：《现代社会中的法律》，中国政法大学出版社，1994 年，页 42 ~ 47。

〔3〕 David Dyzenhaus ed., *Law as Politics*：*Carl Schmitt's Critique of Liberalism*，Duke University Press，1998，pp. 37 – 51.

正义原则。当然，由于文化传统的不同，价值体系的不同，人们对正义的内涵会有相当不同的理解。譬如，在今天西方的价值体系中，正义的概念往往与个人的权利、自由、社会平等等价值观联系在一起。

如果这样理解法律制度的目标的话，那么，可以发现，中国目前法律制度建设所面临的问题至少可以分为两类。第一，努力实现法律制度的最低目标，实现法律制度的统一性、普遍性，为正常的社会生活与市场经济提供法律保障。第二，改善法律，改革司法制度，实现保障社会公正、保护个人权利的目标。

二、欧洲的经历：现代国家与现代法律

即使在欧洲，法律统一性也只是近代的产物。诚然，正如伯尔曼在《法律与革命》中所示，欧洲近代法律制度的形成是一个相当复杂的过程，政治、宗教、以及法律职业等多元因素在这一进程中发挥了作用。[4] 不过，仅仅就法律的统一性而言，起关键作用的是近代国家的形成。为了理解这一点，有必要简单追溯欧洲中世纪向近代社会转型的历史。

罗马帝国解体后，欧洲事实上存在三种不同的政治实体与法律体系。（1）帝国制度与罗马法体系。在整个中世纪，罗马帝国的幽灵一直在欧洲徘徊。帝国的理念可以在查里曼的短暂帝国中发现，也可以在神圣罗马帝国中找到。（2）教皇制度与教会法体系。中世纪僧侣统治意识形态的实质是，"教皇作为彼得的继承人有权利与义务领导信徒的共同体，即教会。"（3）封建制度以及与封建制度相联系的国王法律体系。[5]

大约从11、12世纪开始，在封建制度中开始孕育出现代国家的萌芽。其主要方式是，封建国王的权力在和贵族、教会、自治城市以及帝国势力的斗争中逐步占了上风，并最终实现了韦伯所谓的在特定领土内"对合法使用暴力权力的垄断"，这样，现代意义上的国家便出现了。[6]

德国社会学家诺贝特·埃利亚斯（Norbert Elias, 1897—1990）在《文明的进程》中十分细腻地描述了西欧国家——特别是法国与英国——现代国家形成（state formation）的过程。关于现代国家的特征，埃利亚斯写道：

---

〔4〕伯尔曼：《法律与革命——西方法律传统的形成》，贺卫方等译，中国大百科全书出版社，1993年，页9～12。

〔5〕Walter Ullmann, A History of Political Thought: the Middle Ages, Penguin Books, 1965, p. 100.

〔6〕参阅 John A. Hall & G. John Ikenberry, *The State*, University of Minnesota Press, 1989, pp. 1 – 2.

　　我们所谓的现代社会——尤其是西方社会——是以相当程度的垄断
为特征的。个人被剥夺了自由使用军事武器的权利，这一权利由不论何
种形式的中央权威所保有。同理，对财产或个人收入征税的权力也集中
在社会的中央权威手中。这样，流入这样权威的财政手段维持了它对军
事力量的垄断，而后者反过来又维护了对税收的垄断。这两者没有主次
之分，它们是同一垄断的两个方面。如果一方不存在，另一方会自动消
失，尽管在有些时候，某一方面的垄断统治会比另一方面受到更强烈的
动摇。[7]

　　埃利亚斯将现代国家的特征概括为对合法使用暴力权力的垄断与对税收的垄
断，实在是精辟之论。国家垄断合法使用暴力的权力是现代国家与传统政治统治
形式的根本区别。在西方中世纪，合法使用暴力的权力分散于不同的机构、人员
手中。譬如，领主及其封臣都在不同程度上拥有使用暴力的权力；教会有宗教裁
判庭，有时某些行会有自己的规则，自己的处罚机制。西方社会走出中世纪、迈
向现代化的过程是一个韦伯称之为逐步理性化的过程。理性化过程在政治上主要
体现为理性的、法理的权威的兴起。在这一过程中，传统的家族、宗法、地域、
宗教权威逐步丧失了对合法使用暴力的权力的垄断。一种超地域、宗法、宗教的
国家机构垄断了制定规则与强制性实施规则的权力。国家对合法使用暴力的垄断
是在特定的领土上建立具有普遍性特征的法律秩序的基础。

　　其次，现代国家对使用暴力权力的垄断是与它对税收权的垄断联系在一起
的。通过垄断税收建立公共财政以满足国家的财政需求。这是现代国家特征的重
要方面。法国著名思想家布丹很早就强调公共财政对于国家运作的决定性意义，
并形象地将公共财政比作国家的神经。[8]

　　欧洲主要民族现代国家的形成走过不同的路径，其路径的差异决定了各国法
律统一性的进程并进而影响了各国现代经济发展的进程。

　　英国是最早完成现代国家构建的民族。英国的现代国家制度、宪政制度以及
与此相联系的现代法律制度的兴起与英国独特的封建国王制度有密切联系。根据
乌尔曼的描述，大约从公元 10 世纪起，西欧主要地区出现了现代国家的雏形，
其典型形式是国王权力的兴起。在几乎所有欧洲王国中，国王的权力都具有神权

〔7〕　Norbert Elias, *The Civilizing Process*（德文版，1939），引自，Norbert elias, *On Civilization*, *Power*, *and Knoledge*, ed., by Stephen Mennell & John Goudsblom, the University of Chicago press, 1998, p. 139.

〔8〕　转引自 Michael Mann, *State*, *War and Capitalism*, Blackwell, 1988, p. 76.

论的与封建的双重职能。英国代表了从封建制向近代国家制度转变的典型形式，而法国则代表了从神授国王向现代国家转变的典型形式。封建制度与神权制度的不同在于，在封建下，国王与封臣之间的关系是契约性的。封建契约创造了领主与封臣之间的法律义务。正是在这种封建契约基础上，英国才会出现以大宪章为开端的近代宪政，出现民族国家的法律制度。人们在谈到英国大宪章时，往往强调大宪章的宪政特征，强调大宪章对国王权力的制约。但是，乌尔曼指出，这种制约是以现代国家的概念为基础的。大宪章第39条的规定生动地展示了这一点。该条规定："任何自由人，如未经其同级贵族之裁判，或经国法判决，皆不得被逮捕，监禁，没收财产，剥夺法律保护权，流放，或加以任何其他损害。"[9] 乌尔曼强调，"国法"的理念（the law of the land）在这里至关重要。它意味着一种新兴的法律概念，它不同于罗马法，不同于教会法，而是以封建制为基础的英国"国法"，这种"国法"构成普通法的前身。[10]

正是基于这种国法，"在10世纪，英国成为一个在当时欧洲所能发现的最具中央集权特征的统一王国。""当罗马—法兰克只是一个过去的象征而法国尚未在一个国王之下达到统一时，英国已经扎实地、永久地建立其统一的国家。"[11]

法国现代国家的兴起可以追溯到13世纪的卡佩王朝。经过长期的斗争，包括与贵族的斗争、与市镇的斗争、与教会的斗争以及与皇帝的斗争，直到法国大革命，国家对公共权力的垄断与对税收的垄断才基本完成。[12]

在某种意义上，法国的国家构建在欧洲最为典型。埃利亚斯如此写道："法国长期以来是欧洲典型的大国，其'国家'垄断组织的形成也最为典型。"[13]法国的现代国家构建比英国来得更为艰难。原因在于，"西法兰克王国的后继之地乃为后来法国的雏形。就其范围来说，它处于后来的英国与德意志—罗马帝国之间。这里地域之歧异，离心力之强大，较之邻近的大帝国为小，潜在领主的任务也比较容易完成。然而地区之不同，离心力之大，又大不过不列颠岛。"[14]

与英国、法国相比，在德意志—罗马帝国的广大地区，建立现代国家的进程

〔9〕 "自由大宪章"，姜士林等主编：《世界宪法全书》，青岛出版社，1997年，页1260~1263。

〔10〕 参见Ullman前揭书，页146~154。

〔11〕 同上，页158，页183。

〔12〕 关于欧洲现代国家兴起过程中与各种力量的斗争，参见Martin van Creveld, *The rise and decline of the state*, Cambridge University Press, 1999, pp. 59~125.

〔13〕 埃利亚斯：《文明的进程》（II），三联书店，1999，页130。

〔14〕 埃利亚斯：《文明的进程》（II），三联书店，1999，页117。

要艰巨得多。埃利亚斯如此解释道："道理很简单：帝国的版图之大，英法完全不可同日而语；在帝国，地形之不同，社会之歧异，远远大于英法地区；地区离心倾向之力度也完全不同于英法；这就形成了一种独占优势的领主霸权，它使得建立中央集权变得无比困难；为了制止德意志—罗马帝国内的离心力量，并将其作为一个统一的整体持久地保持下去，这需要一种比英法强大得多的领主或家族力量，统治者的家族乃是力量之源泉，许多情况表明，在这么一个广大的地区压制离心倾向使其一直不得发展的任务，在当时的那种分工水平、互相联系的水平、战争、交通和行政管理技术条件之下，几乎是不可能解决的。"[15]

在德意志土地上现代民族国家形成的困难对于理解该地区近代以来社会与经济发展的特征具有重要意义。德意志地区民族国家构建的任务一直到 20 世纪上半叶才最终完成。魏玛共和国时期政治的动荡与冲突在很大程度上是与现代国家构建过程中统一权威的形成相联系的。曾经目睹过魏玛共和国动荡的埃利亚斯对此有深切理解："为何在德意志—罗马帝国境内国家的形成较之西方的邻邦费劲得多，晚得多，对这一问题的思考肯定有助于直接理解 20 世纪；一方是早已巩固的、较好平衡的、饱尝扩张之果的西方国家，一方是只是在前不久才有几分巩固的、过晚才进行扩张的古老帝国的后继国家，从两者之间的差异体察这一问题至今尚有其现实意义。"[16]

随着现代国家制度的建立，法律制度的多元状态逐步让位于国家对法律制度的独占。Poggi 描述了国家与法律在近代西方的密切关系："尤其是（但不仅限于）在 18、19 世纪的西方社会，国家的制度发展奠定了对国家与法律之间关系的特殊重视。"其中，最为明显的是，"国家——它很久以来一直在强制实施法律中扮演关键角色——获得愈来愈完全的、排他性的制定法律的权力。"[17]

三、现代国家的结构特征

在简要描述了欧洲现代国家的兴起后，我们有必要稍事停顿，分析现代国家的结构特征。有的学者注意到，许多关于现代国家的定义事实上都混淆了现代国家的功能与结构这两个不同的层面。[18] 譬如，上述韦伯与埃利亚斯定义的核心显然是对现代国家的功能作出描述。就其功能而言，国家垄断了合法使用暴力的

---

[15] 埃利亚斯：《文明的进程》（II），三联书店，1999，页108。

[16] 同上，页114。

[17] Gianfranco Poggi, *The State: Its Nature, Development and Prospects*, Polity Press, pp. 28 – 9.

[18] Michael Mann，前揭书，页4。

权力，而这种垄断的基础则是国家垄断了合法征税的权力。但是，赋予国家恰当的定义还必须考虑国家的另一方面特征，即国家的结构特征或曰制度特征（in-stitutional）。为了履行某种功能，必然需要特定的结构形式。理解这种结构形式有助于理解现代国家与其他国家形式或政治统治形式之间的区别。

关于现代国家的结构，查尔斯·梯利在《西欧民族国家的形成》中有过精彩分析。根据梯利，"一个控制了特定地域人口的组织如果具备下列特征的话，便是国家：（1）它与在该领域的其他组织产生了分殊（differentiated）；（2）它是自主的（autonomous）；（3）它是中央集权的（centralized）；（4）它的各个分支机构以制度化的方式彼此协调。"[19]

我们有必要仔细解剖梯利的定义。第一，国家的分殊特征。现代国家必须建立在社会分殊（differentiation）的基础上，并在社会分殊过程中产生了专门垄断暴力的机构与人员，这些机构与人员将自己的职能限制在十分有限的领域。第二，国家的自主性。国家自主性是许多强调国家重要性的理论家必然关注的问题。"自主性"意味着国家有超越社会的权力，国家代表公共利益、公共意志，超越各种个人与群体利益之上。用黑格尔的术语来表述的话，市民社会反映的是特殊性，是不同个人与团体的特殊利益，而国家则代表一种普遍性，反映普遍的利益与意志。第三，国家的中央集权特征。国家机构必须是单一的、统一的，这就是说，所有政治行为必须源于国家或与国家相关。社会成员可以以个人或集体方式掌握其他形式的社会权力，但不能行使政治权力。政治权力只能由国家行使。第四，国家是一个复合的实体，具有不同的构成要素，如立法、司法、行政等部分。由于国家本身的统一性质，由于国家必然具有的集权特征，国家各组成要素必须在分工的基础上合作、协调，各部分不应成为独立的权力中心，而应成为国家有机体的组成部分。[20] 黑格尔曾警告道，"如果各种权力，例如通称的行政权和立法权，各自独立，马上就会使国家毁灭，正如我们所见到的大规模地发生过的；不然的话，即如国家在本质上还保存着，一种权力使其他权力受其控制的斗争首先会促成统一，不论其性质如何，从而使国家的本质的东西和存在得到挽救。"[21]

对于我们目前讨论的问题而言，国家结构的分殊性与自主性值得特殊关注。

---

〔19〕 Charles Tilly, "Reflections on the history of European state – making," in *The formation of national states in Western Europe*, ed., Charles Tilly, Princeton：Princeton University Press, 1975, p. 70.

〔20〕 关于国家机构特征的概括，参见 Poggi 前揭书，页 19～33。

〔21〕 黑格尔：《法哲学原理》，商务印书馆，1979，页 285。

"分殊"的概念意味着国家是一个具有特定外延的组织机构，"这个组织履行所有的政治职能，而且仅仅履行政治职能。"[22] 在西方近代国家发展的进程中，曾出现过两次明显的"分殊"行为。其一是近代早期国家政权的世俗化。国家世俗化的进程使国家不再关心国民的精神福祉，将精神的训导留给教会。其二是国家与社会的分离，这种分离伴随着18、19世纪广泛的经济自由主义运动。分离的结果是使国家组织的行为几乎完全集中在"政治"领域。

经过两次大的分殊，欧洲社会的政治统治模式从传统封建制度的地域分殊转变为现代国家的功能分殊。最早注意到这种分殊特征的是赫伯特·斯宾塞。斯宾塞视社会分殊为现代社会与传统社会的主要区别。他认为，现代社会的分殊体现在两方面，其一是结构的分殊，社会分工产生了不同的行业、不同的社会部分（parts）；其二是功能的分殊，社会各部分承担不同的功能。在斯宾塞看来，现代社会的特征之一是，一方面，社会结构与功能分殊高度发展，另一方面，社会在分殊的基础上高度整合（integration）。体现在政治制度上，传统社会的权威机制以地域为基础，而现代国家的特征是在功能分殊的基础上，由专门的机构与人员履行国家的职能。[23]

斯宾塞的社会分殊理论在埃利亚斯那里得到更进一步阐释。埃利亚斯指出，现代国家对暴力的垄断依赖于高度的社会分殊，一部分人开始专门作为"垄断暴力"的力量。"只有随着这种中央政权和专门的统治机构持久的独占的形成，统治单位才具有'国家'的性质。"[24] 埃利亚斯指出，现代社会的一个颇具悖论意义的现象：社会分殊程度愈高，分工愈细，国家对暴力的垄断程度就会愈高。德国政治学家、法学家卡尔·弗里德里希指出，现代政治学、法学的一个基本共识是，以功能分殊原则建立的政府优于以地域分殊原则建立的政府。[25]

国家机构的分殊是国家自主性的前提条件。"自主"就是黑格尔所谓的"自在自为"。黑格尔对此作过解释："国家是绝对自在自为的理性东西，因为它是实体性意志的现实，它在被提升到普遍性的特殊自我意识中具有这种现实性。"[26] 按照黑格尔的逻辑，现代社会的特征是市民社会与国家的并存。"市民

---

[22] Poggi，前揭书，20.

[23] 参见 Stanislav Andreski ed.，*Herbert Spencer*，London：Nelson，1971，pp. 109–110.

[24] 埃利亚斯：《文明的进程》（II），页118。

[25] Carl J. Friedrich，*Constitutional Government and Democracy*，revised edition，Boston：Ginn & Co.，1950，p. 45.

[26] 黑格尔，前揭书，页253。

社会是个人利益的战场，是一切人反对一切人的战场"。[27] 换句话说，市民社会主要体现特殊利益。而"国家的目的就是普遍利益本身。"[28] 一个理想的秩序是普遍利益与特殊利益的统一，特殊利益的实现依赖于国家这种体现普遍利益的机构。正如黑格尔所言，市民社会"必须以国家为前提，而为了巩固地存在，它也必须有一个国家作为独立的东西在它面前。"[29]

维持国家自主性意味着维持国家的普遍性，或者用今天的时髦术语来表述的话，维持国家的公共性，意味着防止个人或团体的私人利益，即特殊利益侵蚀国家的普遍性。为了实现这一目标，从制度的角度言，明确国家与社会的区分、保持国家机构的分殊特征是不可或缺的。只有当国家在机构设置上摆脱社会的影响时，国家才可能维持公共性。否则，国家就会成为追求私利的工具。

国家的分殊特征意味着国家职能的有限性。如果我们沿着上文的逻辑推演，显然，有限职能构成现代国家"自主性"的前提与基础。只有当专门的人员掌握有限权力时，其行为才可能具有"自主性"，即可能不受特殊利益的影响，代表公共利益与公共意志。这样，在理论上存在一种可能性，国家权力如果过分膨胀，过多地侵入社会领域，乃至消除了与社会之间的界限，国家的自主性就会受到影响。对这一问题，德国著名政治学家、法学家卡尔·斯密特的观点颇有启发。

斯密特在魏玛共和国期间目睹国家的混乱、民生的凋敝、社会的动荡，倡导建立一个强有力的国家，以实现健康的经济（a strong state and sound economy）。不过，斯密特敏锐地注意到，强有力的国家不等于权力宽泛的国家。为了从理论上探索强国家的特征，斯密特把从文艺复兴以来的国家划分为三种类型，第一是17世纪的绝对主义国家。第二是自由主义的中立国家，国家在社会传统中保持中立地位，任凭社会各种团体之间在竞争与冲突中寻求平衡。第三种国家是随着福利国家的发展，逐步形成所谓全能国家（total state）。在施密特看来，当时的苏联以及意大利法西斯主义者所追求的国家都是全能主义国家。[30]

斯密特对全能国家的分析颇有价值。他明确认识到，全能国家的特征在于，国家权力无限扩大，并最终完全控制了社会。"这将导致国家与社会合二为一。

---

[27] 同上。

[28] 同上，页269。

[29] 同上，页197。

[30] 参见 Carl Schmitt, *The Concept of the Political*, pp. 22 - 3; Renato Cristi, *Carl Schmitt and Authoritarian Liberalism*, University of Wales Press, 1998, pp. 184 - 186.

在这种状态下，所有事情至少在潜在意义上都是政治的。国家因此便无法声称其独特的政治特征了。"[31]

斯密特认为，国家存活的基本条件是国家与市民社会维持明确的区分。一旦这一区分不复存在，一旦国家干预的范围超出"政治"领域，不再处理纯粹的政治问题，而是侵入社会生活的所有方面，国家的自主性与独立性就会消失。斯密特坚信，全能主义国家的一个基本特征是不存在"独立""自主"的国家，即不存在一个专门垄断合法使用暴力权力、为社会提供公共产品的机构。在理想类型的意义上，全能主义状态与无政府主义者所追求的无政府状态有惊人的相似之处：无政府主义的理想国家是国家的消亡与社会的自我调节；全能主义的实践是社会的消失与国家的无所不在，国家的无所不在取代了国家与社会的二分法，取代了自主的国家。

四、传统中国的国家制度

传统中国的国家制度走了一条与欧洲全然不同的道路。对中国国家制度独特性的研究迄今尚处于起步阶段。

为了理解传统中国国家的特征，韦伯关于政治权力与国家的区分可以作为讨论起点。韦伯在讨论国家问题时，区分了社会制度的三种阶段，其特征分别是"政治组织"、"国家"、"现代国家"。"政治组织"意味着存在一个"统治组织"，该组织具有"政治"特征，它可以在特定领土内通过威胁或使用强制权力而保障一种持续的秩序。"国家"也是一种强制性政治组织，它不同于一般政治组织的特征在于"其行政人员成功地垄断了合法使用暴力的权力，以强制性地实现秩序。""现代国家"则在"国家"的基础上更进一步。第一，在现代国家，行政与法律秩序的程序以及行政与法律人员的行为由一定的规则控制；第二，国家的法律不仅对国家成员具有约束力，而且对在法权范围内的几乎所有行为都有约束力。换言之，现代国家是以领土为基础的强制性组织。[32]

如果接受韦伯的定义，那么很显然，传统中国至少从秦汉始便建立起"国家"制度。就我们今天讨论的问题而言，这意味着，从那时起，就有了国家机构对合法使用暴力的权力的垄断，就有了一定程度的法律制度的统一性。

如果将秦汉时期的中国国家制度与几乎同时的罗马帝国相比较，这一特征就

---

[31] Carl J. Friedrich, *Constitutional Government and Democracy*, revised edition, Boston: Ginn & Co., 1950, p. 22.

[32] Max Weber, *Economy and Society*, vol. I, pp. 54～56.

显得更为明显。罗马是西方第一个具有实际意义的"国家"。之前的希腊城邦无论从规模还是从统治方式都与"国家"相距甚远。但是，如果从国家权力与法律秩序的角度分析，罗马的国家制度是相当脆弱的。在城邦共和国时期，罗马没有古代中国那种文官制度，官员没有薪俸。此外，罗马元老院作为共和国的真正统治者，在罗马军队常备军化以后没有将其置于国家的控制之下，任其成为将领个人的政治资本，并演变成极大的动荡因素。随着罗马从城邦共和国向欧亚大帝国的扩张，罗马并没有试图在各地建立整齐划一的行政管理制度，而且一般也不给予行省居民罗马公民权。行省总督是罗马国家的全权代表，拥有军事、司法和行政权力。总督的手下只有一名财政官、一到三名无官职的元老院成员担任幕僚、数名贵族青年作为副官。为管理广大的地域和人口，罗马帝国所雇佣的官吏大约只是同一时期中国的二十分之一。帝国的统治之疏简，使得帝国在外力挑战之下迅速崩溃，而且无法复生。[33]

与罗马那种相当原始的国家制度比较，秦汉的国家与法律制度具有更强的统一性。众所周知，秦统一后，废封建，立郡县，全国设 36 郡，建立统一的中央及郡县官僚制度。秦之制度在后来的历朝历代虽有损益，但中央集权的制度及统一的官僚制度一直得以延续。

秦代所建立的这种国家制度在相当大程度上保证了中国几千年法律制度的基本统一性，维持了国家的统一，也为基本的经济活动与社会安全奠定了基础。考察传统中国的成败得失必须考虑到传统中国国家制度这一基本特征。

不过，传统中国国家制度所达到的法律统一性是有限的。尽管就基本政治结构言，不存在挑战国家机构垄断合法使用暴力之权力的机构，但是由于国土之广袤，国家制度结构之前现代特征，中国国家对社会的渗透能力颇为有限。如韦伯所言，在传统中国，"中央集权的程度是十分有限的"。[34] 中央权力的有效行使范围只能下达到县级。尽管在理论上，最高统治者具有绝对的、不受任何制约的权力。皇帝作君作师，兼最高的世俗统治者与最高的祭师之职能于一身。但在实际上，传统中国从未建立起统一而有效的官僚制度。中央权力管理社会、渗透社会、控制社会的能力相当脆弱。中央对地方的控制一直是传统中国政治的突出问题。

究其原因，几方面的因素影响了传统中国国家的社会控制能力，即垄断合法

---

[33] P. Gaensey and R. Saller, *The Roman Empire: Economy, Society and Culture*. Berkeley: University of California Press, 1987, pp. 20~40.

[34] 同上，页59。

使用暴力权力的能力。传统中国国家缺乏一套理性化的公共财政制度，从而导致中央政府缺乏足够的财政力量来"建立一套精确而统一的管理"。[35] 公共财政制度之缺失是理解传统中国国家特征的关键。应该说，中国的税收制度具有相当的统一性。但问题在于，由于中国独特的官吏制度，这种统一性的税收制度只是表面文章而已。中国官吏制度的根本弊端是官吏薪俸不足。"形式上，政府支薪给它的官吏，但实际上得到政府薪俸的只有一小部分，甚至可以说是微不足道的一小部分。官吏既无法赖其薪俸生活，也无法靠薪俸支付其义务内的行政开销。"于是，官吏只得象一个封建领主那样，从自己征来的捐税中支付行政经费，并将剩余留给自己。这样的结果是，传统中国公共财政形成某种独特的制度。用今天我们熟悉的术语来形容的话，这是一种层层大包干的制度。中央政府规定各州省的纳税数额，而州省也照此办理，规定其下属的纳税数额。[36]

用现代国家的理论来分析，这种层层大包干的制度必然影响国家的分殊性。尽管在中央层面，传统中国的政治结构包含功能分殊的特征，但就中央与地方的关系而言，地域分殊仍然是政治结构的基本特征。应该说，在小农经济的条件下，在如此广袤的国土上，采取地域分殊的原则，借助封疆大吏的作用，实现一种疏简的统治有其合理性。但是，从理论分析的角度言，这种地域分殊的特征无疑使中国传统国家缺乏欧洲近代以来国家制度的特征。这一点，也是理解中国传统国家能力不足的重要原因。

如果将传统中国国家与欧洲国家相比较的话，那么，显然，在传统中国社会，法律统一性的障碍主要不是像欧洲前现代那样，表现为多元权力或多元法律体制之间的竞争，而是表现为一元政治权力对社会渗透的有限性。由于国家无法完全垄断合法使用暴力的权力，无法建立统一的公共财政制度与渗透到社会各个层面的统一的官僚制度，传统国家无法提供必要的公共产品，特别是无法建立涵盖领土之内所有地方的统一的法律秩序。这种有限性可以生动地表述为传统中国的一句俗语："天高皇帝远"。

五、全能主义政治下的国家制度

中国传统帝国制度在现代国家构建方面的不足可以在相当大程度上解释中国

---

[35] 同上，页 61。

[36] 同上，页 70。当代学者黄仁宇也认为传统中国政治主要弊端之一是缺乏有效的税收制度。参见黄仁宇：《中国大历史》有关章节，（三联书店，1997） R. Huang, *Taxiation and Governmental Finance in Sixteenth - Century Ming China*, Cambrige University Press, 1974.

近代在遭遇西方列强挑战时所显示的无力。国家动员社会能力的软弱、现代财政的缺乏使得晚清与民国政府在推动经济发展、保护国家主权方面软弱无力。

惟其如此，不少西方学者将中国近代以来的政治发展描述为以现代国家构建为目标的努力。杜赞奇在其研究 20 世纪中国农村变化的著作中有过这样的概括："在 20 世纪前半期的乡村中国，有两个巨大的历史进程值得注意，它们使此一时期的中国有别于前一时代。第一，由于受西方入侵的影响，经济方面发生了一系列的变化；第二，国家竭尽全力，企图加深并加强其对乡村社会的控制。"[37] 杜赞奇将中国农村发生的这种变迁与梯利所描述的欧洲近代国家构建的进程相比较。"这一不可逆转的进程与近代早期的欧洲相似，查尔斯·梯利和其他学者称这一过程为'国家政权建设'。其相似之处包括：政权的官僚化与合理化，为军事和民政而扩大财源，乡村社会为反抗政权侵入和财政榨取而不断斗争以及国家为巩固其权力与新的'精英'结成联盟。"[38]

中国共产党在 1949 年的胜利以及其后建立的政权从根本上改变了传统国家无法渗透社会的状况。从国家理论的角度言，新政治结构的性质是全能主义的（totalism）。它的特征是，国家通过党政组织结构、干部队伍、意识形态实现了对社会生活所有方面的全面渗透与控制。这种渗透与控制的制度结晶是一种独特的政治组织形式：它是以单位制为细胞的、以纵向组织为中介的、高度中央集权的体制。如果用上述现代国家结构的概念来分析，这种组织体制至少有以下几方面的特征值得注意：第一，整个组织是高度中央集权的，从某种意义上来说，从省、地、县区、乡镇到单位的领导机构都是中央政府的派出或延伸机构，其主要职能是贯彻中央的方针政策；第二，在某种意义上说，这个组织是高度"自主的"。由于从单位到中央，层层机构的主要目标是社会控制，整个社会的所有机构、所有人都以政治为职业、以履行国家职能为目标。整个社会体现为高度政治化与国家化。在这个意义上，国家的权力达到顶峰。

但是，这种结构在本质上不同于现代国家。它的一个突出特征是，国家与社会完全融合。由于不存在结构与功能的分殊，仅仅存在地域的分殊，西方近代那种以分殊、自主为特征的专门国家组织不复存在。当然，从另一角度看，整个社会也不存在专门私人性的领域。国家与社会达到高度的统一。

改革开放之后，随着市场经济的发展，原有政治体制的结构与功能出现了重大变化。其中最大的变化是，全能主义的各级机构不再追求单一的政治目标，而

---

〔37〕 杜赞奇：《文化、权力与国家》，王福明译，江苏人民出版社，1994 年，页 1。

〔38〕 同上，页 1 - 2。

愈来愈具有各自的经济利益。由于全能主义结构的基本特征是以地域分殊而非结构与功能分殊作为政治统治原则，由于各级地域组织不再是单纯的公共权力机构，其结果是，公共权力分散化，公共权力与私人利益的界限模糊不清，从而容易导致公共权力丧失公共性。

在这种状况下，法律统一性就会失去制度的依托。由于各级立法与执法机构从属于各级党政系统，是全能主义结构的有机组成部分，由于各级地方政府具有政治、经济、社会多重职能，从制度上讲，就必然出现立法与执法地区化、部门化。人们深恶痛绝的政府部门乱收费、地方保护主义等现象，司法地方化，其根源并不完全在于领导觉悟不高，而在于制度本身的利益冲突。

地方各级政府在职能上所展示的利益冲突又由于公共财政制度的缺失而加剧。尽管经过多年的努力，公共财政制度的建设取得一定成绩，但在行使公共权力时物质资源的多样化也大大影响了公共权力的统一性。譬如，以司法制度运作为例，没有任何一个省份可以保证司法运作所需要的资源完全由公共财政负担。公共财政不足的部分只得由各种收费来弥补。这样，公共服务的利益化以及由此产生的公共权力的私有化和部门化就难以避免。

由于所有政府部门在制度上都存在这种利益冲突，都会利用公共权力寻求各自的利益，国家就不可能有统一有效的法律秩序，人们期盼的市场经济秩序就难以建立。要建立市场经济所需要的法律秩序，首先需要的是解决公共权力的公共性问题，转变政府职能是其中的重要一环。

六、国家构建与法律的统一性

在这种状况下，中国政治改革面临的一项重大任务就是构建现代国家，其中最重要的是重新构建专门履行国家职能的、以分殊与有限政府为原则的国家机构。笔者在最近的一篇文章中曾谈及，在中国的环境下构建现代国家必须面临双重任务，即在缩小国家权力范围的同时增强国家的能力，在限制国家专断权力的基础上强化国家提供公共产品的能力，或者，换句话说，在解构全能主义国家（de‐totalization）的同时实现现代国家构建（state building）。这种集解构与构建双重任务为一体的情形似乎是在世界历史上仅见的。[39]

从理论的角度言，这种集解构与构建为一体的国家构建过程至少涉及以下方面：

---

[39] 参见李强："自由主义与现代国家"，陈祖为等编：《政治理论在中国》，香港：牛津大学出版社，2001，第166页。

1. 政府职能的转化。在最近二十年来政府职能转化的基础上，进一步剥离政府的非国家职能，使政府成为单纯行使公共权威、提供公共产品的机构。政府行使公共权威的资金依赖公共财政的支持。政府机构本身从各自具有相对利益的"单位"转化为单纯的政府职能机构。通过这些举措，从体制的角度消除政府机构追求自身利益、而非公共利益的动因。

2. 单位职能的转化。深化企业与事业单位的改革，进一步剥离单位提供公共产品的职能，使单位转变为单纯的经济或社会实体，不再承担全能主义政治基层组织的职能。

3. 这两方面的剥离必然涉及全能主义政党向执政党转变的问题。全能主义政党与执政党的根本区别在于，前者是融合于全能主义社会每一个细胞的政党，后者是在国家职能与社会职能分离之后掌握政权的政党。二者在活动范围、组织原则等方面有相当明显的差别。

这几方面改革的实质是通过形形色色的剥离，构建一个以提供公共产品为职责、依赖公共财政的公共权威机构。这一机构具有相对的独立性与自主性。这就是理想类型的现代国家。只有实现了现代国家的构建，才可能建立具有普遍意义的法律秩序，宪政、民主才可能有制度的前提。

程序·制度·组织

——基层法院的日常程序运作与治理结构转型

王亚新

一、绪言

我国市场化进程总是阶段性地促使政治体制改革命题的一再提起。而现阶段该命题的重提所包含的宪政、法治等内涵，则可以说显示了已经在形成一种关于市场化与其法制框架紧密联系的更为普遍和明确的共识。为了使这样的共识建立在更为可靠和系统的知识或信息基础上，除了对宪政的架构等宏观问题需要加强探索之外，也有必要在法治的微观领域进一步深化和整理我们的认识。在这个方面，人民法院日常的民商事审判值得特别地加以关注。民事诉讼不仅在日益紧密地关系到大规模的经济活动和一般人的日常生活这一意义上深深地涉及公共权力与社会之间的治理结构，而且其中的程序运作、制度逻辑和组织方式对于"法治"这样一种治理样式来讲具有特殊的位置和功能。[1] 我国法院系统从上个世

---

〔1〕 本稿所使用的"治理"（Governance）及"治理结构"一词，指的是自上个世纪九十年代以来国际学术界开始广泛运用来描述公共权力与社会的关系、或政府部门与民间团体及个人之间互动的过程及网络的一种已赋有了新义的概念。关于这个概念及其与法治的关联等相关问题的介绍讨论，参见，俞可平主编：《治理与善治》，社会科学文献出版社，2000年。

在这一概念被列举的种种特征中，本稿特别注重的地方在于，"治理"的概念不仅意味着管理活动或规则的体系，也高度地关注由认知框架规定的权力日常运作及技术；"治理"的结构不仅指有正式制度基础的公共权力自上而下的管理控制过程，更包括和强调了影响非正式制度安排形成与变迁的互动网络。关于这些方面的讨论，详见后文。

纪 80 年代后期以来展开的"民事经济审判方式改革",已经在很大程度上改变了民事诉讼程序的面貌,并给整个司法制度和作为组织的法院自身带来持续而意义深远的冲击。不过,迄今为止的有关研究尽管产出了相当丰富的成果,却大多限定于民事诉讼法学等特定的专业领域,或者只是分别一般地讨论司法体制及法院内部的管理等问题。鉴于这样的研究状况,发展某种能够从理论上综合程序、制度和组织等关键概念的考察视角,并通过跨学科或专业的方法以及实证的调查来获得更为系统的第一手资料,也许不失为接近问题、深化研究的一条有效途径。

为了探索这样的研究途径,笔者自 2002 年以来尝试着设计并部分地实施了两个实证性的调研项目。一个项目是对中级法院民事一审程序的调查,主要方法是选定若干个有一定代表性的法院作为调查对象,以其近三年来审结的民商事一审案件为母集团,抽取大量案件卷宗样本,通过阅卷并登录有关信息数据来了解程序的一般运作状况。同时还辅以了文献研究、问卷、访谈和开庭的旁听等等其他方法,以期对获得的资料加以印证。[2] 另一项调查则以基层人民法院为对象。考虑到我国有三千多个基层法院,每年受理并审结数百万件民商事案件,即使选择几十个法院并抽取其处理的数千件案件卷宗作为样本,也不足以反映基层法院程序运作的一般状况。而这样的做法已经超出了调查者有限的精力和资源,所以在调查方法上必须另辟蹊径。笔者目前正在尝试的方法就是依据同一的调查框架对来自不同基层法院并从事民商事审判的法官进行深度访谈。相信这种访谈如果能够累积起反映数百个基层法院情况的样本,而这些作为样本的法院在地域的分布上又足够均匀的话,就可以使我们掌握一套较为系统的实证材料,并在相当程度上接近基层法院及其民商事审判的一般状况。到现在为止,通过访谈及辅助性的现场观察,笔者手里已积累了数十个这样的样本。[3] 对已经取得的第一手资料需要从理论上进行整理,而今后将继续做下去的调查也应得到一定理论框架的指导。出于这样的必要性,本稿拟以建立在现有实证性资料基础上的基层法院民事一审程序运作状况作为切入点,考察审判方式改革引发的相关制度变迁,并对程序、制度和组织等基本概念及其相互关系从适用于研究中国特定问题的角度进

---

〔2〕 到目前为止,已经对分布在东部沿海经济发达区域、西部贫困地区和中部地区以及南方与北方的五个中级法院实施了调查,从七百多个卷宗样本中获得了较为系统的数据。作为这项调研的前期成果,参见王亚新:"实践中的民事审判——四个中级法院民事一审程序的运作(上、下)",《现代法学》2003 年第 5 期起连载。

〔3〕 等收集到足够的样本、进行更为系统的分析和重新建构理论之后,我们希望能够以资料集加专著的系列形式来发表这些研究成果。

行方法论上的操作和重新梳理，期望能够初步地建构某种能够用来解释我国民事司法领域种种复杂的现象并指导进一步展开实证调查的理论模型。

二、几个关键概念的梳理

"程序"是本稿需要澄清的第一个最基本的概念，但这里先仅仅把此概念限定于"基层法院日常性地从受理民商事案件开始，到将其处理完毕的整个诉讼运作过程"这一定义，暂且也就足够了。从该定义出发，我们很快可以发现，一个个基层法院之间在其日常的程序运作上往往存在着很大的差异。这个显而易见的现象促使我们从"程序"走向对"制度"的关注。因为，既然受统一的诉讼法规定的规则所调整，在制度上，每个基层法院的程序应当都是同样或类似的。如果各个基层法院在程序操作上的情况千差万别，那么这些程序是否还能说构成同一个制度呢？从这样的侧面来提问题的话，我们就获得了对"制度"的一种定义：制度可以是许多或大量彼此之间具有同一性或均质性的要素的一种集合。需要注意的是，在我们的特定语境里作为要素的程序所立足的基本单位是一个个作为组织的基层法院。至此，"程序"、"制度"和"组织"这三个对于本稿来说具有关键性意义的概念都进入了我们的分析视野。

既然整理澄清以上概念并建立某种理论模型的目的只在于将其适用于理解把握我国法院民商事审判目前的状况及今后可能的走向，在展开比较抽象的分析讨论之前，也许有必要先罗列一些我们对相关领域种种复杂现象所做的观察。由这些观察得到的印象或可以提出的假说大致包括：

·在改革开放之前，处于不同地域的基层法院处理民事案件的诉讼程序基本上是一致的。这种程序的同质性反映在"马锡五审判方式"等表述中。

·改革开放之后法院自身所推动的"民事经济审判方式改革"给程序运作模式带来了技术的、结构的、价值指向等方面的转变，同时也引起了不同基层法院之间的程序出现甚至是性质上不一样的运作方式这种高度不平衡的现象。

·当然，具体程序运作的微妙区别是一种普遍的现象，并不限于不同法院之间。即使在同一法院内部，因承办案件的法官个性相异或案件类型的不同（如原来的经济案件与民事案件这样的类型区别），程序的运作都可能出现不一致的情况。就基层法院而言，派出法庭与所谓"法院机关"在程序的具体操作上有所区别也是常见的现象。不过，由于同一法院内部人员日常的紧密互动，更重要的是由于同一法院作为管理组织的基本单位，上述程序操作在内部的微妙差异与不同法院之间在程序上的区别相比起来，可以说并不具有质的规定性不平衡这样的意义。

·作为对程序运作进行比较的基本单位，一个个基层法院的组织环境和组织结构有着非常重要的意义。由于在人、财、物等方面与所处地域长期以来的紧密联系，这些法院作为组织的行动逻辑和认同意识与其说彼此相近或类似于各自的上级法院，还不如说更接近同一地域内的其他政府部门或机构。同样，在历史形成的"单位制"的组织背景下，在不同法院从事审判工作的人员相互之间职业上的同质性也表现得远不如与同一地域单位体系内其他人员在行为方式及意识上的共通性那样明显。

·但是，近十多年以来，相当一部分法院已表现出区别于同一地域内的其他单位而彼此相似接近的趋向，上级法院与基层法院之间在人事安排与资源转移等方面也逐渐有了更多更紧密的联系，围绕法律职业的同质性正在形成更为广泛的共识。当然，不同的法院在组织及意识层面上的这种演化也是相当不平衡的。而对此演化过程起到了重大作用的一个因素，就是由审判方式改革而体现出来的程序。

从以上的观察可以看出，尽管我们关注的焦点是基层法院这种特定组织中日常的程序运作，但在这个较为微观的层次上要深入考察组织和程序之间的内在联系，可能还需要某种更具包容性或带有整体性的制度模型来作为分析框架。关于制度与程序、组织的关系，容易出现两种方向相反的理解。[4] 一种是倾向于把特定组织中的程序运作视为制度一般性的具体表现，而忽略其个性甚或对制度的离反；而另一种理解则可能强调不同组织背景下程序运作的千差万别，对这种现象与制度整体的联系却关注不够。我们的任务是构成某种能够整合上述两个方向的模型。下面先考虑在中国特定的语境中，通过什么样的理论框架可以更准确全面地把握作为制度的程序。

关于什么是"制度"，一个可能具有最大公约数含意的定义就是指一套或一组规则、或者规则的体系。[5] 不过这又是一个过于简略而需要很多解释的定义。程序在制度上首先体现为诉讼法规中成文的规则是显而易见的，但就我们的具体分析对象来说，还必须把程序运作中一般通行的行为样式也加进去。于是作为制

---

[4]　在社会学理论系谱中，这也是一个结构性与状况性的关系问题。例如可参见 George Gonos, "Situation Versus Frame : The Interactionist and Structuralist Analysis of Everyday Life", *American Sociological Review*, Vol. 42, pp. 854 - 867.

[5]　如在最近常被引用的一本制度经济学教科书中，制度被定义为"由人制定的规则"，作者在脚注里进一步指出，除了将"制度"概念笼统地与行为规则性联系起来，已不可能给出普适的定义来了，而且这就是为当代制度经济学家所公认的定义。参见柯武刚、史漫飞：《制度经济学：社会秩序与公共政策》，韩朝华译，商务印书馆，2000，页 21 ~ 22。

度的程序就包含了"正式的"与"非正式的"这两方面。进一步考虑由规则及行为样式体现出来的制度，其中有两种要素值得特别地强调，一种是制度所立足或依傍的"认知框架"（cognitive frames），另一种则是维系制度的控制及互动过程或机制。[6] 作为一般规则的程序在一个个诉讼案件的处理中得到遵循或体现，需要在与程序有关的主体之间存在着某种控制的（regulative）相互作用是显而易见的，因此控制互动的过程或机制就成为使程序上升为制度的一项必要条件。但这里更想强调的却是制度的"认知框架"。这一概念可以包含制度拥有的理念、所指向的价值体系以及因传统或习惯而凝结于制度之中的知识、技术和观察角度等认识性的内容。制度不仅必须建立在一定理念之上并包含着内在的价值指向，[7] 在长期的程序运作中累积起来的知识、技术或习惯做法等同样构成了制度的重要内容。承载着制度运行的不同主体通过明示的训练或潜移默化的影响并以"视为理所当然"（taken for granted）等方式逐渐拥有大致共通的认知框架，这一点在制度分析的最新学术潮流看来，对于制度的形成及理解制度而言尤为关键。[8]

包含着规则·行为方式、互动控制的机制和认知框架的制度可以说构成了该概念在宏观层面上的内容。就程序而言，一般所说的"诉讼结构"或"程序模式"都可视为是针对这个层面而言的。不过，对于我们特定的分析对象来说，还有必要把制度的定义延伸到微观层面。在此层面上，我们把制度的内容理解为诉讼过程中日常性的程序运作（routines），以及构成了这种运作的一个个诉讼参与者（尤其是法官）具体操作程序的行为。从制度是具有一般性或普适性的规则·行为样式、与宏观的结构紧密相关这一点来看，把微观层次上主体的具体行为也视为制度内容的这种理解确实可能产生概念上难以自洽的逻辑问题。但是，依据社会理论中由吉登斯、布迪厄等学者代表的新潮流所提起的一些重要命题，

---

〔6〕 关于"制度"内容的这种理解，主要来自于一本对西方经济学、社会学和政治学等学术领域围绕"制度"的研究进行了综述概观（survey）的专著。作者 Scott 教授把制度定义为一个由"规则的"（normative）、"控制的"（regulative）和"认知的"（cognitive）这三根"支柱"（pillars）所支撑起来的概念。参见 W. Richard Scott, *Institutions and Organizations*, Sage Publications, 1995, pp. 33 – 35.

〔7〕 制度在这方面的内容在道格拉斯·诺思的著作中大致被表现为"意识形态"。关于制度意识形态的作用及重要性，参见道格拉斯·C·诺思：《经济史中的结构与变迁》，陈郁等译，上海三联书店、上海人民出版社，1994，页51 - 65；思拉恩·埃格特森：《新制度经济学》，吴经邦等译，商务印书馆，1996，页68 - 69；及彭德琳：《新制度经济学》，湖北人民出版社，2002，页166。

〔8〕 Scott 教授指出，1970 年代以来兴起的所谓"新制度理论"（neo - institutional theory）特别重视和强调制度中"认知的"这一侧面（尤其是在社会学领域）。W. Richard Scott, 上注 4 , pp. 29 – 31.

这里所说的"行为"能够通过对规则、结构"反思性"或"循环回归式"（reflexively）的再生产而与一般性、普适性有机地结合起来。

制度宏观层面的规则、结构与制度内一个个主体的社会行为之间存在二元的关系。一方面，规则或结构作为既成的制约条件或客观实在，控制、规定或支配着主体的行为；另一方面，一个个主体具体的社会行为又在使规则或结构得到再生产的同时，不断地把促使规则及结构流动和改变的契机或因素"织进"这一过程之中。[9] 如果没有前一方面，即规则对行为发挥现实的控制支配作用，制度就将名存实亡。不过，这种支配或规定并非象功能主义所理解的那样主要依靠直接的控制和社会化，而是通过借助符号言语的交往行动（communication），即通过"话语"（discourse）这一媒介才得以贯彻的。"话语"不仅指主体相互间用符号言语传递表达的意思及信息等内容和这种交往本身，进而还有如下的含意。[10] 第一，人们只是依据一定的认知框架或"视界"（perspectives）才能进行有意义的表达和交往，但同时这种表达交往本身却也影响甚至规定了人们自身认知框架或视界的形成。第二，"话语"意味着某种内容上相互关联的含意整体，包括已经被表达的和可能得到表达却尚未表达出来的内容。在此意义上，可以说对作为整体的话语能够心领神会并能随时参加到这种交往中来的人们就共有了同一个话语或意味的"空间"。由于人们在从事具体的社会行为时总是通过这样的交往或话语来接受来自规则或结构的制约支配，制度内的控制过程主要依靠的就不再只是命令的直接下达或事前的内在化，而是经过了一个个主体在交往或话语中重新表达或解释的"过滤"作用，规则对行为的支配也就有了更大的流动性或张力。

就同样通过"话语"作为媒介的个体行为对规则、结构发挥的影响这后一个方面而言，行为所具有的"实践"性质非常重要。[11] "实践"（practice）在这

---

[9] 这种关系在吉登斯的社会理论中称为"结构的二重性"，体现这一性质的作用过程及机制则被称为"结构的结构化"。Anthony Giddens, *Central Problems in Social Theory*: *Action*, *Structure and Contradiction in Social Analysis*, Macmillan Education LTD. 1979. pp. 69 – 73.

[10] 关于"话语"概念的学术系谱，可参见 Tim Dant, *Knowledge*, *Ideology & Discourse*: *A Sociological Perspective*, Routledge, 1991. pp. 99 – 119. 以及 D. 马克多尼尔：《"话语"的理论》，里麻静夫译，东京新曜社，1990，页 102。

[11] 社会行为除了以下所论述的"practice"性质之外，还有另一种通常也称为"实践"（praxis）的性质。这就是根据一定的意图或方案主动去改变现状或"改造世界"的性质，也是所谓"目的合理的社会行为"的典型表现。关于笔者对社会行为中这两种"实践"性质的区别及其联系的理解，参见拙稿，日中合营企业的日常性理解——从社会理论的视角，日本九州大学法政研究第 64 卷 4 号，1997 年，页 623 – 625。

里指的是主体习惯性地依据因话语或交往而形成并被视为"理所当然"的认知框架或视界，"自动"或"半自动"地采取的一定行动。[12] 在实践行动中，主体一方面受到来自规则、结构的一般性普适性的制约支配，另一方面又往往能够根据当场面临的具体课题和现实情况做出随机应变的适当反应。在生活中随处可见的这种日常场境里起到重大作用的是一种被称为"实践感觉"的意识。实践感觉依赖于个人独特的生活史和经验而形成，往往难以或无法用语言来表达，却能够在具体的场境里"即兴"并"瞬间"地将主体导向适当的行为。[13] 在这样的行动中主体做出的反应在不违背规则要求而又达成了制度功能这一意义上是承载了规则、结构的再生产过程，同时也因为不断地"汲取"或"消化"了具体的场境情况及无尽的细节而在规则、结构中埋下流动或改变的契机。[14] 就行为通过"话语"的交往而日常性地重新定义或解释着规则、结构的这种性质来说，一个个主体具体的制度运作不再仅仅停留在微观的层面，而显示了与一般性、普适性的内在联系。[15] 规则与行为、结构与实践之间这种双向的不间断的动态作用，就构成了制度"反思性"或"循环回归式"的再生产过程。这样的理解确实很适合用来认识或描述程序作为制度显示出的既有相当恒定的性质同时又流动多样的复杂现象。尽管我们对程序的基本分析层次定位在微观的日常运作上，但以这里提示的制度模型为背景，相信一种着眼于具体现象而又始终与一般性、普适性保持联系的制度分析就成为可能。

---

〔12〕 "实践"的这种含义主要来自布迪厄的社会理论，并与他提出的"habitus"（惯习或惯习的形态）这一概念紧密相关。Pierre Bourdieu, *Outline of A Theory of Practice* (translated by Richard Nice, Cambridge University Press, 1977)；关于"habitus"，还可参见 P. Bourdieu, *The Logic of Practice* (translated by Richard Nice, Stanford University Press, 1990) pp. 52 – 65. （后者是布迪厄最重要的主著之一，笔者主要利用了今村仁司等人翻译分为上下两卷的日译本，《实践感觉》1、2，东京米矢兹书房，1988、1990 年）。

〔13〕 布迪厄有时称这种感觉为"sense of game"。参见上引，布迪厄：《实践感觉1》，今村仁司、港道隆译，页 129～132。在吉登斯那里，这一概念则与"话语的意识"和"无意识"区别开来，表达为"实践的意识"（practical consciousness）。Giddens，上注7，pp. 24、56～58.

〔14〕 在有的学者那里，实践对结构的这种作用有时被理解为一种"抵抗"（manoeuvre），即个人对体制既遵从又"软抗硬磨"式的操作或利用。Michel de Certeau, *The Practice of Everyday Life* (translated by Steven Rendall, University of California Press, 1984) pp. 29～42.

〔15〕 估计也是在此意义上，日常性（routines）才被最近的制度理论所当然地视为制度的载体（carriers）之一。W. Richard Scott，上注4，pp. 54～55.

此外，尽管本稿仍然保存了"宏观"和"微观"等区分，但需要注意的是这里所依据的学术潮流在方法论上意在解消西方社会理论系谱中传统的"宏观和微观"（整体与部分）、"主体和客体"（主观与客观）、"结构和行为"（规则性与偶发性）等二项对立的命题。

上文所讨论的内容可大致被图解如下。

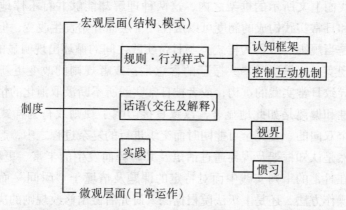

由于我国的程序立法比较原则抽象，法院内部的操作规范也有不少空白，同时地域间的差异更带来了程序运作上种种微妙的区别，因此仅仅根据明示的规则以诸如"遵守"和"违背"这种二者择一式的命题来把握制度的运行乃至现实的存在状况常常十分困难。鉴于这种情况，如果利用上述如此流动的"制度"架构来把握我国民事诉讼程序规则和实际运作方式的关系、了解通行的行为样式与具体程序操作之间互动机制的话，相信更有可能接近制度的实际。

不过，上文所示的框架显然更适于用来理解某种较稳定的制度形态。考虑到我国的民事诉讼程序经历了审判方式改革带来的剧烈变动，现在仍明显地处于不断变化发展的进程之中，因此对上述的模型还有必要做适当的发展，使之有可能被用于描述制度的演化改变。[16] 观察改革开放以来我国民事诉讼程序的变革过程，能够引出两种不同的理解。一种理解着眼于审判方式改革由部分法院或法官"自发"地强化当事人举证责任等尝试起步而重视其"内生"的性质；而另一种

----

[16] 作为适合把握和描述制度变迁的一般分析框架，一种被称为"博弈均衡论"的制度观很有参考价值。从这种观点出发，制度变迁大体上可以被理解为制度内的主体之间类似于"博弈"的相互作用而引发制度从均衡向不均衡、以及从不均衡再向均衡的演化过程。由于笔者缺乏熟练运用博弈论的理论素养，故不拟在本稿中正面展开这方面的分析。但以下的讨论确实想把法官、律师和当事人之间，或者法院内部不同主体之间的博弈作为制度变迁的背景。

关于"博弈均衡论"的制度观以及在比较制度分析上的适用，参见，青木昌彦：《比较制度分析》，周黎安译，上海远东出版社，2001，页5－11。此外值得注意的还有，此书作者自己把制度概念表述为"关于博弈重复进行的主要方式的共有信念的自我维系系统"，而"其实质是对博弈均衡的概要表征（summary representation）"或"信息浓缩（compressed information）"。参见同著，页11－12。相信此观点与我们对制度中"认知框架"这一侧面的强调是一致的。

则强调外在的条件和政策推动、主要是上级法院的呼吁号召及自上而下的推广示范。但是在我们上文所示的框架之内，这两种理解却能够并行不悖地融和在一起。由规则和日常实践构成的制度可以从任一个层面开始发生改变，但真正的制度变迁却只是当规则（或行为样式）与日常实践之间的循环出现明显的"共振"时才会成为现实。这里所谓"共振"的含意是：或者规则的改变更新了实践主体的视界而导致日常实践的重构；或者被日常实践所不断汲取消化的情境状况所伴随的流动性和偏离是如此地显著，以致直接影响了规则或行为样式的重新形成。而在这个双向的、且完全可能同时而交织进行的复杂过程之中，起着极为重要作用的仍然是认知框架及视界通过话语及其解释而发生的丰富、更新等变化。无论是法官在日常的审判实践中面对特定的课题及情境于"瞬间"而导出行之有效的程序操作方法，还是上级法院根据深入研究后做出修改规则的决策，都必须汇入上述那种"循环再归式"的过程才能够真正地成为制度变迁的一部分。哪一个层面的变化才是改革的"第一推动力"已经不再重要，关键在于由种种的实践、话语和决策相互"竞争"而构成的整个程序机制"滚动式"地向前发展这一动态过程。[17] 在审判方式改革走过的历程里，我们曾看到不同法院的许多尝试伴随着各种口号话语兴起而又消失，也经历了规则的不断修改，而这一切的结果就是我国民事诉讼程序整个制度框架的根本变化。

在改革开放之前，我国的民事诉讼程序可以说构成了一个较完整的、内部自洽的制度整体。尽管长期以来没有制定明文的程序法规，但却形成了一套相对稳定的诉讼审判模式，在"群众路线"、"实体真实"以及"反对坐堂问案"等支配性的意识形态或话语的影响之下，一个个法院内部法官个体的审判行动大体上都由同样的认知框架或"视界"所规定，呈现出比较平均的同质性。尽管诉讼程序的结构通过话语的再解释和实践的发展而表现出相当的弹性，但制度整体却一直保持了大致的普遍性（generality）和统一性（integrality）。在这里，普遍性指的是不同的法院、不同法官之间在程序操作上的彼此相似，而统一性则意味着一个个法院内部法官具体运作程序的行为与作为规则、结构的诉讼模式大体上能够保持一致。前者是制度内部横向的类同关系，后者则是微观和宏观在纵向上的

---

〔17〕 包含着人为的理性的政策设计及其"意图的"和"无意图的"、或者"可预见和不可预见"的后果（contingent consequences）在内，由多数主体的或者不一定明确意识到的自发或内生性行为、或者有意图的行动、以及这两者之间错综复杂的相互作用所构成的这种过程可以被理解为一种"自组织"过程。关于"自组织"的概念及理论，参见吴彤：《自组织方法论研究》，清华大学出版社，2001；以及今田高俊：《自组织性》，东京创文社，1986。

相互耦合。

但是，这样的制度格局通过上文所述的复杂过程逐渐被打破。程序的规则已有了较大改变，新的行为样式开始形成，原有的诉讼结构或模式因认知框架的更新而发生转型。这些宏观层面的变化正伴随着"程序的正义"、"当事人主义"等新的意识形态、新的强势话语，通过更加多元化了的控制及互动机制反映到一个个法院日常的程序运作中去。而后果之一就是程序作为制度整体开始失去了其原有的普遍性和统一性，在不同法院之间、法官之间程序的运作千差万别，日常的程序实践与其说在不断地使一定的规则及结构得到再生产，还不如说在强烈地促使这些规则、结构发生更加明显的流动，甚至时时带来部分的却也是戏剧性的改变。我们所做调研的主要目的，就在于理解和描述这种纷纭复杂、难以把握的现实动态，并努力去探求这一场制度变迁的内在逻辑及可能的发展方向。

在上文提出来用于分析程序的制度模型中，程序主要是在整体的规则、结构和日常的运作这两个层次上被把握。而对后一层次的分析则是本稿的研究重点。如在上面提及的那样，日常的程序运作将被"嵌入"（embed）基层法院这一组织框架内来加以考察，这个层面的组织因素与程序运作之间相互作用的动态对于整个制度变迁所发挥的影响也就构成了下一步需要描述的对象。那么，都有哪些组织因素是必须考虑的呢？从关于组织的一般理论和"基层法院的程序演化"这一特定视角出发，我们认为至少有以下五个方面的要素应该纳入分析的视野。[18]

1. 组织环境（organizational environments）。在本稿中，这一要素具体指特定基层法院与上级法院、与其所在的地方政府的关系，以及基层法院所处地域的经济社会条件等。这些环境因素对于基层法院的程序运作都能够产生直接或间接、日常或偶发的影响。

2. 领导者及组织意思的形成（leadership and decision‑making）。审判方式改革的现实表明，法院的领导者尤其是"第一把手"院长在程序变革中起到了相当重大的特殊作用，而"出政绩"等改革的动机、"改革竞争"的现象和"模仿"效应（mimetic process），以及形成决策并贯彻下去的组织管理过程，都规定制约着基层法院日常的程序运作。

---

[18] 组织研究与组织理论长期以来在经济学（尤其是经营学）和社会学中都是一个范围极广的学术领域，积累了大量的研究成果，存在着无数的文献。以下仅列举两本有一定概括性或代表性的著作以供参考。David Silverman, *The Theory of Organizations：A Sociological Framework*, New York：Basic Books, 1971. 以及川端久夫编著：《组织理论在当代的主张》，东京中央经济社，1995。

3. 组织所拥有的物质资源（material resource）与人力资源（personal resource）。前者主要指基层法院的财政经费来源及基本设施等"硬件"的状况，后者则指负责操作程序的审判人员在学历、出自、经验和素质等方面的结构。这些资源构成了组织的基础。在我国目前特殊的条件下，资源秉赋上极端的分布不平衡是给基层法院的日常程序运作带来很大差别的要素之一。

4. 绩效（performance）。基层法院的绩效当然首先反映在民商事诉讼案件程序运作的结果上，指的是收案办案的数量、上诉率及改判率、还有当事人的满意程度等"软指标"的方面。不过，这一要素进而还可包括特定基层法院在当地公共权力体系中的地位，以及法官关于程序运作的自我感觉或评价等等。在这些意义上，绩效既是程序运作的产物，也是直接影响程序本身的组织因素之一。

5. 组织文化（organizational culture）。这是一个较难把握然而却在近若干年以来的组织理论及组织研究中成为关注焦点的重要因素。[19] 本稿中此概念主要指特定基层法院内部与传统或沿袭成习的做法等相联系的"氛围"或"气氛"，包括领导者或管理层与组织的一般成员之间沟通的状况、对某些程序运作方式达到共识的程度等等。组织文化能够发挥使已经形成的程序运作保持恒定的作用，但对于程序某种必要的改变则可能会构成障碍。考察这个要素与程序之间微妙的相互作用虽然有相当的困难，却也是我们在调查中感到不能忽视的方面。

上述组织因素与程序运作的相互作用及这种互动给制度变迁带来的影响，可以在通过调查取得的事例中得到略为形象而具体的描述。下一节就是根据我们手里有限的若干样本，着眼于程序的几个环节而展开的初步分析。

三、基层法院不同组织背景下的程序运作

基层法院民事审判原有的程序运作模式在其最典型的意义上，大致有下列特点：原则上由一名审判员或助审员带一名书记员作为具体案件的承办人，负责从收案到结案、再到执行的案件处理全过程；程序的运作主要在法庭之外进行，承办人一般会主动去接触当事人，深入纠纷的现场调查事实、收集证据；在调解为主的方针指导下，承办人反复努力地做双方当事人的思想工作，说服教育他们和解，且大多数案件都以调解方式结案；开庭尽管被理解为做出判决的必要前提，但实际上往往是经过内部沟通协调及庭长院长等审核决定判决内容之后所走的一种形式。由于开庭前法官的调查及调解活动实际上构成了程序运作的主体部分，

---

〔19〕 关于对这一概念的集中讨论，参见 P. Frost, L. F. moore, M. R. Louis, C. C. Lundberg and J. Martin, *Reframing Organizational Culture*, Newbury Park, CA：Sage, 1991.

审理过程呈现出一种可称为"单一型"的结构。[20] 还有，基于同样的原因，基层法院的案件审理事实上大都适用的是简易程序。但是，经过尤其是 1990 年代中期以来的审判方式改革，原来相当稳定和普遍的上述行为样式已经发生了很大的变化或流动。就我们的调查访谈了解到的情况而言，在普遍设置了立案庭的基础上案件的受理与审理已经分离，法官主动依职权调查事实收集证据十分少见，多数案件都有开庭的环节且更多的开庭审理具有了实质性的内容。正因为程序运作上这样重大的变化，审理结构在许多基层法院表现出从"单一型"向由庭前准备和开庭构成的"两阶段型"过渡的趋势。而强化了这一趋势的则是最近展开的"大立案"以及"主审法官"或"审判长"的选任等改革动向。这些动向意味着由不同的主体来负责不同程序阶段的审理。不过，除了调解结案率总体上有明显的下降之外，对调解的注重强调则在不同的法院呈现出强化与弱化的"两极分化"态势。另一方面，在简易程序的广泛适用这一点上却没有什么改变。

由于这个制度变迁过程远未完成而仍然在急速进行当中，要想更为具体和准确地把握和描述处于极为复杂多样状态的基层法院程序运作，在方法论上有着很大困难。本节试图运用上一节所提示的理论框架来解读所收集到的部分实证资料，并对其中的含义加以重新解释。以下分别着眼于因宏观层面规则的改变和从日常实践中的创意而引发的程序变化，仅限定于"立审分离"和审理过程的"二阶段化"这两个具体问题来考察基层法院现实的程序运作及其含意。

（一）"立审分离"与"案源"的确保

针对立案阶段"谁收案谁办案"的习惯做法，大约从上个世纪的 90 年代中期以来，法院系统就提出了"立审分离"、即设立专门的机构、由与从事审判的人员区别开来的专人负责受理诉讼案件的改革方针。这项方针通过若干年来的努力，目前似乎在规则和行为样式两个方面都已经"凝结"而成为制度。尽管受理案件的主体看来是一个高度技术性的问题，因而没有规定在诉讼法条文上，但最高法院已通过司法解释明确了"立审分离"的一系列规则。[21] 这项主要是因有意图地重新制订规则而诱致的程序改革看来已经收到了改变日常程序运作实践的成效。从一般观察和我们通过实证调查取得的资料来看，除尚有少数基层法院

---

[20] 关于这一点的分析，参见拙稿，"民事诉讼准备程序研究"，载王亚新：《社会变革中的民事诉讼》，中国法制出版社，2002，页 112 – 114。

[21] 参见最高法院 1997 年 4 月 21 日发布的《关于人民法院立案工作的暂行规定》。

的派出法庭依然实行法官既收案又办案之外，立案庭的普遍设立和由此机构专门负责案件受理的做法通行已经使"立审分离"在基层法院也形成了最为常见的程序样式。[22]

关于最高法院提出"立审分离"方针的初衷或政策理念，可以从法院内部的组织管理和程序价值两个不同的角度来考虑。一方面，原来的习惯做法可能导致"不结不立"（为了达到一定的绩效要求，案件办结才履行立案手续），甚至出现"抽屉案"、"黑案"（法官在法院不知情的情况下收案办案）等管理上的漏洞弊端；另一方面，负责办案的法官直接收案往往与当事人选择承办人、法官选择案件而带来的"人情案"等现象联系在一起，被认为冲击了实体正义或程序上的中立性。这些观念通过"（管理的）规范化"或"程序正义"等话语向基层法院的审判人员传播，已基本形成了"应当实行立审分离"的共识。而且在一些物质设施条件较好的法院，"立审分离"还"物化"地体现在设置了与办公区及审判区隔离、向一般人开放、专门接待当事人咨询及起诉的立案大厅。

但是在我们的调查访谈中经常听到的一种情况，却显示了在基层法院有关立案的程序实践与作为制度的"立审分离"之间产生的微妙偏离。这就是相当一部分基层法院尽管保持着由立案庭收案的外观，实际上有许多案件仍然并不是随机或统一地分配给审判庭的具体法官，而是"谁找来的案件交给谁办"。与所谓法官"找案办"的现象相联系，意味着案件的承办人直接介入案件受理的这种实践在不同法院内的表现程度与范围、涉及的案件种类和具体操作办法等方面都千差万别。[23] 关于这样的情况在基层法院究竟有多大的普遍性或代表性，由于我们目前掌握的样本仍然十分有限而难以回答，但一个基本的印象是除了在民商事"案源"比较充分的都市环境下法院无须"找案办"之外，法官承办的案件往往是"自己找来的"这种情形，至少在基层法院相当常见。在有些地方，"立

---

[22] 据报道，自 1996 年全国法院立案工作座谈会以来，截至 2002 年 10 月，全国设置立案庭的法院已超过85%。有五个省或直辖市设置立案庭的法院比率已达百分之百。参见《人民法院报》2003 年 2 月 22 日第一版。

[23] 例如，有的基层法院只是派出法庭的法官才"找案"，自己收自己办；有的则是整个法院的普遍现象。还有的法院是民事庭、行政庭甚至刑庭等各个业务庭在接受立案庭分来的归自己专管的案件同时，对经济案件都可以"自己找到自己办"。有的法院是民事案件需要主动去"找"；而有的法院则因为近年来受理的经济案件数量大幅度"滑坡"，经济庭的法官不得不自己设法"发掘案源"。在具体操作上，有的是"找到"案件的法官亲自带原告去立案庭立案，有的则是事先或事后向立案庭"打好招呼"，保证自己找来的案件都能够分配给自己承办。总的来说，在存在这种现象的法院，"谁找到的案件谁承办"差不多成为一种不成文却得到了一致遵从的"规范"。

审分离"的规则至少部分地与法官"自收自办"案件的实践并行不悖，随之还在如何分配受理的案件这方面开发出了因时因地而异、而且极为复杂多样的技术。

法官为什么需要"找案办"，看来与所属法院的环境条件、物质性的资源基础以及绩效要求等组织因素紧密相关。一般说来，较明显地存在类似现象的法院往往处于经济发展程度不很高、地方政府财政比较紧张因而对司法经费的拨付也相当有限的地域。因法院的物质资源基础直接间接地依赖于诉讼费用的收取，为了确保从办案经费、设施装备一直到干警福利等多方面的资源需求，尽可能地多收案多办案在这些法院内就成为从上到下共同的绩效指向。不过，仅仅存在这些组织方面的因素并不一定必然地导致法官"找案办"，对此现象还有必要考虑其"话语"背景及演化的系谱。自上个世纪70年代末改革开放以来，尤其是随着经济审判的展开，法院系统在民商事案件的收案范围及数量上实现了相当积极而有成效的扩张。[24] 伴随着这个过程是流行于不同时期的各种"话语"口号，如"送法下乡"或"送法上门"、"保驾护航"等等。但到90年代中期以后，这些使各种"找案办"的公然努力得以正当化的话语几乎全部被打上了问号，而立案改革的逐渐制度化则迫使任何这类努力都面对着与"立审分离"方针对立的压力，不得不在顺应新的话语的前提下寻找重新解释的余地及操作的空间。在这一过程中，学术界有关司法的"消极性"特点及法院"中立性"位置的强势话语，还有由此而导致的认知框架改变，都起到了重大的作用。于是，在不少基层法院，"找案办"的现象开始潜在化而成为一种外观上与"立审分离"的制度要求并不直接相悖的日常"实践"或程序运作技术。上述那些与此现象紧密相关的组织因素则构成了不断被"织进"这些程序运作实践中的情境或具体状况。因为这些情境或状况依地域的不同而千差万别，"立审分离"在制度上的再生产过程与"找案办"的实践在不同法院内的关系也表现出极为多种多样的形态。[25]

---

[24] 尽管1980年代中后期曾部分地出现过"告状难"现象，但其原因主要仍是法院获取的资源不足以支撑审判业务的开展（严重的地方甚至有法院关门停止办案的例子）。"告状难"的情况进入1990年代之后几乎已极少听见。我们对不同地区法官的访谈也表明这个问题似乎已不存在或完全地"潜在化"了。

[25] 例如，在我们了解到的情况中最极端的事例是，地方财政连对法院干警的基本工资都不保证，法院内每名法官的办案经费也必须通过先自己垫支再向当事人直接收取等方式来解决，所以法官都自己带着当事人去立案庭立案。另外一个有趣的例子是，立案后尽管按照事先决定的分管范围把受理的案件分配给特定的法庭，但办案的法官须按一定比例把收取的诉讼费用交给"介绍"该案件的法官或法庭。

此外，无论是"立审分离"的改革还是"找案办"的程序运作，这种有关民商事案件起诉和受理程序的制度"夹杂"着无数微小的偏离或"越轨"的再生产过程可能还隐含有更为重大的意蕴。从上个世纪80年代以来，法院民商事案件程序的制度化、规范化一直伴随着扩大及增加收案的努力，反映在组织绩效上则是法院作用地位的上升和更多资源的获取积累。这也是一个包含着种种复杂的博弈或讨价还价的过程。在宏观上，有法院与其他相关的组织（如司法行政部门）之间的博弈；[26] 在微观上则充满了法官、律师及其他法律工作者和当事人之间日常的互动交涉或既相互依赖又相互对立的复杂关系。在这样的角度看来，即便只是为了获得"博弈"中的主动或优势，从"立案分离"方针所包含的正当化话语、到明亮的立案大厅和热情接待当事人的态度所象征的服务姿态，其实也都在有意或无意识地发挥"确保案源"的作用。而"找案办"的实践今天已极少再采取法官到企业去"上门服务"或到集市去"摆摊设点"等浅露的方式，案件更多地是通过"熟人"等隐而不显的中介就到了法院并分给特定的法官承办。律师、在乡村环境里则往往是各种有资格或无资格的法律服务工作者正越来越频繁地扮演着这种既是当事人又是法官的"熟人"角色。[27] 而这种种错综复杂的博弈过程所带来的后果之一就是二十多年来法院受理的民商事案件持续而不断地大幅度增长和更多的资源获取。[28] 从这里我们可以看到，有时对于制度来讲是微妙的"偏离"甚至"背反"的现象，其实也构成了制度蕴含着张力与流动的有机部分，服务于同样的功能。

---

[26] 一个典型的例子就是司法部于1990年制定的《民间纠纷处理办法》的命运。该办法实际上意味着让乡镇的司法助理员通过行政调处民事纠纷来分享"案源"，而最高法院1993年发布的司法解释看起来则很象是一项"针锋相对"的举措。《民间纠纷处理办法》后来似乎没有得到像样的实施而不了了之。关于此过程，参见范愉："ADR在中国的发展"，载《"法律与社会"国际学术研讨会论文集》（中国人民大学，2002）页122～123。

[27] 在访谈中我们惊奇地发现，近几年来即使位于经济不甚发达或典型的农业地区，许多基层法院受理的民商事案件中当事人聘用法律职业的从业者作为诉讼代理人的数量已经相当可观。在我们了解的所有事例中大致都能达到一半左右。当然，代理大部分这些案件的并不是律师，而是成本较低的"法律服务工作者"（包括得到了官方认知和未被认知的）。

[28] 司法统计显示从2000以后，一直持续上升的民商事一审案件收案开始略有下降，不过下降幅度仍不很大。尽管目前还看不出下降是否已成为今后的趋势，但收案数量不可能永远持续地上升确是显而易见的事情。关于民商事案件一审收案比率的分析，参见冉井富、聂梓："社会发展与诉讼变迁——中国大陆1978-2000年间现代化发展对民事经济诉讼率变迁的影响研究"，载《"法律与社会"国际学术研讨会论文集》（中国人民大学，2002）。2001及2002年的司法统计则可参见佟季："2001、2002年全国法院审理案件情况"，载《人民司法》2002年第3期及2003年第3期。

就案件受理和分配的程序而言，有关"立审分离"的制度及话语、明亮整洁的立案大厅和法官日常建构"熟人"关系的交往，都表里一体地在为法院正当性的确立和资源的获取做出贡献。而律师及法律服务人员通过自己的人际关系网络搜寻纠纷信息的日常作用，往往在当事人和法官之间牵起线来的同时，也在加强自己的职业基础并刺激更多同行竞争者的出现。对于纠纷的当事人来讲，自己面临的也许是一个更花钱或要求更多支出的局面，但在较易找到某种解决途径或某个窗口的意义上也更为方便，而且因为是花钱购买的服务也不必过于"仰人鼻息"。当然，这决不是一种"自然和谐"的局面，也不可能总会带来"双赢"或"三赢"的结果。相反，这里同样充斥着信息不对称导致的猜疑，时时有可能发生程度不同的欺骗、背信乃至榨取。因而在诉讼审判日益成为舆论关注焦点的法院"中心化"倾向中，有关"乱收费"及"司法腐败"的话语也在不断增殖。就"谁找来的案件谁办"这种程序运作方式而言，诉讼案件心照不宣地到达特定法官手里不仅意味着程序上的不规范甚或不公正，还常常可能带来实体处理的偏私。不过另一方面，"找案办"的现象到了今天已不得不在"立审分离"的制度框架内构成一种潜在化的日常实践，立案程序持续的制度化趋势有可能进一步抑制其负面作用。总的来看，着眼于法院包括立案在内的程序制度化、规范化程度的提高、法律职业从业人员的增长及竞争的相应强化、与过去相比当事人或许更容易把自己遇到的麻烦提交诉讼等等方面，给予我们已经且正在经历的这场制度变迁一个大致肯定的评价仍然是可能的。

(二) 审理过程的程序操作与组织因素

我国民事诉讼在立案之后的审理过程实质性地区分为开庭前的准备和开庭这两个环节，可以说从较早时期一部分法院所启动的、强调公开审判和要求以开庭审理为中心的改革就起步了。但只是最近在有关民事诉讼证据的最高法院司法解释这项规则中，才显示出真正开始把实现由这两个阶段构成的审理结构作为建构有关程序运作制度的目标模式。现实中早于制度形成的这一目标出现，而且也可以说影响或规定了这种目标形成的改革动向，则是部分法院在"大立案"及选任"审判长"或"主审法官"等首先表现为重构内部组织人事关系的尝试。[29]前者大体上指在大力充实立案庭的人员和扩展其受理案件和流程管理等功能的基

---

[29] 导致审理过程"二阶段化"的改革尝试并不限于这两种做法，例如试行证据交换和失权效果等也都有同样的功能。但这些做法实际上都存在着内在的紧密联系，而且在有限的篇幅内也有必要限定分析的角度和对象。

础上，由立案庭负责排期开庭、证据交换和庭前调解等开庭前的准备，审判庭的法官则专司开庭和做出判决；后者虽然意味着某种人事的安排，其实质含意却是原则上只把开庭审理和签发判决书等权限赋以较少数选任出来有"审判长"或"主审法官"等称谓的审判人员，证据交换、庭前调解及整理证据和争执焦点等准备活动则交由未被选中而往往称为"法官助理"的其他人员负责。[30]

但是，就我们收集到的资料来看，不同的基层法院在这方面的做法差异极大。[31] 不少法院基本上仍沿袭案件受理后即交由同一名法官承办直至结案的原有习惯，也有少数法院曾在一个短时间内尝试过"大立案"或从不同审理阶段由不同主体负责的角度区别过"主审法官"和"法官助理"，不过终究又退回到原来的做法。同时在另一方面，我们也听到了立案庭的庭前准备功能差不多拓展到极限，以及在审判长与助理法官之间高度分权的不少事例。其中一个例子是编制为130多人的基层法院，立案庭人员充实到40至50人之众，承担了开庭前所有的准备工作，民事审判庭的法官还不到20人，专门负责开庭审理；另一个编制为110人左右的基层法院则从各个民事审判庭选任了6名审判长，其余二十多名有审判资格的人员全部作为法官助理，每1名审判长配备4名法官助理和1名书记员，立案庭基本上只负责受理诉状，交1名审判长承办的许多案件同时先由4名法官助理分别做好庭前准备，再向审判长输送庭前调解未获成功而需要开庭审理的案件，只是审判长才拥有批准调解协议、开庭和签发判决书的权限。而在上述事例与基本上维持原有做法的法院这两极之间，则存在着立案庭与审判庭、审判长与法官助理等形形色色的组合和程度各异的多种分工或分权形态。

对于这些极为丰富多样的程序运作，差不多有无限的可能性从不同的角度做

---

[30] 当然，这两种改革动向都有着更为广泛的目的和内容，而且在不同的法院强调的重点也不一样。"大立案"改革的着眼点之一在于实施或强化对案件流程的管理，并给立案庭带来许多诸如登记、跟踪和监督案件承办情况的任务。关于审判长或主审法官的选任，不用说首先意味着的常常只是人事上的安排。事实上，也许在某些法院，打着这类旗号的"改革"不过是一种"政绩"的宣传或人事提拔的借口。但是，不管是否有明确的意识，考虑到这些改革已经和可能给审理程序带来的重大影响，本稿的分析仍集中在其对于审理过程"二阶段化"的意义这一方面。

[31] 需要提醒的是，尽管关于"大立案"和"审判长"等的选任在《人民法院报》及《人民司法》等法院系统的报刊上有许多报道，而且这些报道及相关分析为我们提供了研究的出发点，但以下的叙述却全部都只是基于我们对法官访谈或从内部书面资料上直接获得的信息。这样做不仅是因为公开报道都是"第二手"的材料，更重要的是报道出来的做法尽管也千差万别，却极少提供为什么会出现如此差别的背景信息。作为对这些公开发表的报道较为系统的整理和介绍，参见，韩波：《法院体制改革研究》，人民法院出版社，2003，页195~210；吴泽勇：《民事诉讼的程序自治：理念及其实现》，中国人民大学博士论文，2003，页114~117。

出众多各各相异的解读。但在有限的事例中，我们首先看到了促使基层法院或者维持原有做法或者展开"两阶段"式改革的组织因素。一般而言，采取后一种步骤的法院往往处于经济发达的地区或都市环境，每年受理的民商事案件都达数千件的规模。面对如此沉重的案件压力，这些法院在内部却都抱有组织结构很不合理的问题。这些问题主要表现在不少从事非审判业务的人员占据了审判职称的编制、审判人员也因经验、学历、取得职称的途径等方面的不同而在法律知识、从事审判的能力和素质上呈现出参差不齐的状态。[32] 为了消化众多的案件（同时也是确保与之俱来的诉讼费等资源），所谓"在内部挖潜"、即改变原有的组织样式及分工并使之合理化就成为一种较为直接易行的对策或改革途径。至于采取的方法是"大立案"还是"审判长"等的选任，则取决于各个法院所处的具体环境及内部情形。值得强调的是在这方面，最高法院关于"法官职业化"的方针和通过媒体报道、学术讨论等造成的强势话语，都给法院系统上下所持有的认知框架带来了深刻的影响，并诱发了在新获得的视界之下产生广泛的"模仿"效应。

不过，仅从这些因素仍不能说明虽然面临的问题相似，为什么还有不少基层法院依然故我，或即便尝试过类似的改革但终于退却的现实。看来还有一些其他的组织因素需要考虑。首先就我们了解到的情况来说，法院院长作为"第一把手"的领导作用以及他触动内部组织关系的决心和能力值得特别重视。有好几个事例都是在法院的组织环境及内部结构不变的前提下，因为换了院长而导致审理程序"二阶段化"的改革发生。但有的事例也表明了仅靠领导的意思决定还无力真正推动改革的情形。这使我们开始关注在特定法院内经历传统积淀而形成的组织文化这一难以捉摸的因素。看来，关系到法院内蓄积的人力资源、知识结构、组织气氛和沟通样式等等，组织文化与领导的决断往往共同构成审理过程"二阶段化"改革及实现其绩效的背景。至于这类改革在不同法院表现出来千差万别的形态和力度，则似乎暗示着改革的实践中"织进"了无穷多样的具体情境和细节。总的来讲，这种使内部组织结构或关系的变动与程序的具体运作交织在一起的改革尝试，意味着把原来缺乏分工而显得"粗放"、绩效较低但也节约

---

[32] 这些都是我国整个法院系统面临的结构性问题。据一位曾担任法院领导的作者所做的研究，在全国法院具有审判职称或资格的 21 万名法官之中，至少有 15% 的人员并不从事审判工作。而在审判工作的第一线，实际上长期以来也是"低级法官干，高级法官看"，约占全体审判人员 40% 的院长、庭长（1990 年代初数据）作为资深法官并不直接审理或很少审理案件。参见许前飞："关于建立中国法官定额制度若干问题的思考"，载《法学评论》2003 年第 3 期，页 133。

组织成本的程序改造为要求分工和职能的衔接、能够提高绩效而组织成本也相应较高的所谓更为"精致"的程序。这样的改造过程是否能够成功或达致所期待的绩效，依存于相当复杂的众多因素是自不待言的。[33]

看来，使审理程序"二阶段化"的改革，肇始于部分法院试图通过优化内部组织关系来应对必须在审限内处理大量案件的压力。而微观层面上这类尝试通过话语的解释与交往反馈到宏观的规则层面时，就被附加了更加丰富的价值及含意，并溶进既有的认知框架。通过强化了的话语和内部的控制互动机制，有关这类尝试的认知框架或视界再次从上向下地扩散，带来广泛的模仿效应。而在各个具体的基层法院，因其面临的组织环境、领导的决策与控制能力、绩效压力、内部关系和组织文化等因素及情境的区别，又呈现出从维持原有程序运作不变的情况一直到变化多样的复杂形态。每一个基层法院内部，在领导的决断与控制和一个个法官日常的实践之间以及在这些法官之间，同样存在着类似于博弈的互动过程，而他们彼此的视界和行为的相互作用、相互影响就决定了某种程序运作方式是否被接受、是否成为稳定的行为样式而积淀下去。另一方面，这些不断汲取或织进种种具体情境细节的实践又通过各种话语渠道反映到规则或结构的层面，最终左右着制度的形成及变迁。尽管"大立案"或"选任审判长"等改革动向及其在细部显得极为复杂多样的内容形态仍处于"方案竞争"的局面，将来会形成什么样有关的具体规则还很难预测，但就审理过程"两阶段化"的趋势而言，考虑到基层法院的程序运作由"粗放"向"精致"的演化已在相当程度上成为必要，而且也具备了一定的条件，可以说程序在这个方向上的制度化有着相当大的潜力。

---

[33] 例如，我们在广东珠江三角洲地区走访了两个相邻的派出法庭，其程序运作就恰为对照。其中一个法庭尽管只有十余名审判人员（有审判职称的法官4人），但近年来民商事案件年收案达1300多件，自1990年代末以来把案件审理明确地分为两个阶段，除成立了立案组之外，主要由书记员负责所有的庭前准备，法官则专司开庭审理并签发调解书和判决书。据介绍这种做法极大提高了效率，有一名法官曾达到年结案800余件的记录。该法庭有自己的办公大楼和交通工具，连几位书记员都毕业于中国政法大学等"名牌"法律本科。与此相对，另一个法庭共有7名审判人员（有审判职称者2人），其中无人受过法律本科教育，法庭设施就是借用镇政府的数个房间和一辆旧车，年收案只在300～400件之间，而程序运作方式仍是每名法官带书记员从受理案件开始一直到执行完毕，一个个地办案。不过，该法庭的法官并未感到这样的运作方式有什么不方便的地方。看来，程序的"粗放"还是"精致"在实用价值上其实没有高低之分，其优劣只取决于是否真有必要和所需的成本。

四、讨论

如果从本稿开头关于程序的"制度"可被理解为不同基层法院的程序运作大体上都相互类同这种"相同要素集合"的定义来看，目前的状况也许只能被视为处于一种制度解体或"非制度化"的过程之中。但是，尽管从前诉讼程序在不同的法院之间确实能够保持大致的同质性或统一性，如果放在当时中国社会整体的治理结构中来看待的话，则无论是众多作为司法组织的法院还是在这种组织中日常的程序运作，却都很难说得上构成了具有自身独特意义的完整制度。因为在国家主要通过自上而下对社会的意识形态动员和政治权力渗透及控制来实现的治理中，民事审判只能算这种宏伟的"社会工程"里面微不足道的一个部分，其程序也同其他领域的治理技术类似而没有多少根本的差异。法院作为"单位制"体系中相当"边缘化"的一员，其组织间的相似只不过是更大的组织体系内所有组织同质性的一种反映而已。与一个个法院分别与其所在地域的其他组织更为频繁或密切的联系相比，法院无论在上下级还是在同级之间实际上都相当缺乏资源、信息等方面的经常交往。因此，同一地域内不同组织的相似，反而显得大于同为司法组织却处于不同地域的法院之间的相似。

从上个世纪80年代开始，中国社会整个治理结构的转型强烈地影响到了法院及其程序运作。从访谈中我们得知，大约在导入经济审判之后的一段时期内，部分法院开始围绕在这种相当专业化的审判中遇到的难题和所积累的经验开展了自发的相互交流。这种努力不久就得到最高法院的支持鼓励。随着民商事审判规模的不断扩大和法院地位上升及资源的积累、也伴随着国外有关知识信息加速度地流入，围绕种种新的话语而进一步被"激活"了的这些交往在上下级和同级的法院之间越来越频繁地展开。这一切带来的则是关于司法审判整个认知框架的更新及审判人员在"视界"上的扩展。法院愈加明确地意识到自身不同于其他组织的特殊性，同时在法院系统内，不同级别不同地域的组织之间也开始具有了更多的相似点。对于这些动向，可以理解为治理结构整体转型下组织的一种制度分化，而且也就是促使法院真正成为司法组织的制度化倾向。在这个过程中，起到了极为重大和特殊作用的，则是名之为"审判方式改革"的程序变动。正是通过一个个法院在程序运作中层出不穷的尝试和日常实践，才导致了标识着司法特质的不少规则逐渐形成；另一方面，程序在规则层面的改变，也能够进一步激活上下级和同级法院之间围绕话语的和组织上的交往，并经常引发日常程序运作中的"共振"作用。而在这种"循环再归式"的程序变动中，总是随机地不断"织进"了包含着各种组织因素的具体情境和细节，因此这也意味着一场交织着

"程序"与"组织"的制度变迁。

确实，审判方式改革带来的程序变动已使我国民事诉讼失去了作为一个模式整体的普遍性和统一性，而目前不同法院在程序操作上各行其事、千差万别的现状，也要求在程序内要素大致都能够相互耦合或自洽的基础上，重新建构某种真正具有普适意义和相对稳定性的程序制度。毕竟，程序的制度化对于实现法治的价值及作用是显而易见的。但一旦提到制度化，我们往往会希望尽快地在规则的宏观层面上找到或形成某种理想的结构或模式，而且这种模式将能从上至下地有效控制着微观的程序运作，在任何地方都获得普遍的一体遵循。这是法学家熟悉的"法治"概念所应有的一种内涵，也符合一般人对于制度的合理期待。不过，作为自己调查研究的着眼点，我们更想强调的是微观层面体现在日常程序运作中的制度形成。在许许多多基层法院日常的程序实践中，我们有可能观察到一个个法官、律师和当事人之间类似"博弈"的互动作用、能够体会到程序运作与种种组织因素的交错及相互的影响规定。当我们所构想的治理结构不同于仅仅是权力从上到下的渗透或调控，而包含了在交织着权力、知识和技术的网络中根据自己的选择而采取行动的主体相互交往、参加和形成共识或合意等内容时，相信通过这种观察而获得的信息会是有帮助的。这样的治理结构并不仅仅只是在上述司法的程序及组织通过规则和日常实践两个层面循环回归式的互动而实现的制度化过程之中反映出来。考虑到我国法院的民商事审判在转型期对于国家与社会、公共权力与市场等关系所具有的重要意义，司法的程序、组织及其制度化的问题应当被置于更为广阔的治理结构背景下加以考察。为此，在进一步通过实证性的调查搜寻更多信息的同时，作为分析的工具，我们也需要建构某些更加流动也更加精致的理论框架。而本稿就是这样的一个初步尝试。

【讨论四】

评论

高西庆：本来我是想按发言的顺序评议，刚才王亚新教授讲到的这些问题，我觉得很有意思，我就先就他这个问题来作评议。首先王教授所作的这个工作从方法论的角度说是极为重要的。当然理论方面的东西非常重要，但是实证方面的东西在中国目前转型这么迅速的情况下，那几乎是更为重要的。因为有很多东西是我们整个结构的上层，有很多地方是不能解释的。而且有很多，一会儿讲到李强先生的论文时要讲到，就是语境的问题，就是在知识分子阶层受了特定的一些限制的问题，使得我们对于底下的很多东西的理解是完全不同。所以我这两天看了他的这个论文，觉得体会挺深，因为有很多东西是我以前所根本不知道的，有些东西是因为自己本来就没有去了解；有些东西是自己想当然的认为是怎么样，结果一看，完全不一样。比如，很多法院去拉案子这个问题，我是偶有耳闻的。绝大多数情况都是说案子根本弄不过来，都是当事人去求法院。

　　但是，我想说的是另一个不同方面的问题。我觉得可能更有意义的是，因为我们今天讨论这个主题是说，我们在目前的中国这个整个架构下，尤其这种转轨的过程中，我们如何去用我们的研究，不但帮助我们更清楚的认识到目前的问题，而且能够有一个特定的思路、特定的方法，去想出一种办法来解决我们认为是问题的问题。目前司法系统里的问题，大家说了都很多了。王教授，这个虽然不是他的重点，但是他里面提到的大量的案例、大量的东西，其实都隐含一个很基本的东西，就是我们的司法系统里有很多的问题。这些问题中，有些问题大到，不要说习惯于西方那种司法的解释方式来看是个问题，就是在我们中国人基本的大正义的观点来看，都是极不讲理的东西。比如刚才他所讲那种两极的分化这种问题，那么我们如何去解决这样的问题？我感觉在他这个研究的主体里面，解决的还不是，我觉得没有直接对到这个点上。为什么说这个话呢？因为我感觉尤其在后面结论的部分，他所看到的我们国家事实上在民事诉讼这个领域里，不管他是作为过去历史的描述，还是作为今天的他的结论——我感觉是这样，我不知道是不是有所曲解——他觉得民事诉讼作为一个 norm，就是他前边讲的三种不同方式，他更重的是 cognitive 这方面，就是说认知。我认为，调解性的这种关系相对地没有作为他的重点。

但我感觉，我们目前缺乏的可能更多的是在规则这个层次上的。因为这个在所有搞法律的人看来——我不知道学界的别的同事们怎么看——已经成为一个显而易见的不得不赶快解决的问题。我们的法院系统，我们的立法系统，也觉得这里面大量的问题是不能不解决的问题。很简单，就是民事诉讼本身——我不是这方面的专家，但是我跟这个系统打交道很多——不管从我跟法院的交道还是仲裁的交道来看，我们大量的在现代法律制度下——我所说的现代法律制度当然也受一定的影响，比较于西方欧美的诉讼制度来看，我们这个法律制度里面，从规则层次上来说，缺陷的东西还很多。这个缺陷不是指我们对人家已经有了、已经确定了、大家都觉得公认的认为比较合理的一些东西的缺失，而是说（这方面基本上没有认识到），我们的规则所写出来的东西是还处于一个相对的比较粗放的一个层次上。尤其规则在中国这样的机制下，就是你照搬是不可能的，完全的移植是不可能的，王教授的研究特别重要，他能看到我们这个规则，我们现有的方式加上历史和现有的写出来的书面的规则之间的矛盾是如何解决的。所以，我倒感觉，如果他这个研究更多去看已经写出的规则，和实际规则执行过程（这里当然有大量的是因为利益的原因）之间的这种关系是如何形成的；而不是从一个更边缘一些的角度去看，比如由于语言的，话语的问题或者什么其他问题，我感觉其实是意识形态领域对规则很大的一个侵占所形成的我们现在法院的行事的办法。

相对于我所了解的美国的民事诉讼机制的建立而已，我觉得我们国家在这方面的重视程度还是远远不够的，尽管现在我们已经有了很大的进步。但是整个法院系统，尤其是最高法院系统，在民事诉讼方面用缺乏一个常设的专家组成的、随时修正的机制，并强化一直推行到自己最下一层的法院。我们现在对民事诉讼法本身的修改，是很长时间才能做到的。这一点我觉得是实体法和程序法之间非常大的不同，程序法给人的感觉，在绝大多数问题上，文字上表达出来的东西实际上只是一个技术性问题，并没有当时的、直观的利益上的冲突，所以这样的修改，本来是应该更容易的。美国最高法院有一个民事诉讼委员会，这里面所有的专家所作的工作是极大量的，天天都有浩如烟海的材料。我感觉这方面的工作可能更为重要，而我们对这方面的强调比较少。王教授的研究我觉得作为历史的表述是非常有意义的。但是在一个如此急剧变动的制度之下，只做历史表述的研究，会使得研究的最后的价值可能相对的小一些。因为我所看到的只是研究，就好像我们今天研究文化革命中的纠纷解决机制。

还有王教授文章里没有提，是他刚才讲的这个例子，我觉得非常重要，他说的是我们国家基层，就是在比较低的层次里纠纷解决的机制。文章本身只写了法院，但实际上在法院之外，我们也会注意到，不管是低层次的工商管理部门、民政部门，还是农民们自发所形成的这些——用王教授的话，叫做"司法服务"——采用的调解加压制这种方式，这对于我们中国来说，我觉得具有极大的意义。不管是在中国还是在外国，都有很多、很大量的这种所谓自律机制或民间解决纠纷的机制。不管在今天，还是在今后，不管我们成文的法律机制达到了什么水平，在比较低层次的纠纷解决上，是永远不可能包揽一切的。我自己认为，对于这个机制的了解、描述和对于它的机制上可能的改善，对于我们整个机制的建设会有更大的意义。这是我对王教授的文章的看法。

对于李强教授的文章，我觉得有很精彩的部分，我就不再说了，大家可以看他的文章，我只提几个问题。一个是李强所讲的卡尔·施密特所说的全能主义的概念，我对这个概念有一定的疑问。我认为这个基本概念是站在西方政治学的角度去看问题的，所以不可避免的加了一些价值判断。Totalitarian 和 totalitarianism 其实是同一个字源，totalitarian 有非常强的价值判断。全能主义按李强的表述，尤其对于中国社会的表述这一段，我觉是还是相当准确的。特别是 1978 年以前，那时候，不只是一般的地域、功能分殊不存在，包括军队，在文化革命以前已经全面地介入了社会生活的各个部分。我自己在文化革命中所经历的所有地方，都有军管会。军管会对我生命本身的介入极大，所以深有体会。但是这个概念，我们今天拿它来，再回过头去看，和西方目前我们所讲的——因为我觉得这里隐含了一个价值取向——现代国家，所谓的自由主义政府，它在过去的这二十年或者三、四十年里做这些事情，和我们描述的全能主义政府所作的事情之间，是不是存在天壤之别、黑白分明的区别，我觉得还是有很多疑问的。我希望李教授能够对这个问题有进一步的阐述。

因为我自己感觉，很多西方政府现在往全能主义这边走了很多。其中有一段时间，我对北欧作了考察，他们所做的那些工作就是这样。现在的美国，是一个大的分岔了，有的部分在努力的讲述"我们离开一点"。最近，布什政府为改变美国的整个社会福利制度、美国的社会保障制度而极力地去批评民主党政府所做的工作，争论得非常厉害，这在美国内部已经形成一种我觉得是危机性的东西。美国共和党人说，我们整个社会保障制度要垮台了、要破产了，所以我们需要全面的私有化，但是这在美国，也有很多人认为这很有可能使得政府根本无法维持下去。这些问题和我们所看到的、所讲的中国的这种机制，其实有大量相同的地方，而不是说哪种机制可能会好一些。当然，这也许不是李强的原意。

我对文章里面好几个有关价值判断的问题，比如功能分殊的政府优于地域分殊的政府，也有一定的疑问。因为按这个逻辑推下去会发现，世界政府是最合理的。

最后一个问题。李强教授在最后讲到构建现代国家要涉及的解构与建构的三个部分：一个政府职能转化，一个单位职能转化，一个全民政党转为执政党。这里面都有一些隐含的意思，没有时间仔细说，但是我觉得这三个部分，都是说起来比较容易，做起来恐怕极为困难，而且有些地方几乎是不可能的。

范愉：我觉得这两篇论文有一定的关联性，都在探讨法律的统一性问题。首先，我们要看到，就是所有的讲到现代法的一些基本特征的时候，我们都会强调它的确定性、公开性、普遍性和统一性等等这些基本的特征，但是，谁也不能否认，法律本身又具有它的不确定性、非公开性、特殊性或者非统一性这一面，有多元性的一面。我觉得，李强教授和王亚新教授这两篇论文，一个比较强调了法律的应然的一面，就是应该建立一种统一的法律、司法制度等等；而王亚新教授比较关注一种实然的东西，就是事实上的不统一的状态。这两篇文章各有所长，但是从方法上来讲，我认为，后者的方法可能对我们了解中国的现实，讨论一些真正应该怎么做的问题，可能更有帮助。应然性的东西对开拓思路，建构一个问题的一种解释框架，也是非常有意义的。

我按顺序，先谈一下对李强教授的论文的评论。我首先觉得，李强教授的论文提出了一个比较应然性的理论框架，提出的很多问题是有价值的。特别是他提到，在社会转型中，中国应该从一个全能主义的一种国家向现代主义国家建构转化，并提出了具体的方案。其中包括要建立一种统一的国家制度，进行结构上的分殊等等，我觉得都是很有价值的。但是由于时间关系，我不更多的讲这篇论文对我的一些启示了。我觉得，李强教授的论文——或许是我不太了解政治学对法律的解释——有这样几个问题。

首先，在这样一个大的框架中，它可以说是一个大的三段论，一个是政治理论上的前提，然后是一个事实上的前提，对中国的社会、政府、结构等等的一些判断，之后是一个结论。我觉得这两个前提都可能存在一些问题，我个人觉得还有很多特殊性。我比较同意刚才高教授说的那个问题。比如，你说到全能主义国家，它本身是不是现代主义国家的一种类型？毫无疑问，它也是现代主义国家的一种类型。其中，你也提到，它是由于福利主义的基础发展起来的，而且随着现代社会的发展，我也认为，全能主义的某些制度、原则，实际上还有继续发展的一种趋势。具体而言，如果中国真的是一个全能主义国家的话，它本身就应该也是一个现代国家了，虽然功能是有所不同的。但是我们现在所追求的，包括比如解决社会的极度的两极分化，保护弱势群体，还有建设社会福利等等，恰好都是全能主义国家更有力的方面。那么在这种情况下，我们还要考虑到，假如我们重新建立一个你说的这种比较经典的现代国家，那么对于中国的这种缺乏社会自治能力的国家，比如我们没有平等的观念，我们现在越过了平等直接要向弱势群体的保护转化，就是向实质性的平等转化。在这种情况下，我们是应该回归、倒退、还是向前继续走，这是一个非常大的问题。

另外，现代国家这种理论框架，这种普适性的东西，对于解决中国的这种历史发展过程中的有很多问题需要重新回答。因为时间关系，我不能一一的列举了。包括西方国家自身的多元化，比如你说到，地方的分殊是次要的，主要是结构上的分殊。可是我们看到，西方国家的多元化的分化或者分殊，也是非常明显的。比如国家的基本象征——警察制度也是这样的，在英国、美国，它们都是高度地方化的。而且这几年也出现了一些法律制度的社会化的趋向，就是等于把国家的很多功能又重新再转化回去，这样的一种反复实际上也是一个社会发展的新的趋势。究竟哪些功能应该属于国家确定的功能，哪些功能由社会来承担，这个问题本身，我觉得在历史的发展中，也是需要探讨的。并且，从现在的情况看，我觉得在中国，整个社会的民众，实际上比较倾向于依赖权力，不论是他想依靠法院或者依靠调解，实际上更多的获得正当性的需要，都是从国家这儿获得。比如，像"依法调解"这样一些口号，实际上整个的社会对这种民间自治的生存空间是非常小的。这是我对理论框架的一个质疑。

第二，从事实上来讲，我觉得也有很多的问题，包括对中国现代社会的认识、对中国古代社会的认识。我自己也曾经写过关于中国古代社会的一些论文，包括"法律的统一适用和民间社会规范"这样的一些探讨。关于中国古代社会这样的一种模式，它的特点究竟在什么地方，很多法学家、法制史学家的观点是不同的。比如，李教授提到的中国中央集权的弱化，还没有到基层，就是"天高皇帝远"。但是中国历史上也有句老话，叫"天网恢恢、疏而不漏"，就是说中国制度、国家的统一，是用另外一种方式来实现的。一方面，它清楚的认识到自己的能力，所以它对基层保留了很多的自治性或者非正式制度的空间。但是另一方面，如果它要想行使国家司法权，只要是盛世，而不是那种濒于社会崩溃的这种边缘政府，它实际上还是有这种能力的。在梁治平和王亚新教授编的一本由日本中国法制史学家撰写的关于清代审判制度译著中，有很多曾经有过这样的研究。实际上，从明清时代看，中国的法制，国家的司法权是非常开放的，民众可以不受约束地进入法院。而且我曾经看过很多日本法学家的研究，他们甚至认为，在中国历史上，如果司法权和民间的权力发生冲突的时候，国家的司法权，毫无疑问是占有至高无上的地位的。所以，国家可以通过各种方式达到相对的统一，包括它适用法律的时候，它并不把民间习惯作为法律依据，而是强调"情理"这样的一种国家统一的这种价值判断和法律规则。所以呢，这只是一个社会方式的不同。我觉得这样的方式，简单的就说国家的权力没有达到基层，我觉得在事实上、判断上也存在一定问题。

最后，关于结论部分，我同意刚才高西庆的看法，李强教授提到的这三点，我觉得非常重要。但是其中也有一些问题。第一，有很多目标未必能达到。第二就是不全面。仅仅是这三个问题解决了以后，我觉得现代国家的功能，法律的统一，恐怕还是难以实现，因为它必然还会涉及很多其他的问题。其中最明显的一个问题是，在中国这样一个多民族的国家，它跟现代西方国家的民族国家是不一样的，这种统一一方面可能会有相当的好处，但是也有很大的弊端。这也是说，为什么要在追求法律的统一性、确定性、公开性之余，必须要留出一种对多元性和特殊性甚至一定的灵活性的关注或肯定它们的价值。如果片面地强调法律的统一，不仅未必能够带来整个社会现代化的发展，可能在某种程度上会带来老百姓对法律的规避而使法律无法实施。所以，从很多情况看，这种法律的统一应该是与多元并行的。如果不考虑到多元的问题，单纯地强调法律统一可能会出现更多的问题。其实我们目前很多的问题就出在这儿。虽然这个确实有一些地方化的问题，但是这种地方化的问题，它又是一些很实际的、需要客观对待的问题。

从纠纷解决的角度讲，我比较同意高教授和王亚新的一个共同的思路，对于国家的规范性的问题，除了刚才说的那种统一性和多元性之间的差别，还有效益的问题，博弈过程中的利益分配，还有一些司法机关的人员素质使大家对于赋予他那么高的、集中的权力常怀有戒备心理。另外，基于社会自治力量能力本身的低下，如果没有国家的集权是不是真的能够完成社会和国家之间结构的、功能的分化和有效的互动。

对于王亚新教授的论文，我觉得他的问题恰好在于，在这种不确定性的描述过程中，能不能发现中间的规范性和统一性，而且提出应对这样一些问题的更合理化的建议。我觉得，在这种似乎很混乱的状况中，还是有它的规律可循的。我过去在日本做博士论文的时候就强调过，法院运作或理念中仍有些共性可循，比如它对效率特别的强调，它对结果的特别强调，还有它对程序常识化、给老百姓的诉讼便宜的强调，使得它经常会在一方面追求非常正规、现代化的司法模式和另一方面应付老百姓的纠纷解决需要之间徘徊不定。政治意识形态和法律意识形态对它的左右，又使法院在这中间举棋不定。所以在这个博弈的过程中，我同意王亚新教授的看法，就是很多人都在受益。但是按照法院现在的这种体制，以它内部的行政管理、上下级的这种方式，往下去，也有它很大的弊端。西方国家的司法独立，也是建立在有司法民主作为另外的一方面的制约，包括陪审团制度、议会对法官的选任、弹劾等等惩戒方面的制约上。如果没有一种有效的制约，仅仅靠法院内部的这种行政性的系统化的功能，无论赋予它多大的权力，它在博弈过程中总是一个利益的主体。这种利益主体如果缺乏其他权力制约，它也不完全能达到社会期待的司法公正的既定的目标。

另外，我觉得博弈是一个很好的说明框架。这说明，在目前的情况下，仍然有公共选择的可能性，也就是说，通过各种各样的博弈过程，实际上，民众的一些意愿、公共的一些利益，还是能够通过博弈过程中体现出来。关于这一点，我自己在一个未定稿的关于调解的论文中，也反映了这个问题。所以我觉得，了解中国的问题，除了从制度、宏观的角度来看，还应该可以从纠纷解决的角度作一些更好的实证性的研究。

张军：对于王亚新的文章，我其实基本上没有做更多的研究。前面，两位评论对他这个文章作了很好的说明。我一个总体的感觉是，因为它在方法论方面，综合了很多学科，也借鉴了制度经济学的很多概念，他有一个把它放到一个框架里面来谈的一种努力。但是这个努力，我觉得不是特别的成功。这篇文章，我觉得看起来非常吃力，尽管故事描述得都非常好，但是总体上，这个框架还不是特别的明确。我认为最重要的，在这里面可能没有完全体现出来的是，没有激励上的分析。我觉得他提到很多组织方面的、话语等等各方面的概念，但这些概念怎么样整合到一个更大的逻辑一致性的一个框架里面，我觉得这个好像还比较欠缺。所以，这个文章，我确实觉得，对我们做经济学的人来讲比较难以把握这篇文章的一个基本的理论框架。

对李强的文章，我觉得也很难提出什么问题。我们经济学出身的人看政治学家写的一个这样的题目的文章，我觉得可能有这样一个感觉，这是一个非常实证的题目。它不仅要求有理论上的一个实证的框架，而且它需要有一个非常厚实的经验的实证研究。也就是说，法律的统一的问题和近代国家的建制之间是不是存在着一种逻辑上的关系，我觉得这是一个需要在经验上去说明的问题。

在这篇文章里面，它的一个基本逻辑，我觉得非常的简单。在欧洲的历史上，近代从封建制度里面衍生出一个现代国家。现代国家出现了李强所说的分殊的问题，特别是功能的分殊。有了这个东西以后，就使得国家的功能限制在公共品方面、产权保护方面了。用我们经济学的话讲，实际上最重要的是一个产权保护的问题。国家，因为它有一种暴力垄断，所以它可以为民间的经济活动提供产权保护的服务，然后换取公共的财政。欧洲的历史基本上是这样子。从欧洲的演进的角度得出了现代国家的构架，然后从这个构架里面来分析，比如说像中国，特别是近代以来，尤其是 1949 年以后的情况，认为我们现在的法律上的统一性的不足，可能和我们没有一个西方意义上的一个现代国家的构架是有逻辑上的因果关系，我觉得这样一个关系显得特别的强。从经济学家这个视角来看，我觉得这个中间可能需要有一个非常重要的一个转换，就是怎么样从欧洲的历史，近代国家产生的这样一个历史，转换成一个一般的所谓法律统一性的理论，然后才能够来分析像中国这样的情况。

其实我看这个文章时一直在想，经济学和政治学，谈这样的问题，一个差别是什么？经济学家比较多的是看差别，政治学好像看得恰好是 commonality（统一性）。比如说法律的统一性问题，李强的文章比较强调统一的问题，法律的基本的一致性、普遍性。作为经济学家，我觉得如果同样看一个欧洲的历史的过程，他们可能比较关注的是差别。

我想到了道格拉斯·诺斯。道格拉斯·诺斯在《经济史中的结构与变迁》一书里面，第三章在讨论国家理论。他的国家理论就是谈论现代意义上的、近代意义上的国家是怎么产生的。他特别强调，国家是一个暴力上有比较优势的一个组织，但这样一个组织，它既可以为民间的经济活动提供产权保护的服务，也可以去侵犯产权。什么东西，可以制约国家这样一个在暴力上有比较优势的组织，使它不用暴力去侵犯民间的经济活动的产权？他特别关心的是，同样是在欧洲，为什么荷兰、英国发展了一个比较好的产权制度，经济在增长；为什么法国、西班牙这样的国家，尽管它们也建立了近代意义上的国家的结构，但是他们没有很好地保护产权，经济就衰落了。所以在经济史学家的头脑里面，他们关心的是为什么国家在兴衰，经济有增长，有的具备了现代国家的构造，经济却在衰落。

我觉得这个问题，可能比我们简单地去回答具备了现代国家的构造法律就会统一这样一个基本的命题更重要。如果我们把近代国家的演化和产权制度的演化以及经济增长的变动，放在一起，就有一个很好的经验的基础。这样就引出了经济学上现在比较主流的所谓演进主义的视角。大家看这样的问题，通常是用一个演进主义的视角来看。我觉得李强的文章，因为它是政治学的这个视角，我始终感觉到这里，就像刚刚高西庆讲到的，充满了价值判断、非常强的价值判断。因此，我觉得它有一种所谓的构建主义这样一种理性在里面。他始终觉得，这是一个可以通过构造一个国家的基本结构来实现法律的统一性，如果进一步推论，法律的统一性可能在李强的论文里面，隐含着国家的增长或者说经济的增长。我觉得这是一个比较强的价值判断。尤其是论文的最后一部分，有转变政府职能等等一系列政策的建议，充满着一种构建主义的价值判断。所以在基本的方法论方面，我觉得我有一个需要提出来和李强进行沟通的问题。当然这是两个学科之间的一个差异。

过去讨论中央、地方关系的时候，我记得，绍光写过很多文章。我也想，政治学家比较多的还是关注中央集权问题，中央跟地方关系问题，特别是讨论中国问题的时候，我觉得他们看得比较多的是中央集权，统一的问题。我觉得经济学也研究这个问题，但是经济学谈论的是分权的问题，主要在讨论分权。分权和经济之间有非常重要的关系。当然，所以呢，我觉得演进主义视角给出的，是西方的历史给出的国家的诞生，国家的构建这样一个问题，把它用到中国，我们看中国的产生，比如说从秦朝以来的国家的产生，我觉得这个文章里面没有说清楚。秦朝以来的国家是怎么产生的，是个什么意义上的国家？1949 年以后的情况，所谓社会与国家高度统一的一种国家的形态是怎样产生的？我现在始终不是特别清楚的是，中国改革与开放以后，市场经济发展以后，民间的经济活动在增强，这样就产生对产权界定的需要。现在中国的产权制度，还是基本上没有什么样的发展，可以说天天在界定产权。但是我们改革开放以后，有经济活动的增长，我觉得这个得益于分权。但这个分权基本上是一个行政内的分权，所以基本上还是一个国家在界定自己的产权，在保护自己的产权，没有和民间的活动的一种交换。所以这样一个东西，对于我们今天理解中国，这个国家的一个基本的性质，我认为还是很重要的。

讨论

於兴中：我现在简短地对两位报告人的题目和内容做点回应、说点看法。首先是王教授的，我觉得这个研究是非常有意义的，有很多东西确确实实是能够填补法学研究的空白的。我要向您提问的一个问题是，因为您特别强调方法，而且您在前面说到，方法牵涉到比如组织理论、博弈理论，吉登斯、布迪厄的东西，我想，各种方法都用在一块，应该有个协调的问题。你怎么协调这些方法，怎么统一这些方法？因为这些方法本身可能是矛盾的，有些是属于现代性的，有些是属于后现代的，比如说 Story—telling（叙事），这是属于后现代的。比如像吉登斯，他讲究的是 Structuration（架构），布迪厄，他讲究的是 Habitus（习惯）。实际上，一个在前一个基础上面发展起来的。而且你要再往前推的话，那可能就会推到帕森斯，帕森斯讲 structure（结构），讲 action（行动），讲 actor（行动者）。然后呢，再往前推，你可能会推到韦伯，那就是 action（行动）和 Ideal Types（理想类型）。这样的话，你会发现，后来的理论对前面的方法是一种修正。修正，也就是它的发展，也就是说对以前的方法是不满的。这几种方法都用在一块的时候，怎么样去协调它？您是不是，某一个案子，您采取一种方法；还是说，就整体上来说，把这些方法揉合在一块，使它能够贯彻成一个有用的框架？要是这样的话，可能是一种非常好的做法，而且也是一种很大的贡献了。这是我对您的一个评论和期望。

李强教授的文章是一个非常宏观的描述。我喜欢这样的描述。我经常说这句话，"站在历史的肩膀上面看到的景色要比匍匐在它的脚下看到的精彩得多"。因此，这样一个宏观的描述，我觉得是非常有意义的，非常有吸引力。但是，我觉得你的报告里边，可能有些问题会引起人们的误会或者反击或者批评。我在这儿说一个，算是一个脚注吧。

你一开始的时候提到了统一性，法律的统一性的问题，后来，你讲到了国家兴起和国家的发展，最后，还是没有回到统一性的问题上面去。实际上，我觉得你在这儿谈的大概有一个前提的假设，就是说国家是法律的源泉，统一了国家之后就统一了法律。实际上我觉得是非常困难的。这是一个建立在马克思主义和法律实证主义基础上的观点。也就是说，国家必须是法律的源泉，这个观点在奥斯丁、凯尔森之后就已经受到了批判。比如，分析法学家哈特，不再谈国家统治，他谈法律的最终渊源是一个 rule of recognition，就是一个承认规则的问题，谈到了 a hard norm。法律是不是一定要来自于国家？这是一个很大的问题。在这个所谓后现代和全球化的时候，就更是一个问题。很显然，国家法的主体已经都不是国家了，而是走向了个人或者团体了。在这种情况下，再来强调国家作为法律的源泉，就是一个很大的问题了。

另外，经济学家经常会注意谈效益、实证，政治学家会谈公正和哲学，法学家更多的注意是合法性和规则的问题。所以，我们这个交流里面，可能在法学方面还没有显现出来怎么样来增强我们的法律意识或者说是在法律和经济的发展过程中，法律或者国家的转型过程中，法律起什么样的作用？这个呼声还是没有起来。我觉得，你提出的问题是非常重要的问题，但是在这个方法上面，可能是需要再进一步考虑的。

傅华伶： 我觉得，在座的评论人员，亚新，都提到了实证研究和经验研究的重要性，我觉得这是个很大的问题。中国现在，起码法学来说，主要还是强调书本，对法条的分析多一些；对于机构、程序的实证研究太少了一些。虽然高先生对实证研究的着重点有些不同的意见，但是我估计他还是觉得实证研究是相当重要的。解决具体问题、分析历史、实证研究，我觉得是一个法学研究的重要方面。

王教授的发言谈到农村、城市，各种多元的规则、多元的机制。大家之间的竞争。有很多，司法所、司法局的竞争，法庭、法院的竞争，公安与司法的竞争，还有您提到的工商、消费者协会，村委会，当然还要加上黑社会，对于诉讼的包揽。2000 年，公安部有一个非常好的实证调查，提到很多那种所谓黑社会或者家族组织包揽诉讼的问题。我的问题，一般觉得垄断会导致腐败，那么竞争是不是必然就导致改善服务质量？您刚才提到了，有竞争，那么服务价格就降低了。我想问的是，这种竞争是不是给当事人带来了好处？给整个社会的公共利益也会带来一定的好处？

江平： 今天的两位都涉及到法律的问题，我憋不住要说几句话，一种评论性质的话。我觉得，一位是从理论的高度来分析，一位是从微观的实际操作层面来分析，也可以说，像范愉教授说的一个是应然，一个是实然。

我最近碰到一些事情，深深为法律的苍白而悲哀。我是搞民商法的，所以我往往愿意从实例说起。民工的问题、拖欠的问题——过去是三角债，现在是民工拖欠，——怎么解决呢？年关快到了，很多民工的钱拿不到，到地方政府门前静坐，有跳楼的情况。这不是一个个别的现象，解决办法就是把企业家抓走，如果不给民工工钱的话，就上手铐，不许回家过年；只有还了钱，才放人走。河南就出现了这样的情况。民工拿到钱以后，就到派出所门口，用鞭炮送匾感谢公安局、派出所为他要回了所欠的民工钱。这是我们现在可以想到的讨回民工欠钱的第一个手法，靠公安局、靠派出所。当然，派出所如果没有力量，可以找黑社会，现在也有这样的情况。最近报纸上又登了，温总理很关心民工拖欠的钱。报上一登，现在民工又感觉到有希望了，温总理来关怀了。期望于一个总理或者更高的人一个批示。最近我看到，《北京青年报》登了北京市建委的一个决定：今年年底以前，如果建筑公司欠了钱不给，要清除出北京建筑市场。这更厉害了，行政命令，"清除"，不用看什么原因，也不用听双方当事人意见。我们看到，一个讨债，有四种办法：一个靠公安局警察的力量，一个靠黑社会的力量，一个靠一个总理、更圣明的人一道命令来解决，一个是靠行政部门的办法。

我们有诉讼法。欠民工钱不还，这是个最简单的诉讼问题，债权债务的问题，有谁想到是告到法院呢？法院应当解决这个问题。那么也可以说，民工没有这个意识，也可以说我们法院苍白无力，我们的法律苍白无力。我们到法院去打官司，要掏多少钱呢？我们到法院去打这个官司，打了半天，一个判决，能不能执行呢？恐怕这都是一个很大的问题。我们确确实实感觉到一种悲哀。最简单的一个法律的问题，最简单的通过诉讼的办法解决的问题，最后不管是报纸上的宣传，各个方面的做法，都是一个非程序化的解决办法，非法律化的解决办法。这是不是一个法律的悲哀？

前两天，《法制日报》，针对其中的一个问题，用了这样一个标题，就是"被遗忘的法律和被法律所遗忘的"。我觉得要好好思考这个问题。"被遗忘的法律"就是"有法不依"。明明有法嘛，对不对？有了规定，民工被欠钱，你告到法院嘛，对不对？要靠法院来审判，看有理没理。现在是靠一个简单的行政命令。这种法，程序化的东西没有，个性化的东西、非理性化的东西很多。还有一部分，是"被法律所遗忘的"，我看包括自焚在内，某些东西可能是"被法律所遗忘的"。比如，农村的土地征用，到底怎么是一个更好的程序，城市的拆迁有一个更好的补偿，这些问题可能就是"被法律所遗忘的"。所遗忘的法律，说透了，就是"有法不依"；"法律所遗忘的"，就是"无法可依"，对不对？

过去我们说，"有法不依"和"无法可依"，今天用最好的名词说来，一个是"被遗忘的法律"，一个是"被法律遗忘的"。所以我觉得，有时候，法律的确是苍白无力。如果就体制化来说，我很赞成王亚新教授的意见，本身如何能够在程序化，在组织层面，在制度化里，去解决问题，而不是搞非程序化的、个性化的东西。

顾肃： 李强教授的论文的确很有趣。我个人觉得，这种规范性的、带着价值判断的研究，在今天的中国，仍然具有一定的普遍意义。中国自从思想启蒙这一百多年来，几乎都是以外国作为参照系，以俄国、西方、欧洲，日本等等作参照。到今天，如果完全不以别国作参照系，而完全以中国特色进行研究，那究竟有多少方法论的普遍意义，这很可能也是一个问题。许多人一个主要的立论依据是："我只讲中国的特色，只能进行经验研究"。即使这样做，他自己的头脑里仍然有规范。我觉得，完全摆脱规范可能只是一个幻想。反过来说，西方对此也有争论，就是说，纯粹描述性的和纯规范性的，二者好像是一个理想模型，实际很难做到。我觉得，李强教授从规范角度来论证，欧洲现代国家的形成作为中国的一个参照系，还是有一定的理论价值。

第二点，李强教授谈到国家形成过程中法律的统一性，我个人觉得，对此可能还要细化一点。最典型的英国的发展道路和欧洲大陆的差别就比较大。因为英国是不断地形成惯例，有一批司法精英，他们自己慢慢形成一个传统，从这个形成习惯的过程当中，大家来达到共识。而欧洲大陆走了另外一条道路，主要是国家的强权，民法的体系，比如拿破仑法典等等。这两者有比较大的差别，如果把这个完全说成一个欧洲模式，可能有点问题。

另外就法律的统一性来说，肯定存在着一个国度大小——幅员的问题。如果简单地把英国的或者是欧洲大陆的、法国的用到中国来，可能有点麻烦。幅员、文化上的差异，中国要大得多。我觉得，与中国的情况更好类比的是美国。中国现在可能是强制性的统一太多，但在具体的省市，根本执行不下去。我个人更强调省一级甚至更低一级自主立法的重要性，统一可能是地方上的某种统一。比如说，适用于新疆的某些民法的规则，到江苏省来，可能不会完全合适。大家好像都用一个统一的民法，但实际上是做不到的。这就是一个特殊性的问题了。在这种情况下，我更强调地方立法的重要性。这个道理跟王亚新教授的研究，的确是非常地接近。实际上，各个省、各个地区的差别太大。我个人觉得，基本的宪法权利，应该是全国统一的；但具体的民法规则等等，可能地方上的特征是更为重要。在这个问题上，简单地与欧洲国家进行类比，可能会有一些问题。

关于王亚新教授的论文，我赞成他的努力，的确实证研究非常重要。我们搞理论的，有时候经常要到各处去跑跑、看看。你描述的大量的故事，的确很好。我也赞成一位评论人所说的，就是在方法论上，你不能把所有的、好几种主要的方法都放在一起。研究的方法应该以一个或少数几个为主。西方比较成熟的学者，每个人都只选一种主要的方法；而中国的学者，可能有一大堆的方法，每本书里几十个方法都抛给你。我看到最后，不大清楚到底用了什么方法。

另外关于翻译。你把 normative 翻译为"规则的"，我觉得更规范的翻译，应该是叫"规范的"，因为它是以一些基本的价值为大前提，然后向下推的。"规则的"，它主要侧重于技术性。

季卫东：我来谈一谈对李强教授的报告的几点感想。根据我的理解，李强教授是把现代国家体制的建构过程，理解为一个法律共同体的形成过程。他把法律共同体的形成，分为两个阶段。首先是在欧洲，通过绝对王政阶段，把旧的身份共同体打碎，建立统一的社会，然后在这个基础上建立法律的支配。法律的支配意味着对国家权力进行控制的一种手段，但它本身也是一种有优越性的权力、一种实体结构。既然法律的支配是强权、是实体，那就有必要追问它的性质。法律本身是建立在什么样的含义体系上的？用什么来保障它的正当性？这一点，李强教授在这篇报告中没有涉及。但是我认为，他在比较中国和欧洲的历史经验时，实际上是把这个问题隐含在其中了。从比较的角度来看，我觉得有三点是值得注意的，值得我们一起来探讨一下。

首先，李强教授谈到了，在现代国家建构过程中，实现了功能分殊，然后在这个基础上，还要把分殊的部分整合成一个整体。他指出地域分殊和功能分殊的不同，我觉得这是个非常重要的区分。也就是说，西方现代化的过程，实际上是建立在一个分工体系之上。功能分殊的结果造成了建立公共空间的需要，这个时候，通过法律整合分殊、形成统一的公共秩序就是题中应有之义。而中国始终存在着地域分殊的状况，这就意味着不同的地域之间是区隔的，各自内部是整合的，而对于外部每一部分就构成一个自我完结的体系。在这种情况下，虽然中国形成官僚制和法律秩序的历史很早，但是始终很难建立一个统一的法律共同体。我觉得，这是一个很值得比较的问题。

其次，中国实际上很早就建立了统一的皇权，这个中央权力很大，如何加以限制也是一个很大的问题。在西方的现代化过程中，在法治的框架下区分公域和私域就是限制强大化了的国家权力的一种基本方式。大家都知道洛克在反驳菲尔麦的父权说的基础上提出了在法律上主体平等的命题。但是，日本一个著名教授村上淳一指出：实际上近代欧洲所谓主体平等只是家长之间的平等，在家庭内部的关系还是不平等的。在某种意义上可以说，现代化是平等的范围陆续扩展的过程。主体的平等权不断下放，从家长制到女权运动、到子女的权利问题，是逐步发展的。可见国家与家庭共同体之间的关系对我们理解现代法律共同体的发展是很重要的。在考虑如何限制统一的国家权力时，家庭等私人领域也具有关键性意义。在西方，采取了划分公法和私法的方式，在公共领域用法律规则来控制，而对私人领域最大限度承认意志的自由以及社会自治，尽量不加以控制。在中国，我们可以看到，秦朝建立法家式法治秩序的过程中，实际上国家法律已经渗透到家庭和村落共同体内部去了。有父子之间的诉讼案件。甚至共同体内部的诅咒和谣言，都有可能受到法律的制裁。后来，汉朝形成儒表法里的制度安排，但却没有建立起一个既能保证国家对各个共同体的整合，同时又能限制国家权力本身的框架。

还有第三点，在李强教授谈到法律统一性的时候，我们会联想到福柯所讲的全望式监视装置的问题。现代国家权力其实有两种基本方式，一种很像全望式监视装置，从顶层或中央的一点可以观察到各个部分；另一种是让各个部分互相监督的布置，来自权力中心的视线被装换成你我他之间来往反复的视线。我们可以看到，在帝制时代的中国也存在现代国家权力的这样两种组织方式：一方面，通过中央集权的官僚制以及承包责任的方式，在相当程度上建立了一个全望式监视装置；另一方面，正如张维迎教授在他最近的著作中描述的那样，在社会的基层形成了人与人之间的相互监督。这样两种权力结构的重叠是中国传统社会的特点，是我们探讨中国的现代化发展以及建立法律共同体的前提条件。

接着谈谈对亚新发言的看法。我对亚新的这个调查一直非常期待。前两年就听说他开始着手司法的实证研究。这样的工作是非常重要的。我觉得他在这个报告中提出来了几个很重要的问题。他从告状难这样一个大家都感觉到了的问题入手，通过分析发现，实际情况不是这样的。法院是在很积极地介入社会，告状不应该难。那么为什么会出现所谓告状难的问题？

在这里，其实还存在亚新没有涉及的一系列的悖论。比如说，中国法院总是抱怨审理案件的负担太重。但我们知道，按照统计的平均数值来说，在中国一个法官一年只审判30到40个案件，而在美国，一年是300到400个案件。中国的优秀法官，例如一个庭长，一年也不过处理大约150个案件。虽然中间存在个人之间的差异，但总的情况让人觉得很矛盾。

另外，我觉得他的发言更有趣的是揭示出法院实际上是一种服务行为的事实。这样的法院是世界上其他地方没有的。律师可以说是为顾客服务，而中国的法院也堂堂正正的提出"要为当事人提供服务"，而且这个服务还得让人民满意。这是很有意思的现象。如果我们把它抽象化，就会得出一个很重要的命题：在中国，政府不是一个中立的第三者，而是一个营利机构，国家本身也在进行营利活动，法院也是如此。我们可以看到，法院要拉客户、要考虑收益、要争取更多的诉讼费提成。诸如此类的现象表明，法院变成了一个营利机构。这正好跟李强教授提出的问题相对应，向国家现代化提出了一个非常严峻的挑战。

按照我的理解，亚新的发言还有一点潜在的看法很重要，即：司法本来是一个严格按照法律进行审判的过程，一个非常专业化的过程，而中国的司法，很大的特点是政治化了。他试图用博弈理论来说明，其实，说穿了，就是一个政治化的过程。这里面有很大的问题，因为我们知道，政治过程是不透明的讨价还价的过程，法治就是要解决这样不透明的过程所引起的各种问题。而中国的司法本身也还是一个不透明的讨价还价过程，问题怎么解决？

还有一点补充意见。比如，他的发言涉及了组织之间的竞争，我觉得实际上是制度之间的竞合：调解制度、仲裁制度以及审判制度之间的竞合。实际上这样现象在解决涉外纠纷方面也可以看到。关于中国司法领域的不同制度之间竞合的问题，我觉得不仅需要进一步的调查研究，而且也值得在理论上加以分析。

肖耿： 这两篇文章，我觉得都非常重要。我从一个经济学家的角度谈一些自己的期望。我不是研究政治学和法学的，我觉得从国家功能和结构的角度来看这个问题，很重要。实际上，中华人民共和国这个国家制度是很有生命力的。它是经过历史考验的，是战争中产生的，对处理危机是有一套办法的。但是它不是一个完整的国家制度、一个现代国家制度，有很多经济方面的制度正在建设过程中。所以，从这个角度，我觉得在研究的过程中，可能要知道哪些制度实际上对中国是很有用的，只不过现在因为没有其他的一些产权保护、产权界定制度，所以只能用处理危机的一套办法来代替那些制度来行使国家的功能。我们有时候听到了太多的批评，批评现在政府这不行、那不行。但它在维护基本的政治、社会、经济秩序方面是非常有效的，虽然它本身犯了很多很多错误，但是整个中华民族在过去几百年的历史中，目前是最繁盛的。李强的文章很重要，如果能够找出中国的国家功能哪方面还欠缺、正在建设，哪方面需要保留，李强的这个研究就很有用而且很有意义。正如高西庆刚才讲的，实际上很多东西我们国家有，美国现在也在用，只不过是以不同的结构、不同的形式，要达到同样的功能。

王亚新的文章，我觉得非常重要。这个重要性在哪里呢？中国是在建设过程中，法律以前基本上是空白。法律最基本的功能是什么？我从经济学的角度看，它实际上就是定义、界定产权，而且不断地微调、确认。这是一个演化的过程。我们很多产权，在计划经济时代根本没有，那么需要一个创造的过程，这个过程跟其他国家的法律体制是很不相同的。其他国家的产权都已经定义好了，只是要处理一些日常的事情。目前对我们法律系统的要求是非常高的，因为它要去把一些模糊的产权界定清楚，然后还要确认。在这个过程当中，很多是寻租的活动，也是一个财富创造，一个秩序创造的过程。

在这个过程中，各个地区的演化是不一样的。比如说，沿海地区经济比较发达，这个时候，法庭对创造财富、创造秩序的过程就很重要，特别是在民事诉讼的过程中。特别重要的是什么呢？就是我们现有的法规、现有的法律的文字，跟实际发生的法律过程，可能会有很大的差距。这种差距，有可能是我们的法规不合理，也可能是其他很多各种各样的原因。这就需要很多实证的工作，比较全面而且比较快地把它们总结出来，忠实地记录下来，然后通过经济学家、政治学家，各个专家学者迅速对它们进行总结，跟西方进行比较，去发现怎么样才能填充我们的国家和法律制度的功能上的空白。所以我觉得这类工作非常重要。

傅郁林：我因为一直跟着王亚新老师作实证研究，我想提供一点更全面的信息。王亚新老师从中级法院开始做，我一直关注最高法院和高级法院。在我研究的审级制度上，我从观察国外的三个不同的司法结构中得出一个基本的规律：越接近司法金字塔的最高层，在规则创制和统一司法方面承担更大的功能；越接近于基层更讲究多元和个案的解决。我不知道这个规律总结得对不对，我按照这个规律去观察我们目前的规则的形成和纠纷解决的方式，我后来也做了基层的研究，我是从基层法律服务所为窗口去观察整个基层法律服务体系。我认为，无论在高层形成规则上，还是从基层划分法律服务市场方面，我们目前的机制的问题都是很多的。

在高级法院的这个层次上，我看到的情况是——我研究是申诉和再审——我看到的是，我们的申诉和再审实际上是以审判监督程序为平台进行的一种公权之间的竞争，它根本不是一种私权救济机制。因为真正能够启动这个程序的人并不是普通的老百姓，而是能够在那些公权机构里边找到代言人的人。实际上，真正有冤情的人，绝大多数的人无法得到真正的救济。我在几个地方的信访机构看到了欺骗性，给老百姓一种看到但是永远无法满足的希望。我在一个信访处呆了一上午，看到了六个案件，没有一个案件是真正的司法错误。有的是属于执行的问题，老百姓自己没有钱；有的是无理取闹，常年呆在那儿，但他对判决确实不理解。从规则的意义上来说，我们永远不可能解决这些问题。你就常会看到，一个老百姓，一个当事人，带着一个残废的孩子，上面盖了六七个章，找政府的信访办、找人大的信访办，找法院，大家互相踢皮球，谁也不敢说最后一句话："你这个事情没有希望，你回家去，好好重新生活吧。"没有人说这句话，因为谁说这句话，谁可能就要负责任。那么这是在规则层次上，我们看到的。我做了两百多个个案了，基本的结论是，在再审的救济上，完全是一种公权的竞争。

在基层问题上，我想谈一下王亚新老师说到的基层的法律服务市场。这儿形成一种竞争的状态，是不是对老百姓真的有利？现在公权和私权，就是公共机构和法律服务机构在基层这里，其实是没有界限的，大家都是一种营利机构，但是他们营利所依赖的资源是不一样的。我们在基层法律服务所听到这样一个顺口溜儿，基层法律服务所说："公安有手铐，法院有传票，我们有舌绕。"就是说基层法律服务所靠的是嘴巴。

谁在这种竞争里占有最大的优势？公安目前也不摊派了，因为公安也主动去解决纠纷，如果纠纷不能解决，就把你拷到那儿去。你答应给钱了，再放你走。现在我们看到，最近五年，基层法院的案件在逐渐下降。我们以前说基层法院很忙，案件很多，是现实；我们现在看到的基层法院无事可干，也是事实。这几年，老百姓有了案件去找谁？现在他们不再找法院，因为法院的执行率（我们走到的几个地方）都达不到50%。那么谁能够解决？黑社会和公安。他们有力量解决，如果不给钱，我就把你拷起来；不给钱，我就把你暴打一顿。

基层法律服务所作为一个私人纠纷解决的服务机构，是真正应该提供服务的机构，他们手上没有资源，而且他们要普法、法制宣传，很多的公共事务，他们要养他们的管理人员。司法所目前在我说的公共机构中，他们的工资都只拿得到60%，剩下的工资怎么办？而且他们要普法，他们说："中央只给政策，从来就不给钱。因为所有的普法工作我们都要做，我们没有钱，打一个横幅，发宣传单，这些东西都是要钱的，那谁给我们出钱——法律服务所"。法律服务所通过为当事人提供法律服务收费，然后拿这些钱上交司法局，司法局再来给司法所的公职人员发工资。那就是老百姓在养着这些公职人员。老百姓现在经常是，除了执行率低之外，就是打不起官司。像现在离婚的案件，法律服务所最低要两百块钱，法院最低的是五百块钱，而这是老百姓一年的生活费。所以老百姓说："算了，我们不离婚，分开住。我们一人一间房，我们现在离不起婚。"现在不是没有需求，不是没有纠纷，而是我们的机制没有办法给老百姓提供解决纠纷的方法。

陈弘毅：我想请教一下王教授，作过这么多的实践的调查之后，你对于近年来推行的司法改革的总体的评价是怎么样的？因为一般的印象就是认为司法不公、法院的腐败、地方的保护主义非常严重等等。

对于李强教授的论文，我有两点问题或者意见。第一就是，李教授认为，中国现有的制度之下，法律的统一性问题或者司法的统一性很有问题，没有解决。但是我觉得，这个是不是一个畸形的问题？就是说，宪法与法律其实已经建立了一个制度，是可以保证法律的统一性、司法的统一性的，但是这些宪法与法律所建立的制度并没有正常的运作，或者没有发挥他们应该发挥的功能。

举例说，宪法与法律，包括2000年通过的《立法法》，都很清楚地规定了中国的法律规范的不同层次：最高是宪法，然后是法律，然后是行政法规，最后就是规章，包括部门的规章与地方政府的规章。《立法法》和《宪法》也都很明确规定，比较高的层次的规范有比较高的效力，一个低层次的规范同高层次的规范有冲突的时候，以高层次的规范为准。《立法法》有授权，《宪法》也有授权，给人大常委会否定一些与宪法或者法律有抵触的行政法规，或者授权国务院处理一些同行政法规有抵触的规章等等。这个制度从条文上来说，已经建立了。如果它的运作是，正如条文的起草人所希望实现的情况一样，那么应该已经解决了法律统一性或者司法统一性的问题。实际上这个制度没有运作，实际上人大常委会没有正式否定一些被认为是同法律有抵触的地方性法规，法院也没有权力进行司法审查。法院也受地方政府或者地方权力的控制，它们不能独立地审理涉及到不同地方利益的案件，这是所谓地方保护主义。所以我觉得，这个可能是我们讲的法律的规定同实践的差距的问题，而不是其他的例如政府的功能或者全能主义政府的问题。

第二点，是关于对全能主义政府的分析。李教授认为，由于现在的中国政府，还没有完全摆脱全能主义的影响，所以就出现他所说的各级的地域组织不是单纯的公共权力机构，公共权力和私人利益的界限模糊不清，容易导致公共权力丧失公共性。而他提出的解决办法是政府职能的转化，限于一些真正的公共的职能。我的问题是：政府机构不能为公共利益服务，或者受到私人利益的影响，政府不能扮演发挥公权力的角色，这是不是因为全能主义的影响？还是有其他的原因？例如我们前几天讲过的缺乏民主宪政，缺乏监督等等的原因。政府职能的转化是不是就可以解决政府或者公共的权力不正当的运用或者被滥用的问题？

梁治平：刚才的讨论我觉得非常有意思。傅郁林博士讲到了一些很有意思的案例，联系到昨天傅华伶教授关于农村发展的说明，还有王亚新教授今天这篇文章，这个图景让人们想到清代社会。我们知道清代社会官吏是很少的，朝廷命官在一个县里就那么两三个。两三个人不可能管理一个县，它还有许多衙役、书吏等，这样才能够对这个县加以管理。这就涉及到很多问题，比如，这些人的工资从哪里来？这就是一个问题。当时，很多是县官自己雇的人，如长随、幕僚，是要县官自己付钱的。还有很多钱要从诉讼当事人和老百姓那边来。所以，这就给老百姓打官司增加了很大的负担。我们都听说过"陋规"。"陋规"是什么？就是这些东西。

这种现象表明，我们现在的中国确实面临着一个前现代的问题。如果要建立一个现代国家，就是李强教授在他的文章里边描述的，那么就要有能够贯彻下去的统一的法律，要有一套机制，一套人员，以及相应的财政支持等等。我们确实面临着一个中国的国家向现代国家转型的问题。这个问题从清末到现在，可以说一直在进行当中，不管我们怎么划分这段历史。

我觉得李强教授的文章在有些方面非常重要。特别是，作为一个政治学家，他提出的国家建设中的法律问题，我觉得在法学界的讨论里是比较欠缺的。所以这非常有意义。它让我们注意到，法律建设的过程实际上是一个现代国家建构的过程，如果我们把法律和国家这两个东西联系到一起，不一定谁先谁后，而是说把这两个问题联系在一起来看，就会发现，现代国家和现代法律的建设实际上是同一个过程的不同方面。我们想一想，"宪政"这样的口号的提出，现代法律制度的建设，国家权力深入到社会基层，都是一个法律建构的过程。所以，这两个过程，如果不联系起来加以分析，恐怕是一个很大的欠缺。换句话说，政治学家在考虑国家建设过程当中如果不考虑法律，会是个很大的欠缺。反过来也是一样的。

今天的两篇论文有很大的关联。李强教授的论文是在一个宏观的角度上讲中外的历史经验和理论，讲现代国家的建构。王亚新教授的文章描画了一个具体的图景，他的所谓民事审判方式的改革完全是现代国家建构、现代法律建构中的一个具体的活生生的进程，今天正在进行的过程。过去我们的法院什么都管，要送法上门，还要跟老百姓保持密切关系。现在人们说，不能这样了，程序要正式化，法院就是法院，要跟当事人保持距离。法律人是一个共同体，法律世界跟普通的世界是不一样的，因此要跟生活世界拉开距离。这是一个功能分殊的过程。但是，这里出了很多的问题。第一，在这个过程里，出现了制度建构要求，但具体的实践是千变万化的。本来制度构建要求统一性，但实际上，正如王亚新教授文章让我们看到的，是千变万化的。

我觉得，王亚新是想要解释，制度的统一性和实际的千变万化是怎么回事。他的结论可能让我们每个人都会觉得意外。他说，改革开放以前，1980 年代以前那种状态下，制度和实践反而比较一致。这和人们的想法不太一致。因为那时候实行的是人治，是马锡五审判方式。应该每个人都不一样，每个地方都不一样，怎么会比较一致呢？现在我们强调的是一致性，程序化，制度化，正规化，为什么反而实践中非常不统一。为什么会出现这种情况？我觉得王亚新教授的文章非常有价值，他做了两个工作。第一个，他试图来解释制度是怎么变化的。他想用规则、实践和把规则和实践联系起来的所谓话语来解释这样一个动态的过程。今天，王亚新教授在报告的时候，把他的方法论部分省略了，他甚至把底下的很多很重要的问题也省了，他只讲了很多具体的案例。对没有读过这篇文章的听众来说，可能会显得比较乱。但实际上他在文章里做了很多归纳，并不零乱。所以我觉得他做了一个很成功的尝试，不管他在方法论上有什么问题，他希望能把制度变化的过程解释清楚。

当然这样就留下了很多问题，换句话说，就是问题多于答案。当然，它是一个中期的报告，研究还没有做完，所以这是可以理解的。这些问题包括统一的法律制度出来以后会是什么样的，当事人主义，功能分殊，是不是能解决中国目前的很多问题，等等。所以我觉得，这两篇文章如果联系起来阅读是非常有意思的。换句话说，我们到底需要什么样的统一的国家？

范愉教授提出了多元化的问题。我想特别说明，讲一元化，讲统一国家、统一法律，是法学界的一般性的意见，范愉教授在这个方面是一个另类。她提的意见是少数人的意见，但这个意见很有价值。我们强调统一会不会有问题，我觉得有很大的问题。

时间到了，容我再说两个小问题。一个是西庆的评论里讲到最高人民法院制定规则的重要性，讲到规则的重要性，这些毫无疑问是很重要的。实际上，最高人民法院在今天确实扮演了这样一个角色，甚至很多司法解释是具有立法功能的，而这是一种违背宪法安排的做法。你也讲到美国的联邦法院作了很多这样的事情。这里边就有一个问题：美国联邦最高法院做这些事情，是在一个现代国家，一个非常成熟的现代国家背景下做的。而在李强的文章里，中国的现代国家本身还没有建立起来，还是在一个过程当中，所以最高法院能不能完成这个任务，就是一个问题。王亚新文章里讲的底下各自为政，每个人都在试验。所以我们现在看到，法院的改革，法院的实验，很多是从底下出来的。底下当然就非常复杂，它的激励因素，它的动机，它的博弈的过程是非常复杂的，需要做很多的实证研究。

另外一个问题。张军教授从一个经济学家的角度提供的阅读感受我也觉得非常有趣。不过，张军教授提出的经济学家和政治学家看问题的角度的差异，我觉得不一定是他们各自的学科造成的。其实政治学家也有很多注重差异，比如谈多元主义，有政治多元主义，强调多元，甚至说主权根本不存在，都是强调差异的。相反，经济学家在讲共同市场的时候，在谈一个政治力量来支持共同市场形成的时候，他会强调共同的东西。是不是经济学家就讲分权，政治学家就讲中央集权？这不一定。比如说分权，政治学家讲的很多，横的方面讲三权分立，纵的方面讲联邦的分权。我觉得，这些是由个人立场和他想要解决的问题所决定的。当然有一点是一个共同爱好，就是规范性这一点。但规范性不是某一个学科的问题，哪个学科都会讲规范性。毫无疑问，李强教授的文章很强调规范性。我想规范性的重要性，大家也不会否认，只是看怎么去讲。

王绍光：我先对王亚新教授做两个小小的评论。一个就是关于方法，他说他是各种各样的方法他都用，我自己也是这样作研究。崔之元以前的老师史华慈就讲他自己是方法论的机会主义，我想我也是，王亚新好像也是。我觉得没有任何问题，因为你不能被方法牵着鼻子走。方法是你的工具，你应该拿各种各样的工具来解决你的具体问题。但是在解决每一个具体问题的时候，从各种方法里借鉴的时候，你还是要发展出自己的统一的分析框架。这个时候，你要是还太杂，随意地拿各种东西，就显得分析框架不太统一，缺乏说服力。其实不管政治学、经济学，不管什么社会科学，都要重视差异 variation。王亚新做的实证研究里发现的是大量的差异性。不同的地区，虽然好像是统一的规范下，但是发展出来的是有大量的差异。这是非常有意思的，差异对统一的法制可能不利，对老百姓可能很痛苦，但是对研究者来讲是最好的情况，你可以从里边辨析出，哪些是重要的变量。通过昨天今天的会议讨论，我发现大家都认为一个很重要的变量是公共财政，如果公共财政的问题不解决，无论在司法改革上作多少努力都无济于事。各种司法机构的资金从哪里来，如果在不同地区，来源是不一样的，会不会影响到后来实践的样式？如果有一个大范围的调查，发现其中的各种变量，来分析这个差异，分析影响这个差异的各种变量，再来看看公共财政资金来源方式对司法体制的影响。我觉得应该是一个很好的切入口。

我和李强有同样的兴趣。我最近一两年也跟一些朋友，一直在做国家基本制度建设的。我最近跟胡鞍钢、周建民，编了一本书，叫《第二次转型》，副标题就叫"国家基本制度建设"，我们想通过历史和比较来确定现代国家的一些基本职能。我们确定了大概有八项基本职能。有三项，是传统国家就有的，有三项，是现代国家有的，有两项，是民主国家有的。

三项传统的国家职能中，第一个是强制，这是国家基本的特征。没有强制，就没有国家存在。第二是汲取，必须有公共财政的汲取，保证国家其他功能的实现。第三，我们叫儒化。儒化一方面是要维持国家的民族共识，就是你到底是哪一国家的人，这些东西，每个国家都会做。另一方面，是培育一套核心价值。我们看西方，好像非常多元，但每个社会里边，它有一套核心价值。这个东西叫儒化。

三项现代国家的职能中，第一项是监管。因为在现代，尤其市场经济条件下，它存在两个不对称。一个是信息不对称，在现代服务业、金融业、证券，还有医疗，各种东西里边，信息不对称情况非常普遍。第二是权力不对称。在现代国家里，尤其有产权以后，资产的拥有者和没有的人，他们的权力是不对称的，还有，公共权力跟私人的权力不对称。就需要进行监管，对经济、社会进行监管。第二项我们叫做统合。国家不但要监管社会和经济，也得监管自己的机构和自己的工作人员，要制止腐败，要使整个国家机器在一定规则上是统一的。第三项是再分配。我们不管同不同意再分配，现代国家，特别是进入 20 世纪以后的现代国家，尤其以西方、欧美现代国家为例，都发展了某种再分配机制。这三项我们认为是现代国家，特别进入 20 世纪以后的现代国家的三个功能。

最后两个是民主国家可能具备的。一个叫做表达，就是要建立制度性的表达渠道，让各种社会势力、政治势力，能够把自己的意愿、需求、要求表达出来。最后一个我们叫整合，就是要有一套机制使表达出来的各个阶级、各个社会集团的各种偏好、意愿、要求，最后整合成公共政策和法律。

肖耿好像说以前没有这八项。我们的看法是，这八项可能即使在毛泽东时代也有。但是，它可能只适合于那个时代。我们二十五年的经济改革和对外开放，使社会结构、经济结构发生了大量的变化。所以毛泽东时代建立的那一套国家机制，有些不管用了或者大量的不管用了。所以我们经常提的不是国家制度的建设，而是重建，适应现在变化了的经济和社会，发展出一套新的国家基本制度。

回应

李强： 这个文章里面的某些观点，我在前几年的一些文章中都有过表述，比如在 1998 年批评王绍光国家能力和国家权力的悖论的文章，后来写过"后全能主义体制下的现代国家"，国家，包括写过传统中国社会、政治和现代资本主义，韦伯的制度主义分析，包括宪政自由主义和国家构建等等。这次拿出来一个我自己觉得可以研究的一些结论性的东西，是一些干条子，希望可以能够和兄弟学科对话的。刚才张军教授评论中，讲到一个方法论的问题。其实方法论在各学科之间的差别没有那么大。比如政治学，既有做规范性研究的，像我研究政治哲学，也有做实证性研究的。这次我希望把这些研究最重要的一些结论，向大家做一个报告，希望得到大家的批评。

这几年，在经济学界、法学界有很多的争论。经济学界争论一个很大的问题是，国家应该不应该做这个，国家应该不应该有这么多的职能。刚才王绍光的评论也讲到，国家是不是有八项职能、五项职能。法学界也经常讨论，法院应该干什么？法院的功能是服务，法院要不要收钱？我觉得大家好象有个基本的前提，是说我们已经有一个比较典型意义的国家，现在要看看国家应该有哪些职能。我从一开始就提出，讨论国家问题，可以有不同的角度。现在我想讨论的是，什么样的国家结构是中国的转型过程中值得我们去考虑的，它能够履行某种职能。我们先不讨论职能，而讨论什么样的国家结构可以履行国家职能。我的整个讨论，是从国家结构的角度开始的。

首先，於兴中老师提出来的这个问题很重要。我有一个预设，就是现代的法律和现代的国家是相关联的。在做这个预设的时候，受到了比较多的实证法学派的影响。我在英国念书的时候，念功利主义、实证主义。在奥斯丁、凯尔森那里，我觉得，关于法律和国家的关系，尽管有诸多争论，但是如果从实证的角度来看，起码法律里面的最核心那一块，即关于垄断暴力和拥有暴力那一块，是和一个国家制度相联系的。卡尔·施密特讲得比较极端，"杀人"这一块权力，它还是和国家联系在一起的。国家无论怎样多元化，我认为这是国家的最低的限度。

关于欧洲历史的解释，我对顾肃老师提出来的关于英国这个问题作些说明。传统上，我们国内学术界，包括西方学术界，我觉得存在一个误解。这个误解是以为英国这个制度是一个和欧洲大陆不一样的制度，欧洲大陆是绝对主义国家，国家权力大，而在英国，国家权力小。实际上，英国成功的秘密，用一个非常著名的英国史专家的话来讲，就是一条，英国这个国家的强大是任何国家都比不了的。强大不是说权力的专断，不是说有一个庞大的权力武器，而是说，国家在执行最核心的国家职能上，有一个非常协调有效的机制，从而能够动员社会，能够履行国家职能。基于这样一种西方的经验，我希望能够从国家结构的角度来剖析现代国家究竟是个什么东西？有多少职能的问题是可以争论的，但是怎么才能履行这些职能呢？最核心的现代国家的结构是一个在分殊基础上的自主。一定要分殊，国家就是指专门弄出来的这么一部分人、一套机构。我非常感谢季卫东教授的评论，只有分殊才有公共领域。季卫东教授还提出来一个非常重要的问题，就是分殊够不够？国家的公共权力以分殊的方式从公共领域分离出来，是不是现代社会的惟一方法？这也就是福柯所讲的纵向的这一块。还有一个是互相的监督。我想这个问题提得非常重要，分殊基础上建立起来的公共权威，只是现代社会的权力结构里的一个方面。

但是，这样马上就出来了另一个问题，也是大家反复讲到的，这是不是强调一种专制的国家、集权的国家、专断的国家？张军教授刚才提出诺斯的观点，怎么样才能管住这个分殊的权力？英国经济之所以发展，一方面是有一个国家在保护产权，另一方面限制了国家滥用权力。限制国家权力非常重要，但这只是我所关注的问题的一小点，我关注的是统一性的问题。分殊本身就是某种程度的限制，就是要把国家的权力限定在一个领域之内，使得不再是无限的，当然这点限制是不够的。还要有市民社会的限制、宪政的限制、法治的限制，使得国家既要有垄断暴力的权力，又不能滥用这个权力。民主和宪政是现代国家构建的基本内涵。我这个论文基本上是从结构的角度出发，完全是一个结构主义的分析。

说到传统国家，梁治平是这个领域研究的专家，对他提出来的评论，我是非常重视的。我几年前写过一篇关于传统中国社会政治结构与现代资本主义的文章，当然那很大程度上是一个韦伯的 model。在写那篇文章的时候，我基本接受了韦伯的观点，就是方法论上的各取所需。我觉得，传统中国比起罗马来说，国家结构要发达得多。这也是中国这个体制能够维持几千年的一个核心的原因。这一点是我们过去研究传统中国政治不重视的方面。至于说权力专断，它是另一个问题，我想，不能把这两个问题混在一起。但是，传统中国在提供统一的法律秩序方面是不够的，也就是国家权力穿透力不够，主要是因为公共财政的不足、文官制度的有限等，造成了国家穿透力的有限。

对于当代的问题，高西庆提出了一个很重要的问题。我所说的全能主义不包含任何价值判断，也不同于极权主义，我有意识地不用 1950 年代像 Friedman、Friedrich 等人用的极权主义的概念。就全能主义而言，我只从结构的角度来讲的，全能主义造成了国家和社会的全面融合，从而使得独立的分殊的国家机构不复存在。这种状况在后全能主义时代，在我们进行经济改革的时候，就马上出来一个问题，就是没有一套机构让我们可以想当然地想到是国家。因为国家应该是中立的，它是一个公共权力。但是在后全能主义时代，这个机构到处收钱，到处管这管那。所以，全能主义概念只是我分析问题的一个工具。

我也感谢人大范愉老师提出来的这个观点。我并不认为我的整个框架里排除了多元性。我只是强调，最核心的一块必须由国家机构来做，这一块必不可少。这一块是建立一个现代国家和现代社会的必要条件，绝不是充分条件，我想任何一个西方的现代国家都包含了这个因素，包括民主国家，包括联邦制的国家。非常感谢大家的批评。

王亚新：谢谢刚才各位的批评和鼓励。因为时间有限，我想主要就三个问题稍微回应一下。第一个问题是要回应高西庆老师的批评，但实际上是面向我们在座的博士生，尤其学法学的博士。我的这个研究到底只是描述现实还是要提供某种改革的进路？我觉得，我的研究还是一个描述性的东西，但也不排除能够刺激人们去思考怎样改革。政治学、经济学等，这些是我们的最常规的所谓"实证的"社会科学。法学则主要是一种法条解释的规范学科，总是告诉人们应该怎么样。但是我们现在确实需要知道法律实际上到底是怎么运行的。这就产生了对"实证的"法学研究的需求。法学与经济学或者别的社会科学领域相比较不一样的地方是，法学在这方面基本上没有太多积累。所以，我这个研究里有些东西显得非常幼稚，我觉得也是可以原谅的。我之所以和一些朋友和学生去做这个研究，也是希望在法学领域创造出在经济学、政治学领域那么高水平的东西来。当然，这个需要时间。

第二个回应是我觉得非常关键的方法论问题。刚才王绍光教授和梁治平教授多多少少给我做了一点辩护，我想再稍微陈述一下。刚才於兴中、顾肃、张军老师的批评里都包含了这样一个意思，就是我的概念比较杂多，而且似乎比较混乱。因为我搞的是一个很具体的技术性的学科，不是理论专家。关于吉登斯、布迪厄学说的"本来面目"应该是什么样子，这当然是很重要的。在国外学术界，我们知道，你是什么专家就是什么专家，对每一个词你都要界定。但是，在中国，在我们法学这个领域，现在还根本达不到这个水准。在方法上，我确实正如王绍光老师所讲的，只要能为我所用就行，也许有误读和片面的理解，这确是我想就教于专家的地方。这样，也许有人会提出一个问题，你就搞你的技术性的研究就行了，为什么要用这么多方法？是不是用来装饰的"孔雀羽毛"？但我要回答的是，不，我面临的如何在某种整合的框架内去说明现象的多样性这个课题，逼着我自己不得不去学习这些东西，因为我研究的是一个只有在社会科学发展的系统里面才能够理清的问题。

对刚才於兴中老师所讲到的，我想说，我对这些学说发展的来龙去脉还是有大致的把握，尽管我不能精确地了解它们的全貌。比如说，包括韦伯和帕森斯，他们最重要的还是关心那些大的结构问题，或宏观问题，我现在关注的是日常性、种种的"故事"、同时又必须考虑如何反映一个个细节里边的统一性或整体的结构问题。我从日常互动学派、现象学的社会学等学到很多东西，但这些东西也不足以解释面临的问题。而我自己理解吉登斯和布迪厄的理论至少在整合宏观的结构与微观的实践这方面是有交叉的，正好能够用来把握多样与统一的关系。这里还牵涉到法学的实证研究中一个常见的难点，就是要描述应然。要描述应然，恐怕不得不借鉴诠释学或话语分析之类学科的成果。我有一个判断，仅仅是一种线性的因果关系式说明大概很难适用于法的实证研究。我的这个研究借助了"认知"、"话语"或强势话语与弱势话语的竞争等等概念，理由就在这里。要作实证研究，如果像经济学的有些领域，我觉得完全可以做最典范的、古典的那种研究，但在我们法学这儿，基本上没有哪个领域可以这么做，要建立因果关系的线性的说明很困难。同时，我也反对还原论或把某种因素视为根本或基础的决定论观点，构成整体的因素都是被相互建构的，法现象的整体本身常常也只是一种被建构的"现实"。

我要回到刚才季卫东教授提出的问题。他每次的提问都给我一些教益。在他提出的问题里，他指出了连国家也变成了营利机构的这种博弈，怎么能够与我们的规范、理想结合起来的问题。我的意见是，这也许属于一个分析策略的问题。我们既可以从提出某种理想、规范或政策建议入手，再去考虑它给博弈或秩序形成带来的冲击或复杂影响；也可以把规范、理想或政策性措施都视为博弈过程、秩序形成过程中的一种作用因素，与自生的其他因素在功能上可能等价，再去思考这些因素之间相互建构的影响或作用过程。当然公共财政很重要，我也强调了，但只是我谈到的因素之一，我把它当成一个组织因素。另外，季卫东刚才讲博弈或讨价还价不能产生一种秩序，在他的报告里也有这样的观点。我想要回应的是，在有些情况下，讨价还价过程和政策措施也可以 trade off，在功能上也是可以互换的。我举个例子，批评地方政府对法院的控制和司法保护主义是我们当前的流行话语，一般都要求实行某种政策或制度的措施来解决这个问题。但是在研究中，我发现在有些方面通过长期的博弈，法院已经逐渐发展到可以跟地方政府讨价还价了。有些制度，比如说行政诉讼，不一定直接解决什么问题，但却给了法院与政府讨价还价的工具，这是规则给的武器，而这个跟我们的强势话语，与我们介绍外国的东西有关系，而且到了围绕这些制度的话语或解释中，又附加了很多价值。这一点很有意思。另外一个例子是破产案件，以前法院实际上根本管不了，都是政治问题、财政问题。但现在是什么情况呢？有时甚至地方政府还得求法院，做出有利于自己的处理。当然，法院的讨价还价能力，往往跟它的营利倾向有关连。但到了一定程度，法院也可以不怎么追求营利了，像海淀区法院那样的地方，营利对它已经不是十分重要了，它可以在相当平等的层面上，跟地方政府讨价还价，看类似破产这样的案件怎么解决。当然，到达这个程度对有些地方的法院来说还很遥远。总之我觉得，季卫东讲的那种从大的架构上进行某种政策的介入，跟我这个研究关注的这种细节的、微观的、悄无声息的演变完全可以结合在一起，并不矛盾。

最后一点，回应傅华伶教授提出的对目前我们的司法服务到底应该怎么样评价的问题。我是 1990 年代初开始作实证研究，那时我还在国外。当时我回国在一个最穷的地方，我家乡贵州的基层法院做了调查，然后又到一个比较富裕的地方，考察了一个中级法院的情况。从那时以来，最近这两年我又走访了几个省。到现在为止，可能共看了十多二十个法院的情况。我还会继续走下去。我发现，在两个极端之间、即充斥在我们的传媒或大众话语里边的所谓真善美的"模范事迹"和有时简直是暗无天日的"坏人坏事"之间，在日常性的领域，我们在司法运作和法律服务方面的进步其实相当大。我现在获得的是一个稍稍乐观的印象，当然也不是一切都美满，我们的问题仍然非常多，而且不同地方的差距也非常大。最后我想说明的是，这种变化并不是完全自然而然地发生的，而是跟我们每一个人的行为，包括个人为了自己利益的努力和我们这样的学术介入，都是紧密相关的。

小结

张维迎：今天两位发言的一位是政治学家，一位是法学家，我可能不太有资格做小结，因为我自己只是一个经济学家。在我看来，这两篇文章可以说互补性很强。李强，实际上就是 Desire approach（理想的方法），那么王亚新的则是一个叫 Evolution approach（渐进式的方法）。这很类似我们在讨论苏联的改革和中国的改革时两种不同的思维方式。李强在讨论国家的统一性中的法律时，我觉得，这里的法律比一般的法律概念的范围要宽得多，尽管他在论文中是统一使用的。下边，我谈自己的一些粗浅的看法。

首先我想问，我们要法律干什么？我从博弈论的角度归纳一下，法律无非是这三种功能。第一个是一个激励机制，第二个是协调、预期，第三就是传递信号。所有的法律不外乎这三种功能。以交通为例，法律的第一个功能是，怎么使得开车的人、行人都有很好的积极性，采取预防措施，这就是激励机制的问题。第二，法律怎么去协调开车人之间的预期。开车靠左行或靠右行的规矩是为了解决这个问题。其实，靠左还是靠右，这本身意义不大，问题是，你必须要有一个东西便于大家协调。第三是一个传递信号的机制。比如拐弯的时候，应该打灯；晚上必须有灯，不开灯，就是不合法的。在美国，白天不开灯也可能是不合法的。这些是为了让别人知道你。所以，所有的法律，不论多么复杂，都超脱不了这三个功能。

麻烦就是，这三个功能同样要可以应用于制定法律的人和执行法律的人。大家都知道，对法律最严峻的挑战不是来自普通老百姓，而是来自制定法律的人和执行法律的人。所以，很多法律制度的设计，包括国家权力的分配，都是基于怎样限制制定法律的人和执行法律的人，让他们有一个好的积极性真正完成社会赋予他们的功能。

大家经常说"法律面前人人平等"。首先，其实谁都解释不清楚什么叫"法律面前人人平等"。我举一个简单的例子。犯了一个同样的罪，如果是农民就把他抓起来，判两年；假如是当官的，就把他的公职开除了。大家说，这样平等不平等？大部分人认为不平等，一样的法律，为什么有人坐牢，有人不坐牢？那我想问，同样违反了交通规则，一个月赚一千块的人罚二百，一个月赚十万块钱的人也罚款二百，这平等不平等？大家会说这平等。其实，这两个完全是一码事。从一个月薪十万块钱的富人手里拿走两百块和从一个月薪只有一千块的人拿走两百块，这完全是不一样的，甚至在某种程度上可以说，第一种处理方式比第二种更平等。把一个高官的公职免了给他带来的痛苦，可能远远超过农民被关两年的痛苦。什么叫"法律面前人人平等"？我自己思考了好多，还是讲不清楚，究竟是留下的平等还是拿走的平等？

撇开这个问题不讲，我承认大家一般所理解的法律面前平等叫做"同罪同罚"。这个无论从效率的角度考虑，还是从公平的角度考虑，都是不合理的，都是没有道理的。举个简单的例子，犯了同样的罪，身体好的人，你打他二十板子，他没事儿，站起来就跑了；身体不好的，就打死了。无论从激励的角度，还是公平的角度，都不应该"法律面前人人平等"。

那我们为什么要"法律面前人人平等"？惟一的理由，就是为了限制执行法律的人。假如没有这样一条规定，执法的人说，要看什么情况打多少板子，这时候所有的法律、司法的腐败就来了。就是说，如果对执法的人赋予太多的权力，法律就起不到激励的效应，也可能没有办法起到协调、预期的这些功能。所以我就想强调这一点，当我们考虑国家的法律制度的建设、设计的时候，一定要从法律本身面临的最大挑战来自哪儿的角度来考虑，这也是我的偏好。

从这个角度出发，我们又可以发现，西方的法律和中国的法律，甚至西方普通法和大陆法之间，很大的一个区别是什么？就是对法官的信任。如果一个国家的民众对法官没有多少信任，就不能给法官很多的权力。对政府而言也是这样。在西方，法律有 bright line（细则）和 standard（准则）之分。法国的法律更多的是一个 bright line，就是一个明确的标准。比如，违反了一个规定就要罚款多少；信息披露没有达到什么标准，就应该给你多少处罚。而英国的法，很多属于 standard，它是一个非常抽象的标准，具体执行都是由法官定夺。中世纪的时候就是这样。拿破仑时期，大家都知道，他对法国的法官没有信任的，因为没有信任，所以必须要有很细的规则。英国人一直对法官有充分的信任，所以英国人不给法官多少约束。

我觉得，我国的法制建设也面临这样一个问题。比如，对一个人提供的证词、证据，法官应该采纳还是不采纳，这取决于法官要判断这个人的话本身可信不可信。我们看到电影里有这样的情形，如果一个被告的证人提供了对原告不利的证据，原告的律师只要能在法庭上证明这个证人过去说过谎，那么法官对这个证词就基本可以不采纳了。中国能不能这样呢？不能这样。为什么？我想很大一个原因是，我们对法官本身没有信任。确实，我们也不能信任他们。所以我想说，权力的分配一定要与这些东西相关起来。

然后回过头来看李强、王亚新教授谈的这些问题，我觉得就有意思了。为节省时间，我念一段我的一本书里的东西，这些我都参考了大量文献。"西方现代法律制度是在中世纪的竞争中逐步形成的，这些竞争包括国家法庭与商人法私法庭（law merchant）之间的竞争，包括一国内部不同法院之间的竞争。比如 17 世纪以前，英国同时存在好几个法院在争夺不同案例的判决。其中也包括不同国家的法律的竞争，包括英国的法律和法国的法律的竞争。因为当时国际商人的交易，可以在英国执行，也可以去法国执行，所以，这些都在竞争。竞争的最后结果，才变成了被各国的法律所实施，然后才变成了统一的法律。"

即使到现在，大量国家间的纠纷解决仍然仿效中世纪的商人法私法庭（law merchant）的办法，就是国际仲裁法庭。比如，外国人来中国签订合同，他们不太相信中国的法院，所以条款里就拟定说，如果出现纠纷就去比如斯德哥尔摩仲裁法院进行仲裁。最近，四川百事和百事可乐的纠纷就提交到了那儿，因为他们对中国的法院没有信任。另外，即使这样，我们还得允许，民间有足够的竞争的力量跟政府的法院进行竞争。比如，在1950年代的时候，美国75%的商业纠纷都是通过仲裁机关完成的。我最近刚看到一个数字，美国民事纠纷的93%都是不经法律审判的，而是通过庭外解决的。我想说，法律绝对不能垄断，法律一定要给当事人、其他人一个很大的竞争的空间。从这个角度来讲，从一个演化的角度来讲，我觉得王亚新教授的这个研究很重要，就是说，我们要看法律实际上是怎么形成的？它不是一个像苏联改革那样设计一个东西，这是价格，那是私有化，那是宏观控制，就可以解决的。它一定是一个不断的演进的结果。当然演进的最后结果，可能就达到了李强教授所说的这样一种理想状态，它是一个有统一性的，但是演进的过程绝对不可以是统一性的。

回到我刚才讲的。我们没有任何一个办法能够保证，如果权力被垄断统一行使的时候，它一定是好的。比如法院总得收费，不收费也可以，那就得靠另外的财政支持，也是收费。关键是，收费到什么情况为合适？如果由一个机构垄断了，如果由法院垄断审判，那么法院的收费就可能是垄断费用，这会破坏效率。怎么去保证法院本身运行的有效性？没有竞争的话，我觉得是比较难的。我还想提一点，不知道李强教授是否会赞成，我不知道我的说法对不对。其实，权力可以分为两种，一种叫替代性权力，一种是叠加性权力。中国现在的问题是，叠加性的权力太多，替代性的权力太少。替代性，类似说并联；叠加性的类似串联。比如高速公路，叠加性的权力就是你在这儿设一个收费站，我过了500米再设一个收费站，然后第三家再设一个收费站，这样就糟糕透顶。替代性的权力是说，你在这条路上收费，我再建一条高速公路也收费，最后竞争的结果才会保证收费是最有效率的。农村的问题很多都涉及到这个。我觉得中国的改革就是要逐步把叠加性的权力慢慢转换为替代性的权力。有了替代性的权力，然后就有竞争。民政局跟法院竞争，然后工商局也加入进来，我觉得这个没有什么好说。但是有些权力本来是应该废除的，我们只要有了替代的权力，有了竞争，那些不该有的权力，我相信慢慢就会废除了。为什么呢？等他们收不到费的时候，就不会提供服务了，这个时候就会废除了。最麻烦的是叠加性的权力，每人都加一道，这是最可怕的。

绍光过去强调国家的强大，李强看到了财政力量的有限。其实，这个问题不那么简单。一个国家真正的强大，不是来自于强制性的因素，而是来自于老百姓对国家的信任程度。按照李强的意思是不是说，我们过去打仗打不过人家，是因为财政不够。我有另外一个相反的例子。英国光荣革命之后，在英法战争中把法国打败了。为什么能打败？在光荣革命之前，英国政府连年累积的财政债券、国库券是200万英镑，10年之后变到2000万英镑。英国政府是有钱，所以能把法国打败，但这钱不是靠征税，靠的是什么？靠的是借款。老百姓为什么愿意借款给国家呢？这是因为在光荣革命之后，英国国王的借款的权力受到了限制。在这之前，国王借了款，说不还了就不还了；说展期了就展期了。在这之后，任何一笔新的借款、借款条文的改变、利息的变化、展期都要得到国会的批准。由于有了这个约束，老百姓对政府就有了信任，所以你要借钱，我就借给你。英王借了很多钱，把这个仗打赢了。

我举这个例子是想说明，政府的很多权力其实来自于老百姓的信任，而不是说绝对可以强制的。李强强调穿透力的问题。政府的权力我觉得本身就不应该穿透得很深。我曾提出一个概念，"国家的刑法、社会的民法"。实际上，大量的民事行为本来就是社会的，就不应该国家介入。只是到了边界上，没有办法的时候，我们才应该允许国家介入。不能说国家越早介入民法、介入得越深越好，这是我自己的观点。

还有涉及到刚才几位都谈到的方法论问题。我倒是同意王绍光的意见，方法论上可以有点机会主义，但是，我要特别提醒的是，任何一个研究必须要有逻辑。我觉得这个很重要。你可用不同的方法，但如果没有逻辑了，各方法之间完全是冲突的，那就有问题了。绍光刚才讲到国家过去有三种传统的功能，后来有五种，再后来有了八种，我想问你的标准是什么？你概括的第一种国家的功能叫强制，我不理解"强制"怎么能成为国家的功能？强制是行使权力或者服务的一种手段。比如，我生产杯子，这是我的功能。但我不能说，我的功能第一是生产杯子，第二是收价格。这是不一样了的。强制是国家的一个重要特点，我觉得它与你讲的其他的功能不是同一个概念，不能并行。为什么我们允许国家强制，而不允许其他人强制？我是生产杯子的，我能不能这样说："茅老师，100块，你必须给我，杯子是你的。"我们不允许这样做，这是违法的。但国家可以这样做，国家的服务就是强制。为什么收税？这就好比我对茅老师说"给我100块，杯子给你"，意思是一样的。至于你喜欢不喜欢杯子，那是另一回事，你必须拿走。所以我想，我们可以用经济学、法律、政治学的各种各样的方法，但是一点，必须遵循基本的逻辑。我举国家功能这个例子，实际上我是不同意这种分析的层次，不理解这几个功能为什么能并立？但我很同意这个观点，就是一定不可能说只能有一种方法论。不论用什么方法，一定要保持论文逻辑的一致性，这是最重要的。

茅于轼：今天上午的讨论非常之丰富，我也发表一点意见。我觉得，经济学跟法学，表面上看起来，有一个非常根本性的方法论上的差别。经济学相信的是一种分散决策。市场就是由许许多多的消费者、生产者共同在一个公平竞争和信息充分交换的基础上形成价格，供不应求就涨价，供过于求就落价，然后这个价格再引导资源的配置。在这个过程中，没有任何一个人有一个特殊的权利，能够影响整个过程，同时，每一个人又在影响着他，因为每一个人有差不多相同的一种权利来形成最后的价格。

但在法学，一般老百姓认为，这个过程跟经济学的过程是截然不同的，因为要有一个最后发言人，打官司打到最后，总得有个人说话。那么由谁来说最后这句话呢？从道理上讲，应该有一个代表正义的人。所以，法律要统一。统一在什么地方？统一在正义上头。问题就来了，那么谁能代表正义呢？是不是有一个人能代表正义？是不是最高法院或者终身法官就是正义的化身？再说，如果有这么一个人，我们上哪去找这个人？也可能这个人是一个很普通的法官，他掌握着正义。怎么把这个最好的人放在那个确定的位置上？

这些问题一摆出来，就出现了刚才张维迎讲的逻辑上的问题。这种解决问题的方法根本就是错误的。那怎么办呢？那就要有一个分散决策和竞争过程。我不懂法律，现正在自学。但我觉得法学是有这么一个过程的。判例法是什么意思？就是认为每一个法官都可以掌握正义，他都可以创造法律。到底谁对谁错？大家来评论。我觉得这个过程是真正实现社会正义的过程，而不是去寻求一个能够代表上帝的人，而且他确实站在最高法院法官的位置上。因此，我感觉经济学与法学最后还是同样一个归宿，就是不存在一个最高的权威，权威主要是由大家共同逐渐形成的。二者所不同的是，法学需要在现实世界里有这么个人说这句话，而这个人未必就一定说得对。这是我一点粗浅的意见。

（杨长庚根据录音整理）

从制度变迁的角度看待监管体系演进：
国际经验的一种诠释和中国的改革实践分析

高世楫　秦　海[1]

20 世纪 80 年代以来，全球性的经济市场化和自由化运动，使"放松监管（de－regulation）"成为公共政策讨论中的主流话语。尽管监管作为政府干预市场交易和企业行为的方式具有 100 余年的历史，但是，它一直持续遭受部分经济

---

[1] 本文意在梳理监管的基本概念，勾画发达市场经济国家监管体系的演进，并从监管体系建设的角度，探讨中国市场经济制度建设的进程，分析长期的目标取向和可能的路径选择。在有限的篇幅内，本文只能提供一个大致的分析思路和简单的研究纲领而不是介绍一个完整的方案。在文献处理上，介于芝加哥学派开启的对经济管制的（批评）分析文章国内已经较熟悉，我们没有过多引证，该领域的经典文章收录于 Bailey 和 Joskow 所编的论文集。对以激励理论为核心的新监管经济学，本文也未作详细探讨，文献所列 Laffont 新著是应用该领域最新进展的集大成者。本文意在从制度经济学角度分析监管体系演进，我们将曾经参考过的部分文献开列于后。在作者理解现代监管体系的内涵和形成本文的观点过程中，曾同许多国内外专家进行过深入讨论，其中包括国家电力监管委员会王强、俞燕山、孙耀唯、周玫、国务院发展研究中心产经部冯飞、产业所陈小洪、中国社科院竞争与规则中心张昕竹、工经所余晖、法律所周汉华、国家发展改革委经济所刘树杰、体改所许纲、宦国渝、何晓明、张安、陈伟、席涛、中银国际曹远征、世界银行能源专家 Noureddine Berrah、亚洲开发银行能源专家 Sohai Hasnie、美国能源监管委员会委员 William Massey、前纽约州公用事业监管委员会主席、联邦核能监管委员会委员 Peter Bradford、前 Maine 州公用事业监管委员 David Moskovitz、前 Vermont 州公用事业委员会主席 Richard Cowart、委员 Rick Winston。在《比较》丛书主持的研讨会、国家发展改革委培训班上同许多与会人士进行过讨论交流。同英国首任电力监管办公室总监 Professor Stephen Littlechild 教授的讨论对于作者理解英国的监管体系设计和改革非常有益处。在文章准备过程中，张安协助整理了部分资料。本文在上海法律与经济研究所于 2003 年 11 月 28 日－30 日在北京举行的国际学术研讨会——"国家、社会、市场：当代中国的法律与发展"——报告后，张昕竹博士、周汉华博士、香港大学肖耿博士、世界银行张春霖博士和上海证券交易所研究中心胡汝银博士等人提出中肯的评论和宝贵意见，在此表示感谢。作者对文章观点和存在的错误负责，与所供职单位无关。

学家的嘲笑和诟病。事实表明，二十多年前发端于美国的"放松监管"运动，已经滥觞为一场全球化的潮流，而且成为发展市场经济的共识。随着技术进步、信息传输成本的降低和社会经济活动透明度的增强，监管制度改革已经率先从那些市场失灵最为明显的领域、且具有自然垄断特性的网络型产业取得突破。更有甚者，在发达的市场经济国家中，监管已经从简单的经济性监管扩展到广泛的社会性监管，成为政府有效干预经济运行和社会发展的手段。1997 年 OECD 在关于工业化发达工业国家监管体系改革的报告中指出："本世纪监管型国家（regulatory state）的出现是发展现代工业文明必不可少的一步。监管帮助政府在保护广泛的经济和社会价值方面获得了巨大的收益",[2] 这是非常中肯的结论。近年来，由美国安然公司破产等一系列破坏市场运行规则的事件所引发的讨论和制度建设，使我们不得不承认，现代市场经济发展依靠政府与市场和谐的双人舞，其中政府的监管是市场有效运作的基本保障。[3] 从新制度经济学的角度看，政府的监管是交易合同中第三方强制性实施的一种机制，它同法庭、自律组织等其它第三方合约执行机制具有相同的作用和不同的成本，成为市场经济制度体系的有机组成。[4] 因此，监管问题的本质，是政府与市场的关系。

目前，我国正进入完善社会主义市场经济体制的进程之中，在不同程度上存在着市场失败和政府失灵。因此，进一步推进经济体制改革和制度建设的核心，是政府如何继续从包揽一切社会经济事务中实现有限退出，按照适应生产力发展的要求重新构造政府与市场的关系。在一些已经开始市场化的领域，市场失灵和潜在的市场失灵已经开始出现，政府监管如何跟进？政府如何发挥维护竞争秩序和保护所有利益相关者利益的作用？我们如何在本土经验的基础上合理借鉴发达国家监管制度改革的经验，进行制度创新？本文试图从新比较经济学的角度探索

---

[2] "The emergence of the regulatory state in this century was a necessary step in the development of modern industrialized democracy … Regulations have helped governments make impressive gains in protecting a wide range of economic and social value"。OECD (2002) Regulatory Policies in OECD Countries, pp. 20. Quoting OECD (1997).

[3] 对市场与政府关系的简洁描述，见 De Long (2003) "政府与市场的双人舞"，《比较》第 2 集。即使认为经济监管（准入、价格、服务质量等）将会消亡的经济学家，也认为社会性监管（环境、安全、卫生等）将长期存在，见 Crandall, 2003。

[4] "政府"与"国家"的概念有时难以准确区分，但严格地讲，"国家"是拥有利用暴力手段以第三方身份执行合约的惟一组织，包括法庭、议会、政府等，而作为组织形态的政府只是构成国家机器的组成部分。在实行三权分离的美国，政府是指经选举产生的总统所掌控的行政部门（administrative branch），而由国会授权的监管机构却独立于政府部门之外。在大多数情况下，我们都认为"国家"等同于"政府"，"政府监管"表示国家这种第三方合约实施者保证市场合约实施的过程。

解决上述问题的逻辑途径和实践路径。

　　本文的结构是这样安排的：第一部分，对监管的基本概念作简要而系统的分析，并在经济体制比较的新框架中讨论监管型国家的崛起；第二部分，介绍几个主要发达市场经济国家监管体系演变的历程，力图追踪其不同的演变路径；第三部分，主要分析我国垄断行业监管体制改革的进展和所面临问题。我们之所以选择讨论我国垄断行业监管体系改革，一方面是与我们分析监管体系演变的历史轨迹一致，但更重要的是我国垄断行业改革创造了多元化的投资主体和构造了初步可竞争的市场结构，要解决这些领域由于不完全竞争、不完全信息和外部性所导致的市场失灵就必须由政府进行专业化监管。第四部分，为本文的结论。我们希望通过研究垄断行业改革和监管体系建设，来界定政府的行为边界，明确政府的行为规范，探讨政府逐步走向法治化的路径。

一、从广义制度的角度理解监管的作用

（一）监管的概念和本质

　　任何有关监管的理论和原因分析，都应该建立在对其内涵和本质的准确地理解基础上。但"监管"恰恰是一个难以精确定义的概念，引起了众多学者，特别是中国学者对监管理解的巨大差异。英文文献的"regulation"，在被译为中文时有"规制"、"管制"和"监管"三种通常的译法，每种译法所传达的关于监管的含义都不完全相同，这就造成了对监管作用的理解上的分歧。

　　在英文的文献中，监管的定义也并不统一。由于监管反映的是政府对市场交易和社会运行进行干预的行为和过程，所以受到经济学家、法学家和政治学家的广泛关注，并体现了高度综合的特性。在经典的关于监管与市场的教科书中，人们往往从经济学、法学和政治学来梳理监管定义。经济学研究的监管主要是对特殊产业、特殊交易行为进行的经济性、技术性和社会性干预；法学研究监管机构的法律地位、行政程序和司法干预；政治学研究监管的规则形成过程、执行过程中的博弈程序和利益格局。[5] Spulber 在其关于监管与市场的经典教科书《管制

---

〔5〕　Anthony I. Ogus（2001）所主编的《监管、经济学与法律》一书的序言中，他指出"经济学家在定
　　　义'监管'时是谨慎小心的，他们使用这一术语几乎能够覆盖任何一种企业的外部控制方式。对于
　　　法学家而言，监管具有更加精确的内涵，监管被认同为与公法工具相融合，它可以通过政府或半自
　　　治的组织进行强制，更重要的是可以通过公共政策和政府代理机构进行强制。"参见 Anthony I.
　　　Ogus（2001，edited）：Regulation，Economics and the Law，Edward Elgar Publishing，pp. Ⅳ.

与市场》第 1 篇的两章中，对有关监管概念的不同理解作了充分的评述和综合，给出了一个监管（管制）的定义："监管是由行政机构制定并执行的直接干预市场配置机制和间接改变企业和消费者的供需决策的一般规则或特殊行为"[6]

从起源上看，监管最初起源于地方政府对垄断业务的干预与控制，并随着市场的扩展而上升到全国性的监管[7] 出现于 19 世纪的商业性铁路网络，从存在的那天起就因独特的技术经济特征而导致市场失灵。因此，解决市场失灵有国有垄断经营和私有经营加政府监管两种不同模式。大多数欧洲国家都选用铁路的国有化，但美国采用私有企业垄断经营的模式，由授权的专业化监管机构按照严格的监管原则和程序进行监管。针对不同行业的不同技术经济特征，这种专业监管主要对企业的定价、服务条件和服务质量等进行严格的管理，以保护消费者利益不受垄断运营商的侵害。早期的监管主要是经济性监管，监管的范围主要包括市场准入、投资、价格、收益、技术标准、服务质量等。其后，这些源于特殊行业的政府专业监管方式逐渐从公用设施经济领域扩展到金融、环境、卫生等其他领域，并成为了以美国为代表的自由市场经济国家制度安排的重要特征。

从组织机构上，这种美国式的监管机构，由国会授权，独立于政府行政部门。监管规则、监管程序和组织架构一般都需要专门的立法，其运行需要有专门的机构，有一批专业人才，有公正透明的程序。同时，要建立一定的制约机制，保证监管机构不会被利益集团所收买，成为被监管者的俘虏[8] 监管是在不存在市场最优解的前提下，由政府替代市场的一种次优制度安排，这种监管保证了产业发展和服务供给，证明是现代经济发展的一个必要手段。

随着技术进步、交易复杂化和市场扩展，关于市场运行中政府监管的理念、程序、手段和组织形式，逐渐拓展为政府参与矫正市场缺陷的一种一般方式，从理论分析到政策实践上都超出了原来的特殊领域行业监管的范畴。OECD 秘书处从 1995 年开始对发达市场经济国家广泛存在的各类监管活动进行全面的研究和评述（Regulatory Reform Review）[9] 在 OECD 秘书处为在世界贸易组织的 Doha 发展回合谈判准备的论坛材料中，监管被定义为包括由政府授予监管权力的所有非政府部门、或自律组织所颁布的所有法律、法规、正式与非正式条款、行政规

---

〔6〕 Spulber 对有关监管概念的不同理解作了充分的评述 Spulber（1999）。第 1 篇的两章中。

〔7〕 Laffont，2003，第 7 章第 7. 2 节。

〔8〕 关于自然垄断行业监管的文献比较丰富，详细的教科书分析可参见 Viscusi 等 2000。自然垄断行业监管的经济理性和政治经济学分析，参 Bailey 1995；Joskow，2000。

〔9〕 这一研究计划的成果就是一系列监管改革评述的国别报告。结论和政策建议集中体现在 2002 年的综合报告中。OECD，2002，2003。

章等，是政府为保证市场有效运行所作的一切。对监管在现代市场经济中的地位和作用，可用 OECD 一位经济学家的话来表达：所有市场经济国家的政府都只作三件事，即"收税、花钱、监管"。[10]

现代市场经济国家中，组织化的市场的出现推进了交易活动的扩张，市场成为资源配置的主要手段。由于不完全竞争、不完全信息和外部性等原因造成市场失灵，导致了作为一种外部干预的政府监管的出现和发展。需要强调的是，这种监管是基于规则的监管，是政府按照合法的程序和透明的规则对企业交易活动进行的干预（Regulation means regulating by rules）。这种基于规则的干预，使所有利益相关者的利益都得到保障，各种交易得以正常进行。监管是维护市场规则的重要力量。美国著名思想库 Brookings 研究所同美国另一著名的保守主义思想库 American Enterprises Institute（AEI）于 1998 年联合成立了监管研究中心，对美国监管制度的缘起和演进，特别是监管行为的成本效益分析进行了深入全面的研究。该中心主任、著名的监管研究专家 Robert W. Hahn 在最近的一篇文章中开宗明义地指出："经济学家一般都同意监管在现代市场经济的作用。如果没有显著的'市场失灵'，那么政府就不应该干预。如果市场失灵严重，且有充分的理由相信监管能够改进效果，那么政府就应该干预"。[11] 这是一个对监管的作用有一定程度保留的谨慎判断，反映了经济学家已逐步达成的共识。

Bartle 等人在研究英国和德国作为监管型国家的比较中，对监管的定义可以准确概括监管的作用：

1. 市场失灵（特别是在某些行业中的网络效应所导致的自然垄断）要求监管干预以克服其负面影响。在某种意义上监管实现着替代功能——在非竞争性的过程中，监管是竞争的替代物。在英国的公用设施行业里，最出名的手段就是价格监管。对价格进行控制并不是为了指定一个"市场价格"，而是创造一种诱发高效和创新行为的激励机制。

2. 监管还要超越替代功能以推动未来自我运行的竞争性市场的产生。这一手段可以被称为"主动监管（proactive regulation）"，它的意

---

〔10〕 Scott Jacob（2002）.

〔11〕 "Economists generally agree about the role of regulation in modern market economies. If there is no significant" market failure " then government should not intervene. If the failure is substantial, and there is good reason to believe that regulation will improve outcomes, government should intervene." Hahn et. al（2003），pp. 3.

图在于，当竞争发育充分时监管就可以被解除了。基于这种理解，监管具有不断转化的特性，是一个有时限的过程。

3. 监管还涉及到公共服务目标的实现，例如环境标准、提供安全和货币价值。尽管在可能的情况下要尽量采取市场导向的干预手段，但核心在于这样一种信念：某些公共服务目标并不能通过市场机制实现，因此干预是必需的。[12]

监管的本质是政府与市场的关系问题。能够促进经济发展和社会进步的政府监管，同一般的缺乏约束的政府行政行为不一样。现代监管的特征，一是基于规则，二是同政府保持距离。监管首先是在市场经济环境中发育、用以弥补市场缺陷的一种行为和过程，监管产生的环境就强调了这不是简单的命令与控制，而是政府在协商各利益相关者的利益立场后确立监管规制和程序，授权相关的机构（监管者）负责规则的实施。另外，与政府直接建立国有企业以弥补市场失灵不同，监管是政府建立规则后授权一个独立的机构执行规则。这种保持距离型的监管体系的设立，目的是保证监管的公平性，将政府随意的行政干预降低到最低。

但是，在围绕中国的监管改革的讨论中，对监管的认识存在着种种误区。一是简单地将监管理解为"监督"和"管理"。随着市场经济在中国的迅速发展，相关的制度建设难以迅速到位，市场秩序混乱，这就要求政府加强法律体系建设和加大执法力度，要"加强市场监管"以维护基本的市场秩序、保证市场的有效运作。在大多数政府官员的理解中，监督和管理是传统行政管理方式在市场化条件下的集成和延伸，并没有理解"监管"是对市场失灵的补充，并没有理解"监管"要求的是政府机构按照规则进行对市场交易的干预。在传统的体制下，政府的行政行为不受约束（我们至今没有行政程序法），政府的决策具有随意性。如果说这种安排在政府主宰了一切生产活动的条件下是"激励相容"的，那么在市场经济条件下政府行为却必须建立在明确的规则基础上。所以，市场经济中政府应该具备的监管功能，并非传统的政府随意行政干预，而是基于规则的专业化干预，即"此监管"非"彼监管"。部分政府官员简单地将"监管"理解为"监督＋管理"，强调要加强市场监管，实际上是为政府无约束的行政干预寻找合法性。

另外一种认识是否定监管的作用。上世纪 70 年代兴起的对监管的经济学分析、80 年代以来美、英的放松监管运动，加深了我们对监管的理解和认识，但

[12] Bartle et. al (2002)，p. 6.

也导致部分人简单地认为监管是无效率的，应该加以根除。[13] 特别是基于我国目前政府行政性管理过多、过宽、低效，限制了市场的发育发展和充分提高效率的状况，人们容易将一切不合理的行政管理程序和制度都归结为政府监管，从而在根本上否定政府在经济运行中的作用。[14] 无论是发达的市场经济国家还是发展中国家，政府的有效监管都是市场得以有效运行的前提。放宽和解除对市场准入的限制或监管是全球性的趋势，但放松监管的范围和力度取决于具体的产业领域，更取决于一个国家市场经济发展的阶段和基本制度环境，包括其法律体系。放松监管、特别是放松经济性监管是合理的，但没有哪个国家可以完全放弃经济性监管，更不用说社会性监管。[15]

过去二十多年欧美发达国家所经历的放松监管运动，实际上是监管体系的再造过程，是在新的技术水平、市场格局和制度环境下对政府监管机构职能的重新定位和全面调整。对监管体系演变的分析，必须置于一个国家总体的制度环境中考虑，因为监管体系本身就是市场经济制度安排的重要组成部分。

(二) 制度体系中监管的位置

现代发达市场经济国家的兴起证明了制度的重要性。对制度的深入研究又让我们发现了制度体系的复杂性和演进的一般规律。成立于 1997 年的新制度经济学国际学会 (ISNIE) 于 2003 年 9 月在匈牙利的布达佩斯举行了第七次年会，时任该学会主席的著名监管经济学家、MIT 经济系教授 Paul Joskow 对大会作题为"新制度经济学: 进展报告"的报告，总结了新制度经济学的研究现状，认为制度对经济发展的重要作用已成理论研究和政策设计的重要共识。新制度经济学本身的研究在理论框架构造和经验研究的积累方面都取得了较大的进展，并综合了法律分析、政治学和组织理论的方法，推动了以多学科方式研究经济制度和社会

---

[13] 美国较保守的 Cato 研究所出版的 Regulation 杂志就倾向于监管无效、应该消亡的观点。

[14] 最为极端、容易引起歧义的提法是，应该"象戒鸦片一样戒除政府管制"，见张维迎 (2001)。就其使用该比喻的具体语境看，"管制"被理解为计划经济延续下来的政府不受约束地对市场进行的干预。要使市场发挥作用，的确需要对中国这种干预方式和干预的范围进行改革。但全文的其他地方又大量地利用了国外对管制的经济学讨论和分析，"管制"接近我们所要讨论的监管的意义，所以容易使人们对监管的积极作用、特别是监管作为法律界定的政府和市场关系的一种方式产生错误的认识。

[15] 新西兰是第一个试图以竞争性机构代替专业监管机构的国家。但过去 10 多年的实践证明，这种对电力、电信等网络性产业，专业化的行业监管仍然是必要的。2002 年新修改通过的《电信法》就重新规定了行业监管的内容。另外见 Laffont, 2003, 第 7 章。

制度对经济发展的影响。[16] Joskow 认为，新制度经济学主要研究一个国家的基本制度环境（产权、政治和法律制度）和治理机制（和约、公司、内部组织）等中长期的规则变化，并开始综合一个国家的习俗、伦理、行为规范和认知范式等由来已久的因素对经济发展的影响。同时，技术变迁和生产组织形式也进入了新制度经济学的视野。

从广义上讲，制度就是一组规则，这些规则确定了交易的秩序。美国经济学家道格拉斯·诺斯（North，1990）认为，"制度是一个社会的游戏规则，更规范地说，它们是为决定人们的相互关系而人为设计的一些制约。制度构造了人们在政治、经济或社会方面发生交换的结构。"同时，诺斯认为，作为社会游戏规则的制度可以划分为，正式与非正式的约束，界定正式与非正式的约束，对于区分制度与组织是非常重要的。"组织也提供了一个人们发生互动关系的结构……组织包括政治团体（政治派别、参议院、城市委员会、一个有规章的机构等）、经济团体（企业、工会、家庭、农场、合作社等）、社会团体（教堂、俱乐部、体育协会等）和教育团体（学院、大学和职业培训中心等）。……我们对组织的关注主要集中在它们作为制度变迁的代理人的作用，制度与组织是互动的。组织是在现有的约束所导致的机会集合下有目的地创造出来的。"（North，1990）。制度应该既包括明确的法律、规章等有形的规则，同时也包括习俗、惯例和共同遵守的行为准则。兰斯·戴维斯（Lance Davis）和诺斯合著的《制度变迁与美国的经济增长》一书认为，"制度环境是一系列用以建立生产、交换和分配基础的基本的政治、社会和法律的基础规则。支配选举、产权和合约权力的规则就是构成经济环境的例子。……一项制度的安排是支配经济单位之间可能合作或竞争方式的一种安排，制度安排可能最接近于'制度'一词的最通常使用的含义。安排可能是正规的，也可能是非正规的；可能是暂时的，也可能是长久的。但是，它必须至少用于下列的一些目标：提供一种结构使其成员的合作获得一些在结构之外不可能获得的追加收入，或提供一种能够影响法律或产权变迁的机制，以改变个人（或团体）可以合法竞争的方式"（Davis and North，1971，270–271）。

正是由于有效制度——广义的制度环境和具体的制度安排——的存在，使社会交往和经济交易的主体对各种交往和交易存在稳定的预期，社会和经济活动才得以正常进行。需要再三强调的是制度可以是正式的法律和组织，也可以是非正式的自律、互补性的补偿契约和传统的社会规范，在 Williamson 的坐标系中，广

[16] Paul. Joskow (2003) "New Institutional Economics：a report card", presentation to the International Society for New Institutional Economics 2003 Annual Meeting, Budapest, Hungary. (http：//www. isnie. org)

义的制度应该包括那些约束和影响人类行为的从 1 年到 1000 年的变量。在其比较制度分析的新著中，Stanford 大学的经济学家青木昌彦将制度定义为一组共享的理念（shared belief），它有利于交易的发生和市场的扩展。新制度经济学的最新进展表明，"制度是一组人为的、非技术性的要素所构成的体系，这些要素对每一个人来讲都是外生的并影响每个人的行为。这些因素通过授权、引导和激发个人行为共同产生了行为规律性。"（Grief，2003）。[17] 政府的监管，显然属于这种广义的制度范畴，所以其具体的内容和形式，必须能够与其他的制度要素协调、和谐，整体的制度才能够具有增进市场的能力。从有机的制度整体这一观念出发，我们可以更准确地理解欧美发达市场经济国家制度安排的共性和差别，分析监管在市场经济的制度环境中的准确位置。

新的比较经济学充分吸收新制度经济学和法学研究的一些进展，得以从全新的角度来分析不同国家的制度安排。最近 Djankov 等人建立了一个新的比较制度分析框架，将所有的社会置于一个从原子型社会形态中的私人（个人）秩序（private ordering）到国家主宰一切的制度谱系，每个国家可以根据维护社会经济秩序的方式和效率在此谱系上找到自己的位置。[18]

Djankov 等人首先从"制度对经济发展至关重要"这一基本命题出发，认为不同的国家在其漫长的历史发展中选择了不同的私人制度和公共制度来应对以下问题：选择政治领导人，维护法律和社会秩序，保护产权，重新分配财富，解决纠纷，治理公司以及进行信贷分配等等。其中保护私有产权的制度选择处于核心地位，但不同的制度安排对私有产权的保护效率各不相同，从而对一个国家的经济绩效产生重大影响。因此，可以用对私有产权的保护方式，来刻画一个社会的制度安排。

就对私有产权的保护而言，有两种极端的制度安排，一种是完全利用个人之间的交易产生、不依赖任何第三方的干预来维持秩序和保护产权的私人秩序（private ordering），这种极端的制度安排将使整个社会处于完全无序状态（即霍

---

〔17〕 "An institution is a system of man – made, non – technological factors that are exogenous to each individual whose behavior they influence. These factors conjointly generate a regularity of behavior by enabling, guiding, and motivating it." Avner Grief（2003）：Institutions：Theory and History：Comparative and Historical Institutional Analysis，，manuscript，Stanford University，2003.

〔18〕 对于制度经济学的研究分析中，Coase、North、Joskow 所谓新制度经济学派主要是以交易费用研究为基础的，这区别于另外一批以新古典分析框架为基础的制度经济学家。Djankov、Shleifer 等人似乎应该被归结为后一派。我们在此文中将 Aoki 沿 North 等人发展的分析框架同 Djankov 等人的框架混合使用，并未深入思考其是否相容。

布斯所描述的"所有人反对所有人的丛林战争"），无序状态使得私有产权随时处于犯罪、种族暴力、侵权、贿赂、以及掠夺投资者等行为的威胁之中。另一种制度安排是彻底取消任何私有产权，建立绝对的独裁统治。因此，任何一个稳定的社会都必须建立国家政权（政府）来保护私有产权，防止无序状态下对私有产权的各种侵犯行为。但当政府建立之后，私有产权又面临着受到政府侵害的危险，而且权力越大的政府对私有产权的安全威胁越大，直至建立独裁体制彻底取消私有产权。在这两种极端的制度安排之间，存在多种可能的制度状态，它们都是不同的产权保护方式的各种组合的结果。所有可能的制度状态所构成的连续统（continuum），形成了一个国家或社会的制度可能性边界（Institutional Possibility Frontier，IPF）。

具体的制度安排同一个国家的发展历史有关，同其文化传统、习俗、宗教等所创造的社会资本（civic capital）有关。根据过去数百年人类社会经济发展的历史和全球化环境下不同国家的制度安排，市场经济制度可以大致分为四种基本的制度安排，即市场自律（或个人自我维持）、独立法庭的私人诉讼制度、政府监管和国有垄断。这种排序形式上体现了从无序（私人秩序）到有序（国有独裁所代表的绝对秩序）方式的排序方向，沿此方向，私人秩序自我维持的力量有所下降，第三方（法庭—监管—国有企业）的干预不断加强。每一种状态都表示不同国家在不同时期保护私有产权、维系市场交易的制度安排。因此，制度设计的核心问题就是对控制无序状态和独裁政府的社会成本进行权衡取舍，然后找到能够有效保护私有产权的制度安排。

就特定国家在特定时期的制度选择而言，一个国家的历史文化传统、地理位置、民族构成、自然禀赋、经济发展阶段等社会资本共同构成了其制度选择的静态约束条件。在这一约束条件下，不同国家在同一时期会出现不同的制度安排以保护私人产权。例如12、13世纪英国和法国都是在各自的约束条件下建立了完全不同的法律制度（普通法和大陆法）来解决产权冲突问题。沿着这一分析框架，我们可以对美国"进步主义年代（progressive era）"推动美国作为一个监管型国家（regulatory state）兴起的进程作出分析和解释。

在这一新的比较制度分析的框架下理解世界上不同国家制度安排的多样性时，最关键的问题是理解特定的制度安排所产生的历史背景。对于由特定时期的社会资本决定的静态约束条件不同的国家来说，对私有产权的保护效率会有很大差别，从而对国家的经济发展产生了重要影响。最明显的例子就是20世纪90年代初，俄罗斯国家集权的社会秩序迅速崩溃之后，由于没有健全的司法体制和缺乏强有力的政府监管，几乎只能依靠类似与私人秩序维持社会化和经济运行

（从集权走向无政府主义状态），从而在社会经济领域演变为"黑手党统治"，这类似于美国一度出现的"强盗大亨"状态，成为保护私有产权的主要制度安排，由此带来了严重的经济后果。而始于一百多年前的美国进步运动，是从私有秩序和独立法庭制度走向政府监管的一个过程。二十多年前英国的国有企业民营化和监管制度改革，则是从国家直接干预的一种集权的制度安排向基于规则的监管体系的过渡（从社会主义式集权走向基于规则的监管）。

许成钢等人从法律的不完备性角度讨论监管的必要性，实际上也是反映如何在独立法庭和国家直接干预之间，寻找一种能够促进交易、效益最高的制度安排。[19]

在过去二百多年市场经济历史中，不同的国家有不同的监管制度。对现在能够观察到的多种监管制度和制度形态的分析，必须根植于其不同的历史进程中。

（三）监管型国家的兴起

"监管的历史是不断变换政府行为的重点和焦点的过程"[20] 自 1887 年美国第一个联邦级的独立监管机构产生以来，监管机构在美国经济运行和社会发展中的地位和作用不断演进，监管范围扩大，监管的重点逐步从经济性监管过渡到社会性监管，监管的效率不断提高，推动了美国成为最发达的现代市场经济国家。[21] 由于监管作为约束市场主体行为的一种重要和有效的手段、以及监管机构在美国社会经济运行中的重要作用，在发达的市场经济国家中，美国又被称为监管型国家（Regulatory State）。美国法学家 Cass Sunstein 在 1990 的一部专著中系统地论述了美国作为一个监管型国家的演进过程；其后一些欧洲学者对欧洲国

---

[19] Pistor 和许成钢对于不完备法律的讨论，从剩余立法权的角度解释在一定的信息条件、激励机制下，监管机构比法庭更能有效地保证合约的实施。在有关监管研究的文献中，人们更多地从信息不对称的角度分析事前（ex ante）干预的重要性，肯定监管的不可替代性。见 Pistor & 许，2002a, b.

[20] 丹尼尔·F·史普博：《管制与市场》，上海三联书店，页 15。

[21] 在 *Democracy and Regulation：How the Public Can Govern Essential Services* 一书中，Palast 等人通过比较说明到 1999 美国电信、电力的价格比在其他主要市场经济国家和发展中国家都低，说明美国这种民营加监管的模式是有效的。Palast et. al（2003），p. 7。英国在 20 世纪 70 年代末进行国有企业改革时，因为看到美国的那种受监管的民营比国有国营更有效率，所以对电力、电信等传统国有企业进行了民营化改革，并同时建立了一批独立的监管机构。在我国国家电力监管委员会于 2003 年在北京举行的一次关于电力监管的研讨会上，英国首任电力监管机构主席的 Stephen Littlechild 特别强调美国模式对英国监管改革的借鉴意义。

家监管体系改革和国家管理体制建设的分析也沿用了这一概念和框架。[22]

在政治学研究者中，认为监管型国家是一种与福利国家（Welfare State）不同的制度环境和治理机制。福利国家通过直接拥有生产手段（建立国有企业）提供公共服务和实现其他社会目标；而监管型国家则依靠私有企业作为市场经济的最基本活动单元，这些各自追求自身利益的企业主体在公共机构按照一定的规则进行干预和约束下从事生产和交易，即接受监管。

欧洲的福利国家，政府在经济和社会事务的管理方面扮演直接参与者的角色。在经济上，政府拥有包括基础设施在内的大量的国有企业，通过国有企业实现部分社会经济目标；在社会事务上，政府维持高额的社会福利开支，减少社会贫富差距。福利国家区别于监管国家的本质特质是政府干预经济和社会事务、特别是经济事务的方式，其中尤以政府开办大量的国有企业为典型特征。以美国为典型代表（与美国制度安排相似的另外一个国家是加拿大）的监管国家主要有如下特征：主要依靠市场机制配置资源，如在网络型公用设施产业领域实行政府监管下企业独立运作；即使必须由政府提供的公共服务，政府也往往利用采购的方式实现，同时政府对企业和生产的干预通过独立的监管机构实施。监管机构主要由具有专业知识的人士组成，以公开的程序按照法律授权对行业实施专业化监管是监管型国家模式的核心。[23]

Sappington 和 Stiglitz 比较了国有企业和被监管企业在控制机制上的区别。在国有化模式下，一般的治理模式是按照"政府—企业董事会—企业管理层—企业雇员"之间线性委托代理的方式进行，在政府和企业董事会之间，司法可以进行干预。在监管模式下，委托代理关系除了保留"政府—监管者—企业董事会—企业管理层—企业雇员"的主要路径外，增加了"股东—董事会"、"债权

---

〔22〕 Sunstein（1990）系统地讨论了过去一个世纪、特别是罗斯福新政以来美国作为一个监管国家的演变过程。而欧洲政治学学者 Giandomenico Majone 发表于 1994 年的文章 "The rise of the regulatory state in Europe"，成为从国家制度角度讨论欧洲监管改革的起点，其后的重要文献包括 Moran, Michael（2001）"The rise of the regulatory state in Britain", *Parliamentary Affaires*, 54, pp. 19 - 34. Moran, Michael（2002）"Review article: understanding the regulatory state", *British Journal of Political Sciences*, 32, pp. 391 - 413. Scott, Colin（2003）"Regulation in the age of governance: the rise of the post - regulatory state", ANU National Europe Center Paper No. 100. 对美国作为监管国家崛起的详细经济学分析见 Glaeser & Shleifer, 2001. 令人不解的是，剑桥大学著名的发展经济学家 H. - J Chang 在发表于 *Cambridge Journal of Economics* 的一篇综述文章 "The Politics of Regulations" 中，对美国监管运动的历史描写并没有重点讨论美国作为监管型国家崛起的两个最重要的历史阶段，即 20 世纪初的进步运动和 30 年代的新政。

〔23〕 主要见 Sunstein, 1990; Majone, 1994; 1997; Scott, 2003。

人—董事会"的约束，同时司法机构分别对政府、对监管者和对债权人独立行使监督和制约的作用[24]。比较监管型国家中民营企业运作同福利国家实施的国有企业运行机制，欧洲学者 Majone 认为两种治理模式都有存在失效的可能（表－1）。

表－1：欧洲福利国家的国有企业模式同美国的政府监管模式之间的比较

政府监管的失效	国有企业的失效
监管机构被企业俘获	政府和工会对企业管理者的控制
过度投资（A－V效应）	过多冗员
监管导致反竞争（被监管企业享受反垄断豁免）	国有企业形成垄断
模糊的监管目标（为公众利益而监管）	国有企业管理者被赋予模糊、不一致多种目标
不同监管者之间缺乏协调	不同的国有企业之间缺乏协调
独立监管机构的问责制不充分	议会，法庭和政府部门缺乏对国有企业的有效控制

资料来源：Majone（1994），p. 79 table 1.

从一定意义上讲，管制下的垄断和国有企业的垄断在许多方面都类似。但是最本质的区别是，政府可以通过国有企业实现包括经济发展、技术进步、就业、区域经济发展、收入分配和国家安全等多重目标。相比之下，政府监管下的企业运作，是通过政府监管克服由于不完全信息、外部性、规模经济等导致的市场失效，从而提高效率。这种经济性监管的效率一直是崇尚市场竞争的经济学家所关注的重点。随着技术进步加速、市场范围扩大、分工程度深化，一方面对政府有效监管的需求增加，另一方面也要求对政府监管的方式和重点进行调整。过去二

---

[24] David E. M. Sappington and Joseph E. Stiglitz (1987) "Information and regulation", in Elizabeth E. Bailey edited (1987) *Public Regulation：New Perspective on Institution and Policies.* Cambridge：The MIT Press. Chapter1，pp. 13 –43.

十多年中，美国进行了放松经济性监管、加强社会性监管的监管改革，并加强了对监管机构的监管程序和效率的管理，使市场化改革对提高资源配置效率的优势日渐凸现。所以在过去二十多年中，以美国为代表的监管模式，逐渐被欧洲国家所采用，形成了全球性的放松监管和监管改革运动，并导致了监管国家在欧洲国家的兴起，即欧洲开始从福利国家向监管型国家转型。[25]

目前许多国家正在进行监管体制改革，主要是解决现有监管体系的一些缺点，特别是传统监管机制下的垂直命令和控制机制容易导致监管者被俘获，导致市场效率低下。另外，美国的监管模式，过度依靠复杂而缺乏灵活性的法律体系和诉讼机制，没有充分利用行业自律组织等在解决冲突方面的作用。所以，发达市场经济国家的监管改革，开始从垂直化的命令与控制机制转向建设由政府行政部门、独立监管机构、行业自律组织、消费者权益保护组织和法庭适当介入的现代监管体系，实现从"干涉主义"向"监管治理"的转变，同时也是从"监管国家"走向"后监管国家"。[26]

值得提出的是，以日、韩为代表的东亚国家发展模式一直是现代生产经济发展中的一种独特模式。日本不像欧洲国家那样由大量的国有企业实现政府的多重目标，同时不像美国那样政府与企业间、企业与企业间的关系通过复杂的法律来约束，而是在强调市场竞争、特别是参与国际竞争的同时，注重政府与企业之间的紧密关系、强调企业集团内的共生关系。这种模式既不同于美国的监管国家模式、又不同于欧洲的福利国家模式，而被 Johnson 定义为"发展型国家（developmental states）"。[27] 由于日本的经济发展在过去 10 年中显出了疲软和停滞的态势，人们开始反思日本模式在经济发展到一定阶段后是否还是最有效的制度安排。有研究认为，日本的制度模式最终也将向监管型国家的模式转变。[28]

在关于监管体系的讨论中，人们似乎达成了这样的共识，即基于市场的监管型国家将是市场经济发展中的常态。但 Djankov 等经济学家似乎认为，虽然不同的国家在不同的阶段会有不同的制度安排，但这种以市场为基础、以政府监管对

---

〔25〕 综述见 Moran，2002。OECD，2002。

〔26〕 对 OECD 国家多年的监管改革实践的总结，见 OECD，2002；对（后）监管国家的论述，见 Scott，2003。

〔27〕 Johnson，Chambers（1982）*MITI and the Japanese Miracle*. Stanford：Stanford University Press.，chapter 1. 转引自 Chang（1997）"The economics and politics of regulation"，Cambridge Journal of Economics，1997，vol. 21，pp. 703～728.（p. 706）

〔28〕 部分分析见《日本的规制改革》（徐梅著，2003）。另见 OECD 关于日本监管体系改革的评述（OECD，1999）。

市场进行干预和补充的模式将是多种各种制度安排的收敛点。

二、发达市场经济国家监管体系演变

(一) 美国监管型国家的崛起

美国是现代监管型市场经济国家的原型。从建国开始,美国就崇尚自由竞争的市场经济,并依靠独立的法庭和私人诉讼维持经济的有序竞争。但是随着技术进步推动的分工深化和交易复杂化,市场的规模和深度迅速扩张,独立法庭和事后诉讼的制度安排难以保证市场能够促进有效竞争,导致政府监管的出现,对企业行为进行事前的干预。一般认为,1887 年美国国会为监管铁路行业而成立的联邦监管机构"州际商务委员会 (Interstate Commerce Commission)"是美国作为现代监管国家崛起的起点。[29] 政府监管制度的建立,标志着政府开始直接对经济事务的合法干预。美国的监管从建立之初开始就是按照规定的规则和程序、以有限手段对被监管企业行为进行主动干预,但是这已经背离了其依靠法庭、按照事后诉讼的方式进行干预的自由放任 (laissez faire) 的理念。在前面所定义的制度可能性边界上,国家独立法庭体制走向监管型国家的演进。

1. 进步主义年代监管的兴起。铁路是最早的具有一定的自然垄断特征的网络型产业,难以形成有效竞争。铁路企业受利润动机的趋势,在没有监管环境中很容易损害消费者利益,因此产生了对铁路企业进行监管的需求。欧洲许多国家对这一产业从开始就选择了国有国营的模式,而美国却允许私有企业获得铁路经营的特许。美国的自由资本主义到 19 世纪末发展到垄断资本阶段,拥有市场垄断力量的大企业限制了自由竞争,降低了市场配置资源的效率,并开始对工人的安全保障和对消费者权利产生了负面影响。虽然美国从一开始就建立的法律框架和独立法庭制度能够对"攫财大亨"们的行为产生制约,由于法官很容易被收买,所以人们寻求更加有效的手段保证市场竞争能够起作用。这就要求政府和法律对大企业的垄断行为进行干涉,对国家的经济关系进行调整。这便是发端于 19 世纪末的美国进步运动,它推动了政府解决市场运行中出现的种种经济和社会问题,导致了美国作为一个监管国家的兴起。[30]

1869 年成立的马萨诸塞州铁路委员会 (Massachusetts Railroad Commission),被认为是成立的第一个有效运作的专业化监管机构,对不能完全竞争的铁路产业

---

[29] Stephen Breyer (1982) *Regulation and Its Reform*. Cambridge: Harvard University Press. p. 1.

[30] 主要参考 McCraw (1984); Glaeser & Shleifer (2001), 王希, 2003; 王晖, 2003。

进行专业化监管。[31] 在其后的几十年间，美国的各州逐步建立了州级的监管机构，主要对铁路、供水、电力等网络型公用设施进行专业监管。但对美国作为一个现代工业化国家的崛起具有决定作用的是联邦级监管机构的成立，这些机构促进了国内统一市场的形成，在扩大市场范围的同时保证了市场竞争的有序进行。

在 1887 年到 1934 年罗斯福新政之前的四十多年间，美国联邦政府成立了许多独立的监管机构，对跨州的商务活动进行监管。最早成立的州际商务委员会（ICC）负责对跨州的铁路运营实施监管，包括安全、运价、对铁路业务的公平使用等。1890 年，国会通过了谢尔曼反托拉斯法，禁止"限制贸易的合伙共谋"和试图的"垄断"。其后陆续成立了联邦储备委员会（FRS，1913），联邦贸易委员会（FTC，1914）、罐装和畜栏管理局（PSA，1916）、联邦电力委员会（FPC，1930）、食品和药品管理局（FDA，1931），这些监管机构都是得到国会授权，主要从事经济事务的监管。

在成立初期，这些监管机构并不像后来的监管那样具有半司法、半行政的权力，它们没有什么行政和执法权，但有权向公众公开被监管企业的有关成本、安全和服务质量的信息。由于那时独立法庭的存在和传媒的监督作用，企业不能过分损害消费者利益，所以在早期单纯的信息披露也能够对企业行为产生一定的约束。这种"阳光监管"的方式，有时被戏称为"通过让你难堪以达到监管的目的（regulation by embarrassment）"。[32] 随着政府、市场关系的不断调整，监管机构的性质、责任和权力都发生了变化，国会不断加强了监管机构的执法权力。特别是在罗斯福新政后，监管机构作为独立的行政力量成为矫正市场失灵、维护社会经济秩序的重要力量，对美国市场扩展和经济社会发展提供了强有力的制度保证。

2. 罗斯福新政以来的第二次权利革命。Sunstein 将罗斯福新政到 20 世纪 80 年代看成是美国的第二次权利革命。美国公民的权利从权利法案（第一次权利革命）所规定的言论、出版、结社和自由、受到公平审判的自由和免于被随意搜查和逮捕的自由，扩展到生产安全保护、工资收入保障、医疗卫生保障、免于被欺骗、不受雇主欺辱、享受清洁的空气、饮水和不受有害物质的影响等一系列

---

[31] 有的学者将美国州际监管机构成立的时间定为 1839 年的 Rhode Island Law（Spulber，1999，页 86。）；McCraw，1984，p. 17. 也有的学者认为麻省的州级监管来源于英国早期管理公共行业的习惯法的成文化（伯吉斯：《管制和反垄断经济学》，上海财经大学出版社，页 6。）

[32] Thomas K. McCraw（1984）*Prophets of Regulation*，Cambridge：Harvard University Press. p. 1 – 57. "Regulation by embarrassment"的说法，源自同美国 Maine 州公共事业委员会的 Rick Wiston，2003。

新的权利（"the Second Bill of Rights"），这一权利实现的过程就是美国的第二次权利革命的过程。[33] Sunstein 认为，这些权利也是美国公民所享有的宪法所赋予的权利，既根植于美国的自由共和主义（liberal republicanism）的传统，又是罗斯福新政开始的宪法革命的结果。为了保证这些权利的实现，国家扩大干预经济和社会事务的范围和改革干预的方式。这一过程就是监管领域不断拓展的过程，美国通过数十年庞大的监管计划，建立了美国现在的现代监管体系。美国的这一监管型国家形态体现了一种"后新政共和主义"（post – New Deal republicanism）的精神。[34]

在新政期间，美国在联邦层面成立了一大批专业化的独立监管机构，其中主要包括：联邦房屋信贷银行局（1932）、联邦存款保险公司（FDIC，1933）等、证券交易委员会（SEC，1934）、联邦通信委员会（FCC，1936）、食品与药品管理局（FDA，1938 年修改）、社会保障管理局（SSA、1935）。新政时期政府希

---

[33] 罗斯福讲话摘要见于 Sunstein 专著的扉页。译文如下:

"这个共和国得以诞生并成长到当前如日中天的强势，是因为我们托庇于一些断然不可剥夺的政治权利的保护，这些政治权利包括自由言论权、自由出版权、自由信仰权、由陪审团决定的公平审判权以及免除被肆意搜查和缉拿的自由。它们是保障我们的生命和自由的权利体系。

但是，随着我们国家因其工业经济的扩张且在规模上的成长和卓著的地位，这些政治权利被证实难以恰当地确保我们在追求幸福过程中的平等性……可以说，我们已经欣然接受第二次权利法案，在这一法案下，我们得以建立安全和繁荣的新基础，而无论你的身份、种族和信仰。这些权利包括:

- 在美利坚共和国的任何一个产业、任何一个商店、任何一个农场或任何一个矿山，获取有益的和有报酬的职业的权利;
- 赚取足够的钱财维持适当的食品、衣着和娱乐的权利;
- 每一个农民以一个可接受的收益生产和销售自己的产品以便维持他和他的家庭安居乐业的权利;
- 每一个商人——无论大小强弱——在国内外免除不公正的竞争和垄断者的控制，都可以在自由的氛围下从事贸易的权利;
- 享有足够的医疗服务并有机会实现和享有良好的健康保健的权利;
- 享有免除老年化的经济恐惧、疾病、突发事件和失业的适当保护的权利;
- 获取良好教育的权利……

我敦促国会探究执行这一经济权利法案的意义——因为它显然是国会的责任所在。

——佛兰克林·D·罗斯福，1944 年 1 月。

[34] Sunstein 对监管国家的理解是:"其目标是尊重私有产权和缔结合约的自由，但是同时出于提高经济产出率和保护弱势群体的目的而允许广泛的政府行为。我们必须坚持共和国的最初的信念，即政府过程是一个为获得公共物品审慎取舍的过程而不是一系列利益集团的交易" Sunstein（1990），chapter 1，p. 12.

望通过设置由专家组成、按照民主程序运作的专业监管机构，能够体现民主的价值并结合专业化管理的美德，改善市场运作的环境和效率。这些专业性监管机构的出现奠定了美国作为一个监管型国家的基础。

在第二次世界大战以后，美国加强了社会性监管的内容，包括劳动安全与健康、环境、公共卫生等领域。特别是 1970 年的环保署（EPA）、1973 年成立的职业安全和卫生管理署（OSHA），使联邦监管机构的数量大量增加。到 2000 年，美国拥有联邦级的独立监管机构 55 个（另外有 14 个政府内阁部门，它们也有一定的监管职能），人数达到近 13 万人。美国作为一个成功的工业化国家，同时又是一个有力的监管型国家。表 -2 列举了美国监管机构的人员行业分布情况，我们可以观察到，目前美国作为世界上最大的监管型国家，监管的重点是社会性监管而不是经济性监管。

表 -2：联邦监管机构人员状况

年份	社会性监管	经济性监管	总人数
1970	52693	17253	69946
1975	80523	21720	102243
1980	95533	26258	121791
1985	79293	22899	102192
1990	87395	27289	114684
1995	98179	31864	130043
2000	99080	30735	129815

资料来源：Skrzycki，2001，pp. 68，table 2. 1

3. 放松监管与监管改革。按照 Sunstein 的划分，从罗斯福新政到上世纪 80 年代是第二次权利革命的时期。美国成为世界最强大的监管型国家。监管已经成为美国市场经济的基础，但市场的进一步发展推动了市场、政府关系的新调整。

针对监管机构出现了效率低下、监管过多和监管俘获等情况，20 世纪 80 年代的里根政府开始了以放松经济性监管为核心的监管改革。美国的航空、电力、电信等网络型放松监管和调整监管重点的过程，是其后一直持续进行的监管改革的起点。美国放松监管的基本原则是强调要在新的制度环境下更多地依靠市场配置资源，在必需监管的领域要提高监管效率。[35]

　　美国始于 20 年前的管制改革主要体现在两个方面：在监管领域方面是放松经济性监管并加强社会性监管，但国家层面上体现为对议会、总统、监管机构权力的重新调整，这种调整从里根的共和党政府一直延伸到 1990 年代克林顿的民主党政府。里根政府在 1980 年代先后发布了 12291 号和 12498 号行政命令，主要是加强了总统对监管过程的管理。12291 号命令要求对政府行政行为进行成本效益分析，特别是对所有的监管规则实行监管影响分析（Regulatory Impact Analysis，RIA）。所有政府机构都要将 RIA 和监管计划提供给总统办公室 OMB（管理预算办公室）下设置的 ORIA（信息与监管事务办公室），并将下一年度的监管行动计划公布于众。通过这一程序，总统利用 OMB 加强了对监管过程的集中控制，有利于总统控制监管成本和推进放松监管的改革。[36] 里根政府的两次改革都因为出于政治上可操作的目的将独立监管机构排除在监管影响分析的强制要求之外，只要求独立监管机构自愿遵从这一监管程序要求，但监管成本效益分析和监管影响分析逐步作为一种标准的程序而被独立监管机构所采用。克林顿政府再造政府（re‑inventing government）的计划实施过程中发布了第 12866 号行政命令，在继承了里根政府监管改革的传统基础上，更进一步增加联邦政府监管行为的协调，降低监管成本，并鼓励民主参与以提高监管过程的民主性。克林顿的总统行政命令在宪法范围内最大限度地将独立监管委员会的运作纳入监管控制的程序中。

---

[35]　Stigler 在 20 世纪 60 年代开始对监管绩效的分析，开启了经济学对监管的系统化理论研究和实证分析，在过去二十多年里一直是经济学中的一个活跃的研究领域。见 Joskow、Bailey 等人编辑的论文集。而过去 10 年间，利用激励理论研究不完全信息下的监管绩效和制度设计成为该领域的最新方向（Laffont，2003）。关于监管的作用的问题，我国的经济学者常引用的是 George J. Stigler 与其合作者在 1962 年的一篇经典论文"监管者能监管什么"。在这篇称为现代监管理论开山之作的文章中，作者通过比较美国各州电力监管机构对电力价格的影响，得出了政府监管对电力企业的收费水平没有作用的结论（见"施蒂格勒论文精粹"，商务印书馆，1999，第 14 章）。但是，后来的经济学家发现，文章统计分析中出现了计算错误。其正确的结论是，实施了政府监管的州其电力价格比没有监管的州电价低 25%、产出高 50%（Sam Peltzman（1993）"George J Stigler 对监管的经济分析的贡献"，Journal of Political Economy，Vo. 101，No. 5）。这表明监管能降低电价！但是，我国的许多学者在广泛引用 Stigler 等 1962 年的文章时并没有认识到该文的错误。在上世纪 90 年代后期我国翻译出版的收录了 Stigler 这篇文章的两本文集中，都并没有提到 Peltzman 于 1993 年所指出的这一错误。

[36]　见 Pildes & Sunstein，1995。宇燕、席涛（2003）对美国宏观政府的管理体制、特别是政府效率管理机制进行了详细介绍和综合分析。

2001 年 12 月，新一届政府总统办公室负责监管审查的 OIRA 主任 John D. Graham 在一次有关监管管理的讲话中指出，过去二十多年中经济性监管在逐渐减少，但对公共卫生、安全和环境的监管不断加强，这种以市场为基础的社会性监管显示了巨大的活力，所以联邦作为一个监管国家将长期存在。[37] 同时，监管型国家成本巨大，每年的成本超过 8000 亿美元（每个家庭负担 8000 美元），所以监管机构的预算、包括预算外的成本都要受到严格的控制。新一届政府虽然没有颁布有关监管改革的新行政命令，但却在追寻一个被称为聪明监管（smarter regulation）的方法：即通过综合运用过去二十多年监管改革的成果，包括克林顿时代的措施，使联邦的监管更加有效率，能够弥补市场失灵。具体的措施是加强电子政务，通过互联网使 OMB 的监管审查更加透明和公开；OIRA 开始雇用科学家和工程师同经济学家、统计师、计算机专家一起，使监管审查更加科学；通过有效的激励和约束机制，要求监管机构提高监管分析的质量；针对"9.11"后国家安全保卫的需要，OIRA 准备在认真的、科学的经济分析基础上提出新的监管措施，特别是在本土安全、食品安全和移民控制方面的监管；制定统一的政府和监管机构指南，改进信息评估的质量。所有这些措施，都只是为了提高美国联邦作为一个监管型国家的效率。

所以，普遍的认识是，现代监管国家是市场经济发展的主要形式，但是，复杂的监管程序导致了高昂的成本和较低的效率，需要简化和改革。美国过去二十多年的监管改革的宗旨是提高监管效率。

（二）欧洲监管型国家的崛起

如前面所述，欧洲常常被认为是福利型国家的典型。但在过去的 20 年中，在美国进行监管改革的同时，欧洲各国也开始进行政府和市场关系的重新定位。以英国开端、德、法等其他欧洲国家渐次跟进的国有企业改革和政府管理体制调整，以及欧洲经济共同体的形成，都推动了对福利国家模式的改革和扬弃。在欧洲国家市场内部市场扩张和经济全球化所提供的更大的市场空间范围中，欧洲国家开始向市场竞争下的政府监管体制迈进。

1. 英国：吸取美国经验、创造性建构英国的监管体系。在有关市场经济的模式讨论中，英国往往被认为同美国制度模式类似，实行的都是"盎格鲁—美

---

[37] Speech to Weidenbaum Center Forum, "Executive Regulatory Review: Surveying the Record, Marking It Work," National Press Club, Washington, DC, December 17, 2001, OMB 网址 http://www. white-house. gov/omb/inforeg/graham_ speech121701. html。

国"式的自由放任资本主义。这种看法的基础是两国具有同样的普通法传统，强调独立法庭在维护市场竞争秩序方面的作用。但在英国实施民营化的经济改革以前，两个国家经济制度的安排有较大的差异，英国更多地被认为是一个福利国家。是过去二十多年中英国对国有企业大刀阔斧的改革和同时进行的监管体制改革，使英国逐步趋向于美国的那种监管型国家。

英国在第二次世界大战后将许多私有企业国有化，在自然垄断行业、航空航天等重要产业和煤炭、钢铁等传统的产业中都拥有一大批国有企业。到20世纪70年代后，低效率的国有企业严重地制约了英国的经济活力，终于导致了80年代以来的一系列改革。这些以国有企业私有化为中心的市场化改革推动了政府行政管理体制的转变，特别是英国在学习美国经验的基础上结合英国的政治体制建立了一系列独立监管机构，建立了英国作为一个现代监管国家的雏形。[38]

英国的监管改革主要体现在下述几个方面：

- 对自然垄断行业实施民营化改革，同时建立了专业化的监管机构。英国在对电信、电力、铁路、供水、天然气等网络性基础设施进行民营化改革的同时，按照美国的模式成立了专业化、独立运作的监管机构，如电信监管办公室 Oftel、电力监管办公室 Ofer、供水监管办公室 Ofwat 等。这些机构按照公正、透明、独立、专业、诚信的原则对民营化以后的私有企业进行严格的监管，以保证有效的市场竞争格局和保护消费者利益。
- 改造行业自律组织，走向更严格的外部监管。英国是现代工业文明的发源地，在其工业化过程中，金融、会计服务、医疗卫生等领域广泛存在的行业自律组织曾经发挥了维持市场竞争秩序的重要作用。在过去三十多年间，随着市场扩展和交易的复杂化，政府加强了对这些行业的监管，以行业外设立的专业化监管机构作为行业监管的主体，自律组织仍然是重要的监管力量之一。例如，多年来英国的证券交易市场、投资基金、银行业等都依靠行业自律，但英国在1996年通过了金融服务法案，建立了专业的监管机构，并在2000年将这些金融监管机构合并为一个综合性监管机构金融服务局 FSA。
- 社会性监管的扩展。在改革基础设施和工业事业监管和金融监管的同时，英国加强了社会性监管，成立了一系列的专业监管机构，就公平就业机

---

[38] 英国曼切斯特大学政府管理系教授 Michael Moran 对英国作为监管国家的兴起有权威性的论述，见 Moran（2001）。OECD 监管改革评述系列报告中英国篇比较详细地介绍和分析了英国监管改革和创新，见 OECD 2002。

会、市场中的安全和卫生、环境保护、食品卫生等进行监管。2000 年成立的食品标准局（Food Standards Agency）被认为是英国弥补过去在食品领域出现监管真空而导致"疯牛病"等恶性事件发生的错误。

- 对政府的监管。英国有对政府部门进行监管的传统以保证其对公众负责。在过去 30 年间，英国加强了对政府部门的监管，包括建立适当的审查和考核标准，特别是采用公共审计的理念对公共部门的监管。Moran 指出，1995 年英国至少有 135 个不同的监管机构、超过 14000 个雇员和庞大的费用对政府部门进行监管。这个国家内的监管国家（regulatory state inside the state）比对私有部门的监管所动用的资源更多。[39]

正如 Moran 所论，英国监管型国家的崛起不仅仅是一批新的监管机构的成立，而且是政府管理体制的全面改革和转型，在充分结合英国本身的历史、文化和制度环境的基础上建立新型的监管型国家。英国监管改革的主要创新表现在下列方面：[40]

- 在独立监管机构的设置方面更加灵活。虽然美国网络行业和公用事业领域所实行的"监管下的民营"为英国在相关领域的改革建立了可借鉴的模式，但英国没有完全照搬美国模式。首先，电力、电信等行业的监管机构没有成为政府、立法和司法外的"第四行政"，而是属于政府内但独立于政策部门的监管部门。为了避免决策中的低效率，英国设立了单一的监管主管而没有采用美国的委员会制度。

- 灵活的监管机制。美国的任何重大监管规则的出台和变动都需要国会批准，既耗时又会出现妥协。英国决意避免烦琐的法律程序，实行议会只在重大问题上通过立法进行干预、监管机构同被监管企业签署相关合同的方式，规定企业的责任和义务，这种机制既有效率又有灵活性，它根植于英国有限的合同法传统之中。

- 采用激励性监管的方法。美国的收入率监管的弊端成为英国设计监管规则时的参考，英国在改革自然网络产业的监管机制时提出了价格上限的激励监管机制（即 Littlechild 教授设计的著名的 CPI—X 公式），不但在英国应用产生了良好效果，同时还成为其他国家设计监管机制时学习的模式。

- 不断调整监管方式，提高监管效率。英国在监管改革中处理好借鉴和本土经验的关系，同时更加关注外部环境变化对监管组织和理念的调整。政府

---

[39]　Moran 提供了简单的分析。对监管政府的监管机制和程序的详细分析，见 Hood 等人 1999 年的专著。

[40]　此部分的许多认识，得益于同 Littlechild 教授的讨论。另见 Bartle 等，2003。

组织成立了"走向更好监管专项小组"（*better regulation task force*），联合多家监管机构和政府部门，研究改进监管方法、提高监管质量与效率的途径。该项研究的基本结论是：首先要充分发挥市场的作用，监管只是竞争缺失时对市场的替代；同时强调要从简单的命令与控制的监管机制走向多个参与者的监管体系。这种现代监管体系由专业监管机构、行业协会、消费者权益保护组织、司法机构等多种主体构成，有良好的互补和制约关系。[41]

英国的监管体制改革实现了制度创新，使英国作为监管型国家而呈现与美国不同的制度安排。

2. 德国：从"莱茵模式"走向（后）监管国家？德国社会市场经济（social market economy）所代表的"莱茵模式"是一种独特的经济发展模式，一直是比较制度分析的重要内容。这种模式，强调最大限度地动员资本和人力资本、以市场化的手段达到增进公共福利的目的。德国的市场经济注重企业之间的协作，包括银行同企业间的密切关系。就德国的文化传统和制度安排而言，德国强调秩序、一致性、可预测性和整体性，强调社区等公共利益，通过谈判解决争端，并倾向于将社会关系和法律责任条文化。[42]

第二次世界大战后，德国通过重建迅速恢复了经济，并因为历史和文化传统的延续而造成了德国福利国家性质。德国是实行联邦制的国家，"区域"群体在其权力内发挥着"州"（Länder）的功能，具有独立的法律、议会、政府、行政组织和监管部门。当联邦政府必须安排州政府执行联邦法律时，它也必须和州议会（the Bundesrat）进行协商，讨论如何实施联邦议会通过的法律规定。当联邦政府的多数派和 Länder 的多数派不同时，要达成协议就可能会错综复杂。州政府在经济事务方面比较独立，且在关于竞争的问题上特别有影响。德国的反垄断部门——联邦卡特尔办公室——拥有独立于政府的执行权和决策权，是负责德国反垄断和促进竞争的最重要的机构。德国的企业在市场和交易中，强调行业内企业之间协商的"自组织行为"。这些制度因素和文化因素，决定了德国监管体系的独特性质和作用。[43]

过去 10 年间，由于欧盟对统一市场的要求和全球化带来的压力，德国也开

---

[41]　Better Regulation Task Force（2001）；Bartle etc.（2003）

[42]　此处难以对德国的市场经济模式进行全面评述。相关讨论可见 Dyson（1992）所编辑的论文集。

[43]　参见 Dyson 主编的关于德国监管的论文集（Dyson，1992）。后面分析部分还参考了 Glachant 等人关于德国电力改革的文献（Glachant，2003）。

始对一些国有企业如电信、电力等实施民营化，但在监管体系建设上却进展不一。在电信领域，德国电信被民营化后成立了独立的电信监管机构 RegTel，其设置模式同美国的独立监管机构有类似之处，做到监管机构独立于企业，并独立于政策执行机构。但在电力改革中，德国却走了一条"没有监管者"的放松监管的道路：没有单独的联邦电力监管专业机构，而由市场化后的电力行业监管实行行业协会、联邦和地区卡特尔办公室、以及经济部等多家部门共同实施监管。这表明德国建设监管型国家的路径将多样化。

1998 年，德国按照欧盟要求，在欧盟国家中率先实现了能源市场百分之百的开放，对电力行业进行了开放发电市场、开放电网设施的公平接入、进行电价改革，强调市场在电力行业发展中的基础作用。但是，这次改革并没有象其他国家（除新西兰外）那样产生新的监管机构，以对作为自然垄断的电网公司实施监管，保证能够引入竞争和保护消费者利益。在电力市场化改革中最为棘手的电力上网问题，政府鼓励企业根据一定的程序和条文，由发电商同电网公司协商建立"第三方"接入的协议性条款。负责反托拉斯和反垄断的联邦卡特尔办公室成为一个实施上的"独立监管机构"，因为卡特尔办公室虽然强调法庭判决和事后监管的机制，但这种可信的威胁成为交易各方迅速达成协议的外部推动力量。

这样，从对自然垄断行业的监管看，德国注重行业组织之间的协调、竞争机构以可信的承诺对企业的反竞争行为进行惩处。自 1998 年德国电力改革以来，这种模式并没有带来阻碍竞争的行为。这种没有独立监管机构、依靠独立法庭、反垄断机构、行业自律组织和政府部门共同协调以进行有效监管的方式，就是 OECD 所大力宣传的对监管过程的有效治理模式，同时也是（后）监管国家时代的政府监管模式。[44] 在建立监管型国家的进程中，率先建立多中心的现代监管体系和治理模式，德国已经成为国际社会的先行国家。

（三）日本、韩国监管体系及改革方向

日本和韩国所代表的是另外一种国家形态和监管模式。在日本、韩国经济发展的过程中，政府习惯关于干预企业经营，在很大程度上代替市场或扭曲市场形成价格的能力，其目的是为了促进经济的高速增长。日、韩因为这种国家主导经济发展的模式被称为发展型国家模式（Developmental State）。[45] 这种模式可以被

---

〔44〕 后监管时代和监管治理可以是同一种监管体系的不同说法，见 OECD 2002，Scott，2003。

〔45〕 Amsden 在 Asia's Next Giant 一书专门分析了韩国政府在经济发展中的作用。从监管体系较大分析韩国、对日本发展模式的报告，见 OECD 的报告（OECD，1999，2001）。

认为是介于欧洲福利国家和美国监管型国家之间的第三种国家形态。

从制度基本特征看,日本和韩国与欧美发达国家的明显区别之一就是,并不依靠完备而复杂的法律约束企业行为和维系社会秩序。由于历史、文化的原因,政府并不与企业保持一定的距离;相反政府与企业建立了一种指导——被指导的关系,或形成了政府与企业之间紧密的共生关系,这被称之为"市场亲善模式"。企业与企业之间也往往不依靠复杂的法律关系作为执行合约的惟一手段,而是依靠政府的干预和企业之间的信任。政府和企业因为共享一种"发展"的目标而出现典型的勾结行为,使市场、企业和政府之间的边界的界定并不那么清楚。

但是,过去十多年日本经历了长期的经济发展的停滞,韩国也在亚洲金融危机中受到巨大的冲击。这为日本、韩国开始重新反思政府、市场、和企业的作用、进行监管体系的改革提供了契机。实际上,日本从 1981 年开始监管体系改革,并在 1985 年实行了电信公司的民营化改革,成为主要发达的市场经济国家中除英国外率先实现"制高点产业"民营化的国家。其后,在 1994 年制定了《今后行政改革推进方案》,决定对 250 个项目实施放松监管的改革;1995 年拟定《放松规制推进计划》,并陆续将放松监管的项目增加到 1797 个。[46] 按照 OECD 的分析,1996 年开始的全面经济结构调整,就是要从国家主导的经济增长模式向市场主导的增长模式转化,从强调事前的政府审批转向企业按照一般性的原则运行、依靠事后对规则的执行情况进行监测,政府对企业的干涉变得透明、更加有规则可依。这种雄心勃勃的监管体系改革计划一直是其后日本经济体制改革的重要内容。

在垄断行业的监管体系改革中,日本并没有采用美国或英国的那种模式建立独立的监管机构。如在电信领域,日本在 1985 年通过了《电气通信事业法》实现了政企分开,电信公司从邮政省独立并民营化,并放开电信市场的准入,但并未成立类似于美国 FCC 或英国 Oftel 那样的专业监管机构,而是由邮政省负责对电信行业的监管。到 90 年代,电信行业的竞争加剧,对公平监管的需求增加,但这种由政府政策部门实施市场监管的模式并没有发生改变。2001 年日本通过了电信法修正案并进行政府部门大调整,原邮电部并入新成立的内阁邮电部的职能,合并成为公共管理、内务、邮电部(Ministry of Public Management, Home Affair, Posts and Telecommunications, 缩写为 MPHPT)。MPHPT 的日本称呼是总务省,由原来的邮电部、总务厅、等多家单位(包括公正贸易委员会、环境纠

---

[46] 徐梅,页 95~98。

纷协调委员会）合并形成。新成立的 MPHPT 下设由原来邮电部下属的通信政策局、电信局和广播局重组形成的通信政策局和电信局，负责电信行业的监管。另外，还设立了各种委员会。MPHPT 在向上述两个部门或者组建的研究小组提出针对某项目的研究要求后，相关部门或者研究小组有责任收集相关信息进行细致研究并按时向 MPHPT 提交报告。

韩国在监管体系改革的进程中步伐更大一些。如在网络产业领域，韩国对电信、电力进行了市场化改革，并分别在信息通信部（MIC）下成立了半独立监管机构的韩国通信委员会（KCC）、在能源部下成立了半独立的电力监管委员会（KEC）。

按照国际电联 2002 年的统计，到目前为止，日本和韩国是 OECD 国家中惟一两个没有成立独立于政府政策部门的电信监管机构的国家。在电力行业也是如此，同样在政府政策部门主导下，设立隶属于政府部门的监管机构，监管机构的自治性（autonomous）在两国却各不相同。从趋势上看，日本、韩国正在进行的改革，就是要重新定位市场和政府的关系，使政府与企业之间保持一定的距离，同时加强政府监管作为对市场竞争的有效补充。

OECD 的研究认为，日本、韩国在高速经济增长时期所采用的那种监管模式已经不适应全球化竞争的需要，必须进行面向市场的改革，而建立以市场为基础的现代监管体系将是发展的方向。

尽管文献有限，日韩的监管改革进展依然呈现出不同的步伐和基调，但是，我们有理由相信，日本、韩国中发展型国家走向监管型国家的路径将同美国和欧洲国家的路径形成差异。东亚国家的历史、传统和文化等决定的广义的制度环境，决定了制度安排中的多样性。这正如英国在借鉴了美国的监管模式的同时，根据英国的本土经验和制度要素实现了制度创新一样。所以，根据我们前面所建立的分析框架，我们有理由认为，即使东亚国家在制度可能性边界（IPF）上将从更多的政府干预区域向表征更多的市场因素的区域移动，并更加强调独立法庭在维系市场秩序方面的作用，但由于历史和文化影响，东亚国家的制度最终还是会收敛于与欧美国家制度不同的区域。

三、中国的监管体系改革：从垄断行业开始

发达的市场经济国家在过去的二十多年间开始在自然垄断行业以各种不同的方式引入竞争，对原来的国有企业进行民营化，在这一放松监管（de‑regulation）的过程中，许多原来没有设立监管机构的国家开始建立专业的监管机构，已经有监管机构的国家调整监管的内容。其原因在于，在引入竞争后，监管能够

保证具有市场主导地位的企业不会利用所拥有的自然垄断资源对其他企业形成不公平竞争。如果简单地废止行业监管，在没有监管机构支持的情况下任由市场发展并不能形成有效竞争。而建立专门的监管机构、采用一系列特定的监管方法来促进竞争环境的形成，防止占优势的现存运营商或主导运营商利用其市场支配地位和对自然垄断环节的关键网络元素压制竞争，这对促使竞争的形成是非常重要的。如在电信业中广泛采用的非对称监管，就是通过对具有支配地位的主导运营商强加某些义务，可以帮助新进入者迅速壮大以获得一定的竞争能力。要自然垄断行业中逐步引入竞争并保护消费者的利益，在很大程度上依赖于一个有能力确保公平市场竞争环境形成的监管体系。

同其他国家一样，中国监管体系改革也肇始于自然垄断行业。这些行业引入多元化竞争主体取代单一的国有国营的企业，必须同时制定明确的规则以保证市场的有序竞争和保护消费者权益。对这些具有独特技术经济特征的行业的规则化管理，对政府行为转变提出了严峻挑战，同时也是我们建立对政府行为约束机制的重要切入点。

（一）垄断行业监管体系建设情况及存在的问题

中国从 20 世纪 80 年代就部分开放了电力行业的发电市场，比英国的电力改革更早。但对电力、电信、铁路、民航等垄断行业的大规模市场化改革始于 90年代，在构成可竞争的市场结构的同时，构造了多元化投资主体构成的市场竞争主体，并不同程度地推进了行业的管理体制改革。垄断行业的改革主要进展体现在下列几个方面：

- 实现了政企分开。
- 建立完善企业法人治理结构，推动企业确立市场竞争的主体地位。
- 通过对主导企业的拆分和开放准入，初步形成了可竞争的市场结构。

但是，垄断行业的一些根本性问题并没有解决。具体主要有：在市场准入上，仍以行政审批为主，导致准入不充分，企业面临的竞争压力不强。在政企分开上，一是没有分开，政府依然干预企业的经营活动；二是出资人缺位，企业完全"摆脱"政府，致使国家的权益受损；三是有的大企业出现了以企代政的情况，有政企合谋之嫌。在行业重组上，行政主导行业重组导致的市场结构不合理等不良后果逐步显现。四是在全面监管上，有效的监管体系没有建立起来。

由于垄断行业具有规模经济、外部性等独特的技术经济特征，难以形成完全竞争的格局。实践也表明，即使在非自然垄断的环节引入竞争后，政府也必须对这些行业进行持续的监管。在新一轮改革中，垄断行业监管体制改革有了突破性进展：

- 在电信改革中，在信息产业部建立了垂直一体化的电信管理机构，重申了加强监管的必要性，指明了必须重点关注的监管领域。
- 在电力改革中，国家电力监管委员会的成立，是我国垄断行业管理体制改革的重大突破，表明了政府对垄断行业实施公正、透明和专业化监管的政策取向。
- 稳步推进对价格和服务质量的监管，特别是价格听证制度作为价格监管的重要形式，社会反映良好。
- 国家发展和改革委员会出台了《制止价格垄断行为暂行规定》，为所有经济领域价格垄断的监管提供了依据。

垄断行业的监管体系建设虽然取得了以上进展，但是远滞后于垄断行业改革的进程。并且，其自身还很不完善，距离现代监管体系的要求还有较大差距。

传统上，世界大多数国家垄断行业都是纵向一体化结构，政府行业主管部门对行业实施垄断经营，对企业进行直接管理，同时兼有企业所有者、行业监管者和政策制定者的角色。在过去二十多年间，对垄断行业进行市场化改革同时成为发达国家和发展中国家的共识。通过市场化改革打破了国有企业的垄断，导致了不同所有权结构的企业参与竞争。不同的利益主体和竞争性的市场结构，要求政府从市场竞争参与者转变为市场规则的制定者和执行者。这就要求建立明确的行业法律法规框架、专业的监管机构、透明的监管程序、合理的监管权力划分和高素质的监管队伍，对行业准入、价格、市场行为、服务质量、普遍服务等方面进行监管。

我国现代监管体系的建设滞后，监管规则不完善，监管机构不健全，它延缓了行业有效竞争格局的形成，使总体效率低下、服务价格不合理、行业发展受制约、消费者权益受损等问题没有有效解决。具体分析，在监管体系建设上主要存在以下问题：

- **缺乏依法监管的现代监管理念**。行业管理部门习惯于行政手段管理，没有树立起按公平的规则、透明的程序依法监管的现代监管理念。部门权力缺乏制约、决策过程透明度低、人为干扰因素大，为权力寻租提供了机会。
- **缺乏监管的法律基础**。许多垄断行业进行市场化改革后，没有及时制定相应的法律法规来规范政府管理部门、企业及消费者的职责和权利，造成政府部门管理无法可依、无章可循，企业的主体地位难以完全确立，消费者权益得不到保障。
- **缺乏专门的监管机构**。除电力行业外，其他行业的监管职能按内容分别由多家政府部门行使，职能过于分散、监管主体不明、监管效率低下；政策制定部门同监管执行部门没有分离。由于缺乏责任主体，监管经常出现缺位。

- **准入不规范，行政审批的基本格局没有改变**。虽然多次提出要逐步放开对垄断行业的准入限制，鼓励各种社会资本特别是国内民营资本的进入，但却没有具体、公开、透明的准入规则和准入程序。其结果是社会资本进入不足，全面有效的竞争格局难以形成。

- **价格监管难以适应市场化的要求**。垄断行业的部分领域已经存在相当程度的竞争，如部分电信业务资费、航空票价等方面，应该让市场竞争形成的价格信号在资源配置上发挥更大的作用。对垄断业务的价格监管，我国一直采用成本补偿加合理利润的定价办法，但由于缺乏对企业成本构成的严格标准，价格监管实际上没有形成对企业经营成本的有效约束，导致垄断行业的成本失控，价格过高。再如，由于缺乏准确的成本信息，难以确定电信的互联成本并制定合理的结算方案，使电信行业难以形成互联互通，影响了有效竞争格局的形成。此外，对有线电视、供水等业务的成本和价格形成缺乏透明、有效的监管，引起了群众不满。

- **普遍服务难以实行**。目前几乎所有的垄断行业都缺乏明确的普遍服务监管规则和实施机制，使这一国际通行的惠及广大群众的做法在我国难以实行。

(二) 垄断行业现代监管体系建设面临的挑战

1. 依法行政的观念。在传统的计划经济时代，政府对这些垄断行业的管理是"三位一体"的，即政府是企业的所有者、行业管理者和政策制定者。企业的发展规划、投资准入、生产运行、成本核算和价格标准都是由政府执行。在计划经济条件下，这种一体化的管理体制保证了这些行业的建立和快速发展。在引入多元化的投资者以后，必须实现政府与企业职能分离、企业要进行市场化运作，这就要求政府管理行业的职能逐步转向提供规则和维护规则。政府需要按照现代市场经济制度的要求重构政府管理体制，包括政府政策职能与监管职能的分离，并建立独立于企业和政策部门的监管机构。

现代市场经济的基本特征是法治经济，而现代监管就是按照法治经济的理念，根据规则对市场行为主体的规范（regulating by rules），它体现了从政府控制向面向市场、基于规则监管的转变。对于习惯了随意的行政性管理、其行为不受约束的政府部门而言，要实现以规则为基础、按透明的程序、受法律约束进行专业化监管，是政府监管活动中面临的最大挑战。

2. 完整的监管体系。现代监管体系是市场经济环境下政府对企业经济行为进行管理的制度安排，是政府实现有效的市场监管的制度保证。从广义的制度角度，现代监管体系应该包括完善的法律环境、专业化的行业监管机构、多维度的行业自律和消费者权益保护，现代监管的核心是监管活动的法治化，按照公正、透明、专业、诚信和权力约束的原则维护市场竞争的秩序。建立现代监管体系，就是从政府直接控制垄断行业的企业运作转向面向市场、基于规则的全面监管。

建立现代监管体系，制定统一的市场准入规则和行业行为规范，才能够从根本上减少和规范行政审批，推进政府行政管理体制改革，提高行政效率。为实现建立市场经济体制、完善政府市场监管职能的目标，我们要从经济领域中网络产业的有效监管开始，在电力、电信、铁路、天然气等产业领域的监管机构中，率先实现观念的突破和政府职能的转变。其后，逐步将现代监管理念和做法推广到证券、银行等其他经济领域，更进一步地推广到环保、卫生和安全等社会性监管领域。特别重要的是，在现代监管体系的建设过程中，专业化的行业监管机构处于中心地位。在监管程序的制度安排上，要求将监管机构的行为纳入更高一级的政府或立法机构的监管之中。

（三）垄断行业现代监管体系建设的原则

目前除了垄断行业的监管体系建设外，我国政府还在金融、环保、食品与药品等领域建立了专业的监管机构，这些监管机构的设立，在很大程度上都还是沿袭了市场经济条件下的政府部门模式。从长远发展目标出发，我们要建立与竞争性市场相适应的现代监管体系，应该遵循一些基本原则，它们是：

公正。监管规则要体现对参与市场交易的各种市场主体公平对待的原则，要充分考虑投资者、消费者、被监管企业的利益和国家的社会目标，以公正的原则协调可能的利益冲突。

透明。监管内容必须清楚，监管的程序必须完备，同时要求有明确的仲裁机制以处理监管者与被监管者间的分歧；监管的过程必须透明，决策结果及依据必须公开。

专业化。需要监管的经济活动具有高度的技术复杂性，在确定主体准入资格、协调价格控制机制运行、监督复杂的交易活动、保护消费者权益等方面，都需要监管机构有一支包括经济学家、律师、会计师、财务分析师等组成的稳定的专家队伍，以更好地克服监管者和被监管者的信息不对称。

诚信。监管机构必须及时而公平地进行监管执法。对于违规者的依法查处是监管机构信誉所系，它直接影响各市场主体对市场公平和政府能力的信心。

独立。监管机构必须独立于被监管企业，保证不被企业所收买；同时从机构上独立于政府政策制定部门，只负责政策的执行而不负责政策制定。

接受监管。除了要求监管活动的公正、透明、讲求诚信外，还必须通过立法建立相关的制度对监管者实施监管，以保证监管者不滥用权力。

按照这些原则设计的监管机构，将按照规则以公开、专业的方式对准入、价格、交易行为、服务质量、安全、环保、卫生等进行监管。

（四）垄断行业现代监管体系的建设优先考虑的议程

周其仁（2002）在《竞争、垄断与管制》一文中，对监管和监管改革的问题进行了比较全面的分析，从监管起源、现状和发展趋势上分析了监管的功能和潜在的误区。特别提出了传统的强调垂直型命令与控制的监管体系容易孳生腐败，建议逐步建立有行政监管、法院裁决、市场自组织的仲裁、庭外和解等多种方式的内在复合体。但在对于竞争与监管的长期发展趋势的判断上，周其仁对市场力量持有过分乐观的态度（期待"监管消亡"）。在推进我国专业领域的监管体系建设方面，我们同意周其仁关于要避免"管制主义泥潭"的提法，一定要将监管的范围局限在市场机制不起作用的地方，并随着其他更有效的维护市场秩序的手段的出现而调整监管的重点和改变监管的方式。我们特别需要强调的是，中国市场经济发展所需要的完备制度环境并不存在，市场的发育还处于初级阶段，从企业到政府都还保留着计划经济时代的思维方式，即使在已经建立了专业监管机构的网络型行业和金融等领域，一时也难以建立由相关政府部门、独立监管机构、行业自律组织、消费者保护组织等构成的完善体系。即使监管机构的责任随其监管能力不断增加，政府的行政权力仍将发挥重要的作用。因此，我们主张，中国垄断行业现代监管体系建设应优先考虑下列议程：

（1）处理好政策制定部门和专业监管机构之间的关系。

随着垄断行业改革的深入，必须加快建立专业监管机构以实施专业化监管。公共政策制定部门根据一定时期国家经济社会发展的目标制定宏观经济政策和特殊的产业政策，包括垄断行业的准入和价格政策；涉及到监管方面的政策规定应由监管机构负责实施。逐步推进政监分离。应尽快在网络行业领域建立国家电信监管委员会、国家能源监管委员会等，鼓励地方建立公用事业监管委员会。

（2）科学界定监管权力的横向分配和纵向划分。

要从提高效率的角度在不同的监管部门和监管机构之间合理分配和划分监管权力。建议在电信、电力、铁路、民航、邮政、天然气长途运输等全国性网络产业建立垂直一体化的中央级监管机构，保证全国统一大市场的形成。鼓励地方政府按照国家确定的一般原则设立对供水、城市交通、燃气等地区性公用设施进行有效监管的地方公用事业监管机构。

（3）加快立法步伐。

加快建立和完善法律法规，为垄断行业的监管体系建设提供有效的法律支持。同时应考虑到我国立法资源和经验的限制，避免匆忙立法，特别要避免部门将部门利益以法律的方式合法化、固定化。

（4）加强监管机构组织能力建设。

建立明确的激励、约束机制，透明、严格的工作程序，相应的信息支持系统，以及同公众有效沟通的渠道，提高监管部门的员工素质和组织能力。

（5）更进一步放开准入和价格监管，让市场发挥更大的作用。

坚定不移地推进市场化建设，放开准入壁垒。同时，在市场竞争起作用的地方，逐步放开价格监管。从有利于产业发展、保护竞争和保护消费者的角度，建立更有效的价格监管机制。

（6）建立普遍服务机制。

尽快出台电力、电信、供水、供气等领域的普遍服务政策，决定普遍服务资金的筹措和使用，由相关的监管部门制定实施细则并监督执行。

总之，通过率先在网络性垄断行业领域建立基于规则的现代监管体系，推动社会主义市场经济体制的建立和完善，按照法治经济原则，逐步完善政府在经济调节、市场监管、社会管理和公共服务领域方面的职能。

四、结论：建构有中国特色的监管体制

在本文中我们考察了部分发达市场经济国家监管体系随技术进步、制度环境和市场发育而不断变迁的过程。监管制度变迁发生在不同国家发展的历史传承之中，并呈现纷繁的多样化色彩。在市场扩张的过程中，政府组织的扩大和角色的重新定位，是监管制度变迁的主旋律，其节律决定了政府与市场在社会经济发展中的分工与协作，从而哺育了现代市场经济的繁荣。

肇始于一个多世纪前的美国进步运动，并在二十多年前美、英放松监管而升温的发达国家监管制度改革，是与这些国家的完整的法律体系、有效的执法系统、明确的市场主体和基本完备的市场规则并行不悖的，是因循"市场能够解决的事情由市场解决、市场解决不了的由政府监管解决"的原则而展开的，其目的就是改革政府监管方式，提高政府监管绩效，使政府和市场的双人舞更加优美和谐。这一改革的主要特征是政府整体监管功能的强化，无论政府监管的领域

还是监管的深度都得到了加强，但是，政府的责任是明确的，受到的约束也是明确的。法律、规则、监管机构构成了这场社会博弈。更多的监管职能并没有改变有限政府的本质，而是不断向效率政府迈进。

经过二十多年的改革，我国监管体制的改革已经被提上了完善社会主义市场经济体制的议程。市场机制还未完全发育，市场经济有效运作的制度环境还不存在，特别是以法律体系和执法效率为主要表征的法律体系还不能满足市场经济发展的要求，传统的、缺乏有效约束的政府行政性行为仍然是市场发育和运行的重要障碍。考虑到我国经济发展的现状、特别是制度建设的现状，《中共中央关于完善社会主义市场经济体制改革的若干问题的决定》中明确指出"完善行政执法、行业自律、舆论监督、群众参与相结合的市场监管体系"是完善市场体系和规范市场秩序的基本原则。这种强调行政力量和群众参与的作法，就是充分利用本土制度要素的重要策略。在政府大力完善市场经济体制建设的进程中，从网络型垄断行业改革，提供了一个我们从专业领域建立现代监管体系、从而推动我国法治经济建设的重要契机。

本文的主要结论是，中国的监管体系改革应该是走向更有效的市场经济制度的一个步骤。我国的国情与西方国家、包括拥有大量国有企业的欧洲福利国家有本质的不同。在西方市场经济国家，即使政府对国有企业进行管理，在政府和国有企业之间也受到司法约束（Judiciary），企业行为相对规范。发达市场经济国家监管改革是从事后法庭参与逐步走向事前、专业化干预，是在一个国家的"制度可能性边界"上从"无序"向集权方向的迁移。相反，中国的起点是政府垄断一切，然后逐步放开市场，扩大市场准入，逐步建立市场并鼓励市场配置资源，这是一个政府逐步退出直接的经济活动的过程，同时，法治建设尚处在不断强化的过程之中，我们希望在政府有序退出的同时，尽快建立政府通过监管制度矫正市场失灵的机制。更为重要的是，我们并不主张简单移植西方发达市场经济国家监管体系改革的经验教训，而主张创新性移植西方的经验。正是基于这种考虑，我们认为，在垄断行业改革过程中，建立依法监管的现代监管体系，是政府行为法治化的起点。通过类似于"增量改革"的方式，使新成立的监管机构从一开始就遵从公正、透明、专业和诚信的原则，创造中国监管体制建立的初始路径。最后，我们认为已经通过的《行政许可法》将进一步规范政府管理经济的职能，为垄断行业监管体系改革提供良好的法治条件。

参考文献

陈富良（2001）《放松规制与强化规制》上海三联出版社。

高世楫（2002a）"更自由的市场、更复杂的交易、更严格的规则"，吴敬琏主编《比较》2002 年第 1 辑，第 93－113 页。

高世楫（2002b）"十字路口的中国电力产业"，张昕竹主编《中国基础设施产业改革与规制》，中国行政管理出版社，第 1～32 页。

高世楫、秦海（2003）"从中国经济市场化进程看反垄断的制度供给"，《中国反垄断：案例研究》，上海远东出版社，第 248～289 页。

钱颖一（2003）"政府与法治"，吴敬琏主编《比较》第 5 辑，2003 年，第 1～13 页。

钱颖一（2001）"市场与法治"，载李剑阁主编：《站在市场化改革前沿》，上海远东出版社 2001 年版，第 31－56 页。

秦海（2004）《制度、演化与路径依赖》，中国财政经济出版社。

秦海（2003）"法与经济学的起源与方法论"，吴敬琏主编《比较》2002 年第 5 辑，第 151－176 页。

秦海（2002）"制度的历史分析"，吴敬琏主编《比较》2002 年第 4 辑，第 176～193 页。

秦海（1996）《高速增长中的经济转轨》，吉林大学出版社。

王辉（2003）"市场与政府监管：美国的经验"，载胡鞍钢等主编《第二次转型：国家制度建设》，清华大学出版社，第 153～169 页。

王俊豪（2001）《政府管制经济学导论》，商务印书馆。

王岐山（2001）"垄断行业的改革和重组"，2001 年 3 月 24 日在"中国发展高层论坛"上的演讲。

王希（2003）"美国进步时代的改革：兼论中国制度转型的方向"，载胡鞍钢等主编《第二次转型：国家制度建设》，清华大学出版社，第 117～152 页。

徐梅（2003）《日本的规制改革》，中国经济出版社。

余晖（2003）《中国行业协会在中国的发展与实践》，经济管理出版社。

余晖、周汉华、张昕竹、沈岿（2002）"中国基础设施产业政府监管体制改革总体框架研究"，《中国基础设施产业政府监管体制改革研究报告》第一部分（第 1～178 页），中国财政经济出版社 2002 年版。

宇燕、席涛（2003）"监管型市场与政府管制：美国政府管制制度演变分析"，《世界经济》，2003 年 5 月（总第 297 期），第 1 ~ 26 页。

张维迎（2001）"政府管制的陷阱"，张维迎著《产权、政府与信誉》，生活·读书·新知三联书店，第 96 ~ 143 页。

张昕竹（2000）《网络产业：规制与竞争理论》，社会科学文献出版社 2000 年版。

中国基础设施产业政府监管体制改革课题组（2002）《中国基础设施产业政府监管体制改革研究报告》，中国财政经济出版社 2002 年版。

周汉华（2002）《现实主义法学运动与中国的法制建设》，法律出版社。

周其仁（2002）"竞争、垄断和监管"，载中国基础设施产业政府监管体制改革课题组：《中国基础设施产业政府监管体制改革研究报告》，中国财政经济出版社 2002 年版，第 179 - 225。

Amsden, Alice H. (1989) *Asia's Next Giant.* Cambridge：Oxford university Press.

Armstrong, Mark and David Sappington (2002) "Recent developments in the theory of regulation", mimeo, Nuffield College, Oxford University.

Bailey, Elizabeth E. and Janet R. Pack (1995) *The Political Economy of Privatization and Deregulation*, London：Edward Edgar.

Bartle, Ian, Markus M. Müller, Roland Sturm, and Stephen Wilks 2002), "The Regulatory State：Britain and Germany Compared", Anglo - German Foundation for the Study of Industrial Society.

Barzel, Yoram (2002)：A Theory of The State：Economic Rights, Legal Rights, and the Scope of the State, Cambridge University Press.

Better Regulation Task Force (2000) *Alternatives to State Regulation.* London：Cabinet Office.

Crandall, Robert W. (2003) "A end to economic regulation", in *Competition and Regulation in Utility Markets*, Colin Robinson, ed. Edward Elgar, 2003, pp162 - 185. (also appearing as an working paper from AEI - Brookings Joint Centre for Regulatory Studies. http：//www. aei. brookings. org/publications/)

Crews, Clyde Wayne, Jr. (2002) The Thousand Commandments：an annual policymaker's snapshot of the federal regulatory state (2001 Edition).

Davis, Lance and Douglass C. North (1971)：*Institutional Change and American*

Economic Growth, Cambridge：Cambridge University Press.

Demsetz，1968， "Why Regulate Utilities?" *Journal of Law and Economics*, Vol. 11，No. 1，pp. 55 – 65.

Djankov，Simeon，Edward L. Glaeser，Rafael La Porta，Florencio Lopez – de – Silanes and Andrei Shleifer（2003）"The new comparative economics"，NBER Working Paper 9608.（http：//www. nber. org/papers/w9608）该文最初的一个版本见《比较》第 5 辑。

Dyson，Kenneth（1992）*The Politics of German regulation.* Aldershot：Dartmouth.

Glachant，Jean – Michel，Ute Dubois and Yannick Perez（2003）"Deregulating with no regulator：Is Germany electricity transmission regime institutionally correct?" *ISNIE International Conference* September 2003 in Budapest.（download from ISNIE webbsite）

Glaeser，Edward L. and Andrei Shleifer（2001）"The Rise of the Regulatory State"，NBER Working Paper.（中文译文见 "监管型政府的崛起"，吴敬琏主编《比较》2002 年第 2 辑，第 51 – 73 页）

Grief，Avner（2003）*Institutions：Theory and History：Comparative and Historical Institutional Analysis*，Manuscript，Stanford University. Delivered by the Center of the Study of Economy and Society，Cornell University.

Hahn，Robert W. （2000）"State and federal regulatory reform：a comparative analysis"，*Journal of Legal Studies*，Vol. XXIX，Reprinted in *Cost – Benefit Analysis：Legal. Economic，and Philosophical Perspectives*，edited by Adler，Matthew D. and Eric A. Posner（2001），Chicago：The University of Chicago Press.

Hahn，Robert W. ，Anne Layne – Farrar，and Peter Passell（2003）"Federalism and regulation：an overview"，AEI – Brookings Joint Center for Regulatory Studies Working Paper（http：//www. aei. brookings. org/publications/）.

Henry，Claude，Michel Matheu，and Alain Jeunemaitre（2001）*Regulation of Network Utilities：The European Experience.* Oxford：Oxford University Press.

Hilts，Philip J. （2003）*Protecting America's Health.* New York：Alfred A. Knopf.

Hood, Christopher, Colin Scott, Oliver James, George Jones, and Tony Travers. 1999. *Regulation Inside Government: Waste – Watchers, Quality Police, and Sleaze – Busters.* Oxford: Oxford University Press.

Joskow, Paul (ed. 2000) *Economic Regulation*, London: Edward Edgar.

Kagan, Robert A (2000) "Introduction: Comparing National Styles of Regulation in Japan and the United States." *Law and Policy* 22: 225 – 244.

Katz, Michael L. (2000) "Regulation: The Next 1000 Years", A Background Paper for the *Fourteenth Annual Aspen Institute Conference on Telecommunications Policy*, The Aspen Institute.

Laffont, Jean – Jacques (2003) *Regulation and Development*, Book Manuscript, to be published by the MIT Press.

Lessig, Lawrence. 1999. *Code: and Other Laws of Cyberspace.* New York: Basic Books.

Khan, H. Mushtaq (2002) "State failure in developing countries and strategies of institutional reform", draft paper for the *Annual Bank Conference Development Economics Conference* Oslo June 24 – 26, 2002, World Bank's (downloadable from the World Banks' ABCDE website)

Majone, Giandomenico (1996) *Regulating Europe.* London: Routledge.

Majone, Giandomenico (1994) "The Rise of the Regulatory State in Europe." *West European Politics* 17: 77 – 101.

McCraw, Thomas K. (1984) *Prophets of Regulation*, Cambridge: Harvard University Press.

Moran, Michael (2002) "Review Article: Understanding the Regulatory State." *British Journal of Political Science* 32: 391 – 413.

Moran, Michael (2001a) "The Rise of the Regulatory State in Britain." *Parliamentary Affairs* 54: 19 – 34.

Moran, Michael (2001b) "Not Steering but Drowning: Policy Catastrophes and the Regulatory State." *Political Quarterly* 72: 414 – 427.

North, Douglass (1990) "Institutions", *Journal of Economic Perspectives*, Winter 1990.

OECD (1999) *Regulatory Reform in Japan.* Paris: OECD .

OECD (2000) *Regulatory Reform in Korea.* Paris: OECD .

OECD (2002) *Report on Regulatory Reform: From Interventionism to Regulatory*

Governance. Paris: OECD .

OECD (2003) "Regulatory issues and Doha development agenda: an explanatory issues paper". OECD.

Ogus, Anthony I. (ed. 2001) *Regulation, Economics and the Law*, Cheltenham: Edward Elgar.

Palast, Greg, Jerrold Oppenheim and Theo MacGregor (2003) *Democracy and Regulation: How the Public Can Govern Essential Service.* Sterlin, Virginia: Pluto Press.

Peltzman, Sam (1993) "George Stigler's Contribution to the Economic analysis of regulation", *Journal of Political Economy*, Vo. 101 (5), October, pp. 818 – 32.

Pildes, Richard H. , and Cass R. Sunstein (1995) "Reinventing the Regulatory State." *University of Chicago Law Review* 62: 1 – 129.

Pistor, Catherine & 许成钢 (2002 a) "不完备法律（上）"，吴敬琏主编《比较》2002 年第 3 辑，第 111 – 139 页).

Pistor, Catherine & 许成钢 (2002 b) "不完备法律（下）"，吴敬琏主编《比较》2002 年第 4 辑，第 97 – 128 页).

Posner, Richard (1974) "Theories of Economic Regulation," *Bell Journal of Economics and management science*, Vol. 5, No. 2, pp. 335 – 358, 1974.

Scott, Colin (2003) "The (Post –) Regulatory State", ANU Working paper.

Sen, Amartya (2000) "The discipline of cost – benefit analysis", *Journal of Legal Studies*, Vol. XXIX, Reprinted in *Cost – Benefit Analysis: Legal. Economic, and Philosophical Perspectives*, edited by Adler, Matthew D. and Eric A. Posner (2001), Chicago: The University of Chicago Press.

Spulber, Daniel F. (余晖等译) (1999)《管制与市场》，上海三联书店。

Stigler, Geoege and Claire Friedland (1962) "What Can Regulators Regulate? The Case of Electricity", *Journal of Law and Economics*, 5, pp. 1 – 16。（中文译文见《施蒂格勒论文精粹》，商务印书馆，1999，第 14 章）

Sunstein, Cass (1997) (1990) "Paradoxes of the regulatory state", as chapter 11 collected in Cass Sunstein *Free Market and Social Justice.* Cambridge, Mass: Oxford University Press.

Sunstein, Cass (1990) *After the Rights Revolution.* Cambridge, Mass: Harvard University Press.

Van Cayseele，Patrick，Roger van den Bergh（1999）"Antitrust law"，*Encyclopedia of Law and Economics*，1999.

Viscusi，W. Kip，John M. Vernon，and Joseph E. Harrington，Jr（2000）*Economics of Regulation and Antitrust*. Cambridge：MIT Press. Third Edition.

政府经济治理结构中的行政监管[*]

余　晖

一、市场失灵：市场经济体制下政府干预经济活动的理由

（一）不存在完全竞争的市场

现代经济学理论（如福利经济学第一定理[1]）告诉我们，在"明晰化的私有产权"和"自由契约原则"的社会基础上，如果具备如下市场条件，作为一种经济体制的市场经济是有效率的：

(1) 市场的普遍性———所有的物品和服务可以经由市场进行交易；

(2) 收益递减性———在生产技术方面不存在不可分割性和规模经济性；

(3) 市场的完全性———所有的市场都处于完全竞争状态（具有为数众多的买者和卖者，他们可以自由进入和退出市场，产品具有同质性和无差别性，买卖双方对产品具有完全的知识，买卖双方的行为都是理性的，他们之间不达成热和协议）；以及

(4) 确定性———在信息完全的条件下不存在任何不确定性。

在这种完全竞争的市场机制中，即便不存在控制经济体系的主体（如政府

---

   * 本文系国务院体改办 2001 年"中国基础设施产业政府监管体制改革研究"总课题的研究报告一。曾发表在课题组内部交流文稿《监管论坛》2001 年第 7 期上。

      本文收入本书时有删节——编者

〔1〕　这条原理是："在完全竞争和完全市场的经济体系中，如果存在着竞争性均衡，那么这种均衡就是帕累托最优的。"

公共机构），所有经济主体都采取使自我利益（企业是利润，消费者是效用）最大化的行动，在价格信号这只"看不见的手"的指导下，也能实现帕累托最佳境界的资源配置。

但很显然，在现实经济活动中完全竞争的市场机制根本就不可能存在。上述各种假定的条件是如此严厉，与其说它们勾勒了一幅帕累托最优的美好图画，还不如说它们澄清了市场为什么通常不能保证有效率的和公平的社会状态（阿克塞拉，2001）。因此经济学家把市场经济的这种局限性称之为"市场失灵"，这也正是政府作为一个调控主体（当然还有其他的主体，如非政府组织）参与和干预市场的根本理由。

市场失灵分别体现在微观经济层面和宏观经济层面上。

(二) 微观经济层面上的市场失灵

1. 垄断和不正当竞争。垄断，是建立在沉淀成本基础上的进入壁垒而形成的一种市场力量。它最有说服力的表现形式，是由于技术理由或特别的经济理由而成立的"自然垄断"'和"自然寡头垄断。"（植草益，1992，41 页）。这种性质的垄断，有可能是某一企业在长期市场竞争中"自然"形成的，直到本世纪中叶，才由政府直接经营或授予特许经营权，而广泛存在于基础设施产业中。

其实，对自然垄断性的判断，是件很复杂的工作。总之，随着技术的进步和市场外竞争方式的普及，传统的自然垄断产业中的大部分已经失去了独家或寡头垄断的基础，而过渡到或正在向竞争性产业过渡。但只要存在区域性的不可分割的物理传输网络，在市场需求一定的条件下，企业规模收益呈递增状态，而且因沉淀成本的原因使得企业很难自由进出，自然垄断或寡头垄断的市场结构就有可能维持。这种状况在基础设施产业中广泛存在。

将结构性垄断转化为行为性垄断，会产生限制竞争的结果。另一种限制竞争的市场行为通常被称为不正当竞争，它是市场竞争者之间为削弱对方的竞争优势而采取的一种"不道德"的行为，如贬毁竞争对手、侵犯商业秘密、假冒他人商标、倾销、串通投标等。

2. 外部性。外部性是指在两个当事人缺乏任何相关的经济交易的情况下，由一个当事人向另一当事人所提供的物品。这个定义即是说，关于外部性的范围和任何补偿性支付，供应者和接受者之间最起码在事实发生之前缺乏任何谈判。正外部性（外部经济）和负外部性（外部不经济），是从外部性物品接受者的角度来定义的。如企业生产过程中的排污就肯定会施加给周围居民和其他生物，甚至某一区域的生态环境一种负外部性。如果当事人之间缺乏一种明晰的产权界定和无交易成本的谈判，市场就无法实现有效率的资源配置。

外部性同样存在于对不可再生之土地（地表和底下）、资源（如公海渔场和公有矿物资源）的枯竭性开采行为中。这是因此类物品的"共同产权"所引起的，它可能会使单个使用者过度使用这些物品，其行为有如搭便车者那样，不考虑其他人的公共权利，而实际在增加其他人使用共同产权的成本。这种行为可能造成物种的灭绝和人类生态环境的恶化，并使社会经济的可持续发展受到威胁。

3. 内部性。内部性是指由交易一方所经受的但没有在交易条款中说明的交易的成本和效益。这里的成本即是指负内部性或内部不经济，而效益则是指正内部性或内部经济。

有三类主要的"交易成本"是造成内部性的原因：一是在存在风险的条件下签订意外性合约的成本；二是当合约者行为不能被完全观察到时所发生的观察或监督成本；三是交易者收集他人信息和公开自身所占有的信息时发生的成本。内部性的存在使得交易者不能获取全部潜在的交易所得（史普博，1999，64 - 65 页）。

可见，不对称信息是放大上述交易成本的主要原因。不对称信息会导致两种资源配置低效的情况：逆向选择和道德风险（又称败德行为）。前者的例子如保险公司不能区别风险大或风险小的顾客或事件，使得它所确定的保险金对风险大的顾客划算，对风险小的顾客不划算，从而导致保险市场出现某些空白。后者的例子如保单的持有者没有采取适当的措施减少风险，从而可能增加保险公司的成本。

这种情形不仅存在于保险市场，也广泛存在于金融、劳动以及几乎所有的产品（尤其是最终消费品）市场上。如雇佣者拥有工作场所安全和健康方面的充分信息而不告知被雇佣者，使后者可能付出生命的代价。再如消费者并不具备商品或服务的价格、质量、特性、效能等方面的充分知识，因而往往不能达到其效益最大化的目的。

私人主体之间可以采取各种措施，如签订细化了的合同或增加激励等，但能否解决不对称信息引起的市场不完全性，仍很值得怀疑。

4. 公共物品。在完全竞争性市场的假定中，商品的使用具有竞争性的或排他性的特点，即某人对某种商品的使用会限制他人对它的使用。但在现实市场中，还存在着非排他性的商品，即某人对某种商品消费的增加并不会使他人对它的消费下降，这些物品被称之为"公共物品"，如国防、古迹、路灯、灯塔等。

由于排他性消费难以或不可妮排除的原因，使得搭便车的问题和市场的不可行性变得更为严重，从而也使生产公共物品缺乏激励。如果可以排除他人对公共物品的消费，那么其提供者获得的收益就应该等于从该物品本身获得的直接收益，加上他人对获得许可使用该物品的收费。换言之，私人经济主体决定是否生产公共物品，取决于是否存在非负的预期收益，而非排他性使这种预期收益降低，从而使私人经济主体不愿生产公共物品。

5. 非价值性物品。在竞争性市场机制下，资源的配置是有效率的。但在现实的市场中，由于某些普遍接受的社会伦理道德规范的作用，往往出现用某些外部实体的选择取代个人选择的情况。如就毒品和核武器等而言，在竞争性市场机制下也可以实现资源配置的效率，但这却并非为社会所希望。相反，社会希望在一定程度上或者是全面限制和禁止此类物品的生产和销售。经济学家称此类物品为"非价值物品"或"功德物品"。可以列入此类物品范围的还有安全预防物品（如汽车安全带、抗震建筑技术）、强制性义务教育和强制性保险计划等，与毒品不同的是，这些功德物品是社会广泛提倡的和支持的。但它们都能够严重限制个人的偏好。

支持功德需要的理由，除了考虑到人们可能不具有决策所需的有关重要信息，或其决策过程没有遵守正常的理性标准外，还有外部性或公共物品的某些考虑，如降低无意伤害和节约公共开支等。

6. 风险。信息的不充分性会产生不确定性，从而给企业带来经营风险。例如新产品研发，企业可能对新产品的研发费用、投资额、生产费用等具备较充分的信息，但对此产品的市场需求和盈利率，则很难作出准确的判断。因此私人企业由于资金负担能力有限，往往会取消风险性大的投资项目。在基础研究、高新技术、尖端技术等产业，投资和经营的风险尤其突出。但恰恰是这些产业，对后进国家加速工业化和现代化进程又至关重要。然而私人企业经济制度，无法使这些风险巨大的产业投资达到社会所需要的水平，由此造成部门结构和产业结构调整的缓慢和低度化。所以，从经济增长和经济发展的角度，对鼓励在具有较大风险的产业领域进行投资，有必要采取相应的引导政策。

（三）宏观经济层面上的市场失灵

1. 公平分配。在完全市场经济中，在所有权的分配方面，任何一个社会都存在着无数个分配方案，而且均能产生无数种帕累托效率。即如果生产要素（劳动、土地、资本）边际市场是完全竞争的，其所有者得到的是该要素边际产品的实际价值。但由于作为经济成果的物品和服务的分配依存于所有权的分配，因此即便在竞争性的市场机制下实现了帕累托效率的资源配置，也难以确定哪种收入分配状态为最优。经济社会的评价标准不仅仅是资源的配置效率，还必须考虑收入分配的公正。因此经济社会要根据一定的价值判断标准，对收入分配的公正问题给予必要的政策考虑，通过收入的再分配，实现更公正的收入分配。

2. 经济稳定性。在竞争性市场机制下，可以在现有技术的基础上实现最高的经济增长率。但是与此同时，市场经济却伴随着不断重复的经济波动，有时还发生大量的失业和剧烈的通货膨胀。市场机制虽然具有排除这些弊端从而实现新的均衡的内在机能，但恢复均衡需要时间，而且事实上大量的失业和剧烈的通货膨胀会带来大的社会经济的混乱。因此社会增强了尽可能稳定经济的要求，使人为的经济稳定政策的导向成为必要。

二、政府经济职能及其重新划分

虽然对市场失灵，尤其是对微观经济层面的市场失灵，存在许多非政府干预的治理机制，如企业、社群、行业组织及组织化的中介机构等，这些治理机制往往能够有效替代或补充政府治理机制。但现代政府作为一个规模最大的公共事务代理人，具有其他治理主体所不具备的权威和力量。因此在合理的范围内强调政府经济职能对市场失灵的主导治理作用是必要的。

（一）为什么要重新划分政府经济职能

概括而言，政府的经济职能是以政府机构为行为主体，从社会生活总体的角度，对国民经济进行全局性的规划、协调、服务和监督的职能。它是政府为达到一定目标而采取的协调和组织经济活动的各种方式和手段的总称。

但长期以来，国内已习惯于把政府所有治理经济活动的有关的行为都称之为宏观管理或宏观调控，或者有所改进地将政府行政机构的职能划分为宏观调控职能、经济管理职能、执法监督职能以及社会公共事务管理职能。[2] 显然前者过于笼统，抹杀了政府宏观经济职能和微观经济职能的本质区别。后者虽然将宏观调控职能与政府其他经济职能区别开来，但其缺陷在于：首先，虽然它所说的后三种职能都主要是针对微观经济活动的，但这种分类本身无法明确体现这一点；其次，对社会公共事务的管理，其对象也大多是企业单位或正处于向企业化转变的事业单位，是可以作为市场经济的微观主体来对待的，反之政府在实施其经济管理职能时，也会对作为其管理对象的微观经济主体，按照不违背社会公共利益的原则进行监督管理。就是说，作为政府微观管理对象的经济主体，如果在所有

权结构上没有差别的话，它的行为就是同质的，都是为了追求利润的最大化，政府对其管理的目的就是使它们的行为不致危害公共利益。再次，执法监督是政府实施经济职能的一种行政手段，而非职能本身。任何承担经济治理任务的行政机构都具有执法监督的功能。

因此，我们认为有必要对政府经济职能进行重新划分，提供一个更为合理和更具有实际意义的框架。

(二) 政府经济职能可以划分为宏观调控、微观监管[3]和微观管理

如果我们进一步把政府的经济职能解释为"在以市场机制为基础的经济体制下，以矫正和改善市场机制内在问题即"市场失灵"为目的，政府干预市场经济主体（特别是企业）活动的行为"，它就包括了所有与治理市场失灵相关的法律制度以及以法律为基础制定的公共政策。我们不妨将其归纳整理如下（参见植草益，1992，第 19 – 20 页）：

(1) 财政、税收与金融政策，其目的是为了保证经济的稳定增长及收入的公平分配；

(2) 公共物品提供政策：公共事业投资、社会公共服务的提供及社会福利政策；

(3) 主要处理不完全竞争的政策：反垄断及反不正当竞争的法律，商法，以及依据民法产生的规制企业活动的政策；

(4) 针对具有自然垄断性质的公用事业的进入、退出、定价及投资行为所实施的监管政策；

(5) 主要以处理外部不经济和非价值物品的监管政策，其目的是防止和缓解在经济活动中产生的社会问题，如环境污染、自然资源掠夺性开采、传染病等；

(6) 处理内部不经济或信息偏在的管制政策，如消费者和投资者权益保护、职业安全与卫生保护及产品质量保护等；

(7) 产业鼓励政策（新生产业政策、不景气产业的结构调整政策、中小企业政策）及科技振兴政策。

在此基础上，我们可以进一步把政府经济职能划分为**宏观调控**（对应上述第一、第七项）、**微观监管**（对应上述第三、四、五、六项）和**微观管理**（对应

---

〔3〕 本文所说的"监管"，与在其他场合使用的"管制"和"规制"并无区别。它们的英文对应词皆为"regulation"。

上述第二项）。以下对此分类详加阐述。

1. 宏观调控。宏观调控是指政府运用宏观经济政策对宏观经济运动所进行的"控制"或"调节"，它是政府通过调整其所掌握的某些经济变量（如财政支出、货币供给），来影响市场经济中各种变量的取值，从而影响私人经济部门行为的政策过程。[4] 宏观调控或宏观经济政策的目标是：充分就业、价格稳定、国际收支均衡和经济增长。宏观调控的政策工具重要有：货币政策、财政政策、产业政策、收入分配政策、汇率政策以及经济计划。

(1) **货币政策**是通过中央银行增加和减少货币供给量，以影响利率，进而调节投资和消费的政策。其手段主要包括法定准备金率、公开市场业务、贴现率等。当社会总需求不足、失业率上升、经济增长乏力是时，可实施扩张性的货币政策，如增加货币发行量、降低法定准备金率和贴现率、在公开市场上购买政府债券等；反之则实施紧缩性的货币政策。

(2) **财政政策**是国家通过税收和财政支出，直接控制消费总量和投资总量，以实现经济平稳运行的政策。当需求大于供给、且过大的需求不会引起供给的增加时，只会引起通货膨胀和物价上涨。这时政府可采取紧缩型财政政策，即减少财政支出（减少政府购买、减少国债发行和公共工程开支、减少转移支付）和增加税收（降低起征点、增加税种、提高税率），以抑制总需求、降低通货膨胀率。分之则可采取扩张性的财政政策。

(3) **产业政策**是指国家根据经济发展的要求和一定时期内产业的现状和变动趋势，以市场机制为基础，规划、干预和引导产业形成和发展的政策。其政策组合主要有产业结构政策（如扶持瓶颈产业）、产业组织政策（如选择主导产业）、产业技术政策（如鼓励高新技术产业）和产业外贸政策（如鼓励进口替代产业或出口导向产业）。在政策目标选择以后，政府可以采取直接干预、政策引导和政策配套、立法以及官民协商等实施性对策来实现既定的产业政策。

(4) **收入分配政策**作为财政政策的另一项功能，是指政府通过税收、补贴、社会保障等方式实现对各种资源所有者收入的再分配，它实际上是通过对富人征税和对穷人提供转移支付来实现的。一方面，政府利用强制征税的权力，通过巧妙设计税制，如采取比例税或累进税对个人和

---

[4] 参见樊刚：《市场机制与经济效率》（页173），上海三联书店、上海人民出版社，1999。

消费者征收直接税和间接税，把资金从那些应该减少其收入的人们的手中征集上来；另一方面利用收入维持计划和转移性支出项目，如基本收入计划、工资补贴计划、工作福利制计划、医疗保险、养老保险等，把资金转移给那些应该增加收入的人们。

（5）**经济计划**包括政府设立的计划和机构对一定时期的国民经济发展所作出的预测，以及根据这些预测而提出的追求目标和为实现这些目标所采取的全部政策。建立在科学预测基础之上的指导性经济计划，虽然不具备法律或行政的约束力，但却有强有力的诱导机制，可以作为企业经营决策的有效依据，从而提高市场的资源配置效率。

（6）**外汇管理政策和汇率政策**是一种开放经济条件下的货币政策，其目标是保持国际收支的平衡以实现开放经济下国民经济的稳定发展。外汇管理政策有两种极端情况：其一是自由外汇政策，即让企业和家庭部门持有并自由买卖外汇；其二是禁止企业和家庭持有外币，所有外汇统由中央银行与政府集中保有，企业和家庭需要对外支付时，再向中央银行或政府申请。汇率政策也有两个极端，即"钉住的"固定汇率和"纯粹的"浮动汇率。

2. 微观监管。微观监管是政府针对微观经济层面上的部分市场失灵（不完全竞争、自然垄断、外部不经济和非价值物品、信息偏在和内部不经济）而制定的公共政策和行政法律制度，它是行政机构通过法律授权，制定并执行的直接干预市场配置机制或间接改变企业和消费者供需决策的一般规则或特殊行为。它的最终目的是要增进公共利益或合法私人利益，并使之避免或减少由个体经济决策（生产、销售及价格行为）带来的损害。常见的微观监管政策主要分以下几种：

（1）**鼓励竞争政策**。由于现实中的市场往往是不完全竞争的，当市场相对集中到某少数企业手中时，这些企业就可能凭借其垄断地位，对竞争对手采取的不正当竞争行为，以及对消费者进行肆意掠夺，如限制交易的合同、限价和限产串谋、指定购买或搭售、掠夺性低价倾销、明显倾向于垄断的企业间并购、基于强垄断势力的价格歧视、欺骗性广告和标识以及限制零售商经销竞争者之商品等。政府对垄断及其行为的监管主要是通过制定和实施反垄断法和反不正当竞争法来展开的。但一个明显的趋势是，各国对垄断结构的限制有相当程度的放松，而对限制竞争的垄断行为却给以严厉的制裁。

（2）**自然垄断规制政策**。自然垄断是一种特殊的独家或寡头性垄断形式，并且往往具有合法性。政府行政机构对自然垄断产业的监管，主要针对具有规模经济性、范围经济性、物理网络性、巨额沉淀成本和资源稀缺性而产生的自然垄断产业（如固定电话服务、输配电服务、城市给排水服务、燃气服务等），在通过进入限制赋予特定企业法定的垄断权的同时，为防止其行使垄断性的市场控制力量，对其实施价格限制。也即当潜在竞争者的威胁使现有垄断者无法用边际成本价格或盈亏相抵价格维持生存时，需要对潜在竞争者的进入进行管制。而当垄断价格减少社会福利或当边际成本价格使企业亏损时，为了保护社会或企业的利益，则需要对价格进行管制。但必须强调的是，政府对一个或极少数自然垄断性企业进行特许经营权许可审批的时候，要考虑到特定市场区域内的需求是否只由某一垄断企业来提供就可满足，否则，就应该允许更多的企业加入该区域的市场竞争。而对进入的行政许可也就可以由特许变为一般许可，相应地，对企业定价的审批也可由政府定价改为价格申报制。

(3) **外部性和非价值物品的治理政策。** 作为公共利益代表者的政府，有理由采取管制的措施减少各种市场交易的负外部性，如根据总环境容量核定排污企业的排污标准和排污量，并且对其收取排污费；限制企业使用不能达标的生产设备或强制企业自己建立净污系统；还可以审批区域性的集中治理污染的专业化企业。在防止掠夺性的资源开采，政府可以普遍采取诸如采矿权许可、捕猎权许可、强制复垦以及收取资源补偿费等管制手段，以减少这种作为社会成本的负外部性。对非价值性物品，政府既可直接限制或禁止其生产和交易（如禁止毒品交易、限制核设施建设），也可强制购买使用（如疫苗接种、义务教育、医疗保险、汽车安全带等）。

(4) **内部性治理政策。** 为减少交易者的内部不经济，政府被授权建立许多直接对私人交易和合约协议进行干预的管制制度。它们包括为产品质量和工作场所健康和安全设定的标准，以及对产品含量或金融协议的信息披露要求。对产品特性和合约条款的管制通常运用于竞争性产品和服务市场，大量体现在消费者权益保护、安全生产和预防职业危害等行政许可制度中。

实施上述各种监管政策的行政手段是多种多样的。如根据监管政策和法律，行政监管机构可以**制定具体规章**；**禁止特定行为**（根据反垄断法禁止的不正当的交易限制、禁止毒品持有、买卖和使用）；对企业的进入、价格和收费、资质等的许可、认可、执照、承认、登记、申报等的**许可认可制度**；对产品和服务的内容及生产设备的标准的**认证**、**审查和检验制度**；与企业签订的以控制价格、限制供给等为目的的**行政性契约**；对存在信息偏在问题的产业，通过财务公开和合同范本的建立，强制交易参与者**披露有关信息**；对市场交易双方之间产生的纠纷，监管机构根据当事人申请可以进行协调性的**行政裁决**。

3. 微观管理。微观管理，作为一种公共物品提供政策，是政府站在出资者立场上依靠行政命令、参与企业治理结构或直接介入市场的方式对微观经济主体实施的一种直接管理，主要指国家和地方政府机构对公企业或国有企业的直接管理活动。

公企业是国家和地方政府拥有全部或部分资本的企业。它一般具有三种形态：隶属于特定政府机构，并由其直接经营管理的**"现业"**（departmental undertaking）（如造币厂、邮政局）；根据特别公法设立由各级政府出资，具有法人资格的**"公共法人"**（public corporation）（如铁路、银行）；以及政府拥有一定资本的公私混合型**"股份公司"**（joint stock company）（如民航、远洋运输）。

虽然设立公企业的目的主要是为弥补市场失灵，利用公共资金向国民提供必不可少的公共性物品和服务，以及促进新技术和风险产业的成长。但现实中也有单纯为了确保税收（如烟草）、实现政治目的（国有化）和控制重要资源（如石油）等其他目的而广泛设立公企业的做法。这后一种目的往往具有历史的原因，但并不能成为排除由私人企业市场化提供此类物品的理由。

政府对公企业的管理，必须考虑到公企业的两重性：公共性和企业性。公共性尤其是所有的公共性和管理的公共性，要求以立法机构即议会为主体，通过相应法律，对公企业的业务范围、组织形态、干部任免、预算和决算、债务发行、借款额度、剩余金处理新投资计划、加入限制、价格和收费限制等方面进行直接的监督和管理，以确保投入到公企业的公共资金得到公正使用。而公企业的企业性，又要求它承担实现经营管理组织及生产、销售体制的效率化义务，因此在独立核算的基础上，赋予其经营的自主性是必要的。但由于公企业形态的不同，其两重性的程度强弱也不同。一般而言，按照政府现业→公共法人→股份公司的次序，所有（权）的公共性和管理的公共性由强变弱，而企业的经营自主性则由弱变强（参见植草益，1992，第235页）。

具体而言，市场经济国家对公企业的管理，从企业所适用的法律类型角度，

可以有三种方式：[5]

（1）**公法制管理**。政府通过专门立法，对国有全资型公企业的组织结构、经营目标、经营范围、经营战略等作出明确界定。政府及其主管机构对这类公企业，在人事（如董事会和主要管理者）、财务（如拨款、补贴、利润、税收）、经营活动（业务和投资范围、事业计划、收费标准、设立和撤消）大多采取直接干预和监督的管理方式。政府现业一般适合此类管理方式。

（2）**私法制管理**。这是政府按照企业法或公司法原则，对政府控股型公企业所采取的一种相对间接的管理方式。它主要存在于竞争性的和可竞争性的产业。政府通过对企业的控股权，有能力影响企业董事会和监事会成员的任免；对企业的财务和经营活动，也只能通过董（监）事会机制进行间接管理。

（3）**公私法混合制管理**。混合型的公企业管理，是指公企业的组建和营运既有公法，又有私法的成分。即政府通过组建规模巨大的国有控股公司，以控股的方式控制和掌握若干私人控股公司，进而控制大量私人企业，试图在不取代私营企业的前提下行使政府干预经济的目标。国有控股公司主要分布在竞争性产业，如果它是国有独资，则一般适用于公法，但在二级控股公司和被控制的私营公司层次上有适用于私法。国有控股公司如果是有限责任或股份有限公司的形式，则一般会适用于私法。因此这是一种多层管理方式：在高层次上，政府所能控制的国有控股公司只是一个法人管理机构，它可以任免后者的最高领导人，并对其经营管理拥有指导权和财务上的收益分配权；在低层次上，控股公司对所属子公司的控制主要依赖于董事会机制，很难直接干预下属企业的经营管理活动。

三、政府三大经济职能间的异同和相互关系

如上所述，政府的经济职能是通过制定和实施各种法律和合法性公共政策而实现的。因此，有必要从公共政策学的角度对政府经济职能之间的关系和异同性进行进一步的考察。这一工作对合理构建政府对市场经济的治理结构至关重要。长期以来，虽然我国政府不断地制定、调整和执行涵盖着与宏观调控、微观监管

---

[5] 参见李向阳：《市场经济国家国有企业的组织管理体制与改革》，载于陈佳贵等主编：《中国国有企业改革与发展研究》（页511－523），经济管理出版社，2000。

和微观管理有关的公共政策，但由于认识的不足，导致了一种可以称之为"政策紊乱"的现象，如政策间的冲突、政策主体[6]职能的交叉和错位、政策过程（政策的制定、执行、监督）缺乏正当程序、政策客体[7]无所适从、政策效果不理想、政策资源浪费、公共政策歧视化等等。对公共政策之间的共性、差异性及其相互关系进行细致的分析，是一件非常困难的事情，但不这样做，就难以达到本课题的研究目的，即政府监管职能的定位。

（一）政府经济职能的一般性

政府的推行其管理经济活动的各种公共政策，一般都具有以下一些共同的特征：

- 有特定的政策主体，如议会、政府行政机构及其授权代理组织；
- 有特定的政策目标，如经济稳定、维护竞争、提供公共用品等；
- 针对特定的政策客体，如市场失灵现象及其相关的微观主体；
- 政策的制定、执行、变更和撤消都必须遵循特定的合法程序；
- 政策必须具备合理合法性和权威性（虽然不一定都采取立法的形式）；
- 政策具有制约、诱导和管理性功能；
- 为实现政策目标，必须具备可控的、有效的和可分的政策手段；
- 政策的执行具有原则性和灵活变通性（即自由裁量性）；
- 政策客体在自觉接受和服从政策的同时，也能够通过有效的途径使自己因政策缺陷而可能受到的利益损害得到相应补救。

（二）政府经济职能间的差异

但政府的三大经济职能之间又存在明显的区别，主要表现在：

1. 在政策主体方面。**宏观调控政策**的行政主体一般是综合经济管理部门及其辅助机构，如计划、经济贸易、财政、中央银行、社会保障等综合管理部门，以及计量标准、价格、统计、税收、外汇管理、海关、审计等辅助功能机构，尽管这些辅助机构，有的在微观监管和微观管理政策执行过程中也不可或缺，或者其本身即具有微观监管的职能。**微观监管政策**的主体则一般是专业性的行政机

---

[6] 政策学上把那些参与政策的制定、执行、评估与监控的人、团体或组织称为政策主体，其中最主要的是执政党和政府的立法、行政机构。

[7] 与政策主体相对应，政策客体指政策所处理的社会问题以及所发生作用的社会成员（目标团体），这里主要指受政策影响的社会成员，如企业和消费者。

构，其纵向性的有能源、交通、通信信息、建筑、医药、农林、教育、知识产权、新闻出版、文化体育等部门或机构；横向性的有反垄断、环保、消费者保护、职业安全与卫生等机构。当然，某些宏观调控部门（如中央银行、计划部门），在微观主体市场进入、**微观管理政策的主体**，按照公企业的产权形态的不同，则可以是议会、议会授权的综合性国有资产管理机构或政企合一的行业管理部门，如林业、邮政、城市公共设施、盐业、烟草、黄金、制币、核能利用、国防工业等。

2．在政策客体方面。**宏观调控政策**的目标对象是国民经济的供需总量和不特定的市场经济主体和社会成员；**微观监管政策**的目标对象是在可竞争性领域从事特定行业（职业）、使用特殊资源、提供或消费特殊产品和服务的以私有企业和自然人为主体的微观个体；**微观管理政策**的目标对象主要是在不可竞争领域从事公共事业、使用特殊资源、提供或特殊产品和服务的以公有企业为主体的微观个体。当然，由于政府的某些非经济性的特定目标，某些竞争性领域里的国有控股企业也可以构成微观管理的目标对象。

3．在政策目标方面。**宏观调控政策**的目标是保持经济稳定增长、收入的公平分配以及产业结构的提升。**微观监管政策**的目标是维护公平竞争、公共资源的有效利用、消费者（投资者、劳动者）利益保护、社会功德需要的满足以及人类生存环境的保护和改善。**微观管理政策**的目标主要是公共物品的有效提供、国家和社会安全以及政府某些特定的财政收入。

4．在政策功能方面。**宏观调控政策**对市场的调整是一种整体的、统制的[8]和间接的调整，即政策主体为了实现国民经济的总量协调和结构平衡，综合运用指导性、鼓励性和抑制性的政策手段，通过改变市场变量和经济参数，间接地引导市场经济主体自愿调整自身的经济行为。**微观监管政策**对市场的调整是一种立基于公法的，针对局部个体的强制的和直接的调整，它直接导致市场经济主体为满足社会公共权利而被迫调整自身的权利。而**微观管理**，在适用公法调整时（如对政府现业的管理），更接近于微观监管，体现出政策主体对其代理人行为的直接和强制性的干预；在适用私法调整时（如对国家参股企业的管理），则更接近私法的自治，由微观参与人独立自主、自由自愿、平等协商和等价有偿地调整自身的权利义务。

---

〔8〕 这里的"统制"，具有"将经济纳入一定的方针"或"为引导经济以实现特定目的"的含义，是"国家对确定了某种方向所施加的权力干预，而形成的一个独特的概念"。参见金泽良雄：《经济法概论》，页46、47，甘肃人民出版社，1985。

5. 在政策手段方面。**宏观调控政策**通常采用调整财政收支、货币利率、经济计划和产业政策的较为灵活的手段。**微观监管政策**通常采用行政程序、资格审查、价格控制、标准设立、行政监督和处罚以及建立行为准则等硬性的手段。而**微观管理政策**，则通常采用人事控制、计划合同、财务监督、产权变更等柔硬结合的手段。

6. 在政策合法性方面。**宏观调控政策**虽然也大多由具备合法地位的政策主体制定，但并不见得都具备"立法"的形式，甚至在许多国家，某些宏观政策主体，如计划部门，并非由特定的法律，如《计划法》授权产生。**微观监管政策**，不但其政策主体，如各种行政机构，皆由法律产生，而且其监管政策，不论是抽象的还是具体的，都必须具备相应的立法形式。而**微观管理政策**，在成熟市场经济国家，政策主体的权利和义务都是在公法或私法体系下被明确界定的。但相比较而言，由于政策合法性不同，政策主体的法律责任，在微观监管领域体现得最为严格，也最具备可控制性和可补救性。微观监管政策主体的法律责任，似乎难以与国有资产的盈亏状况明确挂钩，因而很难被控制和追索。宏观调控政策主体的法律责任则是最难控制，甚至是无法追索的。

（三）政府经济职能间的关系

政府的三大经济职能，除了具有明显的共性和差异特征外，它们之间还存在着相互补充、相互替代、相互并存以及相互转换的关系。政府政策的核心主体（如执政党和最高行政机构）处理这种"三角"关系时所执的理念和价值取向，对政府各基本经济职能能否有效实施起着至关重要的作用。这些关系运用得法，能够使三者发挥良性的和综合的政策效果；反之，不但不能产生有效的综合效果，还将抹杀各经济职能的独特功能，或者降低其弥补市场缺陷的作用，甚至造成一种"政策失灵"，使政策客体增加"政策成本"负担，从而降低市场配置资源的效率。

我们不妨通过分别讨论微观监管与宏观调控、微观监管与微观管理之间的关系，来说明上述观点。

1. 微观监管与宏观调控。在许多国家，执行政府宏观调控政策的行政机构同时拥有一体化的微观监管组织功能，如中央银行，既制定短期货币政策，又具有直接管制民间金融机构市场进入和调整利率的监管功能；同样，财政部门在制定和实施其财政政策过程中，可以直接借助其所属的税收机构的微观监管功能。假设某一时期体现于货币财政政策的政府宏观调控是合理的，那么无论相关的监管机构是否独立于财政金融部门，它们均有义务配合宏观经济政策的实施，以期产生一种综合的政策效果，保证国民经济的稳定增长。

同样，微观监管机构在配合政府产业竞争政策和产业结构调整政策时，也能发挥其直接的控制功能，使产业政策的诱导性功能得以有效的落实。如通过放松管制，在传统的垄断产业领域引入竞争。

但是，当涉及到投资和收入再分配的宏观政策时，微观监管功能的运用就必须特别谨慎，以免与政府税收功能相互混淆，或者成为其不合理的替代工具，造成一种低效的和不公平的财富转移。如大量存在于基础设施领域中的收费（电话初装费、机场建设费等），长期以来就是由有关的产业微观监管机构来执行的。这种公共品领域的收费政策，实际上等于政府向消费者的多重征税，而且其中有相当一部分被不公平地转移给了垄断企业的从业者。

同样，当政府的产业政策偏向维护不合理的产业垄断时，如果微观监管机构缺乏独立性，它就能够运用其直控功能，通过限制进入企业数量和民间资本进入，使竞争性市场结构长期难以形成。

2. 微观监管与微观管理。在一个中立的管制者看来，受管制市场里所有的企业都应该是平等竞争的主体，不能因为它们之间产权结构的不同，而采取歧视性的管制政策。但如果作为微观管理对象的国有企业，一旦其范围远远超出纯粹的公共物品提供，广泛存在于竞争性领域，而且又缺乏严格规范的公法制或私法制管理，则政府的微观管理政策就有可能影响到微观监管政策的公正性，使微观监管政策成为国有企业的保护工具。

例如，我国的证券市场，长期以来的一个主要功能就是为了竞争性产业里的国有企业上市筹集资金，以保证效率低下的国有企业能够得到维持。而作为证券市场的管制者，证监会在制定相应管制政策时，就不得不优先考虑国有企业的利益，直到目前为止，在国内 A 股市场上仍然只允许国有或国有控股企业上市，把非国有企业排除在 A 股市场之外。不仅如此，国有法人股也一直不允许在二级市场上流通。

此外，政府在制定和执行有关产业结构调整政策（如关闭过剩生产能力）和整顿市场竞争秩序时，也常常借助微观监管的功能，为保护国有企业而不惜牺牲非国有企业尤其是私营企业的利益。在社会性管制领域，如污染治理方面，即便某国有企业有严重的超标排污行为，环保管制部门也难以对其实施强制性的处罚措施，而对非国有的中小企业，排除地方保护主义的因素，强制性的"关停"处罚则相对容易的多。

因此，在一个公共政策（无论是宏观调控政策还是微观管理政策）的制定和执行过程中严重缺乏合法谈判程序的政府体制下，独立公正的微观监管体系是很难建立起来并有效运行的。而与此同时，由于大量的微观监管机构脱胎于传统的政企合一的专业性管理部门，它们也往往自觉和不自觉地承担起宏观调控（如制定行业规划、审批行业投资）和微观管理（如企业改制、企业重组）的职能，并常常在此过程中，通过大量的行政性审批和许可，开展随处可见的权力寻租活动。

四、为什么要研究和改革我们的政府监管制度

虽然在我国，"政府监管"与"宏观调控"、"行业管理"和"企业治理"等概念相比还不是一个众所周知的概念，但不容忽视的一个事实是，改革以来我国政府行政体制改革方面的最大进展就是行政管制制度的初步形成。政府在特殊产业、特殊产品及特殊市场的管理方面，在保护消费者安全、健康和利益方面，在防治环境污染维护人类社会生存和持续发展条件方面，都基本进入了有法可依的阶段，[9] 尽管这是一个自觉或不自觉的过程。

但是，应该认识到，我国政府监管制度与发达市场经济国家日趋成熟的政府监管制度还相去甚远。

1. 政府监管的微观基础。我国在基础设施、金融等特殊产业一直采取国家垄断经营的方式，但政府对这些产业内的国有企业的管理却从未按照公法体制来进行，直到 1990 年代中期以后，才逐步开始建立现代企业制度，企图按照私法即公司法的体制重建这类国有企业的治理结构。至今为止，我国政府与可竞争产业内的国有企业依然维持着政企不分、政资不分的关系。政府原先的行业主管部门目前实际上既扮演着管制者（对系统外的市场进入者）的角色，又扮演着管理者（对系统内国有企业）的角色，也可以说是既当裁判又当运动员。因此，就特殊产业的纵向的经济性监管而言，至今尚未出现真正意义上的独立和公正的管制者。

与经济性监管相比，我国的大多数横向的社会性监管机构，[10] 因为不存在

---

[9] 参见余晖，"中国的政府管制制度"，载《改革》，1998 年第 3 期。

[10] "经济性规制就是指在自然垄断和存在信息偏在的领域，主要为了防止发生资源配置低效和利用者的公平利用，政府机关用法律权限，通过许可和认可等手段，对企业的进入和退出、价格、服务的数量和质量、投资、财务会计等有关行为加以规制。"（植草益，1992，页 22）"社会性规制则是以保障劳动者和消费者的安全、健康、卫生以及保护环境、防止灾害为目的，对物品和服务的质量和伴随着提供它们而产生的各种活动制定一定的标准，或禁止、限制特定行为的规制。"（植草益，1992，页 22）在禁止特定行为和进行营业活动限制的同时，也把资格制度、审查检验制度以及标准认证制度作为补充。

政企不分、政资不分的问题，其独立性较为充分。但由于其管制的对象不是国有企业，就是与地方政府有着千丝万缕之关系的非国有企业，因而它们在管制执法过程中，不得不经常受到政府内部力量的干扰和阻挠，管制的权威性大打折扣。

此外，建立在国有产权基础之上的，广泛分布在各个产业内的行政性垄断，也成为我国反垄断法立法的严重障碍。

2. 政府监管的委托代理关系。发达市场经济国家的政府监管，是在选民→议会→政府→监管者的逐层委托代理环节中建立和运行的。选民（包括生产者利益集团和消费者利益集团）利益通过议会的立法得到反映，又通过独立的司法审查得到补救，监管者的行政权始终受制于立法和司法的监督。而我国的政府监管，基本上是在行政系统内部建立和运行的。由于"选民"和立法机构之间的委托代理关系不够健全，他们对立法的影响非常有限；而立法和司法机构对行政系统的监督又明显乏力。这就难以保证行政机构在行使其监管权时，能够充分兼顾各利益集团的利益，而且当弱势利益集团利益受到损害时，也难以得到充分的法律救助。

3. 政府监管的法律环境不完备。政府监管制度主要构建于行政法体系内，但是我国目前的行政法律体系，在行政程序、抽象行政行为的行政诉讼、行政违法行为的法律责任以及行政法与刑法、民法补救措施的接轨等方面，皆缺乏完整的建设。这就使得监管政策的制定缺乏足够透明的谈判过程，管制者的行政行为（尤其是规章制定行为）无法得到有效的规制，同时，无论是行政机构还是行政相对人的行政违法行为，都因法律责任过轻，违法成本过低而得不到有力制裁。

4. 政府监管的职能不够明确。我国不少已经或正在建立的管制机构，都身兼宏观调控、政府监管和微观管理的经济职能，这是我国政府行政机构改革的缺陷所在。由于政府监管的职能尚不明确，行政机构在履行其监管职能时，往往受到宏观调控和微观管理政策的干扰，从而使政府监管偏离其自身的政策目标。

5. 监管机构间的监管权分配不够合理。无论从纵向（中央和地方）还是从横向（行政机构之间）角度看，管制权（如定价权、标准设立权、投资审批权）的分配都存在过于分散的问题，这一问题如果得不到合理的解决，必将影响管制政策和管制法律的执行效率，并使被管制者所承受的过高的管制成本难以降低。

6. 现代监管的许多先进技术尚未引进和实行。现代监管的一个重要的特征，是发挥市场机制在政府管制过程中的作用，即普遍建立激励性的政府监管，如稀缺资源的公开拍卖、特许经营权的竞标、价格上限管制、区域性竞争、普遍服务基金等。而我国目前的政府监管，还基本上运用严格的行政审批，在不甚透明的程序里制定相应的管制政策。

正是由于上述法律结构和行政管理体制等方面存在的问题，目前我国政府管制的效果还很不理想，"管制失灵"在各种受管制市场上普遍存在。如在经济性管制领域，首先，垄断企业滥用市场力量的垄断行为长期得不到遏制，一方面使消费者在消费领域扩大的同时，消费的直接成本也在不合理地增加，消费者剩余受到极大的损害；另一方面，产业下游的用户和弱小竞争者在价格和平等接入方面也面临许多人为的障碍。其次，建立在行政垄断基础之上的过于严格的进入管制，限止了某些瓶颈产业的更快发展，为垄断权力的滥用提供了物质基础。再次，许多竞争性行业存在市场秩序混乱（如股票、期货）、产品质量和服务质量低劣（如建筑业）的问题，直接威胁到消费者的生命财产安全。

在社会性管制领域，随着市场化改革的深入和经济增长的加快，社会性管制的行政执法效果反而日趋恶化。首先，消费者权益难于实现。很显然，消费者权益保护制度的建设和完善程度远落后于消费者自我保护意识的觉醒程度。消费者为实现被侵害的权益而付出的代价（如自我举证、自行申请质量检测过程所支付的钱财、时间）往往让消费者望而却步。而"王海现象"至今仍得不到政府管制部门的理解和支持。其次，居民的健康、安全正受到日益下降的产品及服务质量的威胁。大到建筑物，小到电源开关无不如此。保健品、饮料的质量合格率低的让人震惊。而最让人提心吊胆的莫过于吃药、就诊，一方面，假药、劣药禁而不止；另一方面，医疗事故曝光频仍。再次，职业安全与卫生水平下降。进入1990 年代以来，恶性及重大生产事故逐年小步递增，死伤人员也不断增加，职业性疾病患者的发生及死亡数也一直高居不下。企业，尤其是乡镇企业、外资企业大量存在不遵守劳动安全与卫生标准的现象。此外，环境状况在恶化。环境保护有法不依、执法不严、违法不究的现象随处可见。现在，以城市为中心的环境污染仍在发展，并迅速向农村蔓延，资源浪费、生态破坏的范围仍在扩大。

因此，如果不对我国现有的政府管制制度进行深入的研究并进行彻底的改革，政府管制不但不能发挥治理市场失灵的作用，反而会阻碍市场经济体制和竞争秩序的建立和完善。同时在未来 WTO 规则的压力之下，会严重影响我国国家、产业和企业的国际竞争力。

五、我国政府管制改革的方向

在改革和完善现有政府管制制度的过程中，有必要通过借鉴市场经济国家政府管制制度的合理经验，把握如下几个原则：

（一）合理性原则

我国的政府管制，通过大量"合法"和非法的行政性审批和许可，其职能所及，可谓泛滥成灾。因此在管制改革过程中，对管制领域及其手段的设立，必须在上述管制的经济理由所建立的标准上，重新加以审定，并在制定监管政策时积极引入成本—效益分析。尽量取消和缩小对微观经济活动的过度干预。为此，为防止现存管制机构"自纠自查"过程中的机会主义，中央政府设立一个行政改革的临时调查机构是必要的。

（二）独立性原则

如上所述，在经济性管制领域，我国目前的行政管制机构大都存在政企不分、政事不分、政资不分和政社不分的事实。它们的职能结构基本是宏观政策调控（如行业规划和产业政策）、微观管理和行政管制的混合体。如果不改变这种状况，行政机构就很难具备独立性，很难摆脱部门偏好，从而难以在中立的立场上公正执法，或者难以有效利用有限的行政资源，难以从源头上遏制寻租和腐败的机会主义倾向。因此建立独立于各种利益集团的管制机构是深化政府机构改革的首要任务。

（三）公正性原则

合理设定原则和独立性原则并不能完全保证管制行为的公正性。管制机构在缺乏有效制衡和监督的条件下，很容易作出不作为、滥用权力、歧视性执法和违背程序等行政违法行为。为防止这些行为的产生，一方面，要建立完善的行政程序制度和外部监督机制；另一方面，要最大限度地强制行政机构公开其内部信息；再次必须加大行政违法行为的法律责任。

（四）高效性原则

如上所述，在我国的管制机构之间，同一项管制权，无任纵向的还是横向的分配，存在及其混乱的状况。加上预算内行政资源的稀缺，政府管制机构的效率严重低下。因此在肯定上述各项原则的前提下，适当增加管制机构的行政资源是必要的。同时，对现有管制权的重新划分也至关重要。针对不同的管制要求，是采取纵向集中，还是采取横向配置，拟或兼而有之的分权模式，需要认真的研究。

（五）职权法定原则

这项原则要求，所有的管制权及其执行，都必须立基于严格的法律界定。这实际上是政府管制的法律合法性完善的问题。行政管制的法律合法性完善，有两层含义，一是要根据行政管制的经济合理性，严格界定其职能范围及其行使方式，并通过新的立法或修改现有实体法，对缺乏经济合理性的管制制度予以废除，同时保留和完善合理的管制制度；二是通过制订行政程序法或专门的行政许可法，建立政府管制的合理程序和管制者的管制结构。

在政府管制的实体法调整和完善过程中，有如下原则可供参考：

- 按照行政管制的经济合理性原则和特定产业的未来市场格局，对现有实体法进行全面彻底的清理，以废除和调整那些不合理的行政审批制度（如竞争性产业的投资审批）；
- 在制定和完善各种实体法过程中，为避免管制部门被管制者"捕获"和政企利益同盟操纵立法，必须取消各类管制机构主导立法的资格，建立由各种利益集团代表正式参与的公开透明的立法制度；
- 为减少各类管制者之间横向和纵向管制权的不合理重叠和交叉，必须在政企实质性分开的基础上，通过明确立法和机构调整将管制权相对集中。

在程序法及其运作机制的完善过程中，一方面要特别注意对管制者的管制结构的构建，另一方面要充分引入市场竞争机制，提高行政管制的效率和透明度。这方面的突破可能有以下几个方面：

- 建立制度化的立法审查机制，提高人大对国务院及其内阁部门的行政行为的监督力度；
- 修改行政诉讼法，将与行政管制有关的抽象行政行为纳入其收案范围；
- 在涉及到申请相对人权利（如特许经营权）的行政审批程序中，除了广泛引入公开听证程序外，还必须建立特许权的公开拍卖或竞标制度；
- 建立政府信息公开制度。

参考文献

史普博（1999），《管制与市场》，余晖等译，上海人民出版社。

植草益（1992），《微观规制经济学》，朱绍文等译，中国发展出版社。

余晖（1997），《政府与企业——从宏观管理到微观管制》，福建人民出版社。

余晖（1998），《中国政府管制改革初探》，《经济研究参考》，1998 年第76 期。

朱光华主编（1995），《政府经济职能和体制改革》，天津人民出版社。

尼古拉·阿克塞拉（2001），《经济政策原理：价值与技术》，中国人民大学出版社。

室井力主编（1995），《日本现代行政法》，中国政法大学出版社。

陈建（1995），《政府与市场：美英法德日市场经济模式研究》，经济管理出版社。

兰秉洁、刁田丁主编（1994），《政策学》，中国统计出版社。

王保树主编（2000），《经济法原理》，社会科学文献出版社。

M. A. Eisner, J. Worsham, and E. J. Ringquist（2000），*Contemporary Regulatory Policy*，Lynne Rinner Publishers，Inc.

【讨论五】

评论

周汉华：首先感谢大会组织者给我这个机会来评论他们三位所写的两篇文章。实际上可能还不好评，因为最近几年我们一直在合作，都太熟了。当然也有一个好处，就是能够把他们在发言时因为时间关系没有陈述出来的写在文章里的或者在文章外的一些观点结合起来。

这两篇文章看起来都是一种理论的研究，一篇是对国际经验的归纳和整理，另一篇是对中国的监管理论的一种创新，但实际上他们几位都参与了机构体制改革的一些制度设计，所以，这两篇文章实际上是体现了理论和实际的较好的结合。应该说文章里面是有问题意识的，因为在制度设计当中是有很多问题的。所以，虽然文章看起来是理论文章，实际上是试着回答一些问题。拉近法学、经济学和其他学科的距离也是本会的初衷，我倒觉得这样的带有问题的研究方法可能是不同学科之间能够融会的生长点。而且这两篇文章互补性很强，一篇侧重于国际，一篇是对国内监管理论的研究，应该说代表了国内监管理论研究的前沿水平。

就高世楫和秦海的这篇文章而言，一方面是对各国不同模式的归纳和特点的总结非常到位，对美国式的，对欧洲式的以及对新近产生的日本和韩国的动向，还有最近德国正要发生但还没有发生的模式的基本概括非常准确，对于大家了解监管制度，对于大家了解监管在不同国家的制度结构是很有帮助的。另一方面，我觉得这篇文章在对法学和经济学的文献的引证上，确实是打破了学科的界限，他们在法学和经济学的交叉研究上一个有益的尝试。余晖教授的这篇文章，它最难能可贵的是对政府职能的划分。大家还记得今天上午王绍光教授提到的政府的八种职能，余晖教授实际上提出的不是八段论，而是三段论。这种划分实际上跟我们这几年的改革是非常契合的，它的宏观调节职能、微观监管职能和微观的管理职能，跟我们十六大提出的经济调节、市场监管、社会管理和公共服务实际上是有很多相似的地方，和三中全会提出的政职分开、政监分开、政市分开在内在逻辑的推理上有异曲同工之妙。这种划分在推动某些领域的改革中提供了很重要的思维框架。把政府职能进行上述划分，体现了政职分开，实际上就把管理职能或者所有者职能和前两种职能进行了划分。我们所强调的政监分开的过程，其基础也是在政府的宏观的政策职能或者说宏观调控的职能和微观的监管职能的分离。我认为这是余晖教授的文章对我国监管理论的贡献。

这两篇文章也涉及了一些没有完全给我们答案的问题，这也是最近常困扰我的问题。像我们应研究的第一个问题是监管制度的环境，或者它所需要的社会条件、经济条件，这可能是我们现在比较缺乏的。这两天的讨论中也有专家提到，我们有可能画虎不成，反类其犬，播下的是龙种，有可能收获的是跳蚤，那么这个差别的原因可能就在于我们没有研究监管这种先进的制度所需要的支撑条件究竟是什么。如果不具备这种条件，我们可以搬进人家的监管委员会，但可能除了名称以外，其他的都不一样。这些需要的初始条件也好，支撑条件也好，究竟有哪些，这个可能是在描述监管制度时更需要描述的问题。另外一个需要讨论的问题是中国的改革一直是过渡性的，我们从电力监管委员会的设立、它现在的形态就能看出来。过渡性的情况下，我们不能像当年的英国，一方面一步到位地私有化，一个方面搞监管。实际上，高世楫博士也提到，产权约束和私有制之下的监管约束是不同的约束机制，但是我们的产权改革不可能一步到位，而我们的监管环境和能力也不可能一步到位，因为我们缺少法治环境，缺少监管的力量建设，缺少监管的经验，显然我们要有一个过渡。那么，怎么样从我们现在的制度过渡到理想的监管状态，我觉得对中国来说这是一个很大的挑战，实际上我们从俄罗斯和东欧就能看到这一点。英国的撒切尔的急进式的改革能够成功，但是在俄罗斯私有化推进得很快，东欧也是这样，但是法治环境不具备，实际上搞的是集权社会主义，相应的支撑条件没跟上去，结果就没有成功。我觉得我们现在尤其需要研究这个，就是我们怎么能过渡过去。第三，我觉得再要研究和文化的关系。今天上午实际上张维迎教授已经提到这一点，讲到大家要信任法官，仔细分析一下，这是很有道理的，在法学界这是一个常识，它是大陆法系和英美法系的重大区别，大陆法系之下法官是一个机器，英美法系之下法官是一个伟人，是一个创造者。放在监管制度下来考虑这个问题，它实际上是说在美国这种普通法系国家，对规则本身不是太在乎的，它在乎的是拥有创造性的执行者或者造法者。这样，它不在乎把规则定得那么细，这个时候它就要求搞监管，监管的一个内在含义就是特别强调独立性，只要你保证了它的独立性和公正性，你就让它去造法，你就让它去制造法律、执行法律，最后是裁决争议，把权力都交给它，没关系，但是这个监管必须是独立的。大陆法系国家的传统不是这样的，它一直要求相信规则，德国的法官跟公务员一样也是培训出来的，美国特别强调独立性，但德国不一样，它不管独立不独立，只要有规则来操作就行了，最后肯定生产出东西来。监管背后蕴涵着这么一个理念，证券市场实际上也在讨论这个问题，大陆法系的证券市场为什么不如英美法系的，是和它的执行机制有很大的关系。我们要采用哪种模式，是要采用大陆法系的传统模式，即规则之治，把规则定细一点，还是要采用现代的监管机制，强调有一个独立机制之下的比较全能的权力比较大的监管机构，这是研究监管中我还搞不明白的问题。

张昕竹： 非常高兴今天有机会发现这么多不认识的面孔，非常高兴能够认识新的朋友。今天我就讲两点，首先作一些评论，然后从监管实践的角度谈一点感想。

首先，我对前面两位的发言谈一些评论。我赞同刚才周教授的评论，我认为这两篇文章是非常有意义的。为什么呢？因为上面这两位发言者一方面对现代的监管理论有比较密切的跟踪，另一方面，对我们国家几个垄断行业的监管体制改革一直都在参与，所以他们的文章既是一种理论和实践的结合，同时也可从中看出我们国家目前监管体制改革的现状。我想他们的报告不管对于继续研究还是实践部门都有非常好的借鉴意义。至于具体的评论，刚才周教授已经作了一个，我想把视角再放大一点作一些评论。我想这两类文献在经济学里属于管制经济学里面的制度经济学，在管制经济学里面这两种文献不是主流文献，制度经济学尽管已经征服了其他的主流经济学研究，但是在管制经济学而言还不是一个主流文献，但我还是认为它是非常重要的一类文献。我认为，管制经济学的制度研究，它的最重要的作用，是对经济学分析管制经济问题作了一个非常重要的补充。为什么这样讲呢？因为我认为现有的管制政策，管制制度安排，在某种意义上，并不是经过仔细研究或者设计的结果，在很大程度上，它有路径依存等等一些特征，所以从制度经济学的角度，从演化的角度来研究这些问题恰恰填补了这样一个空白。我想这是这类文献的非常重要的意义。另外一个意义，也和我们主流文献有关，这类文献也对管制经济学提出了许多非常重要的问题。他们对现有的管制制度的演化提出了很多重要的问题，促进了管制经济学的发展。我可以举出很多这样的例子。比如说规范管制经济学研究最发达是在法国，图努兹学派建立了现代规范管制经济学的基础，之所以规范管制经济学诞生在法国而没有诞生在其他的国家，一个非常重要的原因就是不同国家的制度演化对经济学提供了不同的客体。据我所知，法国的规范管制经济学之所以比其他国家发达是因为法国对规范管制经济学要求不同，比如在当时法国的改革的思路是能否不进行私有化，能否不自由化。在这种情况下，通过改善管制的方式，也就是通过改善管制政策的方式来提高资源配置的效率，这是基于这样的管制政策的要求才是催发规范管制经济学的重要原因。我们知道，尽管现在世界上很多国家都搞私有化，但是我觉得规范管制经济学的贡献是不容忽视的，一个非常明显的例子就是法国电力。法国电力是公认的世界上非常有效率的、管得非常好的一个范例，同时也诞生了像图努兹这样伟大的经济学家。从这个角度来讲，管制经济学的发展与管制制度的变化是有非常密切联系。从积极的角度也可以发现很多这样的例子。比如我们知道管制经济学家这几年非常忙，要做的一件非常重要的事情就是打官司，这些官司本身给经济学家提出了很多的问题，特别是一些积极的问题，这些问题实际上也促进了积极管制经济学的发展。当然，我们知道，积极管制经济学最重要的老巢是在芝加哥，关于这一点我就不多说了。我想强调的一点是尽管这类文献非常重要，但我对这类文献也是有很多看法，或者认为有一些急需解决的问题。最主要的问题是这类文献到目前为止，我是不满意，没有对最近一轮的放松管制给出很好的解释，也就是说，原有的制度变迁理论很难解释最近的一些制度变化，这些理论出现了不一致的地方。比如为什么放松管制以后，管制变得越来越复杂，和大家的预期完全不一样，放松以后不仅政府没有轻松，实际上管制的事情变得更加复杂。尽管管制的权力范围可能缩小了，但是管制本身是变得越来越复杂。因为时间问题，我只举这个简单的例子。

其次，根据我最近的一些实践，我认为不管制度经济学怎么解释，实际上最终目的还是设计一个好的管制政策。我认为计一个好的管制需要四个条件。首先需要有好的制度。制度设计方面现在一个非常高的要求就是独立性。从制度设计的角度来讲有两个层次，其一是宪政（constitutional），从这个角度来讲，独立性确实是一个宪政的问题，这个问题可能比较难谈。其二是制度（institutional），从这个角度讲，我认为我们国家监管的独立性已经大大向前推动了一步。其中非常重要的一点就是所谓的政企分开，我认为在我们国家目前的制度框架下，政企分开可以说是到了能走得最远的地方了。政企分开以后给我们的管制制度带来一些新的问题，其中最重要的问题是我们现在监管机构的权力已经大大不如以前了，但监管的任务可能比以前还复杂了。在这种情况下怎么监管？根据我的经验，我觉得现在最需要解决的是两点：一点是法律框架；还有一点，财政制度的安排非常重要，换言之，这个行业太容易被俘获了，如果没有一个非常好的财政制度安排，这个行业的监管要达到有效是非常困难的。第二个需要是监管的能力。我认为引入竞争以后，我们的监管问题变得比以前要复杂得多。可以举一个简单的例子。比如电信要互连互通，电力要传输定价，铁路要清算结算，在过去没有放开竞争，在价格完全管制的情况下，政府根本不需要对互连互通的价格进行管制，因为这个发挥的作用是一个再次分配的作用，政府只要有最终的价格控制权，根本不需要所谓批发层次的价格，它不过是在企业之间的一个移转。但是，引入竞争以后，大家发现在所有的行业都有一个共同的问题，就是在一个网络行业解决接入定价问题。第三个因素是研究。我觉得尽管现在对监管的研究已有一定的成果，但还是不够丰硕。我们国家目前为止理论研究几乎是空白，对政策研究比较多，但我个人认为没有理论的保证，政策研究不会解决很大的问题。当然我不是说政策研究不重要，政策研究实际上是连接理论研究和政府实践的一个桥梁，非常重要，但我觉得我国现在理论研究也实在是太少了。最后一个非常重要的因素是咨询，即有一个非常好的、非常专业化的咨询行业。在监管行业监管的咨询基本上为外国的咨询公司所垄断。实际上监管非常需要专业化的知识来最后制订政策的细节，我非常期待本土的咨询行业能够起来，从而在促进我国形成好的监管政策方面发挥非常非常重要的作用。

肖耿：我听了一天的会议，感触非常深。这两篇文章，还有其他文章，我看到作者作了很大的努力，尤其高世楫和秦海的文章对国际经验作了很好的总结，余晖的文章也花了很大的力气试图找出一个新的角度，用制度经济学来帮助解决中国的监管问题。

但是，从我自己的经验，特别是在证监会工作期间的感触，我觉得这些研究离真正能够帮助决策者思考还有一段很大的距离。我认为这个责任不在于作者，主要的原因是这个领域本身的发展并不是很成熟，特别是新制度经济学并没有得到普及，里面有一些很重要的问题大家找不到一些思考的框架，所以很多定义、名词特别多，特别乱。最近有一本书《经济行为和法律制度》，作者是瑞典的经济学家 Lars Werin，他是科斯获诺贝尔奖时的主席。书中介绍了一些文献，但是它不仅介绍文献，而且提出了一些制度经济学的问题。这本书很重要，因为我发现这些文章很乱，我看这些文章很辛苦，我觉得如果是决策者看也很辛苦，学生看也很辛苦，主要的原因是新制度经济学不像传统经济学有一个比较公认的框架。为什么要监管？当然是因为市场失灵。市场失灵实际上是交易成本太高，交易成本太高就需要监管，那么监管究竟要作什么呢？据我们这几年在香港的经验，实际上监管就是要界定产权。香港有很多上市企业是国内民营企业或者国有企业上市，尽管香港的产权措施、法律制度应该说是世界一流的，但是因为它们产权定义的最初端是在中国大陆，香港的监管就不管用。在中国的情况就更是这样，因为中国有很多产权不清楚。实际上监管，法律制度，都是在不断界定产权。界定产权是为了降低交易成本，但是你有权力界定产权的话，你可能增加交易成本，所以这里面就是有矛盾。如果监管得好，市场发展得更好，交易成本更低，主要市场的交易量都很大；如果监管得不好，就是说既得利益控制，它给你设置很多障碍，它就是为了要寻租。一个是寻租，一个是创造价值，这两种不同的行为在现实中是很难分清楚的，这就是为什么我们需要不同的监管机构，包括司法机构，包括警察，包括各种各样的机构，但是他们的分工是非常明确的。这里面有两个原则我觉得是非常重要的，一个是财富创造原则，一个是交易成本原则。财富创造原则就是不管监管的法律制度怎样，如果它最终的目的是为了使社会的财富不断增加，那就是好的。监管也好，法律制度也好，它有两个很重要的作用，一个使在交易成本很低的情况下保护产权，这个东西你可以在市场上花钱买到，你不买，而是去偷或找关系弄到手，这些很多都是刑事犯罪，在法律方面就是产权规则；另外一个就是在生产过程中有污染，对别人有伤害，但是你生产所创造的价值远远高于你的污染，在西方的法律下，你只要赔偿，你不应得到惩罚，因为你整个过程是创造财富的过程。在中国，这两种法则都没有得到很好的应用，有的时候明明可以在市场上买到的，也要通过关系。还有时候是产权定义不清楚，交易成本很高，你必须先犯罪，犯了罪以后再创造财富，但犯了罪以后创造财富，没有一个赔偿的机制使得当事人不受到伤害，法律制度的一个很重要的作用就是要调整，就是要赔偿，赔偿了以后大家的财富都得到增加，这样就培养了一种文化。如果你的行为是创造财富的行为，那么法律体制、政府和市场都鼓励你去做；如果你只是一个财富重新分配或者偷别人、抢别人的行为，那么这个社会有一种机制去惩罚你。交易成本原则就是怎么样去区分这两种性质不同的矛盾。要看交易成本，因为有的时候看你意图是讲不清楚的。交易成本是很重要的，特别是在中国，因为中国在很多情况下是产权定义本身就不清楚，我们的企业家如果不犯规是没有办法去创造财富。交易成本高的情况下，就需要界定产权使交易成本降低，或者需要一个事后的赔偿机制。因为时间关系我不可能讲太多，我之所以介绍这些是想说明，在西方制度经济学已经发展到了一个水平，是可以用来分析中国现在的问题，但问题是它的这些东西现在还没有普及，而且我们研究和应用的人也不是很多。另外我们研究监管、法律制度、媒体、司法机构和行业自律，实际上他们都是跟市场并行的、不同类的制度，这些制度有它的成本，市场也有它的成本，都有成本，实际上他们都是在竞争，都有一个过程，我认为这是制度经济学最大的贡献。科斯提出交易成本理论时是为了说明为什么要有公司，是选择市场还是选择公司，但是实际上它带出来的是一系列的东西，包括市场、公司、监管、政府等等很多不同的制度，这些制度都是我们人类自己创造出来的。我觉得制度分析的方法非常重要，所以我认为这两篇文章都非常重要，但是还需要努力结合最新的一些成果。我觉得主要的问题不在于作者，而是在于制度经济学没有得到很好的普及，也没有很好的教科书。最近有一些书出来了，这些东西对我们的研究非常重要，因为你需要让每个政策制订者、学者、学生都懂了，然后这个理论才真正能发挥它的作用。

讨论

高西庆： 其实我要说的问题很简单。我看两位的文章都很有感触，就是对整个的监管机制的描述在我们的现行制度下如何改进的观点。我算是一个过来人，两进两出监管机构，经常有人在评论监管的时候就问问我，你什么意思呀。我倒很同意周汉华刚才的表述，就监管制度本身的描述，我们常常说很多，就是没有注意监管的外部环境是什么，当然在任何机制下，监管的外部环境都是需要的，可是在中国就更为重要，不是因为我们的外部环境有什么问题，而是我们的监管机构到底是不是监管机构这个问题。刚才也有位朋友谈了这个问题，监管机构不是你拿了个名称，证监会、银监会、电监会，就是监管机构了，而且这些都是属于不是国务院下的行政部门了，国务院精简机构了，从原来的九十多个部降到四十多个部，而后是二十多个部，听起来好像精简了很多，可是一看呢，在国务院管理的事业部门里，名目大大增加，列了一大串，这几个监管部门都是，惟一不同的是这些监管部门的工资比原来的行政部门的工资高一倍多，权力可能更多。很奇怪的是证监会有好几次成为行政诉讼的被告而且居然输了好几次，凭什么根据行政诉讼来告证监会，证监会不是行政部门，证监会是国务院领导下的事业单位，事业单位怎么作为行政诉讼的主体呢？刚才有位朋友也讲了，中国的监管部门本来也就是政府部门的一部分，和西方所理解的监管部门还不大一样。它具有了两种职能，一种是一般的政府部门的职能，一种是从西方意义上讲的管制的职能。但事实上跟西方的监管机构相比，还多有一种职能，就是别的政府部门都有的职能，就是以前的工业部这些部所具有的职能。就是说，一方面是管制，一方面是发展。刚才有一位跟我讨论，新的银行管理法有一条，规定银行管理部门要对于金融机构管理还有发展等职能。你看证监会发展的过程，证监会在短短的十年时间里换了六任领导，五个主席，一个管事的常务副主席。这在中国的整个政府部门里都是很少见的，六任领导里监管的理念上两头的说法都有，一个极端就是要为国企服务，另一个极端就是政府要总体脱出来，监管部门就应该是警察职能，而不负有所谓发展市场、培育市场的职能，在这中间状态的也有。那它怎么能换得这么快了呢？因为不管是哪一种职能，如果我们的机制需要朝某一个方向的发展，监管应有一个特定理念。奥特·列维干了十年，而且他本来应该干十五年，后来是自己辞职走的，不管他得罪了多少人，他的理念使得另一方面利益机制的人认为是小投资者的保护天神。我们现在不是这样，不管是谁，不管你有什么理念，进去之后一年你可能就走了，不是因为你自己的原因要走，而是因为机制的原因。所以，我们所说的外部环境是更为重要的问题，我们讨论了两天半，再加上昨天晚上的讨论，所有的问题，就是对于政府本身行为的问题了。通常我看在分析这些问题的时候，总是把政府就是传统的政府和监管部门分开讨论的，但实际上没有办法分开，因为它所有的机制里所有的选择，它的代理人所具有的所有特性和我们传统的政府是完全一致的。如果不解决这个问题，不解决它的人员选择问题，那我们所讲的监管部门里出现的所有弊病就是其中应有之义。原来还有人笑一笑说，原来监管部门和被监管对象是一伙的，现在几乎是制度化了。以前所有的被监管对象都是挂在不同的部门下，现在银行都挂在银监会底下了，至少有四家证券公司挂在证监会底下了，这些公司的董事长、监事长的批准全都由这些监管部门来管的，连这些人每年几次出国都要送到证监会、银监会的领导那儿画圈的。在这种情况下，它如何去监管呢，而且特别是如果像银监会那样所有的银行都挂在它底下还好些。证监会就更有意思了，只有四家证券公司挂在它底下，它怎么管呢？所以，我觉得这是一个更大的机制性的问题，而不是监管本身的问题，当然我不是说研究监管本身的问题就没有意义，我是说它的意义是有的，但更重要的意义在另一面上。因为我每次进去出来的时候都有人问我，为什么让你进去，为什么让你出来，说了很多理由，我自己其实并不怎么关心这个事，但你听一听人家说的这些个理由，你犯了六大错误，里面有什么什么原因，我觉得这个完全是不同的机制，和我们当初所设想的设计一个监管部门并不一样。现在有人讲当初设计证监会其实什么都没有弄明白，其实你看当年的设计，我们称为白皮书，你把历届的白皮书拿出来看一下，它们和西方式的监管部门很像，包括最后国务院打算成立证监会的时候第一批决定下来的文件，证监会当时决定只设一个主席，不设副主席，然后设委员，这完全是按照国外的多数监管部门的作法设计的，但是在中国的机制下就执行不了，所以自然就慢慢回到了传统的机制下。

李绍光： 两天多的会，我感觉对我启发很大，所以感谢主办方给我提供这么一个参会的机会。我想就这个会的主题谈一点我的感想。我是搞社会保障研究的，所以我想从这个方面来谈。实际上这个会议所讨论的这个主题在社会保障领域也是同样有的，政府的决策，政府和市场的关系，是一个多面体，我们现在就不妨看看社会保障这个侧面。政府和市场的关系在社会保障领域可以说到现在为止没有搞清楚，另外一个关系没有搞清楚的是中央政府和地方政府的关系。

政府做什么，该做什么，能做什么，市场该做什么，能做什么，都没有搞清楚。一个政府从无限的政府转变到有限的政府，怎么样转变，我的感觉是不乐观，困难是很大的。

梁治平：听了两位报告人和三位评议人的发言之后，我觉得学到了很多东西。这两篇论文写得很扎实。讨论了非常重要的制度，而且涉及到制度的设计、改进和应对现实问题的办法。这些问题和我们过去两天讨论的问题有很密切的关系。我们讲国家也好，法治也好，宪政也好，如果那些问题没有解决，监管制度可能最后就落不到实处，或者不能发挥我们希望它有的作用。

刚才张昕竹博士区分了宪政的设计和制度的设计。我想把这个问题引申一下。他觉得宪政的问题很难讲，这一点可以理解。尽管是这样，我们还是可以恐怕也必须讨论这个问题。其实这两天里我们讲的很多问题都同宪政有关，比如说政府是不是一个有限的政府，是不是一个负责的政府。这些问题如果不解决，底下的很多制度设计，不管你叫什么名称，都可能会走样，甚至技术问题最终也无法得到解决。当然，既便在宪政设计问题没有解决之前也还会有一定的空间，在这个空间里面我们可以做很多事情，包括去研究许多具体问题、技术问题、程序问题，我们不能说有些大的问题没有解决或解决不了我们就不去做。我很同意周汉华刚才提到的几个问题，我觉得这是我们面对的非常大的问题，就是怎么去研究中国在过渡时期的特殊问题。中国的政府和国家不是美国式、英国式，或者欧洲式的，它们有共同点，但也有不同的职能，特别是在转型时期。怎么样转换过去，我觉得这是非常有意思的问题。

这里有一个比较技术性的问题，刚才周教授提到英美不同的传统，我们一般认为中国是大陆法的传统。这是什么意思呢？如果要研究中国的现实问题的话，我们肯定要基于中国现有的经验，中国现有的制度资源，在这个基础上改，而不能说哪个东西好我们就把它拿过来。我们拿过来可能就不是那么回事，或者它不能够生根，不能够发挥作用。现在大家一般认为在发展经济方面，在效率方面，在很多方面，英美的经验是很好的，但我们对它的了解是不是就充分，是不是我们拿过来就可以用，我觉得还是有很多问题需要考虑的。比如我们喜欢强调英美社会对法官的信任，好像法官在那里有一种至尊的地位，权力大得不得了。其实没这么简单。我们知道比如说普通法的演进中一个非常重要的原则叫程序先于权利，换句话说，不是在实体法里给你一个权利，实际上是给你一个程序，救济是随着程序而来的。这个特点一直延续到现在，在英美法里程序是非常重要的，很多情况下法官受到很大的限制，所谓对抗制就是法官你不能主动去干预别人，法官是中立的裁判者，它没有给法官这么大的权力。当然法官在另一方面，比如在陪审团的指导方面，在法律的解释方面，权力比较大，但是他还是受到各种各样的约束，先例制度的约束，还有法律职业共同体的制约，他是受到很多制约的。而且在学理上，一直到20世纪，尤其是在英国，人们一直认为法律是被发现的而不是被创造出来的，法官在里面的作用其实很小，在理论上是被消极地界定的。我们不能觉得好像法官有很大的空间，只要我们信任法官，给他独立和崇高的地位就可以解决我们的问题。总之，实际情况可能要复杂很多。反过来，在欧洲大陆国家，如果说它们都有成功的监管经验的话，我想也不是只强调规则，法官无所作为，它们的成功恐怕也是因为法官在它的制度框架内和文化氛围里面，有效地行使了他们的职权，发挥他们的功能。所以，我想如果说中国有大陆法的传统，可能我们更多的还是要考虑怎么样利用这个制度资源去达到我们的目的。

肖耿：其实我觉得刚才梁治平教授讲的很有道理。我所强调的是不管大陆法还是普通法，它们的目的究竟在哪里？从经济学的角度，我想我们现在讨论很多很多问题，全世界有各种各样不同的经验，但是归根结底，从新制度经济学的角度来看，它就是要降低交易成本。比如说程序为什么重要，你要不按照程序，很多东西就讲不清楚，那个交易成本是很高的，但是，都尊重一个程序的话，它就大大降低你的交易成本，包括你对产权的界定，你一定要去注册，不然到时候产权的问题你就讲不清楚，到底是你的还是我的，一经注册，这个交易成本就大大降低。在整个思考的方向上，如果我们把交易成本作为一个很重要的概念，很多东西我觉得可以看得很清楚。但是交易成本的概念本身是个理论的东西，最新才有的，而法律是个很传统的东西。我觉得交易成本理论是科学的、革命的，它可以使我们在科学的基础上解释社会科学。

高西庆：刚才听了肖耿先生讲交易成本的问题，我同意你一般性的说法，但这个不能推向极端。举一个例子，为什么中国几千年来有各种各样的民间交易行为居然没有发展出一个民法典呢？很多的合同都能找得出来，后来我们发现从汉朝开始正式写在法律条文的就有，就是说民间的企业就依照民间契约，政府官方是认可的，这也是个成本问题呀。官方只指定到县官就两人，交易成本很高，结果就不断地出事，到了宋朝的时候就有过这么一次努力，降低交易成本，做法跟制度经济学的指导方法差不多，某一大臣上书给皇帝，皇帝就把所有的房地产交易作出标准合同，跟我们今天工商局做的一样，然后所有的东西都必须写在标准合同里，否则官方不认可。这个说起来交易成本就比较低了，但事实上推行不下去。而且宋朝的时候明确写在法律里，所有的契约尽管官方可能认可，但必须给县官盖一个章才真正认可，结果却一直到了清末才开始弄民法商法。所以，我们不能说今天这个是一个很好的办法，我们怎么就想不出来，其实中国试验过，但跟别的环境有关，不能简单化地说这个问题，还得多看几个因素才能下结论。

胡汝银：这个问题比较专业，我也有一篇论文主要是讲证券市场监管的问题。我现在想稍微概括地讲一下。监管实际上牵涉到几个问题，一个是监管目标，刚才肖教授讲的降低交易成本，这是一个非常理论化的东西，从经济的角度来讲最终都是降低交易费用，提高整个社会运作效率，提高资源配置效率。从政策的层面来讲，比如国际证监会组织，它把证券市场的监管目标概括为三个方面，第一个是保护投资者，第二个是保证市场公正、透明和效率，第三个是降低系统性风险，它都是把目标非常具体化了。第二个方面牵涉到监管原则，什么样的原则是比较好，像英国的 FSA，还有很多包括 OECD，它们都有一些良好的监管原则。比如，监管实际上是有两种监管，有一种是推动市场发展的监管（enhance the market），还有一种我们称为压制市场的监管（hinder the market）。所谓推动市场的监管就是你要推动市场的创新，提高监管的效率，监管的本身要有成本收益方面的优势，收益要大于成本，还有要提高整个竞争力等等。这些是良好监管的一些原则，还有就是监管机构的组织机制，刚才西庆就讲了，为什么证券法里面讲的证监会的职责是七条，但证监会的职责实际上是远远超过这七条？这个牵涉到整个国家的治理机制，牵涉到监管机构本身的角色定位，它的组织结构，它的独立性。谈到独立性，我们看各个国家的证券监管机构非常有意思的，美国的证券监管机构不是行政当局的一个机构，而是向国会负责的半立法、半司法、半行政的机构；英国的 FSA 并不是政府机构，它不是官方的机构，但它的监管非常有效率。中国的证监会是国务院下属的一个机构，这个就完全不一样了，从组织机制、人员任免、问责机制到透明度都不一样，英国的 FSA 是向英国的议会报告的，每年要开一个年会，任何人都可以参加，都可以向董事会的人问任何问题，问他们到底在干什么东西，就是说它是非常透明的。而我们国家的证监会，每年有多少个案子，那它这些案子究竟是怎么查的，透明度怎么样，和人家相比有很大的差距。总之，机构是个非常复杂的东西，但是从理论上分析又是一个很简单的东西。

Gary Hallsworth：今天的会上我听到多次提起英国的经验。首先，我谈一个有意思的问题，就是在 1970 年代和 1980 年代初期英国并没有建立监管体制，但是当时英国却拥有良好的经济环境。我想表达的是，政府与领导阶层的政治作用相当重要。今天，大家探讨了许多有趣的问题。这里，我想提一个大家没有谈到的问题，即，监管在经济转型中是否具有暂时性？监管的分界线在哪里？究竟是否竞争而非监管才是最终的目标？

胡汝银：Gary 先生刚才讲到了监管的一个很大的作用就是促进竞争，使市场机制更加完善。相对来讲，我们国家的管制控制（control）的角色要更重一些，有的甚至可以称之为越俎代疱，就是说创新应该由市场来创新，可是我们的金融创新都是由立法部门和监管者来完成。实际上这是有很大的角色冲突和利益冲突，它又要监管又要创新，而监管本身又是政治化了，创新就变成一个官僚过程，非常缺乏效率。你看我们的市场对很多金融产品有很大的需求但是没有人来提供。另外如果由监管部门来创新，这本身是有冲突的，我又是创新者又是监管者，大家可以很详细地分析这里面产生的一系列问题。作为创新者要保证创新成功，作为监管者要保证健康运作，这里的目标和机制是完全不一样的，多种角色集于一身的话，最终会产生各种各样的问题。

回应

高世楫：谢谢各位对我们报告所做的评论。在我对评论做系统的回应之前，就刚才英国的这位先生提出的问题先做回答。竞争是否可能取代一切，我现在有两个确定性的回答，第一社会性监管是要永远存在的，第二是到目前为止还没有看到竞争能够取代监管的迹象。两年前，经济学家对新西兰所作的试验非常感兴趣，因为新西兰对电力、电信、铁路放松监管之后，没有监管机构，只要有竞争性存在就肯定行的。但现在已经不行了，2002 年通过的电信法又重新要把电信监管机构建立起来，就是说像这种垄断行业由于独特的经济技术特征决定了监管肯定是要存在的。可以说在可以预见的将来，经济性监管在部分领域中还会存在。

关于我们国家的监管体制改革，我现在讲两个问题。第一个就是急迫性。一方面我们坚定不移地搞市场化，坚决要求政府退出，退出之后，如果没有一种有效的机制来保证交易的有效性，来保证利益相关者的利益，那么这是很危险的，目前投资者的保护就对监管者的监管目标究竟是什么提出了严峻的挑战。像垄断行业的改革，如电力、电信的改革，中国都是走在全球的前列，比如全世界只有中国这么大胆地试验3.75亿千瓦的发电量说分开就分开，但是现在留下一串像输配价格怎么定、销售价格怎么定的问题。这些都是很急迫的现实问题。另外，像前一段时间出现的歌华电视说涨价就涨价，公司的利润表上就涨出一亿来，消费者的福利很受影响。这种情况随着所谓公用事业民营化的逐步推进会越来越明显，而我们国家的电力行业中，高成本的电力（我们国家的电力成本比美国高）对我们产业竞争力的影响会逐步凸现出来。全球化的竞争带来对一个国家管理经济能力的影响，就是监管机构应对挑战的最重要的方面。第二，我同意刚才各位提到的，要从本土的制度环境来设计监管机构，实际上我们这篇文章潜在的一个观点就是市场和政府的关系是一个永恒的问题，但是各个国家解决政府和市场关系的方案实际上是不一样的，正是这些经验告诉我们中国在未来的市场制度的建设当中，市场体制创新是个必由之路，在各个监管领域当中监管机构的建立也是我们制度创新的实质性内容。我举一个例子，现在电信监管是一个令所有人头疼的一件事情，因为电信行业是一个万亿的大产业。现在政监合一的体制，再加上国有企业的产权又不清不白，就出现了这么多的问题，像互连互通砍电缆等等。最后的解决方法是什么？去年国务院的75号文，以信息产业部抬头，然后是国家发改委、财政部、国资委、监察部、中组部，就全上去了，就是因为我们的企业单靠产权约束、企业竞争是肯定不行的，只能是以这种方式来管。中组部为什么上去？因为企业家的乌纱帽是重要的，这个是有前鉴可循的。前两年，浙江省年终存电也在搞竞价上网，就从浙江省的供需缺口来看，我们要造成的危机可能比加利福尼亚大得多。为什么没出现？那就是发电公司的帽子是捏在供电局的手里。我们不仅有交易价格的上限问题，而且捏住乌纱帽就使发电公司即使有垄断市场的权力，也没有兴风作浪的动机，避免了加州那种大规模停电的危机和发电公司破产的危机，但是由"拉闸限电"所造成的损失有谁去算过吗？这种机制是不是就是最好的？制度创新毕竟要立足于中国现在的支撑性的环境，我觉得这是大家的一个共识。我回应的就这两点，这里面还留下很多很多的问题希望大家共同探讨，另外秦海博士要做一个补充。

秦海：感谢各位评论人。我想对这篇文章及今天的发言做两个补充，然后对刚才三位评议人的评议做一个小的回应。

我们现在不再讨论为什么要监管以及监管什么、怎么去监管，原因很简单，因为要建立市场秩序，或者说完善市场经济，始终一个重要的主题就是处理好政府和市场之间的关系。既然这个关系存在，那监管就不可免，只能说干预可能是政府一个吸鸦片的行为，但监管不是，所以监管不可能像戒鸦片那样戒掉。这是第一个问题。第二个问题，我觉得现在讨论监管制度，或者说从国际上来看监管制度的缘起、走向以及它最后会不会像国际社会所讨论的一样走向死角，讨论这个问题本身比建立一个什么样的监管制度更为重要。因为初始路径的选择一旦走错，锁定的效应太大。这是我对这个单元讨论所作的两个补充。

刚才三位评论人对我们的发言或者说对我们所关注的问题提出了很多意见，重点集中在两个方面。（1）监管到底需要什么样的社会条件，或者说监管在一个什么样的制度环境下进行？刚才梁教授已经提到了，就是关于本土的传统。我觉得本土传统里面有一个很重要的事情，就是什么东西都想搂在自己的怀里，什么东西都想通过政治性创新的方法来解决，这个问题必须解决。比如证券市场把宏观经济的职能或者把经济增长所追求的目标让证监会背起来，但事实上这是不可能的。我觉得这是一个很重要的问题，就是你要把你管不了、也管不好的东西交给市场，可能这是我们建立监管机制所需要澄清的一个事情。（2）刚才昕竹博士提到，设计一个好的监管制度到底有哪些要素。从目前的情况来看，我完全同意刚才昕竹的看法，就是本土关于监管的呼吁、讨论以及相应的咨询，现在这个市场始终处于一个未开发的状态。而且，我们太习惯于把一切的权利和义务让给别人替我们去履行，比如说让给政府或者其他机构。我最近这五年基本上都在政府部门，我想从后端向前端推可能有利于建立一个良治的社会。

余晖：我先对肖教授所提到的我们的文章不足以帮助决策者思考的问题作个回应。实际上我就想解释一下这个文本是怎么写出来的。这个文本实际上是在前年做的。当时国务院体改办委托我们作中国基础实施改革框架的研究，委托者要求我把监管问题阐述清楚，实际上是一个附带的报告。就是你们在提基础设施产业监管体制的时候有一个很详细的制度设计，然后你能不能够再搞一份（研究），包括什么叫监管，监管和其他的政府部门有什么区别，让那些决策者能够知道有没有必要建立一个监管机制，怎么样去监管。我个人觉得实际上这个目的我们是达到了的，我觉得这些年来监管的体制改革，我们做的这些工作尽管结果不尽如人意，但我觉得我们对什么叫监管是说清楚了的，领导者也可能听清楚了。但是，有很多制度上的缺陷，在监管的构建过程中，没有办法把真正独立性的监管机构实现。电监会就是这么个例子。第二个问题是昕竹提的不是管制经济学的主流文献问题，他认为法国的规范研究是在不强调私有化的情况下来对特殊的产业加以管理的问题。但根据我刚才的分析，如果不进行私有化，那问题就是国有企业，就是提供公共产品的企业，政府是要对其进行直接管理的，而不是一种管制。管制必定是对私有企业，或者是私有企业在和公有企业竞争的市场上，政府所进行的有一定距离的、站在中立立场上的一种管制。考察我们的管制起源，就是我们 1990 年代联通公司的成立，当时的通讯市场只有邮电部一家，所有的公共电信服务都是由邮电部的中国电信提供的，没有别的竞争者，后来批了一家联通公司，联通公司不是邮电部直属的企业机构。这个时候作为邮电部来说，他既要管理他的中国电信，他又要去管理不属于他的联通公司，这个时候怎么办？中国的管制有一个管理和管制相互并存和相互过渡的阶段，中国电信的改革到现在为止，已经出了这么多的市场主体，在每一个层面上，在基础设施的运营商方面，在长途电话领域，在本地网领域，他都有很多竞争者了。只能在一个相对竞争的，产权结构比较多元化的市场上才有政府监管的必要，否则政府对它直接进行管理就行了。第三个是外部环境的问题。我刚才在报告里实际上已经讲了，实践中已经提出了建立监管的要求，但是确实有许多的制度安排是没有解决的，我觉得可能最关键的问题是我们这个政府到底要干什么，政府的定位至今不清楚。在一个市场上同时要有国有企业存在，它要和私营企业竞争，这个政府的监管机构究竟代表谁，究竟是代表国有企业还是代表非国有企业，还是代表消费者？对于监管机构来说，它是非常难以设定它的监管行为的。相应地，像监管法制的建设、监管机构的设置，我们的立法机构基本上是委托国务院的，我们的立法机构很少涉及这些方面。另外，司法也不独立，因为司法机构的工资是由行政机构来发的，所以你让司法机构去监督行政机构是非常困难的。国外的司法审查是可以对抽象行政行为进行审查，但在我们国内都没有。所以说，监管机构的产生、它的目标不是很明确，它有多重的功能，一旦犯了错误也没有办法对它进行纠正，所以它的可问责性就非常差。当然，我觉得随着进一步的改革，环境会越来越好，这是我们需要做更多研究的领域，希望法学家能够大量地参与这个领域的制度设计方面。

小结：

张春霖： 非常荣幸来做这样一个工作。但是可能做小结非常困难，因为我对监管问题研究得也非常有限，坐在我两边的基本上是我国研究监管的一流专家，我今天来这里更多地是学习。所以我想我谈点学习体会可能比较合适。

　　这三位的两篇论文至少对我来说是非常有收获的文章，因为我想这两篇文章基本上可以看作是监管经济学的概论，或者是绪论、导言，如果你设想一本写监管经济学的教科书的话，那么第一章应该是讲这些东西的。什么叫监管，包括这个词的翻译，包括监管的起源，为什么需要这个东西，然后一直讲到监管在中国面临的挑战。这是两篇非常全面的论文，而且各有侧重，高世楫和秦海的论文侧重监管的历史渊源和国际的经验，而余晖的论文侧重理论框架的分析，所以我读完以后觉得非常有收获。

监管问题尽管我学习得不多，但我知道这个问题是我们国家现在面临的非常紧迫的问题。这个问题的实质就是国家和市场的关系或者说政府和市场的关系。这个问题是我们二十多年的改革中一直围绕着的核心问题。过去也许我们对这个问题的理解比较简单，或者说那个时候还顾不得上理解得太多，那个时候是政府包揽一切的行政命令经济，所以改革的取向非常简单，就是市场取向，政府往回退，市场往前进，更多地用市场机制，更少地用政府干预。但是改革进展到一定程度以后，我们发现事情已经不是这么简单了。一个非常重要的问题是，如果没有一个有效的政府，市场机制是没有办法运作的。当然在理论上你可以设想有一些市场交易没有政府也是行的，像高世楫博士讲的"私人秩序（private ordering）"，假设没有政府，私人之间的交易是可以成功的，但现实当中是非常困难的。比如别人要抢你的东西，你就没有办法，起码需要一个治安。所以市场机制如果没有政府根本行不通。刚才 Hallsworth 先生提到监管是不是一个暂时性的东西，是不是竞争就可以解决一切问题，我觉得现在大家可能看得非常清楚，监管不太可能是一个暂时性的措施，我们希望它是一个暂时性的措施，我们希望政府监管得越少越好，希望需要政府做的事越少越好，因为政府参与的时候成本是非常高的，这是我们大家都理解的。但是现实的情况是，如果没有政府的积极参与、正确参与，市场机制实际上没办法运作。去年以来，我们看到一些很令人担忧的趋势，一个是公用事业的民营化或者说是私有化，现在各个城市的胆子越来越大，步子越来越快，煤气、电、水、公共交通等等一概地在卖。再一个是公共服务行业的私有化。比如医院，现在有些城市公立医院全部卖掉。在这样一个过程当中，不管从理论上还是实践中，我们都可以看到，如果没有有效的监管，后果很可能是灾难性的。很多国家都有过这样的教训。所以，在这样一个情况下，监管问题就会变成一个非常紧迫的问题。紧迫性的再一个原因是我们不是一个标准的市场经济国家，我们是一个发展中的转轨经济，所以，尽管我们了解了这些监管的一般道理，但如何在我们这样一个发展中的转轨经济国家建立一个有效的监管制度仍然是一个非常大的挑战。比如在我们的农村，在很多发达的市场经济国家并不存在像我们国家的农村问题。紧迫性的另一个原因在于知识的传播或者知识普及的问题。这个事已经引起重视了，刚才高博士说中央文件中提到了多少多少处"监管"，大家都在说这个词了，监管也好，管制也好，反正从知识界开始，一点一点地在往下渗透，现在很多的做基层工作的同志也在说这个词了。但是，对这个词的理解，对这个制度的理解，恐怕还是五花八门的，包括最简单的理解就是监督管理，就是政府可以去管。如果在这样一个起点上，传播进来的知识是扭曲的知识，将来纠正起来就非常困难，有时候就把这个词搞坏了，以后就不能再说监管了，一说人家就讨厌了，要换个词，我们国家有过很多这样的教训。所以，在这个意义上说，研究这个问题是非常紧迫的，而且对于我们国家有着非常现实的意义。

我想刚才的讨论和三位评议人的评议集中在下一步的研究中应该去关注哪些问题，我也想顺着这样一个线索再提出几个方面的问题。我们大家都同意监管问题的实质是政府和市场的关系，而政府和市场的关系之所以成为一个问题是因为市场不是万能的，那种完全竞争的、交易成本为零的市场更多地是一个参照系，而不是现实中存在的市场。市场是不完全的，市场是会失灵的，有些事情市场是干不了的，不能够达到财富创造最大化的目标，所以需要政府来干预。

从这个基点出发，我觉得我们首先要搞清楚的一个问题就是对于市场的失灵或者市场不完全的方面，政府的干预究竟有多少种手段。监管毫无疑问是其中之一，但不是政府干预的全部。所以，我希望看到一个路线图，说明针对市场失灵政府究竟有多少手段去干预。高博士提出了这样四个阶段，首先是政府没有干预时的私人秩序，第二个阶段是独立的法庭，第三个阶段是监管，我觉得这三个阶段是比较清楚的。第四个阶段与其叫做国家所有，我觉得可以叫做其他，实际上这个第四个里面除了前三个以外，剩下的是一大坨子，包罗万象的东西。国家所有制当然是其中之一，但实际上还有其他的，比如我们的党管干部，这算不算是我们干预市场的一种办法呢？刚才讲到了，组织部发文件就可以解决这个问题，现在有时候连文件都不用发，打个电话就行了。所以我们需要一个比较完整的谱系来说明国家干预市场——不管有效的、无效的、——究竟有哪些方式？在这样一个基础上，你就需要进一步说明你为什么在这种情况下是法庭，在那种情况下是监管，在另外一种情况下需要国家所有制，这样才能够对监管的意义有一个准确的定位。比如国家所有制和监管是不是一种相互替代的关系，理论上好像是。理论上外部性、公共物品和信息不对称等等都是私人交易中才会有的问题。国家都是全局性的，它不存在外部性，除非它影响到别的国家的利益，那就要由国际的权威来监管了。在一个国家的内部，国家不存在外部性，所有的事情对它来说都是内部性的，比如国家开的学校就不会乱收费，你乱收什么费呀？你政府本来就为全国人民服务的嘛，你乱收费干吗呀？但实际上我们每年九月份都要展开大规模的治理乱收费运动，这可都是公立的学校。为什么会出现这样的情况？国家开的公司不应该造假的，但国有企业照样造假、售假，国家开的公司居然还骗税。所以，你需要解释国家所有制和监管究竟是不是一个互相替代的关系。我想这里面的核心问题是国家所有制下是一个什么样的治理结构在起作用，如果在国家所有制之下治理结构发生了变化，私人利益参与到国家所有制中去了，甚至国家所有制都不能代替监管，包括网络型行业，比如电力、电信，都是国家所有制占垄断地位的，最后也需要监管。所以，我们需要去比较各种各样的国家干预市场的机制和手段，然后再讲清楚究竟我们为什么需要监管。比如公共物品，公共物品的提供很多场合政府通过付费就可以了，比如造一个灯塔，政府不一定亲自去造，政府花钱让别人去造就行了。这也是政府干预市场的一种手段，它就可以解决公共物品的市场失灵问题。所以，我们需要一个全面的图谱。

第二个问题就是监管的合理性。肖耿教授提出一个交易成本的解释，我觉得我比较倾向于高西庆博士的看法。交易成本这个概念我是赞成的。但是这个概念太大了，所有的事情都是交易成本：公共物品、外部性、信息不对称、自然垄断，基本上都可以归纳为交易成本，它是一个大包，需要的是把这个大包打开，然后去看里面究竟有哪些内容。这两篇论文都提供了各自的解释，我比较担心的是最后大家有不同的说法。我希望各位，你们都是这个行当的专家，你们能够坐到一起，争取形成一个比较统一的看法，因为在实践中就出现过这样的现象：经济学家八个人有九种意见，八个人有九个理论，上午张教授讲课是这个理论，下午李教授讲课是另外一个理论，谁都不知道别人讲了什么，但是听课的人听完了以后糊里糊涂，不知道哪一个是对的，因为两个教授讲的好像都对。所以，我觉得需要有一个比较一致的，至少是从基本的精神上比较一致的东西，比如框架，这样才能让别人搞明白究竟为什么需要监管。

第三个问题关于监管的起源或者历史。如果理论上监管的必要性是因为市场失灵，那就应该从有市场之日起就应该有监管，所以当你提到监管型国家的兴起，那我就要问了，在监管型国家之前有没有监管，如果说没有监管，那当时的市场是怎么运作的，后来为什么就不能运作了。如果你说因为市场扩大了，市场的交易规模大了，就不能运作了，这个好像不是一个非常有力的解释，我想需要更进一步从历史上去说清楚，这种市场原来是怎么弄的，后来为什么出现所谓监管型国家。我想比如说食品卫生标准等等应该是很多年以前就有了，像金融的监管肯定也是这样。又比如刚才 Hallsworth 先生所说的英国的监管似乎是一个暂时的事情，事实上不应该是这样，应该是在金融市场开始发育的时候就有监管了。每出现一个丑闻，法律上就会加几条，完了以后就会有新的监管措施的出现。所以，对这样一个历史需要一个比较连贯的解释，免得给人造成印象说，监管这个事是最近一百多年才有的东西，以前没有的。我想恐怕不完全是这样。

　　第四个非常重要的问题是在中国这样一个发展中的转轨国家如何建立一个有效的监管制度。我想这是大家今天讨论的一个重点。首先是法律体系问题，就是不同的法律体系对于监管制度究竟有什么不同的影响。我想所谓市场经济国家也有不同的监管模式，可以肯定不同的法律体系对监管的格局有影响，在我们中国这个特定的环境下，我们特定的法律制度究竟会对我们未来的监管模式有什么样的影响，在哪些方面有影响。我想这是一个非常有挑战性的问题，尤其是刚才周教授提到的在大陆法系和普通法系之下，法官、法庭角色的不一样究竟会对我们的监管制度产生什么样的影响，这可能涉及到了刚才提到的独立法庭和监管这两种手段之间的相互替代，比如法庭不管用的时候是不是需要有比较强的监管制度呢，还是别的什么样子呢？我想这样的问题是非常值得研究的。实际上在英美国家和欧洲国家，强调的重点是不一样的。高博士的论文里提到，在英美更多的是用监管，在欧洲国家更多的是用国家所有制来解决问题。

　　第五个问题是监管制度和我们传统的那一套制度怎么对接起来？我们是需要彻底抛弃原来的那一套东西，重新建立一套新的监管制度？还是说传统的制度遗产，比如党管干部，还可以继续用下去？这也是一个非常有挑战性的问题。在现实当中，西方的东西传到中国，肯定要跟原来的制度结合在一起，多多少少都会变味的。比如交际舞在西方社会是上流社会的娱乐方式，来了中国以后成了老头老太太在立交桥底下锻炼身体的方式了。它总是要和本地的东西联系起来的，穿西装是胡耀邦总书记当年推动的，你现在一看，建筑工地的民工都穿着西装。西方的东西和我们本地的遗产结合以后会发生什么样的变化，这也是非常值得我们去研究的，否则我们不可能把研究的层次落到我们中国的实际工作中来。

　　第六个问题是建立这样一种新的制度所需的支撑条件、支撑的环境以及能力的建设。我觉得能力建设是一个非常重要的问题。因为能力建设是需要时间的，这是最大的制约因素，别的你可以干得很快，但是能力建设需要很长的时间。所以有些时候你就得等着，这一代人下去了，新一代人上来，然后你才能干这个事情。在这样一个约束条件之下，我们的新的监管制度会有什么样的特点？

　　最后一个问题是能不能够提供给决策者作为参考。我比较同意肖耿教授的看法，现在这两篇论文如果拿给没有学过经济学的地方政府的官员去看，肯定是看不明白。但是我觉得这个事不用担心，因为中国这样的事情通常需要很长的时间。比如公司治理这个概念，好像是1980年代末期翻译进来，多少年了领导都说看不懂，所以拒绝在文件里面写。但是经过这么十来年大家也就接受了，这需要一个过程。最重要的事情是我们自己要搞明白，不能够"以其昏昏，使人昭昭"，我们是学者，经济学家，法学家，源头上应该把这事情整明白了，整得非常清楚，然后一层一层地慢慢去推广，这个事情也是能力建设的一种，也需要很长的时间。我们只要把这个事情搞清楚了，然后大家一起努力，时间长了会慢慢推行下去的。因为实践当中对这个知识有非常强烈的需求，你一说清楚了，他就会说这其实就是我这里所面临的问题，他很快就会接受的。

（黄子瑞根据录音资料整理）

监管机构的行政程序研究

——以电力行业为例

周汉华

一、监管机构可能面临的各种问题或风险

设立监管机构本身并不能必然保证其成功运作，也不能保证其监管程序的科学性，各种因素都会对监管机构或其程序产生影响，这在其他国家都曾经发生过。因此，为科学设计监管行政程序，有必要首先认识监管机构可能面临的各种问题或者风险：

（一）过于独立可能会产生的不负责任问题

监管机构的独立性是现代监管制度的一个根本特征，其目的是保持监管执法的公正性，维护市场的正常竞争秩序。但是，独立性是一个相对的概念，而不是一个绝对的概念。独立性是指监管机构的活动应该免于受到各种外在因素的干预和影响，而不是指监管机构不必对任何其他机构负责。即使在监管制度建立比较早并且相对成熟的美国，各种监管机构仍然要受到总统、国会与法院等其他机构的制约。在我国，电力监管委员会作为国务院的一个事业单位，必须接受国务院的统一领导，接受全国人大的监督与制约，接受人民法院的司法审查，接受人民群众的监督，并与其他监管机构和行政管理部门相互配合。因此，当我们强调监管的独立性时，强调的是依法独立监管的理念，是一个相对的概念，不能过于极端，否则只会使电力监管游离于整个国家生活之外，使传统体制下的部门相互封锁更加严重，使监管机构失去生存的土壤。

（二）程序过于僵化可能导致的低效率

监管机构在各国之所以能够出现，是因为传统的行政管理制度或者司法制度过于僵化，无法解决福利国家所面临的各种新兴的社会、经济问题。因此，监管的有效性或高效率，一直是监管机构的一个追求目标。然而，许多因素都有可能导致监管机构的程序走向僵化。

首先，由于大部分监管机构最初都是根据传统的产业边界划分的，无法实现对不同产业的混业监管，容易造成监管理念的陈旧和过时。尤其是当产业边界随着技术的进步变得模糊之后，传统的监管机构与其程序会显得非常僵化，甚至会成为产业融合和结构调整的障碍。在电力领域，这种危险也是非常现实的，随着技术的进步与能源政策的逐步完善，统一的能源监管机构肯定会成为非常现实的选择。从某种意义上说，电力监管委员会可能只是某种形式的过渡监管形态，其最终形态还需要在实践中选择。为此考虑，电力监管程序应体现开放性的特征，反映社会发展与技术进步的需要，避免走入自我封闭的恶性循环。

其次，市场环境总是处于不断的发展变化当中，随着技术的进步和产业结构的调整，传统上属于垄断经营的环节很有可能失去其存在的合理性，可以进行充分的竞争。相应地，监管机构也没有必要再对这些环节进行监管，而应该由一般的竞争机构适用竞争法进行规范。根据电力体制改革方案，我国目前只是放开了发电厂的竞争，输、配、售环节还没有放开。随着我国电力市场的进一步发育，售电市场的开放肯定会成为下一步必然的选择。各国规制改革实践中，监管机构过度监管，尤其是当市场环境发生变化后仍然迷恋监管，拒绝让市场机制发挥作用，一直是一个比较普遍的问题。只有从程序上进行科学的设计，才有可能使电力监管机构适应和促进电力市场的逐步发展，避免过度监管和走入僵化。

再次，随着近年来规制改革的深入，传统的行政管理方式也在发生变革，管理机关与被管制对象之间的关系越来越从传统的命令控制式发展到经济诱因式，更多地强调被管制对象的参与，强调管制过程的公开性，强调合作式管制或者自我监管，重视监管的实际效果。所有这些，都对电力监管权力行使的程序提出了新的课题和挑战，只有勇敢地吸收现代监管理论的最新成果并反映到监管过程之中，才有可能实现有效的监管，维护电力市场的公平竞争秩序，维护电力用户的合法权益。否则，一个陷于各种矛盾之中，程序僵化的监管机构，不但不能促进电力市场的发育，反而有可能成为电力市场发展的障碍或制约因素。

（三）被管制对象捕获导致的独立性受到影响

由于信息不对称的存在，电力监管机构必须依靠监管对象的合作才能获得电力市场运行的充分信息，如对输电企业成本的核算、主营与非主营收入的划分等等。尤其是对于主导运营企业而言，还存在着不当影响甚至控制监管机构的动机，以获得定价以及其他方面的监管政策收益。这样，监管机构与监管对象相互之间共同具有合作的动机与愿望，这种合作如果过度，极有可能使监管机构被监管对象捕获，失去其独立性。结果，监管政策必然会出现偏私，影响其他投资者与经营者对电力市场公平性的评价，使投资与经营动机降低甚至远离电力市场，引发电力危机。

在我国，由于电网企业与大型发电集团都是国有独资公司或者国有控股公司，负有国有资产保值增值的任务，具有相当的政治影响力，可以通过政治渠道牵制监管机构，因此，监管机构被捕获的可能性更大。

（四）权力不足或者滥用权力导致的监管不力或者加大市场主体的交易成本

鉴于电力行业所具有的典型网络经济特征，不可能完全通过市场或者事后手段实现资源的有效配置，必须对电力传输和配送等垄断环节保持政府的有效监管，否则，占据市场支配地位的企业必然会形成垄断力量，妨碍电力市场的健康运转。然而，由于电力市场的复杂性，监管者与被监管者之间的信息不对称，加之占据市场支配地位的企业对于谋求垄断地位的潜在经济利益巨大，要实现有效监管，必须赋予监管者充分的监管权力与手段，否则，监管可能会流于形式。当然，赋予监管者充分权力的同时，还必须构筑对监管机构有效的监督制约机制，否则会走向另一个极端，导致监管权力的滥用，抑制市场主体的创新。可以说权力不足与滥用权力始终是伴随监管机构的一对内在矛盾。

监管机构的权力不足有多种表现形式，理论上大致可以分为三种主要的类型。第一种是监管者根本没有某种监管权力或者手段，如我国的监管机构普遍缺少法律授权强制传唤证人，也缺少明确的法律授权以行政合同的方式或其他和解方式对监管对象作出处理，有些监管机构甚至缺少对监管对象的行政检查权或者强制执行权。第二种是有监管权力或者手段，但它们在配置上出现错位或者交叉，被分割到不同的部门，或者被配置到其他机关，结果造成监管权的相互分割，既有可能导致对监管对象的反复"揉搓"，也有可能出现单个监管者权力不足的后果。第三种是监管权力或手段虽然被配置到合适的部门，但其他机构对于监管权力的行使可以进行随意干预，能够以自己的判断代替监管机构对于实体问题的专业判断，影响监管机构的权威，人为造成监管过程与结果的不可预期性，实际上架空监管权力。

在我国，目前人们对于电力监管委员会权力不足的讨论大多集中于准入权与定价权在电力监管委员会与国家计委之间的配置，只是上述第二种类型的表现，尚未充分认识到电力监管委员会的权力不足实际上可能存在的其他的诸多形式。至少，在电力法与现行行政诉讼制度审查原则的框架下，电力监管机构仍然面临本身权力配置不足与争议进入司法程序后司法权对于监管权力行使过分干预的风险。

监管机构滥用权力也有多种表现形式，既包括监管机构的反复无常，决策武断，考虑不相关的考虑，滥用自由裁量权，违法行政，也包括监管机构的行为得不到有效的监督。监管机构之所以能够滥用权力，主要是因为法律不明确，给监管机构留下了过大的选择空间；程序不科学，使权力的行使缺乏程序制约；后续监督尤其是司法审查制度不力。因此，防止权力滥用主要也体现在三个方面：由于滥用权力的根源在于法律不得不授予监管机构一定的选择权或者自由裁量权，因此，最为有效的办法是尽量明确法律规定，减少监管机构自由裁量权的空间；当然，从实体上减少自由裁量权的空间总是有一定的限度，不可能完全取消监管机构的自由裁量权，否则就没有必要设立监管机构，更多的要从程序上制约自由裁量权，通过程序规定，尤其是公开与参与程序，使监管机构行使自由裁量权的过程处于公众的监督之下；如果监管机构违反程序规定，或者滥用自由裁量权，当事人可以诉诸最终的司法救济，通过司法审查来监督自由裁量权的行使。

（五）缺乏透明度与公众参与所导致的合法性危机

监管机构与传统的行政管理部门相比，权力更大，集中了制定规则、执行规则与裁决争议诸种权力；地位更超脱，不但实现了政企分开、政监分开，而且监管者享有充分的任职保障与待遇；监管手段更为丰富，可以以各种方式与手段对市场参与者进行监管。然而，由于监管机构本质上仍然属于政府的组成部分，并不是选举产生的，并不必然具有民意基础，因此，权力巨大的监管机构始终面临一个合法性问题。为解决这个问题，各国的监管程序设计特别强调了透明度的价值与公众参与的价值。透明度或者公开性保证了监管机构随时受到公众的监督，而公众参与实际上使监管过程拟制了传统的代议制民主过程。这样，公开与参与不但使监管机构获得了政治上的合法性，其巨大的权力也能获得民众的认同。可以说，透明度与公众参与是现代监管程序的必备要件。

不过，透明度与公众参与并不是非常容易实现的目标，它们不但需要相应的社会、经济条件和立法的支持，也需要观念的转变。比如，传统的管理方式往往强调的是行政过程的神秘性与行政效率，而信息不对称更可以使信息拥有者产生寻租的空间，这样，政府机构工作人员更习惯于闭门决策，一般不愿意增强透明度或者鼓励公众参与。同样，公众参与通常并不是指公民个体或单个企业的参与，这种参与不但力量有限，对决策不会产生任何实质性的影响，而且会因为参与的成本太高而无法使个体产生足够的参与动机。为此，必须发育一定的社会中间组织，如环境保护组织、消费者利益组织、行业协会等等，由它们作为特定利益集团的代表，参与到监管决策过程之中。可见，透明度与公众参与需要更为广阔的社会基础，并不是一项非常容易实现的目标。电力监管过程中如果出现透明度或者公众参与不足的情况，必然会影响监管机构的社会认同，导致监管机构的合法性危机，影响监管的有效性。

二、监管程序应该体现的原则

为避免监管机构出现前述问题，监管程序的设计必须体现某些基本原则，这些基本原则不但是设计具体程序的指导原则，而且对于监管机构的行为具有重要的指导作用。这些原则主要应该包括：

(一) 独立性

监管机构的独立性有两层含义，一是指监管机构的执行职能与政府其他机构的政策制定职能的分离，实现独立监管，使监管机构的决定不受其他政府机构的不当影响；二是指监管机构与作为其监管对象的电力企业之间的分离，实现政企分开，保证监管的独立性。监管机构的独立性既需要依靠法律与国家宏观制度加以保障，也需要由电力监管委员会通过制定程序规则来实现。为保证监管机构的独立性，有必要明确监管机构决策层的固定任职期间，除有重大违法情节，不得在其任职期间被免职或调离；同时，监管机构工作人员的待遇应该与其监管行业的待遇相当，保证留住一流的人才；电力监管委员会应制定必要的内部程序和人事政策，以确保与被监管对象保持适当的距离，不得在其监管行业兼职或获得任何报酬，明确规定严重违反规定会成为被处分的理由；最后，监管机构必须有足够的经费来源，甚至可以主要靠从其监管行业的收费来支持其运转，以保证其独立性。

在我国长期的计划经济体制之下，由于政企不分，政监不分，造成了政府行政职能的普遍错位和缺位现象。各政府机关之间职能交叉、相互扯皮、效率低下，政府行为商业化，成为非常严重的问题。加之一直推行一元化领导体制，使各级政府机关与政府机关工作人员养成了依赖思想，不敢承担责任，不敢独立作出决定。监管机构是建立在政企分开、政监分开原则之上的当代公共行政管理机构，独立性是监管机构发挥作用最为重要的前提和基础。因此，在电力监管委员会的具体程序设计上，必须处处体现这一基本原则，减少各种外部因素对监管机构的干预，使监管机构能够公平、公正地行使其职权。

（二）透明度

透明度原则要求监管机构的监管依据、过程与结果均对公众公开，接受公众的监督，其现代表现形式是实行政府信息公开制度。除有法定不公开事由以外，监管机构的所有政府信息均应向公众公开，公众可以通过互联网、查阅公报或者具体申请等形式，获得政府信息。目前，我国许多政府机关正在推进各种形式的政务公开工作，政府信息公开条例也在制定之中，这些都可以为电监会增强其透明度提供帮助。

当然，在我国长期的封建社会中，统治者一直崇尚的是"法不可知，则威不可测"的治理哲学，实行愚民政策，造成的影响至今仍然依稀可见。许多政府机关工作人员习惯于闭门作业，对民众封锁信息，甚至对其他政府机关也封锁信息。尤其是推行信息化使信息资源的价值更加显著以后，通过垄断政府所拥有的信息寻租，已经发展成为新形式的部门不正之风。因此，增强透明度，推进政府信息公开制度，对于电力监管机构而言具有重要的意义。只有加强透明度，才能获得公众认同，提高监管的有效性和效率。当然，在这个过程中，需要协调增强透明度与保护个人隐私、保护企业商业秘密的关系，使各种社会利益都得到有效的保护。

（三）公众参与

公众参与原则既是一项独立的原则，实际上也是透明度原则的必然延伸，公众知情的目的正是为了参与，只有有效的参与才能完全体现知情权的价值。参与原则在程序上的表现是要求监管机构在规则制定和规则执行的所有环节，均给予利害关系人表达意见的机会，听取其陈述和申辩，并在充分考虑这种意见的基础上作出最后的决定。当然，参与的形式因监管机构所作出决定的性质不同而有不同的形式，从最为正式的审判式听证会到非正式的征求意见等等，可以有各种不同的形式。具体的形式及其适用范围，完全可以在实践中逐步明确、完善。目前，我国《立法法》规定了立法过程中的公众参与，《行政处罚法》规定了处罚程序中的当事人参与，价格法规定了政府定价过程中的公众参与，其他许多部门规章也具体规定了公众参与的方式与程序。这些规定均可以为电力监管委员会提供借鉴。

（四）职能分离

职能分离原则可以说是独立性原则的进一步延伸或者扩展。如果说独立性原则主要适用于监管机构与其外部主体的关系，那么职能分离原则主要适用于监管机构的内部，它要求监管机构对于其决策、执行与监督诸种不同的职能进行分解，由不同的部门或者人员行使，并保持各自的相对独立性。通过这种职能分离，实现相互制衡，为监管对象的合法权益提供制度上的保障。我国《行政处罚法》明确规定了听证程序由非本案调查人员主持，作出罚款决定的行政机关应当与收缴罚款的机构分离；《行政复议法》专门规定了政府机关负责法制工作的机构具体办理行政复议案件。这些均体现了职能分离的原则，可以为电力监管程序提供借鉴。

职能分离不同于传统的部门职权划分。我国政府机关传统的部门职权划分往往是根据管理对象的特殊性进行的，有所谓行业管理之说。在每一个特定的行业，一个管理部门往往集中了所有的权力，对管理对象实现全面的管理，包括人、财、物、产、供、销等等。这种划分在计划经济体制下或市场化改革的初期尚可以运转，但随着市场化改革的深入，传统产业边界的逐步模糊与相互渗透，这种权力划分不但造成部门之间的管辖权重叠、相互扯皮与矛盾，也形成许多管理空白，造成市场秩序混乱。职能分离不但建立在从行业管理向市场监管转变的基础之上，更为重要的是，其职权划分的基础是政府机关本身的决策权、执行权与裁决权，由此实现机关内部各种权力之间的相互制约，也促使各有关机关积极履行自己的职责。

（五）效率

即使象电力这样的传统自然垄断行业，在许多国家，最初并没有设立专门的监管机构。或者长期由国家独家垄断经营，从根本上消除任何争议的根源；或者保持市场的开放性，但由普通法院通过事后诉讼机制解决市场主体间的争议。实践证明，由国家垄断经营产生了效率上的巨大损失，无法促进电力市场的发展，无法使消费者享受到优质低价的服务；而由普通法院根据普通法解决市场开放中产生的争议，也由于传统法院体制、程序与法官专业素质不足等方面的缺陷而导致争议陷于冗长的诉讼过程之中，效率低下，影响电力市场的发展。正是基于传统体制效率上的巨大损失，各国大胆引入了现代监管制度和进行了大规模的规制改革，将传统上属于立法机关与司法机关的部分权力授予监管机构，进行独立监管。由此可见，效率是监管制度产生的一个重要历史原因，也是监管制度存在的基础。失去了效率，也就使监管失去了存在的理由。

一般人通常意义理解上的程序往往意味着一系列的步骤、环节、手续与过程。这样，许多情况下，程序与效率变成了两个相互对立的价值，甚至会出现为程序而程序的低效率现象。因此，我们在设计电力监管程序时，首先应该对程序有一个更加科学的认识。实际上，建立在现代监管制度之上的现代行政法所强调的程序理念，最为重要的是公开与参与两个要素，而绝对不是繁文琐节或者低效率。电力监管程序的设计必须体现效率的要求，尽量减少不必要的环节，为电力市场参与者提供高效的服务，否则会使整个监管制度远远落后于电力市场的变化与要求，影响电力监管机构的权威，造成市场的混乱和无序。

从国际经验来看，监管机构的程序多种多样，既有最为正式的审判式听证会程序，也有比较非正式的程序。具体问题或领域应该采用哪种程序，应该由问题本身的性质来决定，监管原则应明确哪种程序适合哪种类型的问题。正式听证会程序几乎与法院民事审判程序相同，它比其他程序耗时更长，但可以对争议问题进行彻底的审查，最适合有争议的重要事实问题，如发放许可证、制定电价、核定特定企业的成本、决定行政处罚等。非正式程序效率高，不需要经过复杂的过程，适合于决定一般性的法律问题，如决定电网公平接入原则，修改电力市场规则、用户服务标准、许可标准、合并审查标准等。可以说，程序的繁简与问题的性质密切相关，如果某问题涉及众多人的重大利益，程序肯定要复杂些，某问题如果涉及的利益不是非常重大甚至不涉及法律利益，则程序相应地应该简化。对于简单的问题采用复杂的程序既是监管资源的浪费，也是社会资源的损失。

（六）多种监管形式的结合

监管当然主要是一种政府职能，由作为政府代表的专门行业监管机构负责。在我国电力市场，也就是电监会。但是，不论是从理论上看还是从各国的实践来看，监管又不仅仅只是一种政府职能，除了政府监管以外，还有其他形式的监管，如企业的内部自我监管、社会中介组织（会计师事务所、律师事务所、市场交易中心、认证机构等）的监管、行业协会的自律机制以及政府监管与自律机制相结合的混合式监管等。只有政府监管与其他形式的监管相互配合，相互补充，才有可能真正形成公平的竞争秩序。单纯靠政府监管，政府管得太多，未必能达到预期的效果。当然，另一方面，政府监管与其他形式的监管之间的关系，要视电力市场的发育程度、其他监管形式的完善程度与整个社会环境的变化而具体决定。当其他监管形式尚未充分发育以前，政府监管可能需要承担更多的责任。

由于电力市场需要监管的事宜范围很广、数量很大，对监管的专业性、时效性要求很高，所有这些事宜均由电监会统包统揽、事无具细，进行直接干预，既不必要、也不合理。为此，电监会在履行监管职能时，应根据所监管事宜对市场正常运营的重要性、对监管手段的专业性和时效性的要求，进行分类对待，有些职能完全可以由其他的监管机制来承担。电监会只应该对市场正常运营、市场效率机制发挥和监管目标实现有着关键、本质性影响的重大事宜进行直接监管。将对市场正常运作不产生根本性影响，专业性和时效性很强、并且可利用通用性程序进行监督、处理的事宜，通过制定、修改通用性市场规则、细则等，来实现监管效果和监管方向性上总体性调控，把具体的操作权限交由电力市场和系统运营机构或市场内部监督机制，但保留必要的介入权或终裁权。

另外，电监会还需要处理好电力市场监管与一般市场反垄断机制之间的关系。反垄断实际上也是重要的监管手段，对于维护电力市场的公平竞争秩序具有重要的作用。

(七) 依法监管

与传统的行政管理部门相比，现代监管机构虽然集中了制定规则、执行法律与裁决争议三项权力，但其权力的行使必须遵守依法行政或依法监管的原则。监管机构的权力来源于法律的授予，它自己不得为自己设定权力；监管机构行使权力必须在法定的权限范围内，遵守法定程序，符合法定要求与条件；监管机构制定的规则不得与法律相抵触，不得规定只能由法律与行政法规规定的事项。只有遵守依法监管的原则，才能使电力市场参与者对电监会的行政行为产生合理的预期，并进而培育电力市场发展必须的制度环境。对于电监会而言，由于其设立依据是"三定"方案，未能与电力法挂钩，因此，在电监会的权力来源上需要尽快通过修改电力法等法律、法规加以明确，否则容易产生许多不确定性。

在国外，类似电力监管委员会这样的机构成立，往往首先需要通过立法机关长时间的讨论和立法。也就是说，必须是先有法律，然后才能成立监管机构。这种方式的好处不但在于给监管机构的权力更加合法的基础并使其地位更为稳定，免得以后朝令夕改，也可以通过讨论的过程使各种意见均有表达的机会，使最终的改革容易得到各方面的认同，监管更为有效。

在我国，根据国务院组织法，国务院各部、各委员会的设立、撤销或者合并，经总理提出，由全国人民代表大会决定；在全国人民代表大会闭会期间，由全国人民代表大会常务委员会决定。国务院可以根据工作需要和精简原则，设立若干直属机构主管各项专门业务，设立若干办事机构协助总理办理专门事项。实践中，我们一直是以"三定"方案的形式进行各种形式的机构的设立、撤销或者合并工作，包括电监会的设立。

我们目前设立机构的方式有几个缺陷：

1. 这种设立方式使国务院部、委与直属机构、直属事业单位的界限变得更加模糊。根据《国务院行政机构设置和编制管理条例》的规定，国务院组成部门依法分别履行国务院基本的行政管理职能，国务院直属机构主管国务院的某项专门业务，具有独立的行政管理职能。就行使行政管理职能而言，两者的界限应该说不是非常明确。随着越来越多的国务院直属机构与直属事业单位逐步具有部级规格，并且普遍行使行政管理职能，如国家工商行政管理总局、国家质量技术监督检验总局、中国证监会、中国电监会等，就更有可能使国务院组织法的限制性规定流于形式。在国外，类似证监会、电监会这样的行使行政管理职能的监管机构，属于典型的政府机构序列，需要立法机关的立法授权才能设立。在我国，它们被作为直属事业单位设立。这种设立方式使国务院部、委与直属机构、办事机构、事业单位的界限变得更加模糊。

2. 这种设立方式使监管机构的定位模糊，会导致行使职权时面临法律上的障碍。根据《事业单位登记管理暂行条例》的规定，事业单位是指国家为了社会公益目的，由国家机关举办或者其他组织利用国有资产举办的，从事教育、科技、文化、卫生等活动的社会服务组织。类似电监会、证监会、保监会这样的监管机构，属于典型的行使行政管理职能的监管机构，将它们定位为事业单位，从法理上讲有些模糊。更为重要的是，我国目前的行政法制度安排主要是为行使行政管理职能的国务院部、委与直属机构设计的。作为事业单位，要行使某些行政管理权力，会面临法律上的巨大障碍。例如，《行政处罚法》第 12 条规定，"国务院部、委员会制定的规章可以在法律、行政法规规定的给予行政处罚的行为、种类和幅度的范围内作出具体规定。尚未制定法律、行政法规的，前款规定的国务院部、委员会制定的规章对违反行政管理秩序的行为，可以设定警告或者一定数量罚款的行政处罚。罚款的限额由国务院规定。国务院可以授权具有行政处罚权的直属机构依照本条第 1 款、第 2 款的规定，规定行政处罚"。《立法法》第 71 条规定，"国务院各部、委员会、中国人民银行、审计署和具有行政管理职能的直属机构，可以根据法律和国务院的行政法规、决定、命令，在本部门的权限范围内，制定规章"。严格地解释这些规定，电监会作为国务院直属事业单位，是没有处罚设定权和规章制定权的。如果电监会没有处罚设定权和规章制定权，很难设想它能够有效地履行其监管职能。

3. 这种设立方式使机构与法律分离，会导致一系列相关问题。目前机构设立的"三定"方案确定过程与立法机关的立法过程分离是一个明显的特点，即机构与法律分离。这种做法容易导致一系列相关问题：首先，三定方案所确定的职能与具体法律所明确规定的执法职能不论是在表述上还是在范围上往往有一定程度的错位或者说会出现"双轨制"现象，这就使相应机构的职责范围容易处于不确定状态，严重的必然会导致机构间的争权或推卸责任。其次，由于机构与法律分离，使机构的设立、撤销或者合并缺乏立法过程所要求的公开性，往往变成为机构间的讨价还价过程；也必然使机构的调整具有一定的随意性，无法得到法律保障；有关机构也很难养成对法律的信仰。再次，由于机构与法律分离，使相关机构在设立以后从事监管时缺乏法律依据。例如，现行电力法是 1995 制定的，最初由当时的电力部执法，1998 年机构改革后执法职能主要由国家经贸委电力司承担，国电公司与中电联也承担部分政府职能。现在的环境与立法当时已经有很大的差别，但新设立的电监会却仍然需要依靠当时制定的电力法执法，其困难可想而知。可以说这种设立机构的方式会使依法行政遇到许多实际困难。最后，由于机构与法律分离，间接导致或加剧立法膨胀的现象，许多法律虽然制定出来，但没有关于相应执法机关的规定或者规定非常模糊，使法律执行的效果很差或者根本无法执行。

要解决上述这些问题，使电监会成立后能够做到依法监管，必须立即启动电力法的修改工作，同时，也要修改与电力市场有关的一系列法律、法规与规章。

（八）救济

没有救济就没有权利，只有提供有效的法律救济制度，才可以保障行政相对人的合法权益，并加强对监管机构的监督。因此，如果电力市场行政相对人对电监会的行政决定不服，或者认为电监会违反信赖保护原则，随意撤销或变更其决定，侵犯其合法权益的，有权申请行政复议，提起行政诉讼，请求国家赔偿。这方面，我国行政复议法、行政诉讼法与国家赔偿法已经有完整的规定，可以直接适用于电监会的电力执法活动。

需要进一步明确的有两个问题，一是复议管辖权，另一个是司法审查的范围。第一个问题比较简单，复议管辖权取决于电力监管体制的最终定位，如果采取垂直监管体制，则由上级监管机构受理；如果采取多级监管体制，则也可以由本级人民政府受理复议案件。对于第二个问题，司法救济中，尤其需要明确司法审查的范围或标准，即要区分事实问题与法律问题的界限。法院对于法律问题可以进行全面审查，但对事实问题或者专业判断问题，应该保持高度的克制，不应随意以自己的判断代替监管机构的判断，否则有违设立监管机构的初衷。应该认识到，在监管机构出现以前很长的时间里，包括电力争议在内的所有争议都是通过普通法院解决的，法院既决定法律问题，也决定事实问题。但是，随着社会的发展，后来发现法院不宜解决这些专业性很强的事实问题，所以才有监管机构的出现。因此，发挥监管机构的专业性特点，解决事实问题或专业问题，是监管制度设立的内在需要。对于这一点，我国行政诉讼制度从创立之初就没有很清楚的认识。因此，可以借助电力监管机构的设立，从制度上逐步明确和解决这个问题。这需要司法人员观念的相应调整，跳出传统的思维方式。从法律上看，可以有三种方式解决这个问题，一种是通过最高人民法院发布司法解释，明确司法审查的范围，估计难度比较大；另一种是修改电力法时，规定司法审查的范围和标准，明确行政权与司法权的界限；最后一种最为彻底，借监管机构设立的契机，重新反思我国司法审查制度的模式，废除普通法院审查行政行为合法性的权力，建立专门的行政法院体系。应该看到，行政诉讼经过十多年的发展，许多问题已经不是修修补补所能解决的，设立独立的行政法院体制，可能是处理司法权与行政权关系的最有效方式。

附录

"如何建设一个公正的社会?" 研讨会[*]

梁治平：这次大会的一个重要目的，是要就大家共同关心的问题，为不同学科和不同思想倾向的学者们提供一个交流的机会。我们请来参加这次大会的朋友中，有些曾在过去几年里参加了学术界、知识界的一些重要讨论，这些讨论涉及到当代中国社会和思想中的一些重大问题。对于这些问题，大家有各种各样的意见，因此也有分歧，有争论，这些当然都很正常。不过因为各种各样的原因，持不同意见的朋友虽然可能有各种文字上的"你来我往"，但能够坐在一起进行面对面讨论的机会却非常非常少。所以我们很想借这次大会为大家提供一个进行面对面对话的机会。从过去一天半的讨论来看，应该说这个目的多少是达到了，但我们还是不大满意。因为大会的议题有限，时间也有限，以致很多问题没有机会讨论，也有一些朋友没有更多机会阐述自己的观点。这是很可惜的。为了弥补这个缺憾，也是为了不要"浪费"这次难得的机会，经吴老师提议，我们安排了这样一个比较随意的非正式的讨论会，希望这是一个能够比较轻松但是真诚地交换意见的场所。

为了开好这个小会，在此之前我也私下征求了一些朋友的意见，我们设计的

---

[*] 在"国家、市场、社会：当代中国的法律与发展"学术研讨会（2003 年 11 月 28—30 日）会议期间，大会组织者于 29 日晚以"如何建设一个公正的社会?"为题单独组织了一场非正式的小型讨论会。讨论会由梁治平主持，季卫东、崔之元、李强、王绍光、秦晖、王焱、汪晖、顾肃、温铁军、曹天予、吴敬琏、高西庆、郑也夫、张晓山等先后发言。讨论会进行了近三个小时，约六十人参加和旁听了这场讨论会。这里收录的是根据现场录音整理的讨论会纪要，其中部分内容已经发言者审阅。

题目是"如何建设一个公正的社会?"这虽然是一个比较宽泛的题目，但可以肯定是一个大家都关心的问题。我们在这个大的题目下面能做很多讨论，当然我们不希望讨论过于宽泛，没有边际，但也不希望把它界定得太窄，太具体。有两点具体考虑先跟大家交代一下。第一，为了使讨论相对集中，我先列了一个九个人的名单，列这个名单是很武断的。我希望这九位发言者在五到十分钟的时间里，正面阐述一下自己对如何建设一个公正的社会的看法，或者也可以谈这方面我们面临的最重大的问题是什么。我所谓正面的阐述是说，发言不要涉及到对别人的批评，也不涉及在论争中别人对自己的误解，或者批评别人的说法不对。第二点可能更重要，就是我们希望这个会能达到一个什么样的目的。我们已经开了一天半的会，我想大家都会同意说中国的问题非常多非常复杂，不是短期能够解决，而且即便我们今天在某个问题上能达成某个共识，将来问题还会不断出现，还会有新的问题，还会有分歧，还会有争论，所以重要的是我们有没有一种场合，有没有一种氛围，在这里我们可以很平等、很理性地交换意见，然后来看在哪些问题上我们有共同点，哪些问题上有分歧，怎么来处理这些问题。

我想问题可以分为两大类，一类是中国社会面临的是一个什么样的问题，哪些问题比较重要，如果要排序，哪些问题应该排在前面，哪些问题排在后面，哪些问题排在中间，这可能是一个判断的问题。第二个问题是如何去解决这些问题。我们可以看到，过去几年在知识界里，有很多事情是我们大家都不希望看到的，吴老师在大会开幕辞中也提到一些不好的风气，比如扣帽子、贴标签、意气用事等等，这些都无助于问题的解决，所以我们希望提倡理性、平等的对话和讨论，只有做到了这一点我们才有可能找到一些一般性的东西，达成共识。当然这个会的目的并不是为了让我们在所有问题上都达成共识，我们也不认为有这种可能性。但是如果没有某种程度的共识，我们的讨论是不可以进行的，比如程序上的共识、基本问题上的共识，如果完全没有这些共识讨论是不可能进行的。所以我们还是认为，至少一种作为进一步讨论问题的基础的共识是有价值的。如果我们通过这次会议能够在比如互相理解的方面达成某些共识，知道彼此在想什么，我同意你的什么意见，不同意你的什么意见，真正的分歧在哪里。如果能达到这一点，我想我们这个会就是有建设性的。如果我们这次能做到这一点，我希望将来还能定期或不定期地继续这种方式的讨论。我希望这种做法对知识界是有建设性的，这是我想做的一个开场白。

我初步列了一个发言的名单，我要请大家原谅的是这是一个很武断的安排。我只是想通过这种办法让大家先把一些基本的观点摆出来，作为讨论的基础，并没有孰轻孰重的含义。第一轮是每人五到十分钟的发言，第二轮是评论和讨论。

第一轮发言的人还可以在这一轮继续发言，这次每人发言的时间最好限制在三分钟之内。另外，这个名单不是一个严格的顺序，季卫东教授作了一点准备，所以我想请他第一个发言，接下来有八位，如果没有异议，就按照我念的顺序进行：崔之元、李强、王绍光、秦晖、王焱、汪晖、顾肃、温铁军。如果对程序问题有异议可以马上提出来，如果没有程序问题，就按照我所建议的顺序进行。

季卫东：我们对于"公正"的概念可能会一下子不知从何说起，也许平时不会想得很多，但是我们对于自己遭遇的"不公正"会很敏感，而且往往愿意积极介入有关的讨论，并试图改变这种状况。所以我觉得我们不妨把提问的角度稍微转换一下，可以从"不公正"入手，讨论"如何改变一个不公正的社会"的问题。在经济活动中，不公正一般表现为不正当竞争。不正当竞争意味着犯规，违反游戏规则，比如股市里的"内部交易"、考场里的作弊等。但实际上，违反规则并不一定会让大家感觉到不公正。比如说开车超速、闯红灯虽然违反交通规则，往往大家不会觉得这是不公正。但如果我们不能闯红灯，闯了要罚款，而省长亲戚的车就可以闯红灯而不被罚，这就让人感到不公正了。纳税的情况也是如此。过了纳税期才纳税，这是违反规则，但不会让人觉得不公正；如果有人漏税了，得逞了，得到了很大的利益，大家就会觉得不公正。所以公正和不公正的区别，最关键的标准在于，第一，是否尊重公共规则；第二，与规则的适用是否公平、是否平等有关系，这个时候平等是核心问题；第三，违反规则和不平等是否涉及一定的目的和利益。我觉得在这三个标准上，最核心的是平等。所以，公正的判断标准主要以平等的价值来衡量，遵守规范涉及的是权利平等、机会平等的问题，计算利益涉及的是效用平等、结果平等的问题。在这个意义上，可以说平等是一个最重要的价值。

什么样的平等才是适度的平等？作为社会公正基础的平等概念实际上包括两层含义：第一层是所有的人都必须一视同仁，这是平均分配意义上的公正，用我们过去的话来说，就是平均主义；第二层含义是每个人按照一定特性的不同而得到相应的不同的待遇。这意味着平等不是绝对平均，在一定条件下承认不同待遇。这个不同或者不平等里包含了自由的价值、多样性的价值。在这个意义上，适度的平等不是在国家强制之下的平等，也不是绝对平均主义，而是指自由的平等。这是大家熟悉的原理。适度的平等就是要在机会平等和结果平等之间达成社会所能接受的一定的均衡。至于是否达成了均衡，这当然会涉及到不同的判断标准，起决定性作用的是程序公正的标准。无论如何，在这里，只有机会平等的这个原则是不够的。对自由主义来说，这个观点尤其重要。

为什么说适度的平等不限于机会平等？理由是，因为即使存在机会平等，当出现这样的情况——人与人之间在能力上差距不大，但在收入上差距过大——的时候，反倒有可能比在井水不犯河水的情况下的机会不平等更容易引起忌妒和不满，人们会因此产生更强烈的不公正感。比如英国是一个不平等的社会，是一个注重阶级和身份的社会，但是人们对社会的不满反而不如美国在机会平等情况下的不满那样强烈。我觉得这个问题是很值得我们注意的。还有一个值得注意的问题是，当这种机会平等而结果不平均的情况主要由偶然的侥幸所造成时，那就会引起更强烈的不平之心。这个问题在 IT 革命之后变得很明显。IT 革命造就了比尔·盖茨这样的幸运儿，提出了一些很特殊的分配正义方面的问题，会引起产业社会所设想的那种机会平等的条件发生变化。当然，仅就机会平等而言，由于每个人的能力和所处的社会环境不同，即使像罗尔斯那样主张通过财产所有的民主主义来实现分配的平均、保障机会的平等，最终还是会出现人与人之间的差异的，可见实际上不可能有真正意义上的机会平等。在这个意义上，我认为持自由主义观点的人们在强调机会平等的同时要考虑结果平等的问题，适当摆正机会平等与结果平等之间的关系。

怎样建立一个公正的社会呢？我想不同的社会有不同的具体衡量标准，很难一概而论，很难作出确定无疑的评价，但这并不意味着没有共同点、没有普遍性价值标准。无论如何，前工业社会、工业社会和后工业社会在公正观方面显然是有区别的、各有特色的。现在中国正渐渐成为"世界工厂"，在这个意义上来说，中国处于工业化社会的发展阶段。但同时中国又是以信息技术为核心的新经济的一个重要据点，属于后工业化社会的一部分。这就决定了中国当前的社会性质兼有工业化和后工业化这两种不同的特点。对于工业社会而言，实现公正的条件，不妨概括为这样的简单公式："自由竞争的市场 + 长期雇佣的企业 + 温情干预的政府"。也可以说是"选择的自由 + 安定的可预测的人生 + 相对平等的福利供应"。它的现实基础是什么呢？就是雄厚的中产阶级。这个中产阶级一方面具有上下移动的开放性，使每个人都感到可望而又可及，另一方面可以在上流社会的自由价值和底层社会的平等价值之间起到一种平衡器的作用。但是，在一个后工业社会，情况发生了很大变化，市场仍然是自由竞争的，但是缺少了工业社会所提供的那种长期安定性和可预测性，是更多样化的消费需求和更短期的利润动机越来越支配市场活动，与此相应，社会的风险性、偶然性、流动性、相对性大大地增强了。在这样一个风险社会，事先的筹划和控制都变得非常困难，只能采取事后确定责任、事后监控的方式来维持公正的秩序，因此责任分配机制对于国家和社会都具有更加重要的意义。在这样的背景下，最关键的制度设计既不是公与私两相对立的格局,也不是福利国家的架构,而是要通过各种法律手段构建一张社会安全网,能够提供给在如此激烈的全球化自由竞争中失败的人们的一张安全网。也就是说,在全面依赖自由竞争、自我负责原理的高风险状态下,向人民提供广泛的最低限度的保障。

所以我认为,中国在建构公正社会的过程中,虽然要在富裕和平等之间寻找平衡点,但绝不能片面提倡均富。大家都知道让一部分人先富裕起来,然后实现共同富裕的口号。但是,这样人人都富裕的事情实际上是办不到的,硬要推行的话就有可能破坏这20年来的改革所形成的新的经济发展机制。应该在承认收入差距的前提下,大力提倡消灭贫困。同时还应该采取切实有效的措施扩大那个流动性的中产阶级,通过这个可望而又可及的盼头来为全体人民创造进入公正社会的梦想。在这里再分配具有非常关键的意义。当然,在中国从公有制转向私有制的过程中,还有一些特殊的社会公正问题需要解决。

崔之元: 关于如何建立一个公正社会,我提出一点,就是古今中外的思想家很少有人反对用公正的概念,这里有两个思想家是反对公正的概念的,一个是哈耶克,他认为社会公正是一个幻觉。哈耶克理论认为,社会的发展是一个自然的过程,是一个自发的秩序,在这个自发的秩序中不能够有公正的概念,这个概念是没有意义的(秦晖插话:他反对社会公正,并不反对公正)。第二个反对用公正的概念的人是马克思,马克思很明确地说,他不认为他想要建立的理想社会是一个公正的社会。在《资本论》的一开始就说,"我决不用玫瑰色的图样来描绘资本家",但是他绝不对资本家进行道德指责,资本家只是资本的人格化代表。马克思和哈耶克在这一点上是完全一致的,就是他们两个都是明确反对用社会公正的概念。但是当今世界,是不同的人的不同的社会公正概念的冲突和妥协。我想说,在当今世界上有各种说法,比如第三条道路,但是我觉得实际上当今世界只有一条道路,并不是昨天秦晖说的自由主义和社会民主主义的争论,(梁治平插话:之元,注意不要犯规)而是全世界从实践角度看就只有一种哲学,就是社会民主主义,为什么呢?因为右派的政党当政以后,也搞失业保险,比如拉丁美洲就很明显。墨西哥的右翼政党上台后,也是怕出现社会震荡而大搞社会福利,巴西的左翼总统是工人出身,可是他也不敢搞全面国有化。大致来看,全世界惟一的哲学,只剩下一条就是效率与民主兼顾,这个是社会民主主义的精髓,我最关心的是,中国的实践我觉得已经自觉不自觉的超越了社会民主主义。我为本次会议提交的但没有时间发言的一篇论文题目叫做"小资产阶级宣言",我为什么提出"小资产阶级社会主义"呢?这是普鲁东和马克思很重要的一个辩论。我追溯小资产阶级社会主义的传统时，发现它不同于马克思主义，不同于资本主义，当然也不同于社会民主主义。这个传统的主要代表是普鲁东和穆勒，当代的两个代表是两个诺贝尔奖获得者，一个是英国的诺贝尔获得者詹姆斯·米德和法国的莫瑞斯·阿罗。我觉得中国是实践中无意地引进了这个思想，如果我可以用小资产阶级社会主义来对我们的小康社会作一个正面的理论上的解释的话，把这个小康社会作为一个很严肃的问题来对待的话，我想简单的举例说，可能我好象是属于新左派的一个人物，主要是批判性的，但实际上，我认为问题并不是那么简单，我认为中国的改革成就很大，这个成就的很多方面必须要用新的理论概念来解释，并不是说中国所有改革的成就的取得都是因为私有化。比如中国乡镇企业的发展，虽然近来产生了很多问题如环境污染，但是解决了就业问题，特别是在 1980 年代。为什么印度就没有呢？很多是因为中国土地集体所有制使得在本村范围内建厂不需要交地租。小资产阶级社会的特点，在普鲁东和马克思的辩论时说，不需要取消商品货币，但是社会化的资产、社会化的财产可以在市场中运作，所以中国可以"村村冒烟"，为什么印度就没有看到那么多的乡镇企业呢？因为在印度，地租要占企业利润的 50%，所以印度出现不了"村村冒烟"这样的东西。这就是说中国的乡镇企业本身是中国社会化的资产在土地集体所有制基础上和市场相结合所产生的一个东西。我们所谓的社会主义市场经济实际上是可以严肃地来探讨的，我们不要抽象地讨论什么公正，我想更强调的一个重点是一个制度创新的问题。这个制度创新是要把我们社会化的资产，当然也包括把很多混合经济和民营经济，混合在一起。我并不主张社会化的资产必须全部私有化，而是要探讨社会化资产和民营资产这样一种组合的形式，重要的是说，我们也不超脱社会民主，并不是要搞一个高福利的国家，也不可能搞高税收、高福利的国家，像北欧那样。我觉得我们在实践当中已经走出了类似小资产阶级社会主义的东西，比如我们的重点，比如失业救济方面，很多地方做得很不好，但是也有特别做得好的，做得好的并不是靠了失业救济这个东西，比如东北的鹤岗模式，东北的失业率很高，鹤岗为什么搞得好？从 1995 年以来，它的经济增长率连续是9%、10%，超过全东北，而且超过全中国。它是房地产带动的，利用了中国的社会化资产，它不像北京。北京是把 70 年的土地使用权的费用一次打到房价里面去，这是没有道理的，70 年的土地使用权为什么一次性地打到房价中去，当然还有收各种各样的费。鹤岗的做法就是，土地反正是公有的，用于房地产开发我们先就不收一大笔地租了，几年之后逐步再收，先把房地产搞起来、把相关产业全部带动起来再说，当然这里还有各种问题。我想说的一个基本的思想是，这不是社会主义思想，而是通过利用我们的社会化资产比如土地，利用不用向私人交地租的这种东西（发展起来——整理者加），我觉得这和吴老师最早讲的寻租理论是有关系的。但是小资产阶级社会主义比如詹姆斯·米德和法国的莫瑞斯·阿罗的思想可以看作是寻租理论的一个扩展，他们认为租金不完全是由于政府垄断造成的，而是说由于各种已经形成的资本（造成的）。小资产阶级反对社会民主主义的一个很重要的标准，比如普鲁东的《贫困的哲学》，过去我们一直没有翻译，但是 1998 年商务印书馆把它翻译了。普普东明确反对当时的社会主义者主张以所得税为核心建立的公正，他认为所得税是一个对效率不利的鞭打快牛的做法，因为所得税是对现有的收入而增加，他认为应该以对地租这样的垄断性的租金、对已经形成的资本征收资本税。已经形成的资本和"所得"不一样，"所得"是资本的增加而产生的。这是他的一个基本思想。1988 年诺贝尔经济学奖得主莫瑞斯·阿罗明确说，他就是用现代的数理经济学展开了普鲁东思想，形成了他资本税改革和货币改革的理论。比如东北的一些地方，下岗工人自己发行了货币，但是很快被中国人民银行制止了。但是在世界的很多地方，比如阿根廷经济危机后，他们也发行了所谓"民主的货币。当然这里有很多问题。我想强调的是说这必须通过制度创新而不仅仅是通过税收、再分配和社会民主的思路（来实现）。我们应认真看看实际中已经有的萌芽，我认为这是我们当前最迫切的一个问题。

李强： 讨论如何建立一个公正的社会，不能完全脱离中国的实际。我国经过二十多年的改革，今天可能有两条不同的道路选择。第一条道路的核心词是发展，"发展是硬道理"，当然，发展必须考虑几方面的平衡，但它强调的重点是发展，它把整个经济的发展放在优先考虑的地位。要发展就要搞市场经济。这种选择并不是不考虑平等与公正，但它主要关注形式平等，起点平等，权利平等。根据这种模式，目前中国面临的主要问题是完善社会主义市场经济。市场经济的基本原则是等价交换。为了保障等价交换，要防止权力的寻租，防止一些人利用权力攫取社会资产。这种主张强调改革的重点之一是强化个人权利的平等，用法律的方式保障人们以平等的方式来参与市场经济的权利。第二条道路的核心词是平等。它注意到我国在这些年中的发展中，由于制度本身的原因或由于制度的漏洞，造成巨大的分配的不平等，造成弱势群体。因此，他们更多地强调平等的重要性，不仅是形式平等、权利平等，而且是实质的平等。为了实现平等，通过社会民主主义的方式，以税收的方式进行调节，因此这条道路的核心是强调再分配。

　　我自己是站在第一个立场上的，我想讲几方面的理由。第一，国际环境的考虑。当我们今天将如何建立一个公正的社会作为讨论题目时，我们考虑的主要是社会内部的分配如何能够公正。实际上，任何社会考虑建立公正社会的时候，无论如何也不能脱离开外部的大环境。有的时候自己内部分得很平均了，但是因为你没有能力去发展，在整个国际秩序中你是处于不公正地位的。为了实现在国际秩序中的公正和尊严，一个国家必须考虑发展问题。这个世界还很不安定，中国还有可能面临重大的国家安全问题。这就迫使我们在一个时期内，在考虑问题时，必须较多地考虑我们和外部世界的关系，而较少把眼睛盯在自己内部怎么能够分配得更均一些上。当然，这并不是说不讲公平，但这确实意味着，即使我们强调社会的公平，公平的主要目的不是为了实现罗尔斯所说的那种理想的公正社会，而是为提高效率创造条件。我想这是第一点，要考虑外部条件。第二个理由，动机和效果的统一问题。有些时候，从动机上讲，调整一些政策，通过再分配的方式保障社会公平，确实是值得追求的目标。但事实上往往有这样的情形，许多以平等为目标的政策并不会达致平等的目标。制度主义经济学对我这个研究政治学的人来说启发最大的是，制度本身是有成本的，建立庞大的社会保障机制必然要求建立强大的官僚体制，这必然造成很多人寻租的机会。就以农村为例，我出身农民，深知一些地方农民生活很苦。但我不赞成将目前大城市实行的最低生活保障制度引入农村。因为我知道，如果你定了农民每年最低生活保障费1000元，低于1000元的可以向国家领取，保障那些可怜的农民有说得过去的生活保障。但是当真正定了这个政策以后，真正能拿到钱的八成不是那些真正可怜的农民，而是一些和权力有关系的人。我看过一份关于某地国家扶贫款使用的研究材料，相当高比例的扶贫款被中间截留，或被有权力的人领取。这个动机和效果的问题值得好好考虑。现在功利主义在政治哲学、道德哲学上已经不那么时髦了，但这应该是考虑社会政策的时候的一个非常重要的考量。第三点理由是第二点的继续，那就是，在许多情况下。自由的市场经济本身是一个非常公平的制度。对于弱势群体的成员来说，能够以平等的身份进入市场自由竞争的机会，对他是一个最大的平等。我们现在的很多弱势群体面临最大的不平等就是没有平等进入市场的机会，许多工作、机会对他们有限制。现在的农民工最需要的是法律对他们权利的保障，是公平工作的机会，不是以再分配方式进行的救助。我很欣赏亚当·斯密的一句话，"市场经济对于那些穷困的人来讲是最平等的制度"。经过二十多年的改革，我感觉这个道理还得讲。

根据以上三方面的理由，我认为，中国目前面临的主要问题，应该是以继续改革的方式消除市场经济健全发展的制度性障碍，消除全能主义的体制留给我们的制度后遗症，强化政府权力的公共性，防止政府权力过分受到利益集团的干扰，在这个过程中引入民主和宪政的机制来保证政府权力的公共性，与此同时，引入一些最低限度的社会保障措施。社会保障目前追求的只是保障在今天这样的经济发展情况下最穷的人能够有饭吃，如果超出这个最基本的保障，而且超出很多的话，恐怕要考虑到世界上没有免费的午餐。如果想提供很多，要考虑你有没有这个能力，以什么方式进行税收。最后还是一句话，我认为还是要考虑发展，还是要考虑通过市场经济的方式调动个人的积极性来促进发展。

王绍光： 早些时候上海有一个人问我，新左派是个什么东西？他要我总结一下。我理解的新左派，如果必须要我总结的话，我总结十个字，头五个字是"广泛的民主"，后五个字是"公平的自由"，民主和自由都是目的，但这两句话互为手段。今天主要讲公平，前半句话就不谈了，主要讲后半句话。关于公平的自由问题，今天於兴中讲的好，人类追求各种各样的解放，追求自由，我很赞成。我不反对机会平等，但是如果仅仅是机会平等的话，显然不能实现平等的自由，因为很多人生出来以后由于各种各样的原因是不可能有平等的条件的，没有那个机会，没有那个能力。要追求起码的自由，需要创造一些条件。为了追求平等的自由，广泛的民主也是一个条件，因为如果没有广泛的民主就很难实现我后面所讲的穷人利益能进入政策制订者的考虑范围里。还有一个观点是说，要实现这些目标的中介或者过程。中国正在进行民主的国家制度建设，一方面我觉得国家不管是在再分配中，即使在一次分配里如果要创造某种制度的话也需要国家的介入，所以国家不可缺。我觉得市场经济在很多情况下可以给一些人创造机会的公平，甚至给一些人创造一些其他的机会，但这也是不够的，我们有大量的历史的比较可以看出，如果市场经济不受约束，没有其他制度补充的话，它会造成大量的混乱还有其他一些问题，因此国家的作用不可忽视，但这个国家必须是民主的。在我这里，民主有两个意思，一个是广泛的参与，参与不仅是指国家最高层次上的国家政权的形成里的选举，而且在基层的单位、公司的治理中也得有参与。崔之元写过一些公司法的东西，如德国公司法，美国现代公司法，里面强调的不是股东的权利，而更多的是利益相关者，强调凡是利益相关者都要能够参与进去。在我们的经济、社会、生活里都要有参与，这是民主的第一个含义。第二个含义是说，参与是表达不同的利益偏好，但是表达完了以后需要有一个整合的机制，用一种方法整合起来。有一种方法是国家权威式的"我代表"，比如我就"三个代表"了。另外一种方式是稍微有一些竞争性，提供一个平台，使各种利益在这个平台上用某种游戏规则，最后整合成一种政策机制，这样形成的一个制度才会使得大多数人，不仅是社会上最贫困的人，还包括"三个代表"里的第三个代表，即最广大人民群众的利益。富人有各种长处，可能有钱、有智力、有各种方

也许右派就上台了，它实行自由主义，放松干预、鼓励竞争、刺激投资、增加效率或者效率优先等等这些政策。经济活力增加，发展加快。到了一定程度又发生比较严重的两极分化，下一次还可以把左派选上台。这很容易解决。这种左右交替很难说是左对还是右对，但是这样一种左右互补的形式，它是围绕一个公平的支点在那里左右摇摆，好像一个天平，不像尺蠖。左派有社会保障之责而无抢劫之权，右派可以维护自由秩序但不能偷窃公产，所以我称为"天平效应"。我想，一个社会不管是昨天、今天还是明天大概永远都会有左派右派的，左右无关紧要，而且我也认为，左右之间很难绝对划出谁对谁错。但是左右互补的方式有两种，在强权的体制下是一种互补的方式，在宪政民主的体制下是另外一种互补的方式。宪政民主体制下通过"天平效应"的互补，我们能够得到一种相对的公正。但是如果是在一种尺蠖效应的体制下，那不管是左派还是右派都会造成很大的不公正，而且两种互补起来会尤其不公正，就变成了先用强制手段化私为公，再用强制手段化公为私。国有部门在这个意义上就变成了一个原始积累的水泵，一边抽取平民的东西一边又泵进权贵的手里。

另外，提到"权贵"我在这里还想讲一点。我们经常讲警惕权贵资本主义，有些人就说，现在中国很多富人都是平民出身，比如周正毅、许培新等，这些人既不是太子也不是什么衙内，你怎么能说它是权贵资本主义呢？我觉得这个词的确是有些不太准确，我现在要调整一下。中国现在老实说，存在的不是权贵资本主义，但是更不是公平竞争的平民资本主义。周正毅这些人虽然不是贵族出身，但他们的确是用权力致富的，你看看上海城建局的0089号文件，非常明显，就是采取权力划拨的方式，"土地使用金为零"，就把黄金地皮白白批给他了，这里起作用的是权力—关系资源。这些人利用权力资源进行聚敛，但他们的确不是贵族，他们也没有历史上的那种所谓的贵族精神。——如今的中国，真正要有点贵族精神那倒好了。欧洲的贵族传统当然有特权的因素，但也意味着文化素质与人格的高尚，像《九三年》、《复活》描写的那种人格，像带头反特权的法国贵族拉法耶特，像出身贵族却甘愿为老百姓受难的俄国十二月党人。我过去曾写过一篇文章《少点精神贵族，多点'贵族精神'》推崇的就是这些人。而当今的中国哪里去找这个意义上的贵族？有道是阿Q弄权，不贵而痞。"权痞"比权贵还要糟糕得多。像周正毅这些人都是暴发户，所以我觉得他们体现的可能不是权"贵"资本主义，但他们也不是平民资本主义，他们是什么呢？他们是权痞资本主义，是利用权力致富，但又有痞子性格，往往还有痞子的出身。权痞对老百姓也许比过去历史上传统的权贵还狠。我觉得这个"权痞资本主义"恐怕比权贵资本主义还要糟糕。这个情况如果不纠正的话，中国的公正恐怕是一个很大的问题。

王焱：只用五分钟来定义一个公正的社会，我觉得有点太困难了。我们正处在一个剧烈的转型时期，很多问题就是由此产生的。

从1949年到1978年这一段和改革开放以后相比，反差特别大。我们先是高扬一个高调的革命理想，一大二公，然后是走向市场经济。最近社会冲突的一个焦点，是房地产业拆迁的问题。房地产本来是个人所有的，不过1982年修订宪法的时候，因为刚刚从文革中走出来，并没有广泛地征求意见，城市的土地所有权就变成国家所有了。一个房产主本来有两张契约，一张地契，一张房契，因为房子是不可能建在空中的。1982年宪法修订的时候，城市的土地变成国家所有了，造成了一直延续到现在的拆迁等很多问题，实际上这部分利益到了房地产商的手里，并没有变为国家的财富。按照孙中山先生所说的"天下为公"，土地的增值部分应该归国家所有，但是现在却被房地产商拿走了。主要的问题可能就发生在这里。

在改革开放初期，我们各方面的理论资源都很有限，大部分还是从西方引进的各种理论和流派，现在稍微成熟一点了。当前中国的问题，我觉得并不是靠某种整体的或者现成的理论就能够完全应对的。我曾经遇到过一个来中国访问的法国哲学教授，他问，共产主义这样的意识形态怎么能与贫富分化这么悬殊的社会现实结合在一起呢？在外国人看来，这么对立的东西能融合在一起是不可思议的。

我觉得当下的问题还不是一个理想的公正社会如何实现的问题，而是一个比较低调的问题，即如何避免成为集两种体制之弊端的社会的问题，那样的社会才是最可怕的社会。我觉得要解决这个问题，如果一定要概括成一两句话，那就是国家的权力应该是完整的、强大的，而个人的自由和人权应该得到更为切实的保障。

汪晖：正如王焱所说，用这么短的时间来界定公正，没有什么意义，也没有什么用。我想说的第一个意思是，这两年有关公正的讨论最终落实在宪政民主的问题上，而讨论宪政民主，很多人又进而把这个问题落实到程序公正问题上。为了突出程序公正的形式特征，也有人将程序公正与实质公正对立起来。我的看法是，最好不要在形成新的秩序的过程中把程序的公正与实质的正义变成完全对立的两极。在历史的过程当中，公正本身在我看来是一个规则形成的过程，同时也是一个社会斗争的过程，一个社会斗争的场域，一个不同的公正和正义观斗争、对话和协调的过程。讨论公正问题或程序正义的基本前提是：不同的社会力量要有权力进入这样一个不断推进、变化和博弈的过程里面。在历史的过程中，在现实的社会中，即使存在着看似公正的程序，也未必有公正的实践，在特定条件下，某些社会力量还会利用程序本身创造新的不平等。因此，有必要在这个意义上来讨论一般的如弱势群体、边缘社会争取社会公正的斗争在形成新的秩序过程中的意义，否则就变成了只有少数人能够制定规则。我们今天上午和昨天的讨论反复提到谁制定规则、谁的规则这样的问题。问题的意义是在这个过程中展开的，权利、自由不是一个简单的定义问题，而是现实的斗争、博弈和协调过程的展开。这个过程并不是和程序公正相对立的过程，反过来它是形成公正和公正的程序的必要的历史前提。在这个意义上，形成这个规则的过程的必要前提是将这类争取正当权益的斗争合法化，把这样的一个渠道合法化，这是形成公正秩序的动力。在当今这么一个高度分化的社会当中，忽略实质性的斗争的过程是没有可能形成真正的公正的。少数人、少数的特权阶层在政策法律制定的过程中的影响已经越来越大，其他的一些群体在公共领域几乎听不到他们的声音，只有少数的一些比如知识分子、一些专家在为他们呼吁，但是这些声音本身常常不能被倾听。我觉得在公正问题上，我们多少需要转换一个角度，不是仅仅从一个政策制定或者国家制定规则的角度着想，还要从争取社会权利的角度着想，这个是我想说的第一个问题。

我想说的第二个问题是：实际的市场经济的发展过程很难自发地导致一个公正的社会，情况毋宁常常是相反的。如果没有相应的各种各样的平衡过程和平衡力量，要想在市场条件下形成公正秩序是非常困难的。今天讲到公正问题的时候，除了很多人已经谈到的不同的社会阶层不同的区域之间，我还要提到一点的是在我们的讨论当中很少涉及的不同的文化和族群之间的平等权利问题。我近期去了一些地区，经济的发展过程对许多地区的生活样态、生活方式的改变是非常非常大的。那些地方尤其是边缘地区，一方面他们需要很强的发展，另一方面他们的整个生活方式的基础受到了严重的弱化，在这个过程当中，我们面对的一方面是他们的生存权等基本权利能不能得到承认的问题，另一方面是是否承认发展的多样性是公正问题的重要方面。"发展"的确不是抽象的一个词，它是会落实到不同的群体身上的一个概念，这些边缘地区能不能不走我们常批评的那种发展主义的道路，而获得另类发展的机会，即在宏观的基础上能够给它一个可能性，是重大的问题。不然的话，我们就在重蹈19、20世纪市场扩张过程所导致的人类的、文化的和生态的灾难。顺便说一句，讨论正义问题在今天已经不能离开生态正义的观念了，而这个问题密切地联系着对人类中心主义的反思。

　　第三个问题我想讲的是一个悖论的问题。今天中国的发展问题是在一个全球化的过程中产生出来的。20 世纪中国经历了革命和民族解放运动,经历了社会主义革命和建设这个过程。这是资本主义的边缘社会争取发展权利的过程。从 19 世纪后期的社会主义运动到 20 世纪以后,逐渐转向为民族自决运动、社会主义的建国运动,这个发展过程是在世界的不平等的殖民主义的条件下产生出的争得自己的自由和解放的过程。然而,恰恰是边缘社会的解放模式,比如说为了发展,为了加快工业化,就需要高度强大的国家和高度集中的权力,这是在国际竞争过程中产生出的发展模式。我们都知道这个过程产生了许多的悲剧,中国当今的不平等或者包括原来的社会主义实践当中产生的悲剧,是边缘社会在争得自己的社会平等的过程当中产生出来的一个困境。它在很多方面是有成就的,但是同时导致巨大的问题。中国社会的公正问题需要在一个更广泛的领域里来面对,即从边缘社会的发展造成的悖论条件和困境的意义上把握这个问题。在这个意义上,我不赞成简单地否定过去的历史,不赞成将现实的问题全部归结为这个历史,因为这个历史所产生的问题的那些动力在今天仍然存在。因此,根本上我们要寻找导致这个困境的动力,而不仅仅将这个问题约束在一个单纯的中国问题的框架内。只有在思考这个问题的过程中,我们才能找到克服这些边缘社会的发展所带来的一系列问题的道路。寻找创制市场经济的过程产生出的新的问题的办法不能离开对 20 世纪历史的总结,包括它的成就、经验和困境。在这个意义上,重新理解历史,超越当代支配性的意识形态的框架,历史地理解 19—20 世纪的社会运动本身,是我们理解正义问题的重要方面。我们需要在一个更广泛的领域内思考这个问题。

顾肃: 谈到中国目前的不公正,大家都知道,主要是腐败、官僚大量的寻租活动,与之相对的是各种弱势群体的状况不断恶化,少数人不合法不正当地积累了大量财富。效率优先兼顾公平已经成为一个很大的问题,今天社会的不公平已经大大影响了我们的发展效率,成为我们发展过程中的一个严重问题。我一般不赞成取消效率优先兼顾公平,因为这需要更辩证的看待。面对不公这样的威胁,具体的现象很多,不公带来的犯罪率比我们想象的高得多,有些城市的实际犯罪率可能要超过美国的数字,在一些地方,公开的抢劫每天都发生。这些实际已经影响了我们的发展效率。当然改进的途径有很多。我觉得社会公正问题和中国的政治问题没法分开,是一个与政治改革有密切联系的问题。对于公正问题的解决,我倾向于机会平等,尽管机会平等是一个理想,要完全实现在哪个制度下都做不到,但在一个几乎没有机会平等的社会,与一个努力实现机会平等的社会之间,还是能够划出一条界限。比如说大学生找工作，这当中的机会平等和机会不平等有很大的差别。我们可以建立一个制度，保障尽量接近这个目标，主要就是程序上的公正。

今天的中国还是要以程序公正为主，以实质公正为辅。哈耶克反对的是实质公正，坚持的是程序公正，因为程序公正如机会平等、基本的法律保障，在自由竞争的市场环境下，每个人都能得到公正平等的对待，这是经过努力可以做到的事情。离开程序公正而大谈实质公正，很可能会走到平均主义上去。跟这个问题直接有关的是捍卫公民权利的问题，我最愿意提的是自由的民主，民主肯定是每个人都接受的，但前提是个人自由，保障个人发表言论、参与政治活动和维护权利的自由，这样就可以避免大民主、托克维尔所说的"多数人暴政"的情况。一个能保障个人的权利、保护各种人群权益的民主，一定要有一个司法独立的机构，有不断进行违宪审查的制度，这才能避免像法国大革命那样的情况。

关于违宪审查我自己也作了一些事情，我列举了在中国可以作违宪审查的十个方面，比如说男女不平等，收容审查制度，劳动教养制度、四分之一选举等。非常不幸的是，孙志刚事件出来之后我们很快就没有事了，没有从制度上做这件事情的机会，国家直接把旧的收容审查条例废除了，但并没有进行一次程序上的违宪审查，以为未来的审查制度作出一个榜样来。现在讨论比较激烈的男女退休年龄统一的问题，这已经到了火烧眉毛的地步了，但却还是不准讨论，实际上女性实际寿命要超过男性，但退休要比男性早五年，这走遍天下都没道理可讲的。我觉得现在只要有基本的违宪审查制度，就可以把这些事情都一步步地做起来，大量的中央法规和地方性法规侵犯人权的现象不少，其实只要司法部门形成一个案例，进行司法审查，就可以不断地把违宪审查做下去。这对维护宪法的权威、实行法治非常重要。

对于私有化，合法合理的私有化也还是必须进行的，因为旧体制下的公有制已经导致了低效率，实际上已经不能再维持了。但是必须保证程序公正，不能进行掠夺式的私有化，如大量贱卖国有企业，实际价值5000万，1000万就卖掉。必须程序公正，比如招投标，非常重要的是要司法机构的介入，这些都是可以做到的。我个人认为基本的价值观、人类的普世性的东西必须要坚持，如生命、自由和财产，这里不存在文化的特殊性的问题。

我在此提出一些纲领性的东西：可以先实行代议制民主，逐步发展适度的直接民主，避免过大的震荡，以言论自由和执政党的民主为先导，做出示范，逐步实现多党民主、分权制衡、言论开放、宽容活泼的政治体制。我认为在这个过程中精英的努力是很重要的，很多人骂律师，你可以每天骂他，但是他毕竟作了很多重要的事情，有时候没有一分钱帮人捍卫权利。中产阶级的壮大，上层社会的努力，都是必要的条件，我们不需要大规模的一般的群众运动，但是适当的群众运动还是需要的，只是要有理性的引导。

温铁军：如何建立一个公正社会，很多人是从理论的高度来谈的。我鬼使神差地管了一个单位，我就汇报一下我的实践，理论上我说不清，但做其实是可以做到的。实现不了的原因其实可以从自己的做法上看出来。我做了几件事情，第一是让我们杂志社的每个职工都平等地占有财产。我们注册了一个股份公司，根据工龄、贡献和职务打分，然后一比一的配股。我作为一把手，我的股权比老职工低，甚至可能低一倍。这样我至少要做到大家财产上的公正，正如秦晖老师说的起点公平。大家都说起点平等，咱们试一把，试一下的结果职工反应是非常强烈的。在讨论打分的时候如何打，每个职工都是很清楚的，他们知道如何实现起点公平。我做了，受到了两方面的批评，我们不说是左派或右派，一部分批评是说你搞自由化，我说我这是公有化，社会占有，怎么叫私有化呢？所有的职工都占有这叫私有化吗？不行，他们认定这就是私有化。第二种是说你也不对，你是老板你应该吃大股。我还是坚持不要这样，这样才相对公平一点，这是我理解的公平，这是我做的第一件事。第二，我们每十个职工产生一个监事，监事会有罢免领导的权力，它只要提出这个领导不合格，你就要自动辞职，如果对领导提出不信任案，那领导班子就集体封印，把公章封起来，把账号封起来，因为我们是国有事业单位，不能搞职工接管，那就等待上级处理。这两件事情做起来难吗？不难。但是这两件事情做完以后就有人说，温铁军，我现在不反对你，是因为我还佩服你，一旦你走了，我立马就改过来。就是说反对的人是大有人在的。对这个公平持股的方案，上级不找你麻烦，不说你错误，条件是上级入5%的干股，权力还是要介入的。如果你要想真正做到起点的公平，能够做到吗？能做到；能够做到程序的正义吗？能做到。一切都不是说不能做到，都是可以做到的。1980年代农村搞改革的时候搞试验区，当时我们的想法还是比较公正的，我们在农村推行的是什么呢？股份合作制。不是我们要推行的而是农民自己创造的。大家知道，第一个股份合作制的典型是1984年山东淄博的一个村，就是把资产按照社员的劳动年龄量化成分数，然后把资产作股到每个社员，其结果很好，产量连年增长，大家都分红了。当然并不是没有毛病，做得很好。但是后来1990年代整个环境变了，出现了批评我的那种说法，说你应该持大股，应该有绝对控股权。这样一来，过去能够比较保障起点公平的制度也就变味了。包括1980年代开始的农村实行工业化的时候，那个原始积累过程也很清楚，就是将社区所有的土地直接从第一产业的资源状态转化为第二、三产业的资本状态，然后大家分享这里的资本收益，没有什么投资。比如说建一个砖厂，挖本村的土，买外面一点煤，烧成砖最后卖完了大家分点红，基本上就是这个东西。总之，这些类型的乡镇企业，是占有社区资源，社区内居民可以比较公平的占有收益。这影响效率吗？不影响。这些东西不是完全对立的。那个时候用这种方式完成了原始积累，实现了农村工业化的那些典型，后来的制度都相对比较公平。那么现在来看我们国有工业这一块，当然这一块不该我说，我没有专门研究这方面的东西，我只是1991年的时候写了"国家资本再分配与民间资本再积累"，我当时指出，任何工业化的过程都有一个不可逾越的阶段，这个阶段就叫做资本的原始积累，是由资本家来完成还是由国家来完成，这是派生的问题，并不是主要的问题。国家完成了资本原始积累，当然是全民的劳动剩余价值形成的，那显然里面有一个如何实现起点公平的问题。但因为是国家以权力的形式完成了资本的原始积累，不同的原始积累方式就产生不同的制度类型。这就形成了我们目前所看到的权力的原始积累，特别是当这种方式具有垄断地位的时候，就尤其不可忽视。所以我想，在理论上讨论来讨论去这些东西实际上并不是很必要，实践已经有了答案，其实不是不可以做，而是不做的问题。

梁治平：刚才各位从各自角度提到和讨论了许多重大的社会公正问题，这正是我们大家都十分关切的。这些问题有的很大，甚至显得有些抽象，但实际上都有具体的内容，是我们每天都遇到和面对的问题。而且我觉得大家的想法当中有很多东西是共同的，至少我在听大家发言时一直在想哪些东西是共同的。我们都认为社会不公正是一个非常严重的问题，而且我们对不公正的现象也有很多共识，比如弱势群体的利益保障问题，权贵问题，"权痞"现象，权钱交易问题，腐败问题，这些都造成大量的不公正。涉及到一些基本的制度上的安排，在一些很基本的问题大家也有共同点，比如机会平等，程序公正，没有人反对；中国要发展市场经济，没有人反对；民主和宪政，没有人反对，国家应该是一个强有力的国家，但也应该是受到约束的国家，用秦晖的话说是权责对应，用我们常说的话是法治和宪政，用绍光的话讲是民主国家的建设，我很难想象有人会反对这样的观点。那么分歧在什么地方？分歧可能在于强调的重点不同，可能在一些具体问题的解决办法上有一些差异，很多的情况下可能是在排先后顺序的时候有些不同，哪个更重要更应当强调的可能是不同的。比如说，市场是有限的，市场不能解决一些问题，这是大家也都同意的，没有人说市场能解决一切问题，不需要其他东西来折衷、调和、调整。问题是谁来调整，如何调整，还有调整的程度等等，我想很多分歧可能是在这个层面上出现的。现在大家可以就这些问题提出自己的批评、总结、归纳，也可以提出新的问题，但最好不要超过三分钟。

曹天予：第一，我特别同意讨论公正问题是在中国现有的情况下进行讨论，我们要发展，我们要发展市场经济，没有市场经济，整个民族那么穷，那么落后，什么问题都会说不清。发展市场经济最关键的是明确产权、保护产权，这个绝对没有问题。公有财产被抢走，私有财产被侵犯，这绝对不行，这也没问题。第二，公正问题讨论不清，现在最大的不公正体现在什么地方，有人说腐败，程序不公正，我觉得都不是最大的不公正。你怎么看最大的不公正，要根据你的立场在什么地方？两个基本的立场：自由主义的立场和社会主义的立场。现在社会主义和自由主义都要搞市场。社会主义与自由主义不一样，最大的不同在什么地方呢？我认为与市场有关系。市场本身是个中性的东西，可以在这里作交易，等价交换，但市场是在历史上形成的。历史上形成的市场关系中有一个核心的契约关系，就是劳工企业关系，劳工契约关系中最根本的一条是隐藏着、看不见的。现在中国体现的最大的不公平是什么呢？就是剥削。现在谁都不敢说剥削，就是有剥削。剥削是和产权联系在一起的，你有财产，你有产权，问题是劳动者有没有产权。劳动者进行生产，生产有成本利润，每个企业都有成本和利润，利润归谁所有？劳动者有没有权利获得利润？他们能获得多少利润？再分配正义绝对没有用，罗尔斯理论我根本就不信，它在任何国家都行不通，只能修修补补，不解决根本问题。要消除不公正的根源，必须消灭剥削。怎么样消灭剥削？我认为要对市场关系进行实质性的修改，就是重新订立劳动契约，使得劳动者有权获得他应该获得的利润，不能光拿工资收入。为什么利润不能归职工所有呢？为什么利润必须归经营者所有呢？社会主义和自由主义最大的不同在什么地方呢？就是社会主义可以承认不平等，但是它不允许有体制性的实质性的不平等，体制上的不平等最大的表现就在于剥削。我们要搞社会主义市场经济的话，那就必须要有一个市场关系，在这个市场关系里的劳动者获得利润的权利能够得到切实的保证。这里面就牵涉一个很大的问题，市场是一个自发形成的东西，我们怎么能够把这个市场改造成为社会主义的市场，就需要国家进行强有力的干预，现在说国家不应该进行干预、国家应该退出竞争领域，这完全是错误的。任何市场必须在一定的社会政治经济的历史背景下形成，历史上形成的市场关系导致了资本主义，我们现在也搞市场经济，但搞的是社会主义的市场经济，如果没有国家进行引导，怎么搞社会主义市场经济？人家说你的这个社会主义市场经济是挂羊头，卖狗肉，其实搞的还是资本主义。如果要搞的不是资本主义的市场经济，怎么办呢？就要有社会主义国家对市场经济进行引导，这是最实质的东西。国家要引导市场关系，至少是限制剥削，减轻剥削，最后消灭剥削，我觉得只有通过这样的方式才有可能在根本上改变一个很不公正的社会。

吴敬琏：我同意刚才治平说的，分歧还是在于争论各方有不同的重点。年纪大了的人容易说老话，但老话还是要说。就是说，对于中国革命前的状况怎么判断，我认为马克思和列宁的老话是有道理的，马克思对德国的判断和列宁对俄国的判断都是所谓"受资本主义不发达之苦甚于资本主义发达之苦"。前资本主义状态下最大的不平等的来源在于机会的不平等，我不是说机会不平等是惟一的不平等的来源，但是它是主要的。因此列宁大约在1924年以前没有否定他在1905到1907年的这个判断，也就说俄国要走什么道路——农业资本主义道路，但是要美国式，不要普鲁士式。但是后来改了，为什么改了呢，我不太清楚。教材上毛主席在1945年的"七大"说了几乎同样的话，到了1948年的政治局会议（和1949年二中全会）就有了一个关于主要矛盾的伏笔，后来才完全变了。我认为，我们在讨论社会公正和平等问题的时候，有一个很大的问题，这就是说到反对不公正不平等就指的都是结果的不平等，而为了纠正结果的不平等就要动用国家力量进行干预，而且是很强的国家干预。而这又反过来造成了机会的不平等。应该说，目前转轨过程中机会的不平等已经造成了财富占有的两极分化，因此加强了资本主义或者说市场经济带来的结果不平等问题变得非常严重。现在正处于这个状况，在这个状况下应该用什么办法，我觉得这里还是有问题。刚才天予说国家应当起作用，我觉得是对的，但是国家是不是靠国有制起作用，这是另外一个问题。（曹天予插话：绝对不是用国有制，应该从完善市场关系的角度来进行干预。不能搞国有制，国有制的失败已经明摆着。国家干预经济应该是在市场契约关系中，比如说血汗工厂。进一步是在劳动契约关系里面必须明确规定劳动者应该得到的分享利润的权利，这个权利必须得到切实的保障。这就是保障产权的一个很重要的方面，并不是有股票市场才保障那个产权，产权里面最根本的就是劳动，劳动者在劳动过程中创造了产权，这个产权是获得利润的权利，这个产权必须得到国家现实法律的保障，在这个意义上国家应该干预，不是在国有制上面）国家退出经济有两种方式，一种是多数人的认识，认为应当不要以搞国有制为基础，这并不是说绝对自由放任，政府任何事情都不管，即使按照亚当·斯密的观点，政府也有责任执行规则，维持秩序。另外一种观点大多数经济学家所不同意的，认为政府应该无所作为，市场会把一切都自己安排好。这里好像没有人持这种观点，在北京的各种学术讨论会上讲这种观点的是有的，这个观点认为，交易过程中市场上的一对一的契约关系就能够把整个社会带入正轨。(秦晖插话:所谓的国家无所作为,中国历史上经常出现这种状况,这种无所作为不是指国家对市场无所作为,而是指对官僚无所作为,对权贵无所作为)国家对权贵的掠夺行动无所作为,我们这里也是有人提倡的。

季卫东:提到剥削这个问题,我觉得曹天予先生还没有讲到一个很重要的因素,这是一个很重要的修正。他仅仅强调契约关系,我不同意再分配是没有意义的看法。他的观点提出了一个很有意思的问题,就是再分配的两种方式。第一种是公法层面上的,国家通过与议会讨价还价,通过税收、预算讨论来进行的。现在曹天予先生提出另外一种方式,就是通过私法规定,通过契约规定,这是一个很重要的变化,这个变化意味着在再分配过程中契约关系里面,比如说电信公司有很多霸王条款造成了不公正,这时候国家通过一定程度的干预,也即这时候的契约有一定强制性的条款,可能很好。但是你讲到剥削,我很担心国家干预会达到什么一种程度。(曹天予插话:这就需要通过社会大辩论把这个问题搞清楚,公正目前要延伸到对外领域,我只是说通过罗尔斯的再分配方式来达到公正,无论如何也公正不到哪里去,历史都表明得很清楚了。)

郑也夫:接着刚才这位先生(曹天予)说的再分配再好也好不到哪去的话。再分配的前提是税收,刚才提到了两种税,一种是所得税一种是资本税,最近读了康奈尔大学经济学教授罗伯特·弗兰克写的一本书,中文名叫《消费病》,它里面提到了另外一种消费税,相当超前,有些人觉得很不现实。他主张,所得税要取消,人家创造了东西为什么还要收税呢,为什么不鼓励多创造呢,应该征收消费税,除了生活必需品,对超过生活必需品的任何消费都要收很重的税。我觉得这种税收的思路太精彩了。这种税不叫奢侈税,就叫消费税,基本生活水平线以下不收税,往上就要征收重税,不要收所得税了,我提供这个思路供大家参考,我觉得极其精彩。另外,我有一个关于公平社会的讨论的自认为非常新奇的想法,从眼前看一团乱麻,但从前景上看极其乐观。不过要说的话,需要 10 分钟,不知道行不行?不行下次再说。

李强:我刚才谈到动机和效果问题。有时我们想得很好,设想国家是一个神奇的权力,它知道哪些是奢侈消费品,要多征税,那些是一般消费品,少征税。但是当国家真正干预起来,效果往往和动机有差别。如果各种商品的税率差别很大,就给国家权力的行使者创造很多寻租机会,很多人就会贿赂他们,让其高抬贵手。我觉得不应该忽视制度主义经济学说对国家行为的研究。我们今天的不公正在相当大的程度上不是真正的市场经济所造成的不公正，而是任何一个前自由主义、前现代社会都会出现的权贵利用其权力来掠夺造成的不平等。市场经济的核心是等价交换，当然，市场经济也会造成不平等，但权力寻租造成的不平等可能更令人难以接受，更剧烈。如果把国家权力规定得很大，设想权力能用得公正无私，这是一厢情愿。对权力这个东西，一方面要以民主宪政制约，另一方面权力本身的权限范围要受到限制，不要太大。

高西庆： 我接着刚才曹天予说的国家最后以什么方式来实现公正的这个问题来说几句。季卫东没有把这个话说下去，我想进一步说这个问题，就是说你（曹天予）所讲的国家用自己的方式来干预市场关系，直到一对一的合同、契约关系上。比如说国家对于垄断、对于科技类的合同的干预，但这些东西至少到今天为止的各种社会结构里面有了共识了。不管是反垄断也罢，还是国家对于特定的自然垄断的行业的价格的控制也罢，这个在不同的国家有一定的区别。但是这些都停在一个基本的点上，不能再往前走了。除此之外的基本的社会合同，社会上不同群体不同主体之间合同的自由，这里面包括一般来讲大家都能感觉到的包括劳工合同自由。对劳工合同，国家也有一定的控制。欧洲与美国不一样的地方在于是，它在公司法里所作了一些特别的规定，主要是工人代表在工厂里一定的权利，但这个权利一方面是很有限的，另一方面受到很多其他制度的制约。现在至少从公司治理的角度来看，英美的制度在公司本身的效率上面更为成功一些，至于英美这种制度是否能带来更大的公正，大家现在是见仁见智，我感觉刚才曹先生所讲的意思好像是要往前再推一步了，推进到哪里呢？应该承认存在剩余价值的问题，那么剩余价值的计算在当年马克思的复杂劳动和简单劳动之比如果还能算得出来的话，经过这一百多年的发展，今天拿到的要远比那时多很多倍。

曹天予： 现在的剥削理论不能建立在剩余价值理论上，而是要发展一个新的剥削理论。现在有很多剥削理论。（秦晖插话：剥削理论也不仅仅是一个剩余价值理论。）另外我要提醒一点，英美国家的公司要比大陆的公司更有效率，这要分清两个概念，一个是某一单个企业的竞争能力，一个是整个社会体制的效率。单个公司的竞争效率高，但是它的两极分化的程度就大，社会就容易不稳定。大陆的公司涉及到各个方面，包袱重，每个企业的竞争能力也许比不上英美的公司，但是社会的稳定水平比别人的高。一个是单个企业的竞争能力，一个整个社会体制的效率，这两个概念是不一样的。

高西庆： 但今天为止，我们还看不出欧洲社会比美国更为稳定。这么多年，我一直干社会保障。我发现，时不时上大街游行，讨论得很厉害，使得整个社会在一段时间内瘫痪的，似乎都是欧洲大陆国家。

曹天予： 社会游行这本身是社会调节的机制。欧盟正在制定社会宪法，要对社会进行实质性干预，一个讨论是认为，新自由主义怎么怎么样，现在新自由主义最流行，但是从长期来看未必好，这是值得思考的问题。

秦晖： 英美和欧洲到底哪边更好，我觉得这不是中国面临的问题。我们的问题是：欧美两边共同的一些长处，例如民主政治等等，我们是否达到了。此外还应该问：两边据说是不行的那些地方，我们是不是更差？例如欧洲嫌美国社会保障太少，但是我们的社会保障是不是比美国更少？美国嫌欧洲个人自由不足，而我们的个人自由是否比欧洲更不足？我曾经指出：也许瑞典的福利与美国的自由的确都过分了，但是瑞典的自由与美国的福利据说还很不足。那么，我们要求瑞典那种程度的自由、美国那种程度的保障，总该不过分吧？如果连美国那种"低水平"的福利都做不到，还谈什么比欧洲？而连瑞典那种"低水平"的自由也达不到，还谈什么比美国？

高西庆： 我没有意愿去比较英美和欧洲哪一家更公平，我想提的问题是就我们中国目前来讲，如果我们要采取某一种措施，来计算出我们各个行业或者各个具体企业里持股的股东们到底应该采取什么方式来支付他们的工人们的工资，这个计算所带来的管理上的成本可能要比今天我们面临的要大无数倍。

秦晖： 如果要讲剥削理论的话，其实马克思在写作《资本论》的时候是把它建立在剩余价值的基础之上，但是他在 46 卷中就讲了前资本主义条件下"建立在统治与服从关系基础上的分配"，这个东西也是剥削，而且马克思也认为这种剥削要比"自由交换基础上的分配"，也就是比你讲的剩余价值剥削还要坏得多。

张晓山： 我讲一个小事，前几天晚上有同事给我打电话，说到前几年我们到大连郊区作过一个调查，有些村办得股份合作制企业办得不错，我们当时看了觉得不错还写了一些文章作了推荐，但是前几天，那个村的原书记给我的这个同事打电话，这个书记原来给我的印象很深，他们的股份制正是按照崔之元讲的那样，如职工入股，量化，按照劳动贡献等等，还保留一部分集体股。我问这个书记，这个集体股能不能不保留？书记说可以，但除非上边给我开支财政预算，否则我怎么支付村里的公共开支这些福利。他这个思路很清楚，但是前几天他给我这个同事打电话，怎么回事呢？他说后来出现大股东控股，然后大股东要把所有的股份都买断，就是强制性的收回去，村里没有一点办法。这个书记已经退休了，他感到很气愤，怎么有这样的事呢，但这个事情已经发生了。所以他打电话给我同事，反应一下情况，不好意思找我。所以我想，公正实际上是两方面的问题，一个是财产权，一个是政治民主，这两个缺一不可。光有财产权像上海的私房那样，你有了财产权但是没有政治民主，没有监督，你的这个财产权人家照样可以拿走。

第二个问题我想说，我承认再分配的公正是很有限的公正。但是对我国占全国大部份的农民来说，这种很有限的公正也还是没有。所以我们为什么说对农村的最基本的公共产品的供给应该有保障，就是让农村的人享受到基本的医疗、基本的教育、基本的服务，能够得到一种能力的培养。能力的剥夺是绝对的剥夺。大家都知道，很多农村的人智力非常好，但没有得到这个机会，没有培养这个能力，即使给他们机会他们也用不了。所以从这个角度来讲，在这个方面能够做一些工作，最终把农村这一块做好的话，我觉得也是个好事。

温铁军：我接着他说。有人刚刚完成了一个报告，一个就是关于跨国公司公司守则为什么不能落实。这个报告很清楚地告诉我们，无论是政府还是企业家还是工人，都不能执行这种公司守则，那不是因为别的，而是因为我们的劳动力绝对过剩的状况，当然也许很多人会提出不同的意见，我不说 8 个亿农村的劳动力都进入市场的话会是什么结果，我们只说 5 亿农村劳动力，那是绝对过剩的。如果我们把这些劳动力放在市场上，劳动工价肯定会降到最低，我不知道是应该讨论剩余价值还是不应该讨论。总之，现在的情况是什么呢？就是企业家雇佣工人只雇佣 18 岁到 25 岁之间，超过 25 岁请你走人，那折算的工资是不是可以达到劳动力的简单再生产的那部分呢？恐怕连劳动力简单再生产那部分都维持不到。那有没有剩余价值？所以我觉得这个问题如果提出的话不是一个理论问题，而是一个现实问题。因为劳动力过剩，所以谁不想这么干谁就马上走人，不可能存在契约关系。契约是谈判产生的，如果一方是绝对过剩要素，绝对过剩要素在市场上当然价格会降到最低，低到连维持简单再生产的程度都不够，这样怎么会有劳动契约。接着问其他的问题，假定这个雇佣关系是通过谈判形成的，那么像这样的绝对过剩的劳动力一方有谈判地位吗？绝对没有。那么如果公正靠一个强有力的中央政府来实现,还有晓山说的通过二次分配,我也很难设想9亿农民能进行二次分配。那么怎么实现社会公正?我想来想去只能提供一点小例子,说明还是可以实现的。但怎么实现,靠大家了。

梁治平: 怎么实现?靠人治,你管一个杂志社你就实现了。

温铁军: 我因为是一把手,在给上级写报告的时候,我深深感到权力的恐怖,我做好事做坏事完全是偶然,我如果作坏事呢?不做好事呢?

高西庆: 你做好事是偶然,做坏事是必然。

崔之元: 我觉得温铁军讲的那个例子,就是关于国有事业单位的改革非常类似于农村的股份合作制,其实很有意思,很受启发。我觉得理论的总结上并不只是一个名词的问题,你做的与你说的是自相矛盾的。你说劳动力过剩就没有契约关系,但实际上你已经做到了,我觉得这并不仅仅是因为你是个大好人。我想问你,主张你必须持大股的人是不是我们一些自由主义的朋友特别是一些经济学家,(大笑)我觉得你做的是一个类似股份合作制的试验,是一个制度创新。我喜欢强调制度创新,为什么呢?我觉得不应该过分地抽象讨论公平还是不公平,还有再分配问题,虽然再分配很重要。我经常有自我怀疑,无法作出判断,比如中国一方面有很多很黑暗的一面,比如孙志刚无辜被打死的事件,但是另一方面,如果你到过俄罗斯你就知道,大街上很难找到一个中等的饭馆,往往只能买到路边的小摊上的小面包往往还是从中国进口的,要么就得到五星级饭店。作为中国改革的受益者,至少我们的城市还是多得多。那么中国的成就和它面临的严重的危机到底是在哪里?这个问题不能简单说是公正还是不公正。讨论公正不公正可能使我们缺少一种自我意识,去探讨一种新的理论、概念、范畴来描述解释这些问题,阻碍了有可能出现的创新。为什么我说可能是很多的自由主义的朋友劝你持大股?因为1994年我偶然写过一篇文章,认为股份合作制是一个制度创新。当时农业部受董辅礽的影响,认为股份合作制不是真正西方的股份制,必须取消,因为这里还有合作的因素,还要看职工的工龄等因素,不是说你出多少钱就有多少股。实际上你做的是一个经济民主,不是简单的一个机会平等或者起点平等,而是经济民主。主流经济学很不赞成经济民主。我并不是说这个就一定好,我是说应该允许试验,但是农业部说不行。后来有人给财经委写了一封信,信中引用了我很多的东西,是主张至少允许股份合作制的试验。但是按照张晓山的说法，这个试验好像已经进入尾声，要被迫退出历史舞台了。（温铁军插话：1990 年代中期开始，整个宏观环境的变化导致我们一些比较能够体现一点公正的东西基本上都消失了。）我觉得恰恰是这个问题值得我们讨论。

秦晖： 刚才你（崔之元）说主流经济学家不赞成经济民主，我觉得这在已经有了现代私有制的条件下，的确有这种现象。就是说如果把已经有的私有制，已经存在了几百年的私有制，把其中的一部分拿出来分，或者说把资本家的权利分出一部分给工会，这的确是你讲的"主流"（我的提法是古典自由主义者，他们在西方学界是否主流还难说）所不赞成的。但是如果是指从公有财产变为私有财产的这种起点配置来说，我觉得在民主国家即使是所谓的主流经济学其实也是非常赞成的，否则你就难以解释捷克式的"起点平等"，实际上恰恰得到了你讲的"主流经济学"的肯定。而这样的经济民主在我们这里恰恰最为稀缺！这是两种完全不同的事情：把已经有的私有财产，你可以说财产来源也许不公正，但是已经算不清楚了，因为几百年过去了。但对我们正在进行中的私有化，正在进行中的以权谋私，怎么能容忍呢？我觉得这完全是两个概念。我觉得我们现在应该有一个不太有争议的经济民主概念，就是在公有资产的处置问题上的确经济民主的概念是成立的。而且这一点，我认为你讲的主流经济学也不会有异议。（王绍光插话：我想是有异议的，改制的指导思想是必须要有股份的相对集中，因为股份太分散不利于效率。）如果有异议，大概中国是这样，国际上不是这样的。（王绍光插话：在中国，"江"的改制就主张经营者要持大股。）所以这是中国特色，在东欧就没有人敢这样。难道捷克、波兰等国的起点平等不正是自由主义经济学在那里提倡吗？

　　至于中国的"主流经济学"中的确有些人对"权瘤私有化"态度暧昧乃至公然提倡，在中国目前的政治格局下有什么可奇怪的？难道"非主流经济学"或"左派经济学"中就没有这种声音？不必我点名了吧？一个说现在这么"分赃"是对的，另一个说不对，过去的"抢劫"才正确。还有人就说：抢劫与分赃都是理所当然。纯从形式逻辑讲，这最后一位反而可以成立：没有当年的抢劫权，何来今日之分赃权？而对这种意义上的"经济不民主"公开提出抗议的最有代表性的人，不是恰恰被你们批评为"自由右派"的吗？

吴敬琏： 我想插一个故事，不要笼统的说什么西方主流经济学家如何如何。我一个朋友刘遵义、斯坦佛大学经济学家，他向我提一个问题。他说，我自认我在美国是比较右的经济学家，但是到你们这儿（中国）以后，这里的许多经济学家认为我太左。

秦晖: 我还可以讲一个故事，我们中联部有一个专家跑到波兰去以后，他对波兰的劳工法表示大不以为然，说这个劳工法简直不像话，一点劳资两利都不讲，一屁股就坐在工人的利益上，所有的条款都有利于工人。他认为这就是波兰经济搞不好的一个最重要的原因。你说这种说法是否属于"主流经济学"？如果属于，那大概只有在中国它才是"主流"，而在被他批评的波兰，更不用说西方，就没有这样的"主流"！

汪晖: 我稍微换一点话题。现在我们讨论公正也好其他问题也好都是用的国外的理论，包括在民主实践方面，比如讨论公共领域、市民社会等等这一套理论，这些理论对我们是有意义的，因为这基本上是民主的机制在社会基础部分的讨论，但是转换到一个社会里头怎么来界定这个领域变成了一个新的问题。我接着秦晖说的波兰劳工法的话题，我到波兰去的时候跟团结工会宪章的起草者之一作过一次讨论，我们当时就说中产阶级问题和市民社会的问题。我们知道在中国变化过程当中市民社会经常首先被理解为一个市场力量，因为它被理解为一个市场力量因此希望往往寄托在那些握有财产的基础之上，这样一来就带来了许多新的问题。团结工会宪章当年在作社会斗争的时候用了 civil society 理论，但是他告诉我说，我们的一个基本总结是在原有的社会主义国家里面，真正的中产阶级是工人阶级，原来社会主义国家扮演非常重要角色的工人阶级不是在西方社会中的工人阶级，城市工人阶级的社会政治经济地位不能等同于社会下层阶级也不能等同于统治阶级，不是在那个意义上的。当时作那个宪章的时候用了 civil society 理论，但是这个理论的主体落到了某一个特殊的社会主体上。比如说我们现在不讲阶级了，但是中产阶级这个词倒是经常说的，到底哪一部分才是所谓的中产阶级？现在讲什么代表，我不知道代表谁。这个部分很重要的另外一点，我觉得团结工会后来很快竞选失败的很重要的一点，是相当一部分领导者获得了权力以后迅速成为大资产阶级的一部分，慢慢的有了这个群体。这个跟我谈话的教授他就是股票俱乐部的成员，他邀请我去参加这个俱乐部，他说这是我们这个 civil society 的试验。我去看到的就是一些跨国资本的一些巨头和波兰的上流社会的一些人士在那里作讨论，当然这个时候他已经失去了议员的资格。这就是当时这样的一个历史进程。所以在讨论民主的时候，不太可能离开一部分主体在哪的问题，讨论 civil society、中产阶级等，事实上需要从一个社会内部的构成来重新在理论上加以界定，这样才不至于简单把理论放在一个很容易被各种各样的力量所误用的这样一个过程中。

李强： 我觉得中国农村要实现公正，目前应该强调公共产品的提供，这一块是可以大有所作为的。政府理论上可以做两个方面的事情，一是提供基本的公共产品，一是以再分配的方式来保障平等。提供基本的公共产品，即使是最极端的新自由主义都是同意的。政府最基本的职能就是提供公共产品，最基本的公共产品是司法秩序。以农村为例，司法秩序的缺失、基本安全与公正的无保障，是农村，尤其是落后地区，目前面临的最大问题。一个政府，首先必须给农村提供基本的秩序、安全，司法保障，这是第一位的，其他公共产品比起这一点来讲都是第二位的。对于农民的其他公共产品问题，人们谈论很多。我没有做过专门研究，从直觉上说，觉得国家应该在农村的公共卫生方面作更大努力，基础教育应该是提供的。但是，农村医疗需要巨大的投入，要考虑到效率，天下没有免费的午餐。

刚才不少学者说到合作制。我比较怀疑股份制、合作制在解决大型公有制企业问题时的实用性。以首钢为例它是国家所有的企业。从理论上说，作为国有资产，国家可以有两种处置办法，一是国家自己进行管理，盈利属于国家；一是国家以市场方式，以公开公正的程序卖个好价钱补充公有财产。能不能把首钢分给首钢的工人，让他们持有股份呢？我以为不能。因为首钢不属于首钢人所有，首钢是国家投资建立的。让首钢工人持股，这对首钢工人是公平的，但对全国的纳税者来讲是不公平的。就像北大不是我们这些北大老师们的北大，我们不能把北大分掉的。搞股份制应该有一个前提，产权是属于集体的，还是属于国家的。如果属于国家，那么，一个单位的人把那些严格来讲不属于他们自己的东西以股份化的方式分掉，这也是对公共财产的一种侵权。

吴敬琏： 我觉得李强教授好像把不同的问题混在一起了。如果我们把原则确定了，原则实现的方式是多种多样的。起点的公正眼下就有一个必须解决也完全有可能解决的问题。这就是在国有大企业退出的时候划拨一部分国有资产来归还国家对老职工的欠账。根据2001年的计算，对欠账总额最低的是一万九千亿元，最高的估计（体改办）是六万七千亿元。我认为，还这个欠账不止对建立社会保障体制有好处，而且有其他方面的好处。比如，十六届三中全会将公有制主要的实现形式定位为股份制，也就是说，一般不搞全资国有，而要多元持股。而且，符合十五大要求努力寻找公有制的有效实现形式。那时所讨论的，就是这样一个大原则问题。如果原则定了，方法是可以多种多样的。现在人家反对的，也正是这个大原则。从两个方向反对：一方面是说这样的普遍持股没有效率，另一方面是说，这叫国有资产流失。三中全会还是把股份化的原则写进去了，但是中间征求意见的时候听说反对的声音非常激烈。

高西庆：我同意吴老师的观点，就是用欠账的方式来解决，但是这个问题其实还要更复杂一些，因为欠账非常复杂，工人分为老人、中人和新人，原则来说老人是已经退休的人，当年这些人每月拿的工资就是几十块钱，自然得负担他们，这一块我们在目前机制下只能确定他们的收入部分，即使按照最低限度计算，也还有一个计算方法的问题，这么多年过去了。但问题不光是这个问题，目前有大量的中人，已经工作了多年，过去工资仅够温饱，现在怎么办？再就是 1997 年开始工作的新人，这些问题都很大。事实上各省市政府都注意到了这一点，以刚才李强说的卖首钢的办法是行不通的，因为公开拍卖的话人家是要算账的。所以在国有股减持停止之后到今天，大量的国有资产被卖掉，而且是以极低的价钱被卖掉了，很多人痛心疾首说这简直是国有资产大量流失，没人管了。但是我发现，各地政府也都注意到了，不管怎么卖，必须解决一个问题，就是把欠账还了，要不解决这个，别说卖，就是破产都不行，这是中国特定条件下和我们所讲的典型的所谓市场经济的法治社会不一样的地方，很多人批评中国的破产法不合理。没有一个市场经济的国家还要解决我们现在的这个问题，因为这些问题在很久之前他们已经很早就解决过了。我们过去的这个契约是一个大契约，过去那么多年每月拿 18 块钱 36 块钱那么辛苦工作的原因。所以现在政府要想提供基本的公共产品，不用这个方式还真的没法解决。这里没有一个价值判断，我指的就是一个方法问题，我感觉从方法上面来讲，如果运作成本过高的话会做不了的。所以各地大量的国有企业卖不掉，最后怎么办呢？拆成一万四千亿的坏账之后卖给外国人，结果发现外国人来了比中国人解决稍微好一点。现在外国人也算出这个账来了，先要看看有多少要解决的工人。美国的证监会以前对中国企业在美国上市只管上市企业的问题，但是到中石油去问，问出了 270 多个问题，其中很多与中石油上市本身没有什么关系的问题，比如总公司 152 万人中除了股份公司的 48 万人以外的 104 万人怎么办？我们会说这跟你有什么关系呀，我们就 48 万人。他们说，那不行，那些人捣乱怎么办？很多问题都与那些人怎么解决有关。我想这个是我们这个机制很难解决的，实在没办法就只能在这个渐进的过程中用基本的市场的方式来解决，加上过程中所有的不平等不合理的东西，你还得往前走，否则你就走不过去，就顶死在这里了。

　　根据我所知道的，股份合作制多是失败的，成功的一些是在低层次如乡镇企业层次。但是到了一定程度，公司想要大起来想要上市的时候就麻烦了。现在各地至少有上万家企业要上市，所有的上市企业又开始往回倒着转。为什么那么多造假的？证监会成立后的前三年，我是发行部主任，每天干的事情就是看假资料。我们最南方的一个省，为了上市，一天之内省政府的大印可以在一个不断修改的文件上盖四次，一天可以盖四次，我问他们，是不是揣着一个省政府的大印在北京呆着？这个就是机制本身的问题，是一个运作成本的问题，如果硬逼着这样走的话，要么增加成本要么增加骗人的机会。

王绍光：我想还是回到公正的问题上来，解决不公正问题要找到不公正的根源。刚才比较多谈的是利用公共权力掠夺的问题。但是我想起码还有剥削问题，有大量的血汗工厂，剥削在别的国家别的人谈起来是人权问题。另一个是市场失灵问题，最大的表现就是失业，我们现在有大量的人陷入贫困是因为失业，在过去的几年里中国的国有企业和集体企业减员 6000 万人，在人类历史上短短五六年里面有 6000 万人失去工作，这可能从来没有过，当然这里面也有政治原因，强迫你减员增效，强制性的一刀切，但是也有市场的因素，也有工人本身的因素，但是市场解决不了失业问题。最后还有一个政府失灵问题，就是政府该承担的责任它不承担，有一些问题是传统的体制造成的，比如农民不能享受公共服务，有些是城市里边很多东西政府也没做，造成城市贫困，去年民政部低保人数多了一倍。我想法国 1888 年能做到的事情我们现在为什么作不到呢？换一个思路，对农村的基本医疗而言，我们在 1980 年能够解决的问题为什么现在不能解决了？（李强插话：80 年之前没有解决，我当农民当到 1978 年。）人均寿命从 50 年到 80 年，从统计数字看，上升了 10 岁，80 年至现在只上升了 2、3 岁。80 年比中国还高的人均寿命比如澳大利亚，他们到现在又提高了 4、5 岁。中国在 80 年以来的人均健康状况的进步低于世界平均水平，低于低发达国家，低于很多国家。在这个意义上，我们过去确实解决了这个问题，过去用"一把草、一根针"解决了很多问题，现在解决不了了。我想不是解决不了，别人能解决的我们也能解决。这是存在的四个因素。权贵贪污腐败谈了很多，剥削问题、市场失灵和政府失灵问题也要提到议事议程上来，不解决所有的问题，那么社会公正问题是解决不了的。

秦晖：刚才绍光提到这个失业问题，高西庆也说，现在低价卖国有企业很重要的一个理由就是就业优先，这个让我想到刚才讲的尺蠖效应的例子，就是在就业优先和减员增效这两个截然相反的概念在中国已经构成了一个"辩证法"了。什么"辩证法"呢?就是在产权改革没有搞之前先用国家权力搞一次减员增效,我知道有一家企业原来有1200个工人,后来用国家权力,这个不涉及到产权改革,工人不可能跟国家去讨价还价,跟西方的工会可以讨价还价还是不一样的,在国家权力不允许你讨价还价的情况下,先减员到1200人再减到400多人,这个时候他不讲什么就业优先。好了,现在开始搞"两个置换"了,产权要估价,就开始搞"就业优先"了,所以你不要按照市场价搞什么竞标那样的方式,好吧,我把这400多人包下了,我不继续解雇他们,把工厂送给我吧,这个时候就开始讲就业优先了。我觉得这两个原则这么一结合就成了"一个萝卜两头切,左右都是你得了"。你想开除工人的时候就讲减员增效,到国有资产定价的时候你就讲就业优先,什么你都有理,左你也有理,右你也有理,但是什么好处都是你得,这种状况毫无疑问是和我们现在的体制是有关系的。(梁治平插话:这样的不公正,你觉得有哪几条解决途径呢?)比如说,为什么不能反过来,先讲就业优先,你要降低产权估价可以,那就请负责安置工人,而且得与工会方面把这个约束条件讲清楚,而不是先"减员"完了只安置剩下的几个人。东欧私有化中也有以安排就业为条件白送企业的"一马克交易",但没有先减完员之后再送的。或者,你不是要"减员增效"吗?那就请你按市场价竞标,买下企业后,再以你自己的名义(而不是以政府权力用所谓"为国家分忧"的名义)与工人谈判怎么减吧。又要减员又要白送你企业,天下哪有这样的道理?就业优先有就业优先的理由,减员增效也有减员增效的理由。但不管是减员增效还是就业优先,选择任何一个都必须在经济民主、充分博弈的基础上达成解决。你不能只根据某个特权阶层的利益,今天减员增效有利于我,就搞减员增效,明天就业优先有利于我,就搞就业优先。那你不管左还是右都是老百姓吃亏的,所以这个问题不是左对还是右对的问题,也不是减员增效对还是就业优先对的问题。(梁治平插话:在这个问题上可以采取很多办法,比如说通过法律对政府行为的限制,比如说有公开的程序,比如通过社会民主的进程。)其实就可以用经济民主这个概念,但这个概念是必须有所限定的,我讲的经济民主不是对个体户或者对一开始就是私人投资的企业以所谓"经济民主"的名义共他的产,而是在公共资产产权改革的过程中,你到底要搞就业优先还是要搞减员增效,不能由你当权的说了算。得听听工人、听听社会各界的主张。这并不是理论上"就业经济学"与"增效经济学"谁对的问题。而是具体处置中应该有不同阶层的博弈,互相讨价还价,这个交易成本是不能"节约"的,更确切地讲,他们的交易权利是不能被剥夺的。以剥夺交易权利的办法来"降低交易成本",科斯也没有这么主张。他讲企业的性质是个降低交易成本的组织。如果"降低交易成本"可以通过不准讨价还价，剥夺交易权利来实现，那他应当说奴隶制才是"降低交易成本的组织"了。

王绍光：你这个逻辑没有贯彻到底，你看 2000 年的私有企业报告，你会发现大量私有企业是原来的经营者以非常便宜的价格买下来然后在经营，如果你说经济民主引入到现在还要改制的企业里的话，那么当时在改制的时候是不民主的情况下为什么他们就不能实行经济民主了呢？

秦晖：我当初就反对这样干，可是应者寥寥。有人支持"掌勺者私占大饭锅"，有人则只想用"经济民主"来共平民所有者的产，两边都抵制"民主私有化"，以至形成如今的局面。我的逻辑始终是一贯的。而左右两边的"尺蠖效应"逻辑也是一贯的。所以现在不是我的逻辑不彻底的问题，而是两边的"尺蠖逻辑"太彻底的问题。

那么事到如今怎么办？本来这不该问我，应该问那些"尺蠖"们打算如何收拾他们造成的这种局面。你的意思是这就涉及到清算的问题？我本人并不反对在法治的条件下以个案方式对黑钱进行清算。但是不能搞不分青红皂白的仇富运动，尤其是不能在权力不受制约的体制并未改变的情况下发动这种运动，否则这本身就是我所讲的"左右交替"的"尺蠖"行为了。重要的是：既然以往的"尺蠖逻辑"已经造成难以收拾的后果，今后就再不能这样继续下去。我过去反对它，但反对无效，现在仍然反对，也许还是无效，但是我的逻辑无疑是彻底的。我倒想反问绍光兄，过去与现在你似乎都反对"民主私有化"，只想把"经济民主"用于共私人投资者的产，你不担心这里的逻辑问题吗？名正言顺的公共资产都做不到公共处置，私人资产反而要公共处置？其实逻辑问题尚在其次，你不担心这样的说法成为"尺蠖"的一翼？

曹天予：经济民主是说，在经济领域里面，不是管理者说了算，也不是资产所有者说了算，劳动者有相应的发言权，这个发言权不仅体现在管理上而且在利润分配上。为什么以前改制过的企业就不能再实行经济民主？

李强：你（曹天予）这个观点的前提涉及蛮大的问题，是市场经济不能够解决的。比如我开一个小饭馆，雇佣 5 个工人，你说要雇可以，但是雇了以后这 5 个工人必须有参与决策权，我可能觉得这样做雇人太麻烦，我这个饭馆不开了，或者我和我老婆开一家小的，不雇人了。我想补充绍光的一点，对中国的公费医疗问题，我们如果严肃讨论的话，那要仔细琢磨。西方很多发达国家，如美国到现在为止，也没有全国统一的医疗保障制度，欧洲很多国家采取保险的办法，国家和保险公司合作。我们国家是不是有能力在农村建立整个医疗保障制度，我很怀疑。我所经历的文革时候的合作医疗制度是一人交一元，集体补一元，共两元钱，在公社医院看病是可以的，但到了县里就不行了。你不能只看过去的报道。中国要人均多少钱才能支撑整个农村的医疗保障，是要算账的。像德国，就是国家和几个大的保险公司订合同，以集体的方式要求保险公司提供最低价格的服务。我想这种做法可供中国的医疗保障制度借鉴，不要完全依靠国家，依靠再分配的方式来解决。

王绍光：实际上医疗问题是三个问题，不是一个问题。一个是包谁不包谁。第二个是包什么，是包括大病透析这些，还是只包括常见病多发病。第三个是怎么包，是用现代的医疗、用非常贵的药，还是一根针、一把草。大庆又回到一根针一把草的状况了，比较便宜，但是可以解决多发病常见病。如果成本降下来了，包括人的范围就会比较大。

李强：我没有说不要做农村的医疗，我只是说不见得要由国家财政来做，应该考虑多种服务方式，要参照世界上其他的国家，包括美国财富这么多的国家，这个问题也还没有解决。

王绍光：我想说中国很不幸的是在学美国，在收入水平很低的情况下学美国。美国的人均医疗费用是最高的，比第二位的国家高一倍，但是它的健康指标中健康公正性要么倒数第一要么倒数第二，所以美国那个医疗制度是最有问题的，很不幸我们中国是在学它那一套。

秦晖：比较确切的说是还没有达到那个水平，就是比它还要差。中国的社会保障系统老实说绝对赶不上美国。美国的制度比起欧洲可能太"资本主义"，但比我们，它简直太"社会主义"了。

王绍光：那是因为你的条件比它差，你又学它的模式，你一定比它差。

秦晖：问题是没有学它之前就比它差得多，并不是学它学差的。胡佛时代政府不解决失业工人的就业问题，让他们排长队领救济，后来被搞新政的罗斯福骂得狗血淋头。但胡佛还有个救济一说，不至于让失业工人掏钱买"返销粮"吧？而改革前中国决没有学美国的问题，并且据崔之元说还颇有"经济民主"，但你问问那时不得温饱的农民有几个领到救济（而不是"返销"）的？

崔之元：我很简单地回应一下李强刚才说的雇 5 个人的例子，马克思《资本论》里说，雇佣七个人以下的就不算剥削。我觉得这个问题是值得研究的，德国的1976 年的公司法是这么规定的，2000 人以上的大公司最高的监事会有 50% 的职工参加，参加和他们有关的重大决策，并不是事无巨细都参加。马丁威茨曼提出要分享利润，但并不是什么都要参与决策，分享利润并不是为了公平，他说实际上工人只拿固定工资实际上对雇主也不好的，因为当经济不是很景气的是时候，如果那个雇主不是骗人的话，产品卖不出去的时候他也得发固定工资，如果分享利润，就是比较灵活的。他的思路很有意思，一个是利润分享，一个是重大决策的参与权，这是经济民主的主要内容。

高西庆：我觉得现在讨论国有资产如何卖的问题并不重要，如果按照吴老师的说法，现在实际上国家对于现有的工人和退休的工人的负债很可能基本上达到甚至超过国有生产性资产的总值。现在国有资产总量为 11 万亿，其中生产性资产 7 万亿，这里面很多是赔钱的。如果这样来看，我们只是把这块资产拿去还账，这个账比我们讲的其他所有的买卖方式的账都容易计算，因为清算人的寿命、哪年工作的，哪年退休的，用这样的方式退给他们的话，股份的问题解决了，卖国有资产的问题也解决了，剥削的问题也在相当程度上解决了，因为现有的国有企业的工人人人都有一份。

李强：我们在讨论中国许多问题的时候，用西方的理论是不是太多了？西方社会在现代化进程中有一个根本改变，造成一方面是国家，一方面是个人，传统的中介成分基本上不存在了，所以国家在社会再分配中不得不扮演很重要的角色。中国有一个比较幸运的情形，就是我们的家庭、家族还在。我们在考虑社会经济政策时不应完全按照西方社会民主的模式，很多事情都由国家来做。西方国家承担的许多功能在中国是由家庭和家族来完成的，而且相当有效。比如供小孩念书，是不是一定要国家提供那么多东西，家庭提供一些就不对了？不是的，我们和西方不一样，比如说美国，它是非常两极的社会，一个是国家，一个是个人。在中国，国家如果过分干预再分配，事事由国家提供，一段时间后，我们传统的家庭等中间成分就可能被削弱，这将会带来非常负面的效果。中国人重家庭，父母辛勤工作，为的是子女受好的教育；一个人遇到难题，亲戚朋友帮助一下就过去了。当然，国家可以做一些事，防止过度不平等，但不应该以西方那种国家与个人二元对立的逻辑来思考中国国家的职能。

季卫东：刚才我觉得我们讨论社会公正的问题时，涉及到一个很特殊的国有资产如何重新分配的问题，这个过程还没有完成，大家提出了很多方案。我觉得现在最核心的问题是，第一个，"辛辛苦苦40年，一夜回到解放前"，这是老百姓的呼声，全体人民的所有突然私有化了，你得给个说法，我觉得吴老师说了一个说法，你不还这个欠账就永远有社会不平之气。第二个就是中国改革不得不采取一种非正常的私有化方式，现在能不能把它转为一个公正的竞争机制。在这个问题上我觉得我们是很有共识的。绍光刚才提出的理论是很重要的，但是我觉得这个中间有一个问题绍光、之元相对来说回避了，绍光提出的三个因素全部是强调国家权力干预的重要性，这个当然并不是没有道理的，但是如果国家权力性质本身会发生变化的话，任何干预虽然出发点是正当的，都有可能出现新的寻租的机会。另外就是，如果国家的公信力很成问题，它的任何干预是不是真正公正的，这很成问题，最后可能得不到想要的效果。在回避政治改革的前提下谈国家干预是没有意义的。之所以对所谓新左派的朋友的观点表示出怀疑，我觉得市场失灵国家干预是必要的，但你对国家权力的强调不太让人放心，这是一个核心的问题。

王绍光：我刚才已经讲了我是主张广泛的民主，一方面是广泛的参与，一方面是竞争性的整合，这就是民主，民主的真实含义就这么两个东西。

秦晖：我想问绍光一个问题，1993年你们提出的国家能力报告的核心是说中央汲取能力太低，后来中央政府相当重视，应该说现在还远远没有达到你希望达到的标准，但应该说是比你们提出报告的那个时候是有所增加了，但同时社会不公正程度也增加得很厉害，是一个同步增加的过程。但你可以说，正是因为这样，所以中央能力应该进一步提高，这里就有一个问题，就是在这一阶段中央财政汲取能力的提高和社会不公正的加剧是同步的，那么你怎么能保证下一阶段就不同步呢？

王绍光：这个我回答。第一个，对于1993那本书，不管是接受我们观点的还是反对的都忽略了其中重要的一章，就是第五章讲的决策的民主。反对的人说我们加强了专制的国家，那么中央政府接受的观点也是想着把钱拿到手。1994 年，中央把钱拿到手的时候，我遇到楼继伟，我问他财政部为什么没有遵守诺言，没有搞转移支付。第二个是中央的份额，如果去掉税收返还，跟 1993、1994 年相比还是没有增加，还是 40% 或％41，没有太大的增加。还有一个变化就是国家汲取能力增强以后，我发现 1999 年以后，转移支付还是大有增加的，不管是对西部的转移支付，还是对城市中贫困人群的转移支付，还是对农村的转移支付，开始都有了转变，如果没有国家能力的增强，这是作不到的。

吴敬琏：这好像与实际情况有点不大符合。当然《国家能力报告》这本书很重要，但是把财政包干制改为分税制，这是 1986 年国务院就决定了的，要增加财政收入在整个国民生产总值中的比例和中央收入在财政收入中的比例，我估计当时的总理赵紫阳是出于政治上的考虑，要对地方诸侯进行安抚，所以停止执行了。1994 年因为 1992 年到 1993 年期间出现了严重的财政和金融混乱，就重提 1986 年的决定，1993 年 11 月份的十四届三中全会之前早就把所有的事情都部署好了，1994 年初实现了分税制改革。

王绍光：这跟我了解的还不一样，因为今年是分税制十周年，有新华社的记者采访了当时决策的人，讲法是不太一样的。

吴敬琏：1992 年中期到 1993 年中期，发生过一年"热"还是"不热"的争论。一直争论到 1993 年的 5、6 月邓小平拍板，要进行宏观调控，并且让朱镕基副总理兼任中国人民银行行长。11 月，十四届三中全会正式通过《关于建立社会主义市场经济体制若干问题的决定》，1994 年 1 月就开始了财税、金融等的全面改革。1986 年的分税制方案规定，中央收入占 70%，地方收入占 30%，支出则反过来，地方支出占 70%，中央占 30%。这就是说，有财政总量的 40% 从比较富裕的地区收到中央财政手里，然后转移支付给比较贫穷的地区。为了减少阻力，改革之初就规定要"保护既得利益"，以 1993 年为基数，地方预算收入达不到 1993 年水平的，由中央退回收入予以补足。因此，中央地方收入分配的实际比例是过了若干年才实现的。所以，有几年后进地区没有得到中央财政的补贴，并不是财政部没有遵守诺言的问题。我觉得这是两件不同的事情，一件是一个政府应该用什么方式提供公共服务，另一件是不能说只要中央政府钱多，公共服务就一定能办好。我想有这么几个问题要解决：一个是正确的教育经费结构。中国和印度在教育结构上有一个共同的问题，就是倒金字塔结构，钱主要不是用在基础教育上，而是用在高等教育上，义务教育由政府—社会的义务变成了家长的义务。这种扭曲跟权力结构扭曲有关。世界银行有专门的研究报告说，印度的教育结构扭曲使效率降低。另一个是卫生。现在中国卫生体系的问题除了李绍光刚才讲的几种情况，还有一个很严重的问题，是公共卫生系统几乎完全消失了。我讲一个故事，前年11月为了酝酿十六大，江泽民总书记召开了多次座谈会征求学者的意见。有一次座谈会上一位官员提出来，说我们国家搞九年义务教育是脱离中国实际的，要把农村义务教育改为四年。这个提议引发了一场争论。一派说农民认识600个汉字和会四则运算就行了，这只要四年义务教育就可以做到。另一派说，只要把各地"形象工程"减下来就完全够全国农村办九年义务教育了。当时江总书记问贵州副省长郭树清，你们贵州九年义务制教育，做不做得到？郭回答说，财力上完全没有问题，现在没有做到是因为制度问题和政策问题。然后讲到卫生，那时候正好有一个叫《高老庄》的小说引起了一场争论，是说现在的医疗比文化大革命还差，于是就有人说这是替四人帮翻案，《读书》好像有一篇说这个小说还是好的。后来有一位搞医疗改革的部级领导说，他看过很多地方，不少当年的卫生院变成了破烂摊子，情况确实如那篇小说中所说。当然，赤脚医生制度是在文化大革命的特殊情况下发生的。只有花了牺牲一代知青的代价，所以要另当别论。但是无论如何也不能说，改革搞了十几二十年了农村情况还是这个样子是正常的。最后江总书记说，我没想到农村是这么个情况，然后就提出一个问题，就是如何关怀弱势群体。可是过了几天不知怎么宣传部又说不让讲弱势群体了。对这个问题，SARS以后的本届政府应该说是很重视的，要求在今明两年大量拨款，建立一个公共卫生系统，现在我们的医药费用在整个预算里面占的比重太低，这只是问题的一个方面。还有其他方面的问题，比如政府的医疗开支用于城市普通医疗服务，特别是干部医疗，而没有用于公共卫生。如果政府的权力不受群众监督，卫生部门的眼睛就只盯着城市的人，特别是盯着干部，大量的钱用在他们身上。提供教育、医疗等服务，政府是要起作用的。但是，要一个什么样的政府，它怎么能够真正为公众提供服务，这是一个很大的问题。

梁治平：谢谢吴老师，我认为这是对我们今天讨论的一个总结。今晚的讨论涉及很多问题，也有很多的争论。关于社会不公正的问题，大家谈了很多，但还有许多问题需要我们去研究清楚。我们要弄清楚这些不公正是怎么产生的，然后找到在中国的条件下最可行的解决办法。这时候我们发现无论做什么事情，都没有简单的方法。比如很多事情是要国家去做的，但是国家又不能任意而为；国家的能力是应该增强的，但是只有是一个"驯服"的国家，增强它的能力才是有意义的，否则它就变成了不公正的根源——不是惟一的根源，但可能是最大的根源。可以说，在中国一些相互矛盾的要求是交织在一起的。你不能说我们先削弱国家的能力，等把它变成了一个"好的"国家，然后再让它强大，不可能有这样简单的事情。经济民主在一些领域是解决不公正的一个方法，但经济民主应当怎样实施才是可行的办法？社会要能够有发展，要有市场经济的健康成长。还有政治民主，它可能是经济民主的前提。在我们的争论中，有朋友更强调经济民主的重要性，但忽略了其他问题；或者只看到国内的问题，忽略了国际的背景；有的学者特别强调公权力不受约束以后造成的不公正；有的人可能觉得国家如果没有很强的能力，就无法解决我们想要国家解决的那些问题，包括不公正问题；而有人就担心国家能力增强以后不受约束怎么办。我觉得我们在很多问题上的有共识的，正是因为我们有了一些共识，所以才产生了很多的争论。

总之，今天的讨论非常有意义，至少大家没有吵架，没有贴标签，说你是帮某某人说话，说你是站在某种政治立场上。如果是这样就很糟糕。过去很多争论是有这样的倾向，把一些学术上的分歧归到政治上去甚至人格上去。在今晚的讨论中，我们没有做诛心之论，相反，我们坐在一个房间里进行面对面的对话。你要说一个观点你就拿出一个论据来；你说有几种现象，你就把这几种现象说清楚。让大家看哪一种观点和说法是最有说服力的。如果我们经常进行这种讨论，那可能就是比较有建设性的，所以我希望将来我们还有机会这样讨论。问题会不断出现，争论是非常自然的事情。我们不是要追求不争论，我们是追求在减少误解的基础上的争论，我们追求的是一种建设性的争论。谢谢各位。

（曹凤国、廖齐根据录音资料整理，未经全部发言人审阅）

作者简介

（按汉语拼音顺序排列）

陈弘毅，香港大学法律系教授。香港大学法学学士（1980年），美国哈佛大学法学硕士（1982年），1984年获律师资格。曾任香港大学法律系主任（1993－1996年）及香港大学法律学院院长（1996－2002年）。现兼任全国人大常委会香港特别行政区基本法委员会委员、香港太平绅士、香港法律改革委员会委员、中国人民大学、清华大学、吉林大学、中山大学客座教授。

陈志武，美国耶鲁大学管理学院金融经济学教授，北京大学光华管理学院特聘教授。1983年获中南工业大学理学学士学位，1986年获国防科技大学硕士学位，1990年获耶鲁大学金融学博士学位。

傅华伶，香港大学法学院副教授。

高世楫，国家发展改革委经济体制与管理研究所研究员、副所长。国家信息化专家咨询委员会委员。1986年于中国人民解放军国防科技大学获学士学位（数学）；1992年英国伦敦 CITY UNIVERSITY 获博士（系统管理）；1992－1995在英国 SUSSEX UNIVERSITY 任博士后研究员（认知科学）。

郭丹青，美国乔治华盛顿大学法学院教授、清华大学访问学者。

季卫东，日本神户大学法学院教授，日本文科省21世纪重点学科研究据点（COE）——"神户大学市场化社会动态法学研究中心"基础研究部门负责人。

简资修，"中央研究院"中山人文社会科学研究所副研究员、台湾大学法律学系合聘副教授。

李强，英国伦敦大学政治学博士（1993），北京大学政治学教授。

梁治平，中国艺术研究院中国文化研究所研究员。

秦海，国务院信息化工作办公室政策规划组副组长。1987 年于吉林大学经济学系获经济学学士；1987－1998 年在国家发展计划委员会国家信息中心从事研究工作，任数量经济研究室主任、副研究员；1998－2001 年任国家信息中心发展研究部副主任。1999 年于中国社会科学院研究生院获得经济学博士学位。

秦晖，清华大学人文社会科学学院教授。中国农民学学会理事、中国社会学学会理事、中国经济史学会理事、中国农民史研究会理事、中国青少年发展基金会理事，青基会社区文化委员会委员、研究委员会委员。

王亚新，清华大学法学院教授、博士生导师、学术委员会主任。1984 年毕业于北京大学法律学系，1985 年由国家教委公派赴日本留学，就学于京都大学法学部，先后取得法学硕士与博士学位。1991 年以后在日本历任京都大学法学部助教、香川大学法学部讲师、副教授、九州大学法学部副教授、福冈国际大学教授。

王勇华，清华大学法学院民商法博士研究生。

杨小凯，已故澳大利亚社会科学院院士，墨纳石（Monash）大学讲座教授。

余晖，中国社科院工业经济研究所副研究员，先后担任该所企业制度研究室和产业组织研究室副主任。1987 年毕业于中国社科院研究生院工业经济系（硕士），1984 年毕业于江西财经学院（现江西财经大学）工业经济系。1987－1989 年任中共中央党校经济管理教研室助教、1989－1993 年任中国科学院科技促进经济发展基金项目经理。

於兴中，香港中文大学政府与行政管理学院助教授。

赵晓力，法学博士，清华大学法学院讲师。

周汉华，中国社会科学院法学研究所宪法行政法研究室主任、教授、法学博士。

讨论者名单

（按汉语拼音顺序排列）

曹天予，波士顿大学哲学系教授

崔之元，清华大学公共管理学院教授

范愉，中国人民大学法学院教授

方流芳，中国政法大学法学院教授

傅郁林，北京大学法学院副教授

Gary Hallsworth，英国文化委员会驻华代表处官员

高西庆，全国社会保障基金理事会副理事长

顾肃，南京大学哲学系教授

胡汝银，上海证券交易所研究中心主任

江平，中国政法大学终身教授

强世功，北京大学法学院副教授

李楯，清华大学法学院教授

李绍光，中国人民大学社会保障研究所所长

茅于轼，天则经济研究所常务理事

潘世伟，上海社会科学联合会党组书记、副主席

汪晖，清华大学人文社会科学学院教授

王军，中国政法大学民商法学院教师

王绍光，香港中文大学政府与行政管理学院教授

王焱，中国社会科学院政治学所研究员

温铁军，《中国改革》杂志社社长

吴敬琏，国务院发展研究中心高级研究员

肖耿，香港大学经济金融学院副教授

肖卫兵，上海司法研究所电子政务法律研究中心副主任

应星，中国政法大学副教授

张春霖，世界银行驻中国代表处高级企业重组专家

张军，复旦大学经济学系教授

张军扩，国务院发展研究中心市场经济研究所所长

张维迎，北京大学光华管理学院副院长

张晓山，中国社会科学院农业经济所所长

张昕竹，中国社会科学院数量经济与技术研究所研究员

郑也夫，中国人民大学社会学系教授

图书在版编目(CIP)数据

国家、市场、社会:当代中国的法律与发展/ 梁治平编. —北京:中国政法
大学出版社, 2005.10
ISBN 7 – 5620 – 2811 – 7

Ⅰ.国... Ⅱ.梁... Ⅲ.社会主义法制 – 建设 – 中国 – 文集
Ⅳ.D920.0 – 53

中国版本图书馆 CIP 数据核字(2005)第 128442 号

书   名 国家、市场、社会:当代中国的法律与发展
出 版 人 李传敢
项目编辑 张   越
出版发行 中国政法大学出版社
经   销 全国各地新华书店
承   印 固安华明印刷厂
开   本 787 × 960   1/16
印   张 29.25
字   数 535 千字
版   本 2006 年 1 月第 1 版 2006 年 1 月第 1 次印刷
书   号 ISBN 7 – 5620 – 2811 – 7/D·2771
定   价 38.00 元

社   址 北京市海淀区西土城路 25 号   邮政编码   100088
电   话 (010)58908325(发行部)58908335(储运部)
              58908285(总编室)58908334(邮购部)
电子信箱 zf5620@263.net
网   址 http://www.cuplpress.com   (网络实名:中国政法大学出版社)
            ☆   ☆   ☆   ☆
声   明 1.版权所有,侵权必究。
          2.如发现缺页、倒装问题,请与出版社联系调换。
本社法律顾问 北京地平线律师事务所